Karin Hall / Barbara Scheiner

Deutsch als Fremdsprache

Übungsgrammatik für die Oberstufe

Hueber Verlag

4.	3.	2.			Die letzten Ziffern
2020	19	18	17	16	bezeichnen Zahl und Jahr des Druckes.

Alle Drucke dieser Auflage können, da unverändert,
nebeneinander benutzt werden.
1. Auflage
© 2014 Hueber Verlag GmbH & Co. KG, München, Deutschland
Umschlaggestaltung: creative partners gmbh, München
Coverbild: © Thinkstock/iStock
Zeichnungen: Irmtraud Guhe, München
Layout und Satz: Sieveking · Agentur für Kommunikation, München
Verlagsredaktion: Hans Hillreiner, Katrin Dorhmi, Sibylle Haeffner, Hueber Verlag, München
Druck und Bindung: Friedrich Pustet GmbH & Co. KG, Regensburg
Printed in Germany
ISBN 978-3-19-207448-6

Art.-Nr. 530_06812_001_02

Inhalt

Vorwort

Die *DaF Übungsgrammatik für die Oberstufe* basiert auf der bewährten *Hall/Scheiner –
Übungsgrammatik für Fortgeschrittene*.

Diese Übungs- und Referenzgrammatik wendet sich gezielt an anspruchsvolle, fortgeschrittene Deutschlernende, die das Niveau B1 erreicht haben und die vorhandenen
Grundkenntnisse festigen und vertiefen sowie einzelne Grammatikthemen gezielt
nachschlagen und üben wollen.

Die Übungsgrammatik kann studienvorbereitend und studienbegleitend zur gezielten
Vorbereitung auf alle Prüfungen ab dem Niveau B2 des *Gemeinsamen Europäischen
Referenzrahmens* und auch auf die Aufnahmeprüfungen an deutschen Universitäten
und Hochschulen (*DSH*) eingesetzt werden.

Sie eignet sich sowohl als Lehrwerk für den Unterricht als auch für das Selbststudium
zu Hause. Besonders Selbstlernern bietet der in einem separaten Heft angebotene
Lösungsschlüssel (im Buch eingelegt) eine erhebliche Erleichterung der notwendigen
Lernkontrolle.

 Eine weitere Hilfestellung zum selbstgesteuerten Lernen und Üben bietet die
Kennzeichnung der schwierigeren Übungen mit einem Glühbirnen-Symbol.

Die Grammatik setzt die Beherrschung der Grundstrukturen voraus und erklärt und übt
die Bereiche der deutschen Grammatik, die erfahrungsgemäß besondere Schwierigkeiten
bereiten. Ziel ist, die vorhandenen Grundkenntnisse bis weit in den Oberstufenbereich
hinein zu vertiefen. Auf diese Weise werden die Lernenden befähigt, komplexe Sprach-
strukturen zu durchschauen und das Gelernte aktiv anzuwenden.

Ein Prinzip der Übungsgrammatik ist es, die ausgewählten Kapitel der deutschen Grammatik detailliert und mit vielen Beispielen zu erklären und im Anschluss daran zunächst
in Einzelschritten, dann in Gesamtübungen zu trainieren.
Ein weiteres Prinzip ist es, die Schwierigkeiten der deutschen Grammatik möglichst in
zusammenhängenden Texten oder in einem geschlossenen Kontext, zumindest aber in
Sinneinheiten zu üben, um die Beschäftigung mit grammatischen Fragen durch thematisch
orientierte Übungen interessanter zu machen.
Die einzelnen Paragraphen müssen nicht in der vorgegebenen Reihenfolge erarbeitet
werden. Quereinstiege sind jederzeit möglich; Verweise helfen dabei, die nötigen
Verbindungen zwischen den Paragraphen herzustellen.

Die Neubearbeitung hatte zum Ziel, überholte Inhalte zu aktualisieren und die Art der
Darstellung und das optische Erscheinungsbild zu modernisieren. Bewährte Strukturen
sind dabei erhalten geblieben.

Autorinnen und Verlag wünschen viel Freude und Erfolg mit der neuen *Hall/Scheiner -
Übungsgrammatik für die Oberstufe*!

§1 Bildung des Perfekts mit *haben* oder *sein*

I Übersicht: Das Perfekt mit *haben* oder *sein*

Folgende Verbgruppen bilden das Perfekt mit *haben:*

Transitive Verben	
Sie **hat** (einen Brief) **geschrieben**.	z. B. *etw. schreiben,* auch wenn die Akkusativergänzung im Satz fehlt
Ausnahmen:	
Er **ist** kein Risiko **eingegangen**.	*etw. eingehen*
Sie **ist** ihr altes Auto schnell **losgeworden**.	*etw. loswerden*
Sie **ist** (*seltener:* hat) ihre Präsentation noch einmal **durchgegangen**.	*etw. durchgehen*
Er **ist** sein Problem entschlossen **angegangen**.	*etw. angehen* (süddt./A/CH)
Intransitive Verben	
Er **hat** lange **geschlafen**.	z. B. *schlafen,* d. h Verben, die einen Zustand oder Vorgang ohne zeitliche Begrenzung, aber keine Fortbewegung angeben
Ausnahmen:	
Sie **sind** gestern Abend bei mir **gewesen**.	*sein*
Sie **sind** aber nicht sehr lange **geblieben**.	*bleiben*
süddt./A/CH:	
Sie **ist** lange in der Sonne **gesessen/gestanden/gelegen**.	
Intransitive Verben mit Dativergänzung	
Ihrem Vater **hat** sie immer blind **vertraut**.	z. B. *jdm. vertrauen*
Intransitive Verben mit Präpositionalergänzung	
Sie **hat** fest mit seiner Unterstützung **gerechnet**.	z. B. *mit etw. rechnen,* ausgenommen Verben der Fortbewegung und Zustandsveränderung

Reflexive Verben	
Über deine E-Mail **habe** ich mich sehr **gefreut**. Wir **haben** uns gestern kurz **getroffen**. **Aber:**	z. B. *sich freuen, sich treffen*
Wir **sind** uns zufällig auf der Straße **begegnet**.	*sich (D) begegnen*
Modalverben	
Sie **hat** das gut **gekonnt**. Sie **hat** das gut **machen können**. Sie **soll** das gut **gemacht haben**. **Aber:** Sie **soll** oft zu spät zum Unterricht **gekommen sein**. (vgl. §8 S. 124 und S. 134 ff.)	*dürfen, können, mögen, müssen, sollen, wollen*
Unpersönliche Verben	
Es **hat** in der Nacht stark **geregnet**. Es **hat** keine Schwierigkeiten **gegeben**. **Ausnahmen:**	z. B. *es regnet, es gibt*
Es **ist** um ein wichtiges Problem **gegangen**. Es **ist** auf eine schnelle Entscheidung **angekommen**.	*es geht um etw.* *es kommt an auf etw.*

Folgende Verbgruppen bilden das Perfekt mit *sein*:

Intransitive Verben der Fortbewegung	
Auf der Autobahn **ist** er viel zu schnell **gefahren**.	z. B. *fahren*
Intransitive Verben der Zustandsveränderung	
Bei dem Feuer **sind** wichtige Dokumente **verbrannt**. **Ausnahmen:** Sie **hat** gestern schon mit der Arbeit **angefangen / aufgehört**. Das Turnier **hat** gut **begonnen** und enttäuschend **geendet**. Die Atmung **hat eingesetzt / ausgesetzt**. Monika hat im letzten Jahr stark **zugenommen / abgenommen**. Pauls schulische Leistungen **haben** in letzter Zeit **nachgelassen**. Er **hat** den neuen Wagen in die Garage **gefahren**. Der Gärtner **hat** die Gartenabfälle **verbrannt**.	z. B. *verbrennen* *anfangen / aufhören* *beginnen / enden* *einsetzen / aussetzen* *zunehmen / abnehmen* *nachlassen* **Vorsicht:** Manche Verben der Fortbewegung und der Zustandsveränderung können auch mit Akkusativergänzung, also transitiv, gebraucht werden und bilden dann das Perfekt mit *haben*.

Ereignisverben	
An seinem dreißigsten Geburtstag **ist** etwas Unerwartetes **passiert**. Die Verhandlungen zur Beilegung des Streiks **sind gescheitert**. **Ausnahmen:**	z.B. *passieren, scheitern*
Die Organisation des Kongresses **hat** gut **geklappt**. Der Kongress **hat** in der Stadthalle **stattgefunden**.	*klappen* (ugs.) *stattfinden*

II Verben der Fortbewegung

Ü1   Ein Popkonzert

haben oder *sein*? Bilden Sie aus den Satzbausteinen Sätze im Perfekt.

viele Besucher / von weit her / das Konzert / anreisen zu

Viele Besucher sind von weit her zu dem Konzert angereist.

1. die meisten Besucher / das Konzert / pünktlich / erreichen
2. die Besucher / die Anweisungen der Platzanweiser / folgen + *D*
3. viele / in der Pause / das Gedränge / entfliehen + *D* / und / das Freie / sich begeben in
4. am Ende des Konzerts / das Publikum / vor Begeisterung / seine Plätze / sich erheben von
5. die Fans / dicht / das Podium / herangehen an
6. sie / die Künstler / so weit wie möglich / sich nähern + *D*
7. einige Fans / sogar / das Podium / klettern auf
8. die Künstler / wegen des starken Beifalls / immer wieder / die Bühne / erscheinen auf
9. erst dreißig Minuten nach Ende der Veranstaltung / die Letzten / die Konzerthalle / verlassen

Verben mal intransitiv, mal transitiv

(1) Die Rennfahrer **sind** täglich zum Training **gefahren**.

(2) Sie **haben** ihre Rennwagen nach dem Training in die Boxen **gefahren**.

Einige Verben der Fortbewegung können sowohl intransitiv (1) als auch transitiv, also mit einer Akkusativergänzung (2), gebraucht werden.

Ü2   Eine Auto-Rallye

haben oder *sein?* Berichten Sie im Perfekt.

Die Fahrer starteten ihre Rennwagen.

Die Fahrer haben ihre Rennwagen gestartet.

1. Für Deutschland starteten vier Fahrer.
2. Ein Rennfahrer flog mit seinem eigenen Sportflugzeug zum Rennen.
3. Er flog das Sportflugzeug selbst.
4. Mechaniker rollten Ersatzreifen heran.

5. Die Rennwagen rollten langsam zum Start.
6. Staubwolken zogen hinter ihnen her.
7. Ein Transporter zog einen Ersatzwagen hinter sich her.
8. Die Wagen jagten davon.
9. Der ohrenbetäubende Lärm der Motoren jagte einige Zuschauer in die Flucht.

Verben mit Präposition intransitiv – mit Vorsilbe transitiv

(1) Die Sieger **sind** auf das Podest **getreten**.
(2) Die Sieger **haben** das Podest **betreten**.

Manche Verben der Fortbewegung (z. B. *treten, fahren*) werden mit Präposition (*treten/fahren auf*) intransitiv (1) und mit Vorsilbe (z. B. *betreten, befahren*) transitiv (2) gebraucht. (vgl. § 2 S. 24)

Ü3   Die Auto-Rallye geht weiter

Bilden Sie aus den Satzbausteinen und den Verben in Klammern Sätze im Perfekt.

Ballonfahrer / während des Rennens / das Gelände (fliegen über – überfliegen)
Ballonfahrer sind während des Rennens über das Gelände geflogen.
Ballonfahrer haben das Gelände während des Rennens überflogen.

1. die Rennfahrer / ihre Rennwagen (steigen in – besteigen)
2. Sicherheitskräfte / das Gelände (streifen durch – durchstreifen)
3. einige Fans / die Ehrentribüne (klettern auf – erklettern)
4. der Sieger / zur Siegerehrung / das Siegerpodest (steigen auf – besteigen)
5. einige Fans / die Absperrungen (springen über – überspringen)

Verben der Fortbewegung in bildlicher Bedeutung

(1) Er **hat** die Zeitung **überflogen**.
(2) Er **ist** mit ihr durch dick und dünn **gegangen**.

Viele Verben der Fortbewegung kommen in bildlicher Bedeutung vor (1), besonders in Redewendungen (2).
Sie bilden das Perfekt nach denselben Regeln wie Verben der Fortbewegung in wörtlicher Bedeutung – selbst wenn die ursprüngliche Bedeutung des Verbs nicht mehr erkennbar ist (1) (2).
Viele dieser Redewendungen sind umgangssprachlich.

Ü4   Familienleben

In mündlichen Erzählungen wird gern das Perfekt verwendet. Erzählen Sie von Brigitte und Thomas. Im Text kommen viele Wendungen mit bildlicher Bedeutung vor.

Nach reiflicher Überlegung traten Brigitte und Thomas in den Stand der Ehe. Bald danach kam ihr erstes Kind zur Welt. Damit ging ihr größter Wunsch in Erfüllung. Die junge Mutter ging sehr liebevoll mit ihrem Kind um. Dem Vater ging diese Fürsorge manchmal gegen den Strich. Und das Babygeschrei ging ihm oft auf die Nerven. Trotzdem fuhr er nicht aus der Haut. Im Gegenteil: Bei der Säuglingspflege ging er seiner Frau oft zur Hand. Und wenn das Kind schlief, ging er wie auf Eiern durch die Wohnung.

Allerdings trat Thomas bei seiner Frau immer mehr in den Hintergrund. In ihren Gesprächen ging es fast nur noch um das Kind. Und finanziell kamen sie auf keinen grünen Zweig. Der vielbeschäftigten Mutter fiel zu Hause mit der Zeit die Decke auf den Kopf. Brigittes Unzufrie-
10 denheit trat klar zutage. Deshalb kam sie auf die Idee, wieder halbtags zu arbeiten. Thomas fiel ein Stein vom Herzen. Sein Organisationstalent kam jetzt voll zum Zuge: Mit seiner Hilfe ging der Wiedereinstieg in den Beruf glatt über die Bühne. Brigitte kam wieder an ihrem alten Arbeitsplatz unter. Gleichzeitig trat eine ausgebildete Tagesmutter in Erscheinung. Das neue Leben ging nun seinen Gang. Die junge Familie kam doch noch auf den richtigen Trichter.

→ *Nach reiflicher Überlegung sind Brigitte und Thomas in den Stand der Ehe getreten. Bald danach ...*

Redewendungen mit bildlicher Bedeutung

fallen	gehen
aus allen Wolken **fallen** aus dem Rahmen **fallen** mit der Tür ins Haus **fallen** jdm. **fällt** ein Stein vom Herzen	jdm. **geht** der Hut hoch der Sache auf den Grund **gehen** mit jdm. hart ins Gericht **gehen** etw. jdm. gegen den Strich **gehen** wie die Katze um den heißen Brei herum**gehen**/herumschleichen
kommen	treten
auf den (richtigen) Trichter **kommen** auf keinen grünen Zweig **kommen**	(bei jdm.) ins Fettnäpfchen **treten** in den (heiligen) Stand der Ehe **treten**

Fortbewegung oder Bewegung am festen Ort?

(1) Die Schmetterlinge **sind** um die Blüten **herumgeflattert**.
(2) Die Segel **haben** im Wind **geflattert**.

Bei Verben, die eine Bewegung als Fortbewegung, Lage- oder Ortsveränderung ausdrücken, wird das Perfekt mit *sein* gebildet (1). Bei Verben, die eine Bewegung am festen Ort angeben, wird das Perfekt mit *haben* gebildet (2).

Ü5 Hier hat sich etwas bewegt. Aber was ist wirklich passiert?

haben oder *sein*? Setzen Sie die Sätze ins Perfekt.

Ein Auto pendelte am Kran.
Ein Auto hat am Kran gependelt.

1. Aus dem Felsen sprudelte Quellwasser.
2. Aus der Regenrinne tropfte Wasser.
3. Das Wasser schwappte über den Rand der Badewanne hinaus.
4. Im Kessel sprudelte kochendes Wasser.
5. Aus dem Geysir schoss heißes Wasser in die Luft.
6. Der Wasserhahn tropfte tagelang.
7. Der Mast des Schiffes schwankte im Wind.

8. Ein Fallschirmspringer schwebte langsam zu Boden.
9. Ein völlig betrunkener Mann wankte durch die Straße.
10. Die Erde bebte kräftig.
11. Herr Müller pendelte täglich zwischen Wohnort und Arbeitsplatz.

Zeitliche und räumliche Ausdehnung

(1) Er **ist** jeden Tag zwei Stunden **spazieren gegangen**. (*Wann? Wie lange?*)
(2) Gestern **ist** er zunächst etwa zwei Kilometer den Fluss **entlanggegangen** und dann noch einen Hang **hinaufgestiegen**. (*Wie weit? Wo? Wohin?*)

Verben der Fortbewegung bilden in Verbindung mit einem Akkusativ, der eine zeitliche (1) oder eine räumliche Ausdehnung (2) angibt, das Perfekt mit *sein*.
Dieser Akkusativ ist keine Ergänzung, sondern hat adverbialen Charakter (= adverbialer Akkusativ) und antwortet auf die Fragen: *Wann? Wie lange? Wie weit? Wo? Wohin?* (vgl. §18 S. 277 und S. 280)

Ü6 **Eine Exkursion**

Lesen Sie zuerst und berichten Sie dann von dem Ereignis im Perfekt.

Eine Gruppe von Studenten ging einen Tag auf Exkursion. Sie fuhren mehrere Stunden mit einem gemieteten Kleinbus. Einer der Studenten fuhr den Bus. Gleich nach der Ankunft kletterten sie einen steilen Berg hinauf und liefen auf der Suche nach Steinen den ganzen Bergrücken entlang. So streiften sie den halben Tag durch die Natur. Plötzlich rutschte ein
5 Student aus und stürzte den Hang hinunter. Die anderen rannten sofort den Berg hinunter und kamen ihm zu Hilfe. Zwei trugen ihn zum Bus und fuhren ihn gleich ins Krankenhaus. Die anderen marschierten noch drei Stunden und fuhren dann mit dem Zug zurück. So fand die Exkursion ein vorzeitiges Ende.

→ *Eine Gruppe von Studenten ist einen Tag auf Exkursion gegangen.* ...

Fortbewegung: *Wie? Womit?*

(1) Er **ist** gern Auto **gefahren**. *(Womit?)*
(2) Sie **ist** am liebsten Galopp **geritten**. *(Wie?)*
(3) Sie **sind** gegen die Erhöhung der Tabaksteuer Sturm **gelaufen**.

Verben der Fortbewegung (z. B. *fahren, laufen, reiten*) bilden das Perfekt mit *sein*, wenn sie in artikellosen festen Verbindungen mit einem Akkusativ stehen, der das Mittel (z. B. *Auto, Ski*) (1) oder die Art und Weise (z. B. *Kolonne, Galopp*) (2) angibt.
Dies gilt auch für Verben der Fortbewegung in artikellosen festen Verbindungen mit bildlicher Bedeutung (3).
Dieser Akkusativ ist keine Ergänzung, sondern hat adverbialen Charakter (= adverbialer Akkusativ) und antwortet auf die Fragen: *Womit? Wie?* (1) (2). (vgl. §18 S. 277 und S. 280)

Weitere Verben der Fortbewegung in artikellosen festen Verbindungen mit einem Akkusativ

fahren
Auto / Motorrad / Roller / Bus / Straßenbahn / Zug / Lift / Seilbahn / Rad / Bob / Schlitten / Ski / Boot / Kahn / Kajak / Kanu / Schiff / Achterbahn / Karussell / Riesenrad / Kolonne / Schritt … fahren
laufen
Rollschuh, Schlittschuh, Ski … laufen; *Amok laufen* (auch in bildlicher Bedeutung); *Gefahr laufen* (= gefährdet sein / in Gefahr sein); *Sturm laufen gegen etw.* (= heftig protestieren gegen etw.)
reiten
Galopp / Schritt / Trab … reiten

Ü7 Was haben Sie früher alles gemacht?
Vervollständigen Sie die Sätze im Perfekt und verwenden Sie dabei einige der oben angegebenen Ausdrücke.

Als ich noch kein Auto hatte, …
Als ich noch kein Auto hatte, bin ich Bus / Straßenbahn / Rad / Zug gefahren.

1. Im Winter … auf dem zugefrorenen See …
2. Beim Reitunterricht … ich …
3. Auf Volksfesten …
4. Seit meinem Skiunfall …
5. Auf der Donau …
6. In den Ferien …
7. Als Jugendlicher … gegen die Welt der Erwachsenen …

Ü8 Ein vorbildlicher Autofahrer?
Bilden Sie Sätze im Perfekt.

er / größere Strecken / noch nie / ohne Sicherheitsgurt / fahren
Er ist größere Strecken noch nie ohne Sicherheitsgurt gefahren.

1. er / noch nie / mehr als acht Stunden am Tag / Auto fahren
2. er / seine neuen Autos / immer / gut / einfahren
3. er / noch nie / auf der Autobahn / rasen
4. er / noch nie / einen Radfahrer / anfahren
5. er / auf dem Seitenstreifen / immer / Schritt fahren
6. er / bisher / nur selten / sich verfahren
7. er / noch nie / Gefahr laufen, seinen Führerschein zu verlieren
8. er / schon oft / Kollegen / nach Hause / fahren
9. er / gegen die Geschwindigkeitsbegrenzung auf der Autobahn / Sturm laufen

Sportliche Betätigung als Fortbewegung bzw. als Dauer oder Art und Weise

(1) Er **ist** regelmäßig auf dem offenen Meer **gesegelt**.
(2) Gestern **ist** er bis zu einer entfernten Insel **gesegelt**.
(3) Er **hat / ist** täglich mehrere Stunden **gesegelt**.
(4) Er **hat / ist** mit großem Vergnügen **gesegelt**.

Einige Verben der Bewegung bezeichnen sportliche Betätigungen (z. B. *klettern, reiten, paddeln, rudern, schwimmen, segeln, surfen, rodeln*).
Wenn diese Bewegung vor allem als Fortbewegung gesehen wird – oft in Verbindung mit Raumangaben (1) oder Zielangaben (2) – wird das Perfekt mit *sein* gebildet.
Sollen aber vor allem die Dauer (3) oder die Art und Weise (4) hervorgehoben werden, kann das Perfekt auch mit *haben* gebildet werden.

Ü9 Sportlich, sportlich
Setzen Sie die Sätze ins Perfekt.

Der trainierte Schwimmer schwamm regelmäßig mit großer Ausdauer.
Der trainierte Schwimmer hat/ist regelmäßig mit großer Ausdauer geschwommen.

1. Eine Anfängergruppe kletterte auf den Felsen.
2. Das Mädchen surfte oft den ganzen Tag.
3. Ich surfe nie aufs offene Meer hinaus.
4. Um seine Sportlichkeit zu beweisen, schwamm der alte Mann bis zu dem Riff.
5. Im Winter rodelten die Kinder den ganzen Tag.
6. Sie rodelten auf der verschneiten Schlittenbahn.
7. Die Reiterin ritt in den frühen Morgenstunden durch den Wald.
8. Der junge Mann ruderte leidenschaftlich gern.
9. Wir ruderten mit letzter Kraft zum Ufer.

Reflexive Verben der Fortbewegung

(1) Felix **hat sich** in fremden Städten schon oft **verlaufen**.
(2) Die beiden Freunde Felix und Paul **haben sich/einander** schon länger nicht **getroffen**.
    (= Felix hat seinen Freund Paul nicht getroffen und Paul hat seinen Freund Felix nicht getroffen.)
(3) Felix **ist sich** in der fremden Stadt ziemlich hilflos **vorgekommen**.
(4) Die beiden Freunde Felix und Paul **sind sich/einander** in der Stadt **begegnet**.
    (= Felix ist seinem Freund Paul begegnet und Paul ist seinem Freund Felix begegnet.)
(5) Die beiden Freunde haben **ihren früheren Fußballtrainer** getroffen, sie waren **ihm** lange nicht begegnet.

Reflexive Verben der Fortbewegung mit einem Reflexivpronomen im Akkusativ bilden das Perfekt mit *haben* (1) (2).
Reflexive Verben der Fortbewegung mit einem Reflexivpronomen im Dativ bilden das Perfekt mit *sein* (3) (4).

Einige reflexive Verben haben reziproke Bedeutung, d. h., sie drücken eine wechselseitige Beziehung zwischen mindestens zwei Personen aus (2) (4). Manche dieser Verben (z. B. *sich treffen / sich begegnen*) sind nicht obligatorisch reflexiv. Statt des Reflexivpronomens kann auch eine Akkusativergänzung *(jdn. treffen)* oder eine Dativergänzung *(jdm. begegnen)* stehen (5). Reflexive Verben der Fortbewegung mit einem Reflexivpronomen im Dativ gibt es nur in begrenzter Zahl, z. B.: *sich ausweichen / sich begegnen / sich entgegenkommen / sich näher kommen*; in bildlicher Bedeutung z. B.: *sich durchs Haar fahren / sich in die Haare geraten / sich um den Hals fallen / sich auf die Nerven gehen / sich in die Quere kommen / sich in den Rücken fallen / sich aus dem Weg gehen / sich über den Weg laufen / sich (dumm) vorkommen.*

Ü10   Eine Freundschaft
Erzählen Sie im Perfekt bzw. Plusquamperfekt.

Zwei Freunde eines Tages fürchterlich (sich in die Haare geraten)
Zwei Freunde sind sich eines Tages fürchterlich in die Haare geraten.

1. Der eine bei einer Verabredung erheblich (sich verspäten, *Plusq.*)
2. Sie früher schon oft (sich auf die Nerven gehen, *Plusq.*)
3. In schwierigen Situationen sie aber nie (sich in den Rücken fallen, *Plusq.*)
4. Eine gewisse Zeit sie (sich aus dem Wege gehen)
5. Dennoch sie gelegentlich (sich in die Quere kommen)
6. Eines Tages sie zufällig auf der Straße (sich begegnen)
7. Sie in einer engen Gasse (sich entgegenkommen)
8. Dieses Mal sie nicht (sich ausweichen), sondern sie entschlossen (sich aufeinander zubewegen) und (sich um den Hals fallen)
9. Sie wieder (sich näherkommen)

III Verben der Zustandsveränderung

Übersicht

Veränderung am Beginn (1)	Zustand (2)	Veränderung zum Ende hin (3)
Die Blume ist aufgeblüht.	Sie hat geblüht.	Sie ist verblüht.
Peter ist eingeschlafen.	Er hat geschlafen.	—
—	Viele haben gehungert.	Viele sind verhungert.

Intransitive Verben der Zustandsveränderung bilden das Perfekt mit *sein*.
Sie bezeichnen ein zeitlich begrenztes Geschehen, das einen neuen Zustand herbeiführt.
Diese Veränderung kann ein Beginn sein (1) *(aufblühen, einschlafen)* oder zum Ende führen (3) *(verblühen, verhungern)*.
Oft bezeichnet das einfache Verb einen Zustand (2) *(blühen, schlafen, hungern)*, das entsprechende Verb mit Vorsilbe eine Zustandsveränderung (1) (3) *(auf-/verblühen, einschlafen, verhungern)*.

Ü11   Zustand oder Zustandsveränderung? (1)
Ordnen Sie die Verben den beiden Spalten zu.

~~wachsen~~ ~~dauern~~ vertrocknen hängen verheilen verfaulen scheinen sterben sitzen verdursten ertrinken verunglücken warten verwelken ersticken verstauben gedeihen stehen brennen aufwachen

Zustand	Zustandsveränderung
dauern ...	*wachsen* ...

Ü12   Zustand oder Zustandsveränderung? (2)
Setzen Sie die Sätze ins Perfekt.

Die Suppe kocht.
Die Suppe hat gekocht.
(Zustand)

Die Milch kocht über.
Die Milch ist übergekocht.
(Zustandsveränderung)

1. Er stand um sechs Uhr auf.
2. Das Kind schlief schnell ein.
3. Gestern taute es.
4. Tom wachte spät auf.
5. Das Feuer brannte lichterloh.
6. Es entstand ein erheblicher Sachschaden.
7. Sie lag mehrere Wochen im Krankenhaus.

Er stand lange an der Haltestelle.
Es schlief zwölf Stunden.
Das Eis taute auf.
Ein Krankenpfleger wachte bei ihm.
Das Haus brannte komplett aus.
Es bestand ausreichend Versicherungsschutz.
Glücklicherweise erlag sie der Krankheit nicht.

Verben der Zustandsveränderung, die von Nomen oder Adjektiven abgeleitet sind

(1) Das Kind **ist** früh **verwaist**. (= zur Waise geworden)
(2) Die Farbe auf der Tapete **ist** schnell **getrocknet**. (= trocken geworden)

Viele Verben der Zustandsveränderung leiten sich von Nomen (1) oder Adjektiven (2) her und entsprechen der Bedeutung von Nomen/Adjektiv + *werden*.

Ü13   Was hat zu der Zustandsveränderung geführt? (1)
Leiten Sie von den kursiv gedruckten Nomen Verben ab und setzen Sie diese im Perfekt ein.

Ein *Waisen*kind ist ein Kind, das *verwaist ist*.

1. Ein Flussbett ohne Wasser, aber mit viel *Sand* ist ein Flussbett, das ...
2. Versteinerungen sind Tiere und Pflanzen, die zu *Stein* geworden sind, also ...
3. *Kalk* findet man in Wasserleitungen, die ...
4. *Rost* findet man an Autos, die ...
5. *Schimmel* findet man auf Nahrungsmitteln, die ...
6. Von *Staub* bedeckt sind Möbel oder Bücher, die ...

7. Mit *Eis* bedeckt sind Straßen, die ...

8. Ein leichter *Dunst* liegt über der Stadt, weil nach dem Regen die Feuchtigkeit ...

9. Wasser*dampf* ist Wasser, das ...

Ü14   Was hat zu der Zustandsveränderung geführt? (2)

Leiten Sie von den Adjektiven Verben ab und setzen Sie diese im Perfekt ein.

Blind ist jemand, der *erblindet ist*.

1. Krank ist jemand, der ...
2. Grau sind Haare, die ...
3. Schlaff sind Muskeln, die ...
4. Blass sind Erinnerungen, die ...
5. Faul sind Früchte, die ...
6. Welk sind Blumen, die ...
7. Wild wirkt ein Garten, der ...
8. Kalt ist Vulkanasche, die ...
9. Alte Menschen haben nicht immer auch Ansichten, die ...

Ü15   Wie ist es dazu gekommen?

Vervollständigen Sie die Sätze mit dem jeweils passenden Verb im Perfekt.

verfallen   vertrocknen   aussterben   ~~verkommen~~   erfrieren   verderben   ersticken
ertrinken   verunglücken   verhungern

Weil die Wohnung nicht gepflegt wurde, *ist* sie *verkommen*.

1. Weil das alte Gebäude lange nicht bewohnt war, ...
2. Weil die Pflanze zu wenig Wasser bekam, ...
3. Weil der letzte Winter zu kalt war, ... viele Pflanzen ...
4. Weil der Mensch so stark in die Natur eingreift, ... bereits viele Tier- und Pflanzenarten ...
5. Weil die Lebensmittel nicht vorschriftsmäßig aufbewahrt wurden, ... sie ...
6. Weil er sich fahrlässig verhalten hat, ...
7. Weil er nicht schwimmen konnte, ...
8. Weil er keine Luft mehr bekam, ...
9. Weil er zu lange nichts zu essen hatte, ...

Ü16   Brand auf einem Bauernhof

Bilden Sie aus den Satzbausteinen Sätze im Perfekt.

Kinder / gestern Abend / im Schuppen eines Bauernhofs / Papier / verbrennen
Kinder haben gestern Abend im Schuppen eines Bauernhofs Papier verbrannt.

1. dabei / im Schuppen / ein Feuer / ausbrechen
2. das Holz im Schuppen / verbrennen
3. der Schuppen / bis auf die Grundmauern / niederbrennen
4. auch ein danebenstehendes Haus / teilweise / abbrennen
5. durch die Hitze / das Plexiglas der Veranda / schmelzen

6. die Feuerwehr / das Feuer / nicht gleich / ersticken
7. dank ihrer Gasmasken / die Feuerwehrleute / im Qualm / nicht ersticken
8. schließlich / die Feuerwehr / das Feuer / löschen

IV Ereignisverben

(1) Gestern Abend **ist** ein Unfall **passiert**.
(2) Es **ist** zu einem Stau **gekommen**.
(3) Der Fahrer **ist** in eine schwierige Situation **geraten**.
(4) Die Versorgung der Verletzten **hat** nicht gut **geklappt**.
(5) Es **haben sich** dramatische Szenen **abgespielt**.

Ereignisverben bezeichnen ein Geschehen.
Sie kommen nur in der 3. Person vor, das Subjekt kann nur eine Sache (1) (hier: *Unfall*) oder das Pronomen *es* (2) (5) sein. Ausnahme ist das Verb *geraten in* (3).
Die meisten Ereignisverben bilden das Perfekt mit *sein*.
Ausnahmen sind die Verben *klappen* (ugs.) (4) und *stattfinden* sowie die reflexiven Ereignisverben *sich abspielen* (5), *sich ereignen*, *sich zutragen* und *es trifft sich gut, dass* ... .

Übersicht

Ereignisverben

sich abspielen, auftreten, eintreten, sich ereignen, erfolgen, fehlschlagen, gelingen, geraten (in), geschehen, glücken, klappen (ugs.), *kommen zu, missglücken, misslingen, missraten, passieren, scheitern, schiefgehen* (ugs.), *stattfinden, sich gut treffen, dass, unterbleiben, unterlaufen, verlaufen, vorfallen, vorkommen, widerfahren, zustoßen*

Ü17   Ein Unfall und seine Folgen

Setzen Sie die in Klammern stehenden Ereignisverben im Perfekt bzw. Plusquamperfekt *(Plusq.)* ein.

1. Auf der Schnellstrecke *hat sich* ein schwerer Unfall *ereignet* . (sich ereignen)
2. Das _____ schon öfter _____ . (vorkommen)
3. Was genau _____ denn _____ ? (vorfallen)
4. Ein Auto _____ ins Schleudern _____ . (geraten)
5. Der Spurwechsel _____ dem Fahrer _____ . (missglücken, *Plusq.*)
6. Der Versuch, das Auto wieder in seine Gewalt zu bringen, _____ _____ . (fehlschlagen)
7. Dem Autofahrer _____ ein grober Fehler _____ . (unterlaufen)
8. _____ den Insassen des Autos etwas _____ ? (zustoßen)
9. Ja, der Tod der Beifahrerin _____ im Krankenhaus _____ . (eintreten)

10. Die Notoperation der Schwerverletzten _____ zunächst normal _____ .
(verlaufen, *Plusq.*)

11. Aber dann _____ Komplikationen _____ . (auftreten)

12. Alle Versuche, das Leben der Frau zu retten, _____ . (scheitern)

13. Dagegen _____ den Ärzten die Rettung des verletzten Fahrers _____ , die
Operation _____ . (glücken/gelingen)

14. Wie zu befürchten war, _____ es nach dem Unfall zu weiteren Auffahrunfällen mit
mehreren Verletzten _____ . (kommen zu)

15. _____ _____ da Vergleichbares _____ ? (sich abspielen)

16. Die Versorgung dieser Verletzten _____ gleich am Unfallort _____ .
(geschehen)

17. Aber auch dabei _____ leider so einiges _____ . (schiefgehen)

18. Eine genaue Untersuchung des Unfallhergangs _____ noch nicht _____ . (erfolgen)

19. Daher _____ auch eine Anklage der Staatsanwaltschaft bisher _____ .
(unterbleiben)

20. Aber zwischen den Anwälten des Chirurgen und den Angehörigen des Unfallopfers _____
schon Gespräche _____ . (stattfinden)

Ü18 Im Labor

Der Leiter eines Universitätslabors kommt von einer längeren Reise zurück und unterhält sich mit
seinem Assistenten. Ergänzen Sie die Lücken mit dem in Klammern angegebenen Verb im Perfekt.

Leiter: Ist in meiner Abwesenheit irgendetwas Aufregendes *passiert*? (passieren)

Assistent: Nein, es _____ nichts Aufregendes _____ . (sich ereignen)

Leiter: _____ Schwierigkeiten _____ ? (auftreten)

Assistent: Erfreulicherweise _____ nichts _____ . (schiefgehen)

Leiter: _____ alle Laborarbeiten und Versuche nach Plan _____ ? (verlaufen)

Assistent: Ja, alles _____ wie geplant _____ , kein Versuch _____
_____ . (klappen/missglücken)
Keinem der Mitarbeiter _____ ein schwerwiegender Fehler _____ .
(unterlaufen)

Leiter: _____ die Vorlesungen und Übungen regelmäßig _____ ?
(stattfinden)

Assistent: Auch hier _____ keine Unregelmäßigkeiten _____ . (vorkommen)

Leiter: Und was _____ in der Zwischenzeit hinsichtlich der beantragten Laborerweiterung
_____ ? (geschehen)

Assistent: Da _____ allerdings so einiges _____ . (sich ereignen)
In den Verhandlungen mit der Universitätsverwaltung _____ ein Stillstand
_____ . (eintreten)
Von unserer Seite _____ keine Anstrengungen _____ , die
Gespräche wieder in Gang zu bringen. (unterbleiben)

Die Verhandlungen _____ zwar nicht endgültig _____, aber
auf unseren Kompromissvorschlag _____ bisher noch keine Reaktion _____.
(fehlschlagen/erfolgen)
Schon im Vorfeld _____ merkwürdige Dinge _____.
(sich abspielen)
Gestern _____ es dem Verwaltungsrat endlich _____, das Bauvorhaben auf
die Liste der dringend notwendigen Baumaßnahmen zu setzen. (gelingen)

Ü19   Reise nach Deutschland

Schreiben Sie zu diesem Thema Sätze mit Ereignisverben.
Sie können dabei folgende Wörter verwenden:

Verben	Nomen
passieren, geschehen, vorfallen, gelingen, geraten in, klappen, stattfinden, sich ereignen, …	Reise, Organisation, Flugzeug, Gewitter, Unwetter, das Umsteigen, Flug, Anschlussflug, Ankunft, etwas Aufregendes/Positives/Erfreuliches/Gutes, nichts Besonderes/Schlimmes, Jugendherberge, Hotelsuche, Stadtbesichtigung, Restaurantbesuch, Busfahrt, …

→ *Auf meiner Reise nach Deutschland ist viel passiert! …*

V Gesamtübungen zum Perfekt

Ü20   Selten dumm aufgetankt

Lesen Sie den Zeitungstext und berichten Sie dann Freunden darüber (Erzählzeit: Perfekt).

> **Eibelstadt.** (dpa) Zündende Idee: Drei junge Männer haben in
> Franken ihr Auto in Brand gesetzt. Beim Betanken des Wagens
> aus einem Reservekanister leuchtete einer von ihnen wegen
> der Dunkelheit in der Nacht zum Montag mit seinem Feuerzeug
> 5 den Einfüllstutzen aus. Dabei verpuffte Benzindampf, der ein-
> gefüllte Sprit geriet in Brand. In der Hoffnung, der Fahrtwind
> werde die Flammen ersticken, sprangen sie ins Auto. Der
> erhoffte Erfolg blieb aus: Der Wind fachte die Flammen weiter
> an, am Ende brannte das komplette Auto aus.

→ *Wisst Ihr, was heute in der Zeitung stand? Drei junge Männer haben in Franken ihr Auto*
   in Brand gesetzt. Beim Betanken des Wagens aus einem Reservekanister …

Ü21 Die tropische Riesenpflanze Titanenwurz

Bilden Sie aus den Satzbausteinen und den in Klammern stehenden Verben – wenn nicht anders angegeben – Sätze im Perfekt. Übernehmen Sie die kursiv gedruckten Textteile unverändert.

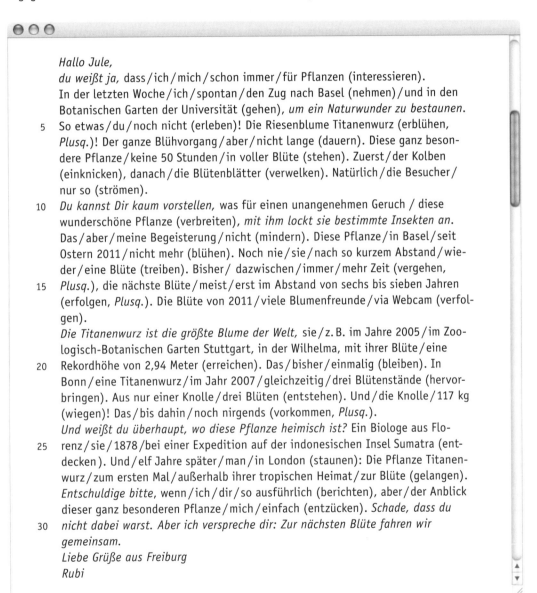

> *Hallo Jule,*
> *du weißt ja,* dass / ich / mich / schon immer / für Pflanzen (interessieren).
> In der letzten Woche / ich / spontan / den Zug nach Basel (nehmen) / und in den
> Botanischen Garten der Universität (gehen), *um ein Naturwunder zu bestaunen.*
> 5 So etwas / du / noch nicht (erleben)! Die Riesenblume Titanenwurz (erblühen,
> *Plusq.*)! Der ganze Blühvorgang / aber / nicht lange (dauern). Diese ganz beson-
> dere Pflanze / keine 50 Stunden / in voller Blüte (stehen). Zuerst / der Kolben
> (einknicken), danach / die Blütenblätter (verwelken). Natürlich / die Besucher /
> nur so (strömen).
> 10 *Du kannst Dir kaum vorstellen,* was für einen unangenehmen Geruch / diese
> wunderschöne Pflanze (verbreiten), *mit ihm lockt sie bestimmte Insekten an.*
> Das / aber / meine Begeisterung / nicht (mindern). Diese Pflanze / in Basel / seit
> Ostern 2011 / nicht mehr (blühen). Noch nie / sie / nach so kurzem Abstand / wie-
> der / eine Blüte (treiben). Bisher / dazwischen / immer / mehr Zeit (vergehen,
> 15 *Plusq.*), die nächste Blüte / meist / erst im Abstand von sechs bis sieben Jahren
> (erfolgen, *Plusq.*). Die Blüte von 2011 / viele Blumenfreunde / via Webcam (verfol-
> gen).
> *Die Titanenwurz ist die größte Blume der Welt,* sie / z. B. im Jahre 2005 / im Zoo-
> logisch-Botanischen Garten Stuttgart, in der Wilhelma, mit ihrer Blüte / eine
> 20 Rekordhöhe von 2,94 Meter (erreichen). Das / bisher / einmalig (bleiben). In
> Bonn / eine Titanenwurz / im Jahr 2007 / gleichzeitig / drei Blütenstände (hervor-
> bringen). Aus nur einer Knolle / drei Blüten (entstehen). Und / die Knolle / 117 kg
> (wiegen)! Das / bis dahin / noch nirgends (vorkommen, *Plusq.*).
> *Und weißt du überhaupt, wo diese Pflanze heimisch ist?* Ein Biologe aus Flo-
> 25 renz / sie / 1878 / bei einer Expedition auf der indonesischen Insel Sumatra (ent-
> decken). Und / elf Jahre später / man / in London (staunen): Die Pflanze Titanen-
> wurz / zum ersten Mal / außerhalb ihrer tropischen Heimat / zur Blüte (gelangen).
> *Entschuldige bitte,* wenn / ich / dir / so ausführlich (berichten), aber / der Anblick
> dieser ganz besonderen Pflanze / mich / einfach (entzücken). *Schade, dass du*
> 30 *nicht dabei warst. Aber ich verspreche dir: Zur nächsten Blüte fahren wir*
> *gemeinsam.*
> *Liebe Grüße aus Freiburg*
> *Rubi*

→ *Hallo Jule, du weißt ja, dass ich mich schon immer für Pflanzen interessiert habe.*
In der letzten Woche ...

Ü22   Der Schiefe Turm von Pisa

Ein Reiseleiter berichtet einer Gruppe von Touristen. Erzählzeit: Perfekt bzw. Plusquamperfekt *(Plusq.)*.

Am 6. Januar 1990 geschah in Pisa etwas ganz Ungewöhnliches: Zum ersten Mal in der über 800-jährigen Geschichte schloss die Stadtverwaltung den Turm für Besucher wegen Einsturzgefahr. Bereits in den Morgenstunden standen viele Schaulustige an der Kasse Schlange. Kurz vor 15 Uhr stiegen die letzten Touristen die 293 Stufen des rund 55 m hohen

5   Kampanile* hinauf. Der Besucherrekord vom 6. Januar 1990 übertraf mit 2 644 Besuchern alle Erwartungen. Die Bauarbeiten begannen am nächsten Tag.

Die Neigung des auf sandigem Boden gebauten Turms setzte schon nach Baubeginn im Jahre 1173 ein *(Plusq.)*. Seit der Fertigstellung des Turms um 1370 verschlechterte sich sein Zustand laufend. Die Schließung des inzwischen mehr als vier Meter überhängenden Turms löste eine

10   intensive öffentliche Diskussion aus *(Plusq.)*, denn schon immer lebte die Stadt Pisa vom Tourismus. Allein durch die Eintrittskarten für den Schiefen Turm flossen jährlich etwa zehn Millionen Euro in die städtische Kasse. Die meisten Touristen kamen nämlich wegen des Schiefen Turms: Sie bestiegen ihn und bummelten dann noch ein wenig durch die Altstadt. So blieben die meisten Gäste nur wenige Stunden, ließen aber Geld in der Stadt.

15   Nach Abschluss der Sanierungsmaßnahmen im Dezember 2001 nahm der Touristenstrom in Pisa wieder zu.

    * der Kampanile: *freistehender Glockenturm neben einer Kirche*

→ *Am 6. Januar 1990 ist in Pisa etwas ganz Ungewöhnliches geschehen. Zum ersten Mal in der über 800-jährigen Geschichte ...*

Ü23   Die Entwicklung der Schrift

Berichten Sie Ihren Freunden in *dass*-Sätzen, was Sie über die Entwicklung der Schrift gelesen haben. Setzen Sie dabei die Präteritumformen ins Perfekt bzw. ins Plusquamperfekt *(Plusq.)*. Verändern Sie das Tempus der im Präsens stehenden Sätze nicht.

Mit der Erfindung der Schrift setzte in der Geschichte der Menschheit eine neue Ära der Übermittlung von Informationen und Gedanken ein. An mehreren Orten der Welt tauchten – vermutlich unabhängig voneinander – Schriften mit Zeichen für Bilder, Wörter oder Silben auf.

5   Ausgrabungen im Donaugebiet des heutigen Rumänien förderten vor einigen Jahrzehnten Tontafeln mit Inschriften aus dem fünften Jahrtausend vor unserer Zeitrechnung zutage. Die Chinesen erfanden ungefähr 4 000 Jahre vor unserer Zeitrechnung eine Schrift mit Tausenden von Zeichen, die sich in veränderter Form bis heute erhielt. Gebildete Chinesen beherrschen heute ca. 6 000 der in einem heutigen Großwörterbuch angegeben ca. 50 000

10   Zeichen. Ungefähr 3 000 vor unserer Zeitrechnung bildete sich in Ägypten eine Zeichenschrift in Form von Hieroglyphen heraus. In Mesopotamien entwickelte sich ca. 2 700 Jahre vor unserer Zeitrechnung eine Keilschrift aus Strichen und Dreiecken, mit der ein erster Briefverkehr – ähnlich unserer heutigen Post – begann. Die Entschlüsselung der Keilschrift und der ägyptischen Hieroglyphen gelang bereits, nicht aber die anderer Hieroglyphenschriften, z. B.

15   die der Tonscheibe von Phaistos von der Insel Kreta ca. 1 700 Jahre vor unserer Zeitrechnung.

Mit der Zeit gingen die Menschen dazu über, die Zeichen zu vereinfachen und mit Lauten zu verbinden. Dabei steht ein Zeichen für einen einzelnen Laut und nicht mehr für ein Wort oder eine Silbe, was eine enorme Vereinfachung war. Auf diese Weise entstanden Lautschriften. Ungefähr 1 000 Jahre vor unserer Zeitrechnung fand eine richtige Revolution statt: Die

20 Phönizier, ein semitischer Stamm im östlichen Mittelmeerraum, erstellten als Erste ein Alphabet, eine Konsonantenschrift mit 22 Buchstaben.

Dieses Alphabet trat dann von hier aus seinen Siegeszug um die ganze Welt an und brachte fast alle heutigen alphabetischen Schriften hervor. Das geschah in einzelnen Schritten.

25 Die Griechen ergänzten ca. 800 Jahre vor unserer Zeitrechnung das phönizische Alphabet durch die Vokale.

Der nächste Schritt erfolgte im siebten Jahrhundert vor unserer Zeitrechnung. Die Etrusker, die aus der östlichen Ägäis nach Mittel- und Oberitalien einwanderten (*Plusq.*), übernahmen das griechische Alphabet und gaben es an die Latiner weiter. Hier kam es zur Ausbildung

30 des lateinischen Alphabets mit ursprünglich 21 Buchstaben. Mit dem Aufstieg Roms zur Weltmacht breitete sich das lateinische Alphabet dann in leicht variierten Formen in alle Himmelsrichtungen aus. Die deutsche Ausprägung dieses Alphabets ermöglicht es beispielsweise, mit nur 30 Buchstaben ca. 500 000 Wörter der deutschen Sprache zu schreiben.

→ *Habt Ihr gewusst,*
... dass mit der Erfindung der Schrift in der Geschichte der Menschheit eine neue Ära der Übermittlung von Informationen und Gedanken eingesetzt hat?
... dass an mehreren Orten der Welt ...
... dass ...

Mesopotamien	alte Bezeichnung für das Gebiet zwischen den Flüssen Euphrat und Tigris (heute im Irak und in Teilen der Türkei)
Phönizier	im Altertum Bewohner der Ostküste des Mittelmeers (im Gebiet des heutigen Syrien, Libanon und Israel)
Etrusker	im Altertum Bewohner Ober- und Mittelitaliens
Latiner	im Altertum Bewohner Latiums in Mittelitalien (im Gebiet um die heutige Stadt Rom)

Hieroglyphen

§2 Transitive und intransitive Verben

I Transitive und intransitive Verben mit gleicher Bedeutung

(1) In vielen Filmen **kämpft** der Held **gegen** eine Übermacht von Gangstern.
(2) In vielen Filmen **bekämpft** der Held eine Übermacht von Gangstern.

Manchen intransitiven Verben mit Präposition (1) bzw. ohne Präposition (z. B. *enden*)
entsprechen transitive Verben mit Präfixen (2) (z. B. *beenden*).
Die Bedeutung ist zum Teil gleich (1) (2) oder ähnlich (*glücken / beglücken*), oft besteht
aber ein großer Bedeutungsunterschied (*kommen / bekommen*). (vgl. §1 S. 10)

Ü1 Vorbereitungen für einen Spielfilm
Berichten Sie mit Sätzen im Präsens.

der Produzent / ein Verkaufserfolg (hoffen auf / erhoffen)
Der Produzent hofft auf einen Verkaufserfolg.
Der Produzent erhofft einen Verkaufserfolg.

1. der Produzent / die Qualität des Drehbuchs (nicht zweifeln an / nicht bezweifeln)
2. der Regisseur / die Verteilung der Rollen (zögern mit / hinauszögern)
3. er / noch / die Besetzung der Hauptrollen (schweigen über / verschweigen)
4. die hohen Produktionskosten / der Produzent (lasten auf / belasten)
5. der Regisseur / alle Fragen des Produzenten (antworten auf / beantworten)
6. die Regieassistentin / mit Spannung / der Drehbeginn (warten auf / erwarten)
7. sie / ein Vorschuss (bitten um / erbitten)
8. das Filmteam / die Anweisungen des Regisseurs (folgen + *D* / befolgen)

II Transitive schwache und intransitive starke Verben

Transitives Verb: schwache Verbform	Intransitives Verb: starke Verbform
Beschreibt eine Handlung Objekt der Handlung = Akkusativergänzung Frage: *Wohin?* → Ortsangabe mit Präposition + Akkusativ Perfekt mit *haben*	Beschreibt einen Zustand als Ergebnis einer Handlung Subjekt des Geschehens = Subjekt des Satzes Frage: *Wo?* → Ortsangabe mit Präposition + Dativ Perfekt mit *haben*
hängen, hängte, hat gehängt Der Wirt **hat** die Tafel mit den Tagesgerichten an die Wand **gehängt**.	*hängen, hing, hat gehangen* Die Tafel mit den Tagesgerichten **hat** ab 12 Uhr an der Wand **gehangen**.
(sich) legen, legte, hat gelegt Er **hat** neue Flaschen ins Weinregal **gelegt**. Er **hat sich** auf die Couch **gelegt**.	*liegen, lag, hat gelegen** Die neuen Flaschen **haben** nicht lange im Weinregal **gelegen**. Er **hat** auf der Couch **gelegen**.
(sich) setzen, setzte, hat gesetzt Er **hat sich** zu einem Gast an den Tisch **gesetzt**. Er **hat** den Betrag auf die Rechnung **gesetzt**.	*sitzen, saß, hat gesessen** Der Wirt **hat** bei einem Gast am Tisch **gesessen**.
(sich) stellen, stellte, hat gestellt Die Bedienung **hat** die Gläser in den Schrank **gestellt**. Sie **hat sich** hinter die Theke **gestellt**.	*stehen, stand, hat gestanden** Die Gläser **haben** im Schrank **gestanden**. Sie **hat** hinter der Theke **gestanden**.
stecken, steckte, hat gesteckt Der Wirt **hat** den Schlüssel ins Schloss **gesteckt**.	*stecken, steckte, hat gesteckt* Der Schlüssel **hat** im Schloss **gesteckt**.

* Südlicher deutscher Sprachraum, A, CH: Ich bin gelegen/gesessen/gestanden.

Ü2 Nach einem Fußballspiel im Stadion
Beschreiben Sie den Zustand im Präteritum.

Der Trainer der Siegermannschaft hatte sich in die vorderste Reihe des Stadions gesetzt.
Der Trainer der Siegermannschaft saß in der vordersten Reihe des Stadions.

1. Er hatte den Sportteil einer Tageszeitung auf seine Knie gelegt.
2. Einige Spieler hatten sich neben ihn gesetzt.
3. Sie hatten leere Pappbecher auf die Bank gestellt.
4. An ihre Hemden hatten sie Buttons gesteckt.
5. Einige Spieler hatten ihre Jacken auf den Boden gelegt.
6. Ihre Sporttaschen hatten sie in die Garderobe gehängt.

7. Der andere Trainer hatte sich an den Rand des Spielfelds gestellt.
8. Fans hatten knallrote Fähnchen in den Rasen gesteckt.
9. An die Umrandung des Spielfelds hatte man große Werbeplakate gehängt.

Ü3   Feierabend im Schwimmbad

Sagen Sie, was der Bademeister alles gemacht hat. Bilden Sie Sätze mit den Verben *hängen, legen/liegen, setzen/sitzen, stellen/stehen, stecken*. Ergänzen Sie die notwendigen Artikel und Präpositionen.

Gelände – Stühle / Terrasse
Auf dem Gelände standen Stühle. Der Bademeister hat sie auf die Terrasse gestellt.

1. Baum – nasses Handtuch / Leine im Waschraum
2. Umkleidekabine – goldene Uhr / Schublade im Kassenraum
3. Kassenhäuschen – Fahrrad / Abstellraum
4. Fahrradschloss – Schlüssel / Tasche
5. ein paar Badegäste – am Schwimmbecken / er hat sie gebeten – Restaurant
6. Gras – Spielzeug / Tisch im Kassenhäuschen
7. Tisch – Verbandskasten / Schrank
8. Sandkasten – Liegestuhl / Liegewiese

Ü4   Nach einer Party

Sie haben die ganze Nacht gefeiert, Ihre Gäste sind nun alle gegangen.
Beschreiben Sie den Zustand Ihrer Wohnung und schaffen Sie wieder Ordnung.
Wortschatz, den Sie dabei verwenden können:

Verben	Nomen
legen/liegen setzen/sitzen stellen/stehen hängen stecken	volle Aschenbecher Obst schmutzige Gläser gebrauchte Handtücher Geschirr leere Flaschen Besteck Fotoapparat Servietten meine Schuhe Regenschirm schmutzige Töpfe

→ *Meine Jacken haben auf meinem Bett gelegen.*
    Ich habe sie wieder in die Flurgarderobe gehängt. ...

Verben, die schwer zu unterscheiden sind

Transitives Verb: schwache Verbform	Intransitives Verb: starke Verbform
Beschreibt eine Handlung Objekt der Handlung = Akkusativergänzung Perfekt mit *haben*	Beschreibt eine Zustandsveränderung als Ergebnis einer Handlung Subjekt des Geschehens = Subjekt des Satzes Perfekt mit *sein*
bleichen, bleichte, hat gebleicht Die Hausfrau **hat** die **Gardinen** in der Sonne **gebleicht.**	*aus-/verbleichen, blich aus / verblich, ist ausgeblichen/verblichen* Die Farbe der Gardinen **ist verblichen.**

(sich) erschrecken, erschreckte, hat erschreckt Der Hund **hat** das kleine Kind **erschreckt**. Das Kind **hat sich** sehr **erschreckt**.	*erschrecken, (erschrickt,) erschrak, ist erschrocken* Das kleine Kind **ist** fürchterlich **erschrocken**.
ertränken, ertränkte, hat ertränkt Er **hat** seine Sorgen im Alkohol **ertränkt**.	*ertrinken, ertrank, ist ertrunken* Junge Leute **sind** bei einem Schlauchbootunfall **ertrunken**.
fällen, fällte, hat gefällt Die Waldarbeiter **haben** Bäume **gefällt**.	*fallen, (fällt,) fiel, ist gefallen* Die Bäume **sind** krachend zu Boden **gefallen**.
(aus-)löschen, löschte, hat gelöscht Die Feuerwehr **hat** das Feuer **gelöscht**.	*erlöschen, (erlischt,) erlosch, ist erloschen* Das Feuer **ist** nur langsam **erloschen**.
(fort-/weg-)schwemmen, schwemmte, hat geschwemmt Die Strömung **hat** das Holz ans Ufer **geschwemmt**.	*schwimmen, schwamm, ist geschwommen* Das Holz **ist** auf der Wasseroberfläche **geschwommen**.
(sich) senken, senkte, hat gesenkt Die Firma **hat** ihre Betriebskosten **gesenkt**. Der Boden der Lagerhalle **hat sich gesenkt**.	*sinken, sank, ist gesunken* Die Betriebskosten **sind gesunken**.
sprengen, sprengte, hat gesprengt Sprengstoffexperten **haben** eine alte Fabrik **gesprengt**.	*(zer-)springen, sprang, ist gesprungen* Dabei **sind** in der Nachbarschaft viele Fensterscheiben **zersprungen**.
(sich) steigern, steigerte, hat gesteigert Das Unternehmen **hat** seine Produktion enorm **gesteigert**. Das Unternehmen **hat sich** in punkto Leistung **gesteigert**.	*(an-)steigen, stieg, ist gestiegen* Die Produktion **ist** enorm **gestiegen**.
verschwenden, verschwendete, hat verschwendet Der Filmstar **hat** sein ganzes Vermögen **verschwendet**.	*verschwinden, verschwand, ist verschwunden* Er **ist** dann bald aus den Schlagzeilen **verschwunden**.

Ü5 Wer beherrscht die sprachlichen Feinheiten?

Setzen Sie das jeweils richtige Verb im Perfekt ein.

verschwenden / verschwinden

1. Viele Millionen *sind* unkontrolliert *verschwunden*.

   Eine Kommission soll jetzt prüfen, wer Geld _____.

schwemmen / schwimmen

2. Auf der Wasseroberfläche _____ viel Schmutz _____.

   Der Rhein _____ beim letzten Hochwasser viel Schlamm in die Häuser _____.

sprengen / springen

3. In Berlin _____ ein Sprengmeister eine Fliegerbombe aus dem Zweiten Weltkrieg

_____ .

Als ein verirrter Stein angeflogen kam, _____ er schnell zur Seite _____ .

senken / sinken

4. Die Realeinkommen _____ weiter _____ .

Die Regierung _____ die Steuern nicht _____ .

steigern / steigen

5. Der Sportler _____ seine Leistungen _____ .

Dadurch _____ seine Siegeschancen _____ .

erschrecken / erschrecken

6. Viele Arbeitnehmer _____ _____ , als sie ihre Gehaltsabrechnungen

bekamen.

Auch die hohe Teuerungsrate _____ viele Menschen _____ .

fällen / fallen

7. Der Richter _____ ein mildes Urteil _____ .

Die Entscheidung _____ ihm nicht leicht_____ .

Verben für Spezialisten

Schwaches Verb, transitiv – Perfekt mit *haben*	Starkes Verb, intransitiv – Perfekt mit *sein*
senken	*sinken*
= etw. abwärts bewegen Er **hat** den Blick / den Kopf **gesenkt**. Er **hat** sein Schiff **versenkt**.	= sich langsam abwärts bewegen Ein Schiff / Die Sonne **ist gesunken**. Der Mann **ist** zu Boden **gesunken**.
= etw. herabsetzen, ermäßigen Sie **haben** die Preise/Steuern **gesenkt**.	= niedriger werden Die Temperaturen/Preise/Steuern **sind gesunken**.
= leiser sprechen nur in der festen Wendung *die Stimme senken* Sie **hat** ihre Stimme **gesenkt**.	= an Wert verlieren Die Aktienkurse/Preise **sind gesunken**.
Schwaches Verb, reflexiv – Perfekt mit *haben*	
sich senken = niedriger werden Der Boden **hat sich gesenkt**.	

Ü6 Herbst am Bodensee

senken oder *sinken*? Setzen Sie das richtige Verb in der angegebenen Zeit ein.

Die Sonne *ist* im Bodensee ver*sunken*. (*Perf.*)

1. Allmählich _____ sich Dunkelheit über den See. (*Präs.*)

2. Die Temperatur am See _____ schon im Oktober bis auf den Gefrierpunkt _____ . (*Perf.*)

3. An sonnigen Tagen allerdings _____ die Temperatur nicht unter 10 Grad. (*Präs.*)

4. Trotzdem _____ durch das Herbstwetter die Erwartungen der Tourismusbranche. (*Präs.*)

5. Die Bootsverleiher _____ deshalb schon die Preise _____ . (*Perf.*)

6. Während der langen Trockenperiode _____ der Wasserstand des Bodensees _____ . (*Perf.*)

7. Infolgedessen _____ sich auch der Grundwasserspiegel _____ . (*Perf.*)

8. Der Bodensee ist in Ober- und Untersee geteilt, weil der Seespiegel vor mehr als tausend Jahren _____ _____ . (*Perf.*)

Weitere Verben für Spezialisten

Schwaches Verb, transitiv – Perfekt mit *haben*	Starkes Verb, intransitiv – Perfekt mit *sein*
steigern	*steigen*
= etw. erhöhen, vergrößern, verstärken Die Firma **hat** die Produktion / Leistung / den Umsatz **gesteigert**.	= sich nach oben bewegen Der Heißluftballon **ist** in die Höhe **gestiegen**.
Schwaches Verb, reflexiv – Perfekt mit *haben*	= größer/höher/stärker werden Die Temperatur/Leistung/Spannung / Der Druck **ist gestiegen**. Die Anforderungen/Erwartungen/Preise **sind gestiegen**.
sich steigern	
= zu größeren Leistungen gelangen Zuerst ist er langsam gelaufen, dann **hat** er **sich gesteigert**.	
= stärker/größer werden Der Druck / Die Spannung **hat sich gesteigert**.	

Ü7   Es geht aufwärts

steigern oder *steigen*? Ergänzen Sie die Perfektformen.

Der Läufer *hat* seine Leistungen kontinuierlich *gesteigert*.

1. Dadurch _____ sein Ansehen bei seinen Teamkollegen sehr _____.

2. Mit jedem Sieg _____ die Erwartungen an ihn noch weiter _____.

3. Am Anfang des Laufs war er schon sehr schnell, kurz vor dem Ziel _____ er sich dann aber noch _____.

4. Seine Laufgeschwindigkeit _____ auf den letzten hundert Metern immer noch an_____.

5. Auch beim letzten Lauf _____ er sein Tempo zum Schluss noch einmal deutlich _____.

6. Nach dem Lauf _____ er zu Freunden ins Auto _____, weil er selbst zum Fahren zu erschöpft war.

7. Durch seine Siege _____ sich der Absatz einiger Sportartikel sichtbar _____.

Ü8   Nachrichten aus der Wirtschaft: Es boomt!

steigen oder *steigern*? *sinken* oder *senken*? Setzen Sie die passenden Verben im Perfekt ein.

Die privaten Vermögen *sind* im vergangenen Jahr auf Rekordwerte *gestiegen*. (steigen/steigern)

1. Die Banken _____ ihre Gewinne deutlich _____. (steigen/steigern)

2. Die heimische Industrie _____ ihre Produktion weiter _____. (steigen/steigern)

3. Ihre Gewinne _____ überraschend stark _____. (steigen / steigern)

4. Trotz der hohen Gewinne _____ die Industrie die Quote für Neueinstellungen _____. (sinken/senken)

5. Die Personalkosten der Betriebe _____ weiter _____. (sinken/senken)

6. Die Unternehmen _____ ihre Exporte erheblich _____. (steigen/steigern)

7. Dagegen _____ die Importe leicht _____. (sinken/senken)

Ü9   Vor der Prüfung

Bilden Sie, wenn nicht anders angegeben, Sätze im Perfekt mit *-schrecken*.

Thomas *ist* noch vor keiner Prüfung *zurückgeschreckt*.

1. Bisher _____ ihn auch hohe Leistungsanforderungen nie er_____.

2. Letzte Nacht _____ er aber plötzlich er_____ und im Schlaf auf-/ hoch_____.

3. Vorige Woche _____ er zusammen_____, als ihm ein Freund erzählte, dass er seine Prüfung nicht bestanden hat.

4. Die übliche Durchfallquote _____ ihn bis dato nicht ab_____. (*Plusq.*)

Schrecken in vielen Variationen

Schwaches Verb, transitiv – Perfekt mit *haben*
abschrecken = jdn. (durch ein schlechtes Beispiel oder durch Androhung einer Strafe) von etw. abbringen / abhalten Hohe Gefängnisstrafen **haben** Diebe bisher nicht von Einbrüchen **abgeschreckt**.
Schwaches Verb, transitiv – Perfekt mit *haben*
aufschrecken = jdn. so erschrecken, dass er mit einer plötzlichen, heftigen Bewegung reagiert Ein klirrendes Geräusch **hat** nachts einen Jungen **aufgeschreckt**.
Schwaches Verb, intransitiv – Perfekt mit *sein*
auf-/hochschrecken = in die Höhe fahren / plötzlich auffahren Er **ist** in seinem Bett **aufgeschreckt/hochgeschreckt**.
Schwaches Verb, transitiv – Perfekt mit *haben*
erschrecken = jdn. in Schrecken versetzen / jdn. ängstigen Das Geräusch **hat** ihn sehr **erschreckt**.
Starkes oder schwaches Verb, reflexiv – Perfekt mit *haben*
sich erschrecken (ugs.) = in Schrecken geraten Auch der Einbrecher **hat sich** sehr **erschreckt/erschrocken**.
Starkes Verb, intransitiv – Perfekt mit *sein*
erschrecken = in Schrecken geraten Er **ist** durch den lauten Knall sehr **erschrocken**.
Schwaches Verb, intransitiv – Perfekt mit *sein*
zurückschrecken vor = erschrecken und zurückweichen / bildlich: nicht wagen, etw. zu tun Bisher **war** er immer vor einem Einbruch **zurückgeschreckt**.
Schwaches Verb, intransitiv – Perfekt mit *sein*
zusammenschrecken = vor Schreck eine ruckartige Bewegung machen / zusammenzucken Hat der Junge schlecht geträumt? Er **ist** im Schlaf **zusammengeschreckt**.

III Starke und schwache Verben – zum Teil mit unterschiedlicher Bedeutung

Schwache Verben	Starke Verben
etw./jdn./sich bewegen, bewegte, hat bewegt = Lage/Stellung verändern Der Wind **hat** die Blätter leicht **bewegt.** Die Blätter **haben sich** im Wind **bewegt.** = jdn. rühren/innerlich beschäftigen Die alten Fotografien **haben** mich sehr **bewegt.**	*jdn. bewegen, bewog, hat bewogen zu* = jdn. veranlassen/dazu bringen, etw. zu tun Die wirtschaftliche Situation **hat** den Studenten zum Abbruch seines Studiums **bewogen.**
es gärt, gärte, hat gegärt = bildlich: unruhig sein, weil man unzufrieden ist mit jdm./etw. Schon seit einiger Zeit **hat** es im Volk **gegärt.**	*gären, gärte/gor, hat gegoren/ist gegoren (zu)* = chemischer Vorgang, bei dem Zucker zu Alkohol wird Der Saft **hat** lange **gegoren.** Er **ist** zu Most **gegoren.**
etw. schaffen, schaffte, hat geschafft = etw. bewältigen/fertigbringen/erreichen/zustande bringen Die Bauarbeiter **haben** ihr heutiges Soll **geschafft.**	*etw. schaffen, schuf, hat geschaffen* = etw. Neues hervorbringen; etw. formen/künstlerisch gestalten Der Künstler **hat** eine neue Plastik **geschaffen.** Man **hat** für die Bauarbeiter günstigere Bedingungen **geschaffen.** *wie geschaffen sein für jdn./etw.* = besonders gut für jdn./etw. geeignet sein Hans **ist** für die Arbeit mit Jugendlichen wie **geschaffen.**

etw. schaffen, schaffte/schuf, hat geschafft/geschaffen = Abhilfe/Klarheit/Ordnung/Platz/Raum schaffen Sie **hat** in ihrem Zimmer endlich Ordnung **geschafft/geschaffen.**	

Schwache Verben	Starke Verben
sich scheren, scherte, hat geschert (um jdn./etw.) (ugs.) = sich kümmern um jdn./etw. (meist verneint) Sie **hat sich** nie um anderer Leute Angelegenheiten **geschert.** = sich entfernen/sich aus dem Staube machen (meistens in Befehlen und Verwünschungen) Er soll **sich** zum Teufel **scheren!**	*etw. scheren, schor, hat geschoren* = etw. abschneiden/kurz schneiden (Bart, Haare, Wolle) Der Schäfer **hat** die Schafe **geschoren.**

schleifen, schleifte, hat geschleift = etw. berührt bei einer Bewegung etw. anderes; schleifend eine Fläche berühren **Beim Fahrradfahren hat ihre Tasche am Schutzblech geschleift.** *etw./jdn. (hinter sich her-)schleifen* = jdn./etw. über den Boden ziehen **Er hat sein Gepäck hinter sich hergeschleift.**	*etw./jdn. schleifen, schliff, hat geschliffen* = etw. schärfen/glätten **Der Scherenschleifer hat diese Schere besonders gut geschliffen.** = jdn. hart ausbilden/drillen (beim Militär) **Der Offizier hat die Rekruten geschliffen.**
etw. senden, sendete, hat gesendet = etw. ausstrahlen/durch Funk oder Fernsehen übertragen **Das Fernsehen hat den umstrittenen Film doch gesendet.**	

(jdm.) etw. senden, sendete/sandte, hat gesendet/gesandt   nur in der Bedeutung *schicken/zukommen lassen* möglich   **Er hat seiner Freundin eine E-Mail gesendet.**   **Er hat seiner Freundin ein Überraschungspäckchen gesandt.**

etw. (ein-)wachsen, wachste, hat gewachst = etw. mit Wachs einreiben **Früher hat man die Fußböden gründlich gewachst.**	*(auf-)wachsen, (wächst,) wuchs, ist gewachsen* = groß werden; sich entwickeln; zunehmen; sich ausdehnen **Das Kind ist gesund aufgewachsen.**
aufweichen, weichte auf, ist aufgeweicht = weich werden **Bei dem starken Regen ist die Erde schnell aufgeweicht.** *etw. aufweichen, weichte auf, hat aufgeweicht* = etw. durch Flüssigkeit weich machen **Der Regen hat die Erde aufgeweicht.** *etw. einweichen, weichte ein, hat eingeweicht* = etw. in eine Flüssigkeit legen, um es weich zu machen oder zu reinigen **Peter hat die Bohnen am Abend eingeweicht.**	*etw./jdm. (aus-)weichen, wich, ist gewichen* = zurückgehen; etw./jdn. aus dem Weg gehen **Das Segelboot ist dem Dampfer ausgewichen.** **Das schlechte Wetter ist dem Hochdruckgebiet gewichen.**

(sich/etw.) wenden, wendete, hat gewendet = sich/etw. in die entgegengesetzte Richtung bringen/drehen; (sich/etw.) umdrehen, (etw.) umkehren Er **hat** (den Wagen) **gewendet.** Der Wind **hat sich gewendet.** *etw. entwenden* = etw. stehlen Die Kassiererin **hat** wiederholt Geld **entwendet.**	

sich/etw. wenden, wendete/wandte, hat gewendet/gewandt
Hier haben die starke und die schwache Verbform dieselbe Bedeutung:

a) mit Präposition:
sich/etw. wenden an/gegen/nach/von
Sie **hat** den Kopf nach rechts **gewendet/gewandt.**
Er **hat sich** an einen Experten **gewendet/gewandt.**

b) mit Vorsilbe:
etw. ab-, an-, auf-, ein-, um-, verwenden;
sich ab-, umwenden; sich jdm./etw. zuwenden;
sich verwenden für jdn./etw. (= sich für jdn./etw. einsetzen)
Diese Methode **hat** man schon oft **angewendet/angewandt.**
Er **hat sich** einem anderen Thema **zugewendet/zugewandt.**
Der Chef hat **sich** für ihn **verwendet/verwandt.**

sich/jdn. wiegen, wiegte, hat gewiegt	*sich/etw. wiegen, wog, hat gewogen*
= jdn. schaukelnd bewegen Die Mutter **hat** ihr Kind in den Armen **gewiegt.**	= das Gewicht von etw./jdm. feststellen Die Krankenschwester **hat** das Baby/sich **gewogen.**
→ bildliche Bedeutung Der Dieb **hat sich** in Sicherheit **gewiegt.**	= ein bestimmtes Gewicht haben Das Baby **hat** schon fast sechs Kilo **gewogen.**

Anmerkungen

(1) Einige Verben haben schwache und starke Formen, die sich in ihrer Bedeutung nicht unterscheiden (z. B. *backen, glimmen, hauen, melken, saugen, schallen*):
Kühe werden heute meist elektrisch **gemelkt/gemolken.**

(2) Beim Verb *spalten* sind in konkreter Bedeutung beide Formen gebräuchlich, in bildlicher Bedeutung hingegen ist nur die starke Verbform möglich:
Der Hausherr hat Holz **gespaltet/gespalten.**
Aber:
Die Partei hat **sich gespalten.**

(3) Beim Verb *weben* ist in konkreter Bedeutung die schwache Form gebräuchlich, in bildlicher Bedeutung die starke Verbform:

Sie hat diesen Wandteppich selbst **gewebt**.

Er hat in seiner Musik verschiedene Motive miteinander **verwoben**.

Ü10 Buntes Allerlei

Starke und/oder schwache Verbform? Setzen Sie das Perfekt bzw. Partizip Perfekt ein.

bewegen

1. Die Hochzeit seines besten Freundes *hat* ihn sehr *bewegt*.
2. Dieses Ereignis _____ ihn dazu _____, seiner langjährigen Freundin einen Heiratsantrag zu machen.

gären

3. Der Apfelmost kann nicht mehr getrunken werden, denn er _____ zu stark ver_____.
4. Unter Weinbauern _____ es kräftig _____, als die neuen EU-Bestimmungen in Kraft getreten sind.

schaffen

5. Die Bildhauerin _____ ein neues Werk _____.
6. Endlich _____ sie es _____!
7. Sie _____ für das Künstlerleben wie _____.

scheren

8. Warst du beim Frisör? Der _____ dich ja ganz schön kahl _____.
9. Wie ich dich kenne, _____ du dich nicht darum _____.

schleifen

10. Sabine _____ ihren Mann mit zu der Party _____, obwohl er keine Lust hatte.
11. Vorsicht! Die Messer _____ scharf _____.
12. Von Soldaten sagt man, dass sie in der Ausbildung _____ werden.

senden

13. Geburtstagskinder bekommen manchmal Blumen über Fleurop _____.
14. Glückwünsche über das Radio werden oft zusammen mit einem Musikstück

_____.

wachsen

15. Monika _____ als Kind nur sehr langsam _____ .

16. Jetzt _____ sie er_____ und ganz durchschnittlich groß.

17. Letzten Freitag _____ sie schon wieder ihre Parkettböden _____ .

weichen

18. Über Nacht _____ der Regen die Wege auf_____ .

19. Bei dem heftigen Regen _____ die Wege ganz auf_____ .

20. Beim Spazierengehen _____ wir großen Pfützen aus_____ .

wenden

21. Unser Aupairmädchen _____ sich mit jedem Problem immer sofort an uns _____ .

22. Die Tipps, die sie bekam, _____ sie immer gleich an_____ .

23. Wir wohnen am Ende einer Sackgasse, und sie hat immer gerne die Autofahrer
    beobachtet, die vor dem Haus _____ _____ .

24. Wir hatten mal den Verdacht, dass sie Geld aus der Haushaltskasse
    ent_____ _____ , aber das war zum Glück nicht so.

wiegen

25. Die Mutter _____ ihr Kind in den Schlaf _____ .

26. In den ersten Lebenswochen _____ sie es täglich _____ .

Ü11   Streik

Starke und/oder schwache Verbform? Ergänzen Sie das Partizip Perfekt.

Während des Streiks hat es die Deutsche Post nicht *geschafft* (schaffen),
die Postsendungen zügig zu befördern.

1. Man hat nicht mal alle Pakete _____ . (wiegen)

2. Wer Briefe _____ (absenden) hat, wusste nicht,
   wann sie den Empfänger erreichen.

3. Viele hat das dazu _____ , lieber zu mailen. (bewegen)

4. Rundfunk und Fernsehen haben täglich Berichte darüber _____ . (senden)

5. In der Wirtschaft hat es schon nach ein paar Tagen Poststreik kräftig _____ . (gären)

6. Der Mann auf der Straße hat sich aber kaum darum _____ . (scheren)

Ü12 Nachrichten aus der Wirtschaft: Krisenstimmung

Transitiv und/oder intransitiv? Setzen Sie die passenden Verben im Perfekt ein.

Das Fernsehen *hat* eine Dokumentation über die Wirtschaftskrise *gesendet*. (senden)

1. Wirtschaft und Industrie _____ im letzten Jahr den Aufschwung recht gut

   _____. (schaffen)

2. Aber trotzdem _____ sie keine neuen Arbeitsplätze _____. (schaffen)

3. Die Politiker _____ diesem Problem _____. (ausweichen)

4. Die Gewerkschaften werfen ihnen vor, dass sie sich zu wenig um die Probleme der

   Arbeitslosen _____ _____. (scheren)

5. Daher _____ sich der Wirtschaftsminister mit einem dringenden Appell an die

   Verantwortlichen in Industrie und Wirtschaft _____. (wenden)

6. Die Wirtschaftskrise _____ viele Menschen dazu _____ (bewegen), ihr erspartes

   Geld in Immobilien anzulegen.

7. Denn die Angst vor einer Inflation _____ in letzter Zeit stark _____. (wachsen)

8. Natürlich _____ das die Menschen sehr _____. (bewegen)

9. Deshalb _____ es in Teilen der Bevölkerung schon heftig _____. (gären)

10. Aber das Blatt _____ sich noch nicht _____. (wenden)

IV Gesamtübungen

Ü13 Tüchtig!

Erzählen Sie, was Michael gestern Nachmittag alles gemacht hat. (Erzählzeit: Perfekt)

Zuerst bäckt Michael einen Kuchen.

Zuerst hat Michael einen Kuchen gebacken.

1. Er wiegt 500 g Mehl ab und weicht Rosinen ein.
2. Gleichzeitig wendet er ab und zu den Braten für das Abendessen.
3. Michael bewegt sich rastlos zwischen Kinderzimmer und Küche hin und her.
4. In der Küche steht ein voller Mülleimer; das bewegt den fleißigen Hausmann dazu,
   sofort in den Hof zu gehen und ihn zu leeren.
5. Dann schleift er noch sämtliche stumpfen Messer.
6. Von Zeit zu Zeit wendet er den Blick der aufgeschlagenen Zeitung zu, um sich noch
   schnell über die Tagesereignisse zu informieren.
7. Beim Anblick des perfekt vorbereiteten Abendessens schmilzt seiner Frau Beate
   fast das Herz.
8. „Wie schaffst du das nur?", sagt sie voller Bewunderung.

Ü14 Ein versuchter Diebstahl

Berichten Sie, wenn nicht anders angegeben, im Perfekt.

1. Als das berühmte Gemälde von R. noch im Museum *hing*, _____ eines Nachts die Alarmglocke den Wärter _____. (hängen, *Prät.* / aufschrecken)

2. Der versuchte Diebstahl _____ die Museumsleitung dazu _____, das Bild erst einmal in Sicherheit zu bringen. (bewegen)

3. Man _____ es in einen Tresor _____, dort _____ es längere Zeit _____. (legen/liegen)

4. Auf diese Weise _____ man im Museum Platz für ein gerade erworbenes Bild _____. (schaffen)

5. Aber es _____ vielen Kunstfreunden daran, das Bild wieder sehen zu können. (legen/ liegen, *Prät.*)

6. Deshalb _____ sie sich an die Museumsleitung _____, mit der Bitte, das Bild der Öffentlichkeit wieder zugänglich zu machen. (wenden)

7. Man _____ viel Geld für die Sicherung des Bildes _____ und es wieder an seinen alten Platz _____. (aufwenden/hängen).

8. Der versuchte Diebstahl _____ das Interesse der Öffentlichkeit für das Bild und den Maler noch _____. (steigern/steigen)

9. Vielleicht _____ die Museumsleitung bisher nicht genügend Wert auf die Sicherheit ihrer Kunstschätze _____. (legen/liegen, *Plusq.*)

10. Sie _____ sich vielleicht zu sehr in Sicherheit _____. (wiegen, *Plusq.*)

11. Seit der Verschärfung der Sicherheitsmaßnahmen _____ im Museum kein Bild mehr _____. (verschwenden/verschwinden)

Ü15 Studienfachwechsel

Starkes oder schwaches Verb? Setzen Sie das Partizip Perfekt ein.

Roland hat seinen Eltern gemailt, dass verschiedene Gründe ihn zum Studienwechsel *bewogen* haben. (bewegen)

1. Die Entscheidung war ihm nicht leicht_____, aber er hatte sich nach fünf Semestern in eine richtige Abwehrhaltung gegen das Medizinstudium _____. (fallen/fällen / hineinsteigen/hineinsteigern)

2. Die Argumente, mit denen seine Eltern ihm schon öfter die Fortsetzung des Studiums _____ hatten, haben nicht schwer genug _____. (naheliegen/nahelegen / wiegen)

3. Dieses Thema hat die ganze Familie _____, zumal Roland die bisherigen Prüfungen gut _____ hatte. (bewegen/schaffen)

4. Nach Meinung der Eltern hätte ein zweites Studium ihren finanziellen Rahmen
_____. (springen/sprengen)

5. Aber einer ernsthaften Diskussion mit seinen Eltern hat er sich nicht
_____. (stehen/stellen)

6. Offensichtlich hat ihn der große Lernaufwand von diesem Studienfach
_____. (abschrecken)

7. Seine Eltern wissen, dass er Schwierigkeiten schon immer gern _____
ist. (ausweichen)

8. Oder sollte er vielleicht wirklich nicht für den Arztberuf _____
sein? (schaffen)

9. Vielleicht hatte er sich aber auch selbst nicht die allergünstigsten Studienbedingungen
_____. (schaffen)

10. Später hat er die Entscheidung, die er als junger Mensch _____ hatte, nie
bereut. (fallen/fällen)

§3 Untrennbare und trennbare Verben

Nach Angaben des Statistischen Bundesamtes **ziehen** junge Frauen früher aus dem Elternhaus **aus** als gleichaltrige junge Männer.
Sie **beziehen** früher eine eigene Wohnung oder **ziehen** in eine Wohngemeinschaft.

Sehr viele einfache Verben (*ziehen*) können mit untrennbaren Vorsilben (*beziehen*) oder mit trennbaren Vorsilben (*ausziehen*) verbunden sein.
Vorsilben können unbetont (*beziehen*) oder betont (*ausziehen*) sein.

I Verben mit untrennbaren, unbetonten Vorsilben

(1) Der Geschäftsmann **verreist/verreiste** gern.
(2) Er ist gern **verreist**.
(3) Es macht ihm Spaß, öfter **zu verreisen**.

Die Vorsilben *be-, emp-, ent-, er-, ge-, hinter-, miss-, ver-, zer-* sind untrennbar und unbetont.
Sie werden im Präsens und Präteritum nicht vom Verb getrennt (1).
Das Partizip Perfekt wird ohne *ge-* gebildet (2), *zu* steht vor dem Infinitiv (3).

Ü1 Unzertrennlich
Suchen Sie weitere Verben mit den jeweiligen Vorsilben.

1. be-   *behalten, ...*
2. emp-   *empfangen, ...*
3. ent-   *entnehmen, ...*
4. er-   *erkennen, ...*
5. ge-   *gehören, ...*
6. hinter- *hinterlassen, ...*
7. miss- *missverstehen, ...*
8. ver-   *vermeiden, ...*
9. zer-   *zerbrechen, ...*

II Verben mit trennbaren, betonten Vorsilben

(1a) Das Flugzeug **kommt/kam** pünktlich **an**.
(1b) Das Flugzeug, das pünktlich **ankommt/ankam**, fliegt/flog bald weiter.
(2a) Das Flugzeug ist pünktlich **angekommen**.
(2b) Gepäckwagen haben Koffer und Pakete **abtransportiert**.
(3) Niemand schätzt es, mit Verspätung **anzukommen**.

Trennbare Vorsilben sind betont und werden im Präsens und Präteritum vom
Verb getrennt (1a), allerdings nicht im Nebensatz (1b).
Im Partizip Perfekt tritt *ge-* zwischen Vorsilbe und Verbstamm (2a),
bei Verben auf *-ieren* entfällt *ge-* (2b).
Im Infinitiv steht *-zu-* zwischen Vorsilbe und Verbstamm (3).

**Trennbare Vorsilben sind häufig Präpositionen oder Adverbien,
seltener Adjektive oder Nomen**

Präpositionen
ab-, an-, auf-, aus-, bei-, mit-, nach-, vor-, zu- z.B. *ausschlafen, mitfahren, vorkommen*
Adverbien
beisammen-, da-, dar-, darauf-, ein-, einher-, empor-, entgegen-, fort-, gegen-, her-, herauf-, herunter-, hervor-, hin-, hinaus-, hinein-, inne-, los-, nieder-, überein-, umher-, vorbei-, vorweg-, weg-, zurecht-, zurück-, zuwider- z.B. *emporsteigen, innehalten, übereinstimmen*
Adjektive
bereit-, fehl-, kaputt-, tot- z.B. *fehlschlagen, sich kaputtlachen, totschlagen*
Nomen
heim-, irre-, preis-, stand-, statt-, teil- z.B. *preisgeben, standhalten, teilnehmen*

(1) Der Pilot **frühstückte** mit seiner Kopilotin.
(2) Dabei haben sie **gefachsimpelt**.
(3) Nichts lag ihnen ferner, als sich **zu langweilen**.

Einige Verben, die von Nomen bzw. Verben abgeleitet sind, sind untrennbar,
obwohl ihre erste Silbe betont ist (1).
Im Partizip II steht *ge-* vor der Verbform (2), *zu* steht vor dem Infinitiv (3),
vgl. z.B. auch *argwöhnen, fachsimpeln, frühstücken, handhaben, kennzeichnen, (sich) langweilen,
maßregeln, mutmaßen, ohrfeigen, (sich) rechtfertigen, schlussfolgern, weissagen, wetteifern.*

(4) Der Pilot versuchte **notzulanden**.
(5) Er war noch nie **notgelandet**.

Einige Verben mit einem betonten Nomen als erster Silbe sind trennbar.
Sie werden aber fast nur im Infinitiv (4), in Einzelfällen auch als Partizip I und II gebraucht (5),
vgl. z.B. auch *bergsteigen, notlanden, notschlachten, schutzimpfen, sonnenbaden, wettlaufen,
zwangsräumen.*

Ü2 Der Alltag einer Mutter

a) Bilden Sie mit dem passenden Verb Sätze im Präsens.

erziehen / vorziehen

1. sie / ihre Kinder / sehr liebevoll
    Sie erzieht ihre Kinder sehr liebevoll.
    sie / keines ihrer Kinder

bedenken / nachdenken

2. sie / über Erziehungsfragen / gründlich
    sie / die Konsequenzen ihrer Entscheidungen

bekommen / entgegenkommen

3. sie / den Wünschen ihrer Kinder / gern
    die Kinder / aber / nicht jeden Wunsch / erfüllt

b) Setzen Sie das Partizip Perfekt des passenden Verbs ein.

überschätzen / verschätzen

4. Sie hat die Begabung ihrer ältesten Tochter weit *überschätzt* .
    So sehr hat sie sich bei ihren anderen Kindern nicht _____.

entlassen / zulassen

5. Sie hat ihre Kinder noch nicht in die Selbstständigkeit _____.
    Freches Benehmen hat sie nie _____.

ausschlafen / verschlafen

6. Sie hat noch nie einen wichtigen Termin _____.
    Sie hat aber sonntags immer gern_____.

Ü3 Die Erfindung der Glühbirne

Verfassen Sie, soweit nicht anders angegeben, einen Text im Präteritum.

Im Jahr 1879 (erfinden, *Perf.*) Edison die Glühbirne. Er (hinterlassen) der Menschheit damit eine Erfindung von fundamentaler Wichtigkeit.
Edison (anstellen, *Plusq.*) zuerst eine Reihe von Versuchen, sie aber wieder (zurückstellen, *Part. Perf.*). Dann (beschließen) er, sie wieder (aufnehmen, *Inf.* mit *zu*) und (fortführen, *Inf.*
5 mit *zu*). Er (zurückkehren) zu seiner alten Versuchsanordnung. Seine gesicherte finanzielle Situation (ermöglichen) es ihm, dafür Mitarbeiter (einstellen, *Inf.* mit *zu*) und die früheren Versuche im eigenen Labor nochmals (hinterfragen, *Inf.* mit *zu*). Zunächst (misslingen) seine Bemühungen. Aber er (fortsetzen) seine Experimente unablässig. Schließlich (entwickeln) er eine Glühbirne, die er zunächst mit hohen Selbstkosten (herstellen). In seine Experimente
10 (hineinstecken) er mehr als 40 000 Dollar. Aber das Ergebnis (einbringen) am Ende mehr, als nötig war, um die Ausgaben (abdecken, *Inf.* mit *zu*). Im ersten Jahr (verkaufen) Edison die

Glühbirne, die ihn 1 Dollar und 10 Cent kostete, für 40 Cent. Später (verbessern)
er seine Produktionsweise. So (zurückgehen) der Selbstkostenpreis einer Birne auf ungefähr
60 Cent. Trotzdem (verlieren) Edison immer noch Geld, denn die Verkäufe (zunehmen) rasch.
15 Erst im vierten Jahr nach seiner Erfindung (herabdrücken) er den Selbstkostenpreis auf
37 Cent und (hereinbringen) das in den Vorjahren eingebüßte Geld wieder. Danach (herstellen,
Pass. Prät.) die Glühbirne millionenfach. Inzwischen (ersetzen, *Pass. Prät.*)
sie durch moderne Energiesparlampen.

→ *Im Jahr 1879 hat Edison die Glühbirne erfunden. Er ...*

III Verben mit mehreren Vorsilben

(1) Der Meister **beaufsichtigt** die Azubis.
     Der Meister hat die Azubis **beaufsichtigt**.
     Ist es nötig, die Azubis **zu beaufsichtigen**?

(2) Sie **bereiten** ihre Abschlussprüfung **vor**.
     Sie haben ihre Abschlussprüfung **vorbereitet**.
     Sie sind dabei, ihre Abschlussprüfung **vorzubereiten**.

(3) Der Meister **macht** einen von ihm verursachten Schaden **wieder gut**.
     Der Meister hat den Schaden **wiedergutgemacht**.
     Es hat viel Geld gekostet, den Schaden **wiedergutzumachen**.

(4) Der Meister **erkennt** Leistung **an** / **anerkennt** Leistung.

Hat ein Verb mehrere Vorsilben, so gilt:
• Ist die erste Vorsilbe untrennbar, wird nicht getrennt, das Perfekt wird ohne *ge-* gebildet,
  zu steht vor dem Infinitiv (1) (*beaufsichtigen*).
• Ist/Sind die erste/n Vorsilbe/n trennbar, die restliche/n aber nicht, wird/werden die trennbare/n
  Silbe/n einzeln abgetrennt. Das Perfekt wird ohne *ge-* gebildet, im Infinitiv steht *-zu-* zwischen
  den trennbaren und den untrennbaren Teilen (2) (*vorbereiten*).
• Sind alle Vorsilben trennbar, werden sie einzeln abgetrennt. *-ge-* und *-zu-* stehen zwischen den
  Vorsilben und dem Verbstamm (3) (*wiedergutmachen*).
• Einige Verben werden trennbar und – seltener – untrennbar gebraucht (4) (*anerkennen*,
  auferlegen).

Ü4 Eine Mitarbeiterversammlung

Setzen Sie die Verben in der angegebenen Form ein.

Der Firmenchef hat letzte Woche eine Mitarbeiterversammlung *einberufen*
(einberufen, *Part. Perf.*).
Sie war schon für 8 Uhr (anberaumen, *Part. Perf.*). Er sagte gleich zu Beginn, dass er Wert
darauf lege, die Betriebsangehörigen in wichtige Entscheidungen (einbeziehen, *Inf.* mit *zu*).
5 Er (voraussetzen, *Präs.*) das Interesse der Belegschaft und (beabsichtigen, *Präs.*), den
Mitarbeitern keine wichtigen Informationen (vorenthalten, *Inf.* mit *zu*). Weiteren Mitteilungen
(vorausschicken, *Prät.*) er dann seinen Entschluss, sein Unternehmen (umgestalten, *Inf.* mit

zu). Er scheint die allgemeine Wirtschaftslage positiv (beurteilen, *Inf.* mit *zu).* Weiterhin
sollen die in den letzten Jahren vernachlässigten Geschäftsbeziehungen zu ausländischen
10   Firmen (wiederherstellen, *Part. Perf.)* werden. In diesem Punkt (zustimmen, *Prät.)* alle ihrem
Chef. Bei der Aussprache (vorbringen, *Prät.)* einige Mitarbeiter, dass ihnen manchmal zu viel
(abverlangen, *Part. Perf.)* werde, andere wollen nicht ständig (bevormunden, *Part. Perf.)*
werden. Man versprach ihnen, in Zukunft weniger in ihren Verantwortungsbereich
(hineinreden, *Inf.* mit *zu).* Die unerwartete Kritik der Mitarbeiter (verunsichern, Prät.) die
15   Firmenleitung zunächst. Aber schließlich (übereinkommen, *Prät.)* man, sich in Zukunft
mit den anstehenden Problemen rechtzeitig und offen (auseinandersetzen, *Inf.* mit *zu).* Die
Firmenleitung (zusichern, *Prät.),* das frühere vertrauensvolle Betriebsklima (wiederherstellen, *Inf.* mit *zu).* Zum Schluss (übereinstimmen, *Prät.)* alle mit dem Chef darin, eine
alte Tradition (wiederbeleben, *Inf.* mit *zu)* und im Herbst einen Tag der offenen Tür
20   (veranstalten, *Inf.* mit *zu).*

IV Verben mit trennbaren und/oder untrennbaren Vorsilben

(1) Der Lehrer hat seine Schüler in einem Gasthof **untergebracht.**
(2) Er hat sie dort nicht **unterrichtet.**
(3) Sie haben ihre Fahrräder in einem Schuppen **untergestellt.**
(4) Der Lehrer hat seinen Schülern nie Bosheiten **unterstellt.**

Die Vorsilben *durch-, über-, um-, unter-, voll-, wider-* und *wieder-* werden trennbar
(betont) (1) (3) (*unterbringen, unterstellen*) und untrennbar (unbetont) (2) (4)
(*unterrichten, unterstellen*) gebraucht.
Manche Verben sind nur trennbar (1), manche nur untrennbar (2), manche aber sind
trennbar (3) und untrennbar (4).
Bei den trennbaren Verben bleibt der ursprüngliche Sinn der Vorsilbe im Allgemeinen
weitgehend erhalten (1) (3). Die untrennbaren Verben haben meist eine veränderte,
d. h. bildliche, übertragene Bedeutung (2) (4). Diese Aussagen treffen aber für die
Vorsilben *durch-, über-, unter-* nicht immer zu. Für die Bedeutung der Vorsilbe *um-*
gelten eigene Regeln.
Vorsilben, die trennbar und untrennbar gebraucht werden können, werden bei Verben
mit mehreren Vorsilben entsprechend wie trennbare bzw. untrennbare Vorsilben behandelt.

Die Vorsilben *voll-, wider-, wieder-*: Trennbar oder untrennbar

(1a) Die Schüler haben ihre Rucksäcke für die Wanderung ziemlich **vollgepackt.**
(1b) Der Älteste von ihnen **vollendet** heute sein 18. Lebensjahr.
(2a) Seine Freude hat sich in seinem Gesicht **widergespiegelt.**

(2b) Der Lehrer hat die Behauptungen der Schüler **widerlegt**.

(3a) Die Schüler freuen sich, einen früheren Mitschüler **wiederzusehen**.

(3b) Der Lehrer vermied es, seine Ermahnungen ständig **zu wiederholen**.

Die trennbare, betonte Vorsilbe *voll-* hat die wörtliche Bedeutung „voll" im Gegensatz zu „leer" (1a) (*vollpacken*, z. B. auch *sich vollessen, vollgießen, vollkritzeln, vollladen, volllaufen, vollmachen, sich vollsaugen, vollschenken, vollschmieren* (ugs.), *vollschreiben, vollspritzen, sich vollstopfen* (ugs.), *volltanken*).

Die untrennbare, unbetonte Vorsilbe *voll-* hat die bildliche Bedeutung „fertig", „zu Ende" (1b) (*vollenden*, z. B. auch *vollbringen, vollführen, vollstrecken, vollziehen*).

Die trennbare, betonte Vorsilbe *wider-* hat die wörtliche Bedeutung „zurück" (2a) (*widerspiegeln*, z. B. auch *widerhallen, widerschallen*).

Die untrennbare unbetonte Vorsilbe *wider-* hat die übertragene Bedeutung „gegen" (2b) (*widerlegen*, z. B. auch *widerfahren, widerrufen, sich widersetzen, widersprechen, widerstehen, widerstreben*).

Die trennbare, betonte Vorsilbe *wieder-* hat die wörtliche Bedeutung „zurück" (z. B. *wiederbekommen, wiederbringen, wiedererstatten, wiedergeben, wiederhaben, wiederholen, wiederkehren, wiederkriegen* (ugs.)) sowie die ebenfalls wörtliche Bedeutung „nochmals", „erneut" (3a) (*wiedersehen*, z. B. auch *wiederfinden wiederkäuen, wiederkommen, wiederwählen*). Mit der untrennbaren, unbetonten Vorsilbe *wieder-* gibt es nur das Verb *wiederholen* (= etw. noch einmal tun oder sagen) (3b).

Bei *wieder* ist in vielen Fällen Zusammenschreibung (betont ist nur *wieder-*) oder Getrenntschreibung (betont sind *wieder* und das Verb) möglich:

Wir haben uns bei dem Fest **wiedergesehen**.

(= ein Wiedersehen gefeiert)

Wir haben uns bei dem Fest **wieder gesehen**.

(= erneut / wieder mal gesehen)

Ü5 Im Institut für Deutsch als Fremdsprache

Bilden Sie, wenn nicht anders angegeben, Sätze im Perfekt.

die Studierenden / aus den Ferien / gut erholt / wiederkommen

Die Studierenden sind gut erholt aus den Ferien wiedergekommen.

1. Sie freuen sich, ihren Lieblingsdozenten / wiederbekommen (*Inf.* mit *zu*)
2. Sie fühlen sich wieder wie zu Hause, wenn / die Stimmen / aus dem Unterrichtsraum / im Treppenhaus / widerhallen (*Präs.*)
3. die Aufzeichnungen der Studierenden / die klare Konzeption seiner Veranstaltungen / widerspiegeln
4. er / stichhaltigen Argumenten der Studierenden / nie / widersprechen
5. Er hat es immer abgelehnt, begründete Entscheidungen / widerrufen (*Inf.* mit *zu*)
6. in seinem langen Dozentendasein / ihm / viel Erfreuliches / widerfahren
7. in drei Jahren / wird / er / sein 65. Lebensjahr / vollenden (*Part. Perf.*) haben

Die Vorsilben *durch-, über-, unter-*: Trennbar oder untrennbar (1)

(1a) Der Lehrer hat die Hausaufgaben **durchgesehen**.

(1b) Er hat seine Aktentasche nach seinem Notizbuch **durchsucht**.

(2a) Auf Wanderungen versucht er manchmal in Jugendherbergen **unterzukommen**.

(2b) Er vermeidet es, seine Schüler zu **unterbrechen**.

(3a) Er **hat** das Unterrichten noch lange nicht **über**.

(3b) Er hat das Loben nie **übertrieben**.

Der Regel entsprechend haben trennbare Verben wörtliche Bedeutung (1a) (*durchsehen*), (2a) (*unterkommen*), untrennbare Verben bildliche Bedeutung (2b) (*unterbrechen*) (3b) (*übertreiben*). Entgegen der Regel hat das trennbare Verb *überhaben* bildliche Bedeutung (3a), das untrennbare Verb *durchsuchen* wörtliche Bedeutung (1b).

Ü6   Trennbar oder untrennbar?

Ordnen Sie die Verben.

durchkommen unterschreiben überblicken untertauchen überdenken überqueren durchstreichen durchhalten überlassen überweisen durchlassen übertreiben durchsuchen

trennbar	untrennbar
durchkommen	

Ü7   Im Deutschkurs

 a) Wie heißt das Perfekt?

Gestern *haben* die Teilnehmer des Sprachkurses die trennbaren und untrennbaren Verben *durchgenommen* (durchnehmen).

1. Die Kursleiterin (durchsprechen) dieses schwierige Thema gründlich.
2. Die Teilnehmer (überdenken) zunächst die verschiedenen Regeln.
3. Klagen über die Schwierigkeit dieses Grammatikproblems (unterbleiben).
4. Nicht alle (überprüfen) die neu gelernten Verben in Wörterbüchern.
5. Nach dem Unterricht (durchsehen) die Kursleiterin die Mitschrift der Teilnehmer.

b) Wie heißt das Präsens?

Die Kursleiterin *unterschätzt* (unterschätzen) die Lernschwierigkeiten ihrer Kursteilnehmer nicht.

1. Sie (unterfordern) ihre Lerner aber auch nicht.
2. Ihre Power-Point-Vorbereitungen für die Sprachkurse (übertreffen) die aller Kolleginnen.
3. Sie (unterweisen) ihre Lerner in E-Learning.

4. Autonome Arbeitsformen (unterstützen) sie nach Möglichkeit.
5. Sie (durchsetzen) „Kreatives Schreiben" als eigenes Fach in der Sprachschule.

c) Wo steht *zu*?

Die Kursleiterin ermuntert die Teilnehmer des Sprachkurses, bei Schwierigkeiten mit der deutschen Sprache nicht gleich aufzugeben, sondern *durchzuhalten* (durchhalten).

1. Sie fordert die Kursteilnehmer auf, ihre Texte gemeinsam (überarbeiten).
2. Bei der Korrektur von schriftlichen Arbeiten fällt es ihr schwer, den ganzen Tag (durcharbeiten).
3. Sie empfiehlt den Teilnehmern, ihre Texte vor der Abgabe nochmals genau (durchlesen).
4. Sie rät den Teilnehmern auch, das Lernen öfter mal durch eine Kaffeepause (unterbrechen).
5. Sie weist die Lerner an, zwischen Schriftsprache und mündlichem Sprachgebrauch (unterscheiden).

Die Vorsilben *durch-*, *über-*, *unter-*: Trennbar und untrennbar (2)

Die Vorsilbe *durch-*	
Trennbare Verben mit betonter Vorsilbe (meist in wörtlicher Bedeutung)	Untrennbare Verben mit unbetonter Vorsilbe (meist in bildlicher Bedeutung)
etw. durchbrechen = etw. in zwei Teile brechen Das Kind hat den Stock **durchgebrochen**.	*etw. durchbrechen* = sich gewaltsam einen Weg durch ein Hindernis bahnen Das Auto hat die Absperrung **durchbrochen**.
durchdringen = etw. ist zu hören/zu sehen/zu erfahren Die Nachricht **drang** bis zu uns **durch**. = durch etw. hindurchkommen An dieser Wand ist Feuchtigkeit **durchgedrungen**.	*etw. durchdringen* = durch etwas Dichtes hindurchkommen Das Gestrüpp war nur schwer zu **durchdringen**. *durchdrungen sein von* (+ D) = von einem Gefühl/einer Idee erfüllt sein Junge Menschen sind oft von starkem Idealismus **durchdrungen**.
durchfahren = weiterfahren ohne anzuhalten Der Zug hält hier nicht, er **fährt durch**.	*etw. durchfahren* = durch einen Ort/ein Gebiet fahren Er **durchfuhr** den Ort im Schritttempo. *jdn. durchfahren* = plötzlich in jds. Bewusstsein dringen Ein schrecklicher Gedanke **durchfuhr** ihn.

durchlaufen = durch eine Öffnung/einen Raum laufen **Die Infusionslösung ist schon fast ganz durchgelaufen.** = eine bestimmte Zeit/bis zu einem bestimmten Ort ohne Unterbrechung laufen **Wir sind die ganze Strecke ohne Pause durchgelaufen.**	*etw. durchlaufen* = etw. (in Etappen) hinter sich bringen; etw. absolvieren **Jeder Mensch durchläuft verschiedene Entwicklungsphasen.**
durchschauen = durch etw. blicken/sehen **Gib mir mal dein Fernglas, ich habe noch nie durchgeschaut.**	*jdn./etw. durchschauen* = die verborgenen Gedanken/Absichten/den Charakter eines Menschen erkennen **Wir haben seine Absichten sofort durchschaut.**

Die Vorsilbe *über-*

Trennbare Verben mit betonter Vorsilbe (meist in wörtlicher Bedeutung)	Untrennbare Verben mit unbetonter Vorsilbe (meist in bildlicher Bedeutung)
übergehen in (+ A) = sich in etw. verwandeln **Die Ebene geht allmählich in Bergland über.**	*jdn./etw. übergehen* = jdn./etw. vernachlässigen/nicht beachten **Er ist bei der Beförderung übergangen worden.**
übergehen zu (+ D) = mit einem neuen Thema/Tagesordnungspunkt beginnen **Sie sind zu einem anderen Thema übergegangen.**	
jdn. übersetzen = jdn. mit einem Boot/einer Fähre ans andere Ufer bringen **Bei Sturm werden keine Passagiere übergesetzt.**	*etw. übersetzen* = einen Text in eine andere Sprache übertragen **Die Schüler haben den Text ins Deutsche übersetzt.**
überspringen von (+ D) ... *auf* (+ A) = von etw. auf etw. springen **Die Funken sind auf das Nachbarhaus übergesprungen.**	*etw. überspringen* = über etw. springen **Der Läufer hat die Hürden mühelos übersprungen.** = etw. auslassen **Die begabte Schülerin hat eine Klasse übersprungen.**

überstehen = über einen Rand hinausragen, vorspringen Das Dach **steht** einen Meter **über.**	*etw. überst<u>e</u>hen* = eine schwierige/unangenehme Situation hinter sich bringen Die Patientin hat die Operation gut **überst<u>a</u>nden.**

übertreten zu (+ D)
= zu einer anderen Organisation/Religion
    wechseln
Sie ist zum Islam **<u>ü</u>bergetreten.**
	etw. übertr<u>e</u>ten
	= eine Vorschrift/ein Gesetz verletzen,
	    nicht beachten
	Er hat ein Gesetz **übertr<u>e</u>ten.**

jdm./sich (= D) *etw. <u>ü</u>berwerfen* = jdm./sich etw. schnell umhängen Er hat sich einen Mantel **<u>ü</u>bergeworfen.**	*sich überw<u>e</u>rfen mit* (+ D) = sich mit jdm. streiten und sich nicht versöhnen Sie hat sich mit ihrer Freundin **überw<u>o</u>rfen.**

jdm./sich (= D) *etw. <u>ü</u>berziehen*
= ein Kleidungsstück über ein anderes ziehen /
    darüber ziehen
Sie hat sich einen Pullover **<u>ü</u>bergezogen.**
	etw. überz<u>ie</u>hen mit (+ D)
	= etw. über etw. ziehen
	Die Sessel wurden mit Leder **überz<u>o</u>gen.**
	
	überz<u>o</u>gen sein (nur Part. Perf.)
	= übertrieben sein
	Seine Kritik war **überz<u>o</u>gen.**
	
	etw. überz<u>ie</u>hen
	= sein Konto überziehen, mehr Geld vom Konto
	    abheben, als darauf ist
	Er hat sein Konto schon wieder **überz<u>o</u>gen.**

Die Vorsilbe *unter-*	
Trennbare Verben mit betonter Vorsilbe (meist in wörtlicher Bedeutung)	Untrennbare Verben mit unbetonter Vorsilbe (meist in bildlicher Bedeutung)
etw. <u>u</u>ntergraben = etw. unter die Erde bringen Der Gärtner hat den Dünger **<u>u</u>ntergegraben.**	*etw. untergr<u>a</u>ben* = das Ansehen/die Stellung von jdm. langsam zerstören/schwächen Korrupte Geschäfte haben das Ansehen des Politikers **untergr<u>a</u>ben.**
etw. <u>u</u>nterhalten = etw. unter etw. halten/darunter halten **Halte** dir die Hand **unter,** dein Eis tropft!	*sich unterh<u>a</u>lten mit* (+ D) = mit. jdm. sprechen Der Philosoph hat sich gern mit jungen Leuten **unterh<u>a</u>lten.** *sich/jdn. unterh<u>a</u>lten* = sich/jdn. die Zeit vertreiben Die Gastgeber haben ihre Gäste blendend **unterh<u>a</u>lten.**

	jdn. unterhalten
	= für jdn. sorgen; jdm. den Lebensunterhalt
	  zahlen
	**Sein Gehalt reicht kaum aus, um die Familie
	zu unterhalten.**
	
	etw. unterhalten
	= etw. instand halten/finanzieren;
	  Beziehungen pflegen
	**Der Staat unterhält die öffentlichen
	Gebäude.**

sich/etw. unterstellen = etw. in einen Raum stellen; sich/etw. unter etw. stellen / darunter stellen **Sie hat ihr Fahrrad bei Freunden untergestellt.**	jdm. etw. unterstellen = etw. Negatives von jdm. behaupten **Sie unterstellte ihrer Kollegin Unehrlichkeit.**
jdm./sich (= D) etw. unterziehen = ein Kleidungsstück unter ein anderes ziehen / darunter ziehen **Ich ziehe bei kaltem Wetter noch einen Pullover unter.**	sich etw. (= D) unterziehen = etw. Unangenehmes auf sich nehmen **Er hat sich einer Operation unterzogen.**

Ü8   Empfehlungen

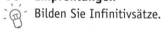

Bilden Sie Infinitivsätze.

a) Es empfiehlt sich, ...

1. zu strengeren Kontrollen des Drogenhandels *überzugehen* (übergehen).
2. zu einer anderen Partei _____ (übertreten), wenn man sich
   mit der eigenen Partei nicht mehr identifizieren kann.
3. gute Beziehungen zu allen Geschäftspartnern _____ (unterhalten).
4. die Schule erfolgreich _____ (durchlaufen).
5. einen Text nicht allzu frei _____ (übersetzen).
6. unvorhergesehene Probleme mit Humor _____ (überstehen).

b) Man sollte vermeiden, ...

7. ständig sein Konto _____ (überziehen).
8. zum nächsten Tagesordnungspunkt _____ (übergehen),
   wenn der letzte noch nicht ausdiskutiert ist.
9. Gesetze und Vorschriften _____ (übertreten).
10. jemandem böse Absichten _____ (unterstellen).
11. mit dem Auto viele Stunden ohne Unterbrechung _____ (durchfahren).
12. in einer Diskussion Wortmeldungen einfach _____ (übergehen).

Die Vorsilbe *um-*: trennbar oder untrennbar (1)

Die Vorsilbe *um-* signalisiert eine Veränderung oder eine kreis- oder bogenförmige Bewegung:

Eine Tasse **um**stoßen.
(Veränderung von „stehend"
zu „liegend")

Eine Pflanze **um**pflanzen.
(Veränderung –
Ort, Art und Weise etc.)

Einen Ort **umfa**hren.
(kreis-/bogenförmige
Bewegung)

(1a) Sabine freut sich darauf, bald nach Berlin **um**zuziehen.

(1b) Ihr neuer Vermieter **ändert** in seinem Haus einiges **um**.

(1c) Sie hatte sich lange nach einer Wohnung **um**geschaut.

(1d) Bei einem heftigen Sturm war ein morscher Baum **um**gebrochen.

(2) Sein Grundstück ist von Bäumen **umge**ben.

Die trennbare, betonte Vorsilbe *um-* hat die Bedeutung „Veränderung":

- Ortsveränderung (1a) (*umziehen*, z. B. auch *umfüllen, umladen, umsteigen*);
  Zustandsveränderung (1b) (*umändern*, z. B. auch *umarbeiten, umtauschen, umwandeln*);
- Richtungsänderung in eine andere oder in die entgegengesetzte Richtung (1c) (*umschauen,*
  z. B. auch *umblättern, (sich) umdrehen, umkehren, sich umschauen*);
- Richtungsänderung von der Vertikale in die Horizontale (1d) (*umbrechen,*
  z. B. auch *umbiegen, umfallen, umstoßen*).

Die untrennbare, unbetonte Vorsilbe *um-* hat die Bedeutung „kreis- oder bogenförmige
Bewegung" (2) (*umgeben*, z. B. auch *umarmen, umkreisen, umzäunen*).

Ü9 Viel Drumherum

Ordnen Sie die Verben der entsprechenden Gruppe zu.

	Veränderung	kreis- oder bogenförmige Bewegung
den Verkehr umleiten	*umleiten*	
die Mutter ängstlich umklammern		*umklammern*
sich nach einer schönen Frau umblicken		
Erde umgraben		
Satzglieder umformen		
eine Person umrennen		

	Veränderung	kreis- oder bogenförmige Bewegung
einen Filmstar umschwärmen		
eine Freundin umarmen		
umfallen		
den Bodensee mit dem Fahrrad umrunden		
einen Kranken umbetten		
einen verletzten Arm mit einer Binde umwickeln		
jemanden umstimmen		

Ü10   Übermut, der vieles zu Fall bringt

Setzen Sie die angegebenen Verbformen ein.

Jugendliche machten sich einen Spaß daraus, Autoantennen *umzubiegen* (umbiegen, *Inf.* mit *zu*).

1. Aus Übermut (umstoßen, *Prät.*) die Jugendlichen Mülleimer.
2. Jeder wollte der Stärkste sein und versuchte Äste (umknicken, *Inf.* mit *zu*).
3. Ein Junge wäre beinahe mit der Leiter (umstürzen, *Part. Perf.*).
4. Mit einem gestohlenen Boot wären sie fast (umkippen, *Part. Perf.*).
5. Aus Spaß versuchten sie sich gegenseitig (umstoßen, *Inf.* mit *zu*).
6. Einer von ihnen (umwerfen, *Prät.*) Sonnenschirme.

Ü11   Rundherum

Setzen Sie das Partizip Perfekt ein.

Die Halligen sind bei Flut rundherum von Wasser *umschlossen*. (umschließen)

1. An windstillen Tagen werden die Halligen von kleinen Wellen _____. (umspielen)
2. Oft sind die Halligen von Nebel und Wolken _____. (umhüllen)
3. Die Bauernhöfe der Halligen sind von Viehweiden _____. (umgeben)
4. Die Viehweiden sind mit elektrischem Draht _____. (umzäunen)
5. Besucher der Halligen werden von den Bewohnern sofort neugierig _____. (umringen)

Ü12   Nach einem Regierungswechsel

Setzen Sie das Partizip Perfekt ein.

Bis vor Kurzem war die neue Verfassung noch hart *umkämpft*. (umkämpfen)

1. Jetzt muss in allen Bereichen _____ werden. (umdenken)
2. Der Tag des Regierungswechsels sollte im Kalender rot _____ werden. (umranden)

3. Das alte Schloss soll zum Präsidentenamt _____ werden.
   (umfunktionieren)
4. Viele Straßen und Plätze sollen _____ werden. (umbenennen)
5. Die politischen Gremien sind schon _____. (umbilden)
6. Wo immer der neue Regierungschef auftritt, wird er von den Bürgern _____
   _____ _____. (umlagern und umjubeln)

Die Vorsilbe *um-*: Trennbar und untrennbar (2)

Trennbare Verben mit betonter Vorsilbe (Orts- und Zustandsveränderung, Richtungsänderung)	Untrennbare Verben mit unbetonter Vorsilbe (kreis- oder bogenförmige Bewegung)
etw. *umfahren* = gegen jdn./etw. fahren und dabei zu Boden werfen Ein betrunkener Autofahrer hat eine Straßenlaterne **umgefahren**.	etw. *umfahren* = im Kreis oder Bogen um etw. herumfahren Es wird empfohlen, den Stau weiträumig zu **umfahren**.
umfliegen (ugs.) = umfallen Er ist gegen den Tisch geknallt und alle Gläser sind **umgeflogen**.	etw. *umfliegen* = im Kreis oder Bogen um etw. herumfliegen Der Hubschrauber hat den Vulkan **umflogen**.
umgehen mit (+ D) = jdn./etw. irgendwie behandeln Die Leute sind sehr höflich miteinander **umgegangen**. = sich verbreiten Im Dorf **gingen** einige Gerüchte über sie **um**.	etw. *umgehen* = Schwierigkeiten / etw. Unangenehmes vermeiden Sie **umging** die Auseinandersetzung.
jdn./etw. *umreißen* = jdn./etw. niederwerfen Der Sturm hat die Bäume **umgerissen**.	etw. *umreißen* = das Wesentliche einer Sache beschreiben Der Architekt hat das Bauvorhaben kurz **umrissen**.
etw. *umschreiben* = einen Text ändern / neu schreiben Die Studentin **schrieb** ihre Hausarbeit mehrmals **um**.	etw. *umschreiben* = etw. mit anderen Worten sagen; das Wesentliche in Umrissen beschreiben Der Chef **umschrieb** die zukünftigen Aufgaben der Firma.

etw. umstellen = etw. an einen anderen Ort stellen Die jungen Leute haben die Möbel für die Party **umgestellt**.	*etw. umstellen* = sich im Kreis um jdn./etw. aufstellen, sodass er nicht entkommen kann; jdn./etw. einkreisen Die Polizei hat das Bankgebäude **umstellt**.
sich/etw. umstellen von (+ D) ... *auf* (+ A) = sich/etw. veränderten Umständen / einer neuen Situation anpassen Er hat sich schnell vom heimischen Winter auf das warme Klima **umgestellt**.	

Ü13   Banküberfall

Bilden Sie Sätze mit den Verben in der angegebenen Form.

Die Bank (umstellen, *Perf.*) ihre Software vor Kurzem auf eine neue Version.
Die Bank hat ihre Software vor Kurzem auf eine neue Version umgestellt.

1. Die Polizei (umstellen, *Perf.*) die Bank wegen eines Banküberfalls.
2. Zunächst (umgehen, *Prät.*) das Gerücht, dass die Bankräuber Bankkunden als Geiseln festhielten.
3. Die Polizei versuchte zunächst, eine gewaltsame Festnahme der Bankräuber (umgehen, *Inf.* mit *zu*).
4. Als Polizisten dann die Bank stürmten, (umreißen, *Pass. Prät.*) mehrere Geiseln.
5. Fast hätten die Bankräuber mit ihrem Fluchtauto mehrere Personen (umfahren, *Part. Perf.*).
6. Offensichtlich kannten sie sich in der Stadt gut aus, denn sie (umfahren, *Perf.*) die Polizeisperren geschickt.
7. Der Pressesprecher der Polizei (umschreiben, *Perf.*) seinen Bericht für die Zeitung mehrmals.
8. Er versuchte den wesentlichen Tathergang kurz und präzise (umreißen, *Inf.* mit *zu*).

V Gesamtübungen

Ü14   Konstruktives Verhalten am Verhandlungstisch
Bilden Sie Sätze mit den angegebenen Verben im Präsens.

Vor einer wichtigen Verhandlung (überprüfen) man die eigene Position kritisch.
Vor einer wichtigen Verhandlung überprüft man die eigene Position kritisch.

1. Man (überziehen) seine Forderungen nicht.
2. Man (voraussetzen), dass auch die Gesprächspartner positive Ergebnisse erzielen wollen.
3. Deshalb (missdeuten) man die Pläne und Absichten der Gesprächspartner nicht absichtlich.
4. Man (unterschlagen) auch keine wichtigen Informationen.
5. Man (übernehmen) konstruktive Vorschläge und (umsetzen) sie in die Tat.
6. Man (überbewerten) vor allem die eigene Bedeutung nicht.
7. Man (unterstellen) den Gesprächspartnern auch keine bösen Absichten.

8. Man (durchkreuzen) nicht bewusst konstruktive Vorschläge und Vorhaben.

9. Man (abbrechen) Gespräche nicht ohne eine stichhaltige Begründung.

Ü15 Von den Schwierigkeiten einer jungen Wissenschaftlerin

Bilden Sie, wenn nicht anders angegeben, Sätze im Perfekt.

mit ihren neuen Ideen / die junge Wissenschaftlerin / alte Lehrmeinungen / umstoßen

Mit ihren neuen Ideen hat die junge Wissenschaftlerin alte Lehrmeinungen umgestoßen.

1. sie / die alten Vorstellungen / hinterfragen
2. sie / ihre Theorien / immer wieder / gründlich / überprüfen
3. wochenlang / sie / ihren Vortrag / wieder und wieder / überarbeiten
4. sie / viele ihrer Kollegen / mit der neuen Theorie / überfordern
5. manche Wissenschaftler / ihr / unwissenschaftliche Methoden / unterstellen
6. schließlich / sie / fast alle / überzeugen
7. allerdings / sie / es / unterlassen (*Plusq.*), ihren Chef / über Details ihrer Forschungsarbeit / unterrichten (*Inf.* mit *zu*)
8. deshalb / war / er / von ihrer neuen Theorie / völlig / überraschen (*Part. Perf.*)
9. er / ihre Fähigkeiten / völlig / unterschätzen (*Plusq.*)

Ü16 Schlaf – was die Wissenschaft darüber weiß

Bilden Sie Sätze mit den Verben in der angegebenen Form.

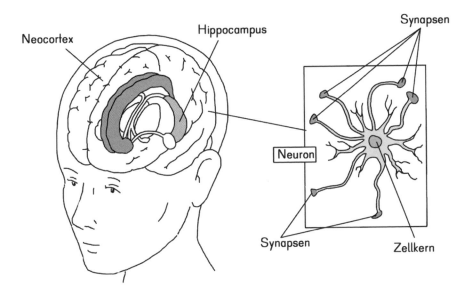

Alle Theorien vom Schlaf werden von experimentellen Untersuchungen an Mensch oder Tier (ableiten, *Part. Perf.*). So versuchen Schlafforscher beispielsweise, mit Gehirnstrom-Messungen in den schlafenden Menschen (hineinschauen, *Inf.* mit *zu*). Aber auch nach 70 Jahren intensiver Schlafforschung (herausfinden, *Perf.*) die Wissenschaftler noch nicht,
5 was Schlaf eigentlich ist. Wir wissen heute: Schlafmangel (auslösen, *Präs.*) ein erhöhtes

Risiko, an Stoffwechselkrankheiten zu erkranken. Viele Unfälle im Straßenverkehr (zurückgehen, *Präs.*) auf Schlafmangel. Und durch Schlaf wird die Gedächtnisleistung (beeinflussen, *Part. Perf.*). Das Gedächtnis kann (lahmlegen, *Part. Perf.*) werden, indem ihm Schlaf (entziehen, *Part. Perf.*) wird. Aber die Lebensweise der modernen Gesellschaft mit
10   Stress und unregelmäßigen Arbeitszeiten (durcheinanderbringen, *Präs.*) den Schlaf-Wach-Rhythmus der Menschen ziemlich. Lange dachte man, das Gehirn (sich ausruhen, *Präs.*) während des Schlafes. Doch inzwischen haben neue Erkenntnisse die Neurowissenschaftler dazu gebracht (umdenken, *Inf.* mit *zu*): Das Gehirn ist auch im Schlaf aktiv. Nachts werden die vielen Eindrücke des Tages nochmals (aufrufen, *Part. Perf.*). Im Schlaf (stattfinden, *Präs.*)
15   ein „Großreinemachen", bei dem unnütze Informationen (auslöschen, *Part. Perf.*) werden. Das Gedächtnis wird (entrümpeln, *Part. Perf.*), indem das Neuronen-Netzwerk (umbauen, *Part. Perf.*) wird. Tagsüber gespeicherte Daten werden zunächst im Hippocampus (zwischen-lagern, *Part. Perf.*). Dafür (herstellen, *Präs.*) er jede Nacht während des Schlafs einige tausend neue Nervenzellen. Bei Schlafentzug (zurückgehen, *Präs.*) die Produktion neuer Nervenzellen
20   erheblich. Im Allgemeinen (aufnehmen, *Präs.*) der Hippocampus zwar schnell Informationen, allerdings werden diese auch sehr leicht von neuen Informationen (überschreiben, *Part. Perf.*). Deshalb werden diese zwischengelagerten Informationen aus dem Hippocampus nachts zum Sortieren bzw. dauerhaften Archivieren in den Neocortex (weiterleiten, *Part. Perf.*). Von hier aus können sie (abrufen, *Part. Perf.*) werden. Um dies zu schaffen, muss der Mensch schlafen.
25   Und wie (vollbringen, *Präs.*) das Gehirn nun diese Leistung? Es (einsetzen, *Präs.*) seine Energie im Tiefschlaf besonders wirkungsvoll: Es (herstellen, *Präs.*) Proteine und neue Synapsen. Neueste Untersuchungen (nahelegen, *Präs.*), dass diese physiologischen Abläufe im schlafenden Gehirn für unser Erinnerungsvermögen wichtig sind.

→ *Alle Theorien vom Schlaf werden von experimentellen Untersuchungen an Mensch oder Tier abgeleitet. So versuchen ...*

Worterklärungen:
Neurowissenschaftler: erforschen Strukturen und Funktionen des Gehirns
Protein: Eiweißkörper
Nervenzellen oder Neurone(n): Zellen im Gehirn; das menschliche Gehirn hat vermutlich über 100 Milliarden Neurone(n)
Synapsen: Verbindungen, durch die Informationen von Nervenzelle zu Nervenzelle gesendet werden
Hippocampus: eine Region tief im Inneren des Gehirns, die am Lernen, d.h. an Speicherung und Abruf von Informationen, beteiligt ist
Neocortex: Großhirnrinde, der entwicklungsbiologisch neueste Teil des Gehirns
physiologisch, Physiologie: Wissenschaft von den Lebensvorgängen der Zellen, Gewebe und Organe der Lebewesen

Ü17   Eine Stadtführung

Setzen Sie, wenn nicht anders angegeben, die in Klammern stehenden Verben als Partizip Perfekt bzw. als Infinitiv mit *zu* ein.

1. Eine Gruppe von Touristen ist im Bus *angereist* (anreisen) und gerade
   _____ (aussteigen).

2. Die Touristen sind gekommen, um sich in der hübschen Stadt _____
   (umschauen).

3. Die Stadt ist von Wäldern _____ (umgeben) und wird von einer mächtigen Schlossruine _____ (überragen).

4. Die Touristen werden von einer Stadtführerin in der Stadt _____ (herumführen).

5. Diese _____ (berichten, *Präs.*): „Unsere Stadt hat den Zweiten Weltkrieg glücklicherweise relativ unbeschadet _____ (überstehen). Sie hat nur wenige Bomben _____ (abbekommen).

6. Niemand hat sich danach an einschneidende Veränderungen des Stadtbildes _____ (heranwagen).

7. Es war allerdings nicht _____ (umgehen), einige alte Gebäude _____ (abreißen) bzw. _____ (umbauen).

8. Unsere Hauptgeschäftsstraße ist als eine der ersten der Bundesrepublik in eine Fußgängerzone _____ (umwandeln) worden. Die Grünanlagen sind _____ (erweitern) bzw. _____ (umgestalten) worden.

9. Die Spielplätze sind großzügig und phantasievoll _____ (ausstatten). Die Kinder finden es schön, dort zu spielen und _____ (herumtoben).

10. Einige Straßen sind nach großen Persönlichkeiten der Stadt _____ (umbenennen) worden. In jedem Herbst wird ein großes Stadtfest _____ (veranstalten)."

11. Jetzt kommt die Stadtführerin auf die Verkehrssituation der Stadt zu sprechen: „Natürlich ist die Zeit nicht spurlos an unserer Stadt _____ (vorübergehen).

12. Vor allem der Verkehr hat sichtbare Spuren _____ (hinterlassen). Die Stadt ist bemüht, in der Verkehrspolitik radikal _____ (umdenken).

13. Seit Kurzem kann die Stadt auf einer vierspurigen Umgehungsstraße _____ (umfahren) werden.

14. Auf den meistbefahrenen Straßen der Stadt werden Spuren für den Bus- und Taxiverkehr _____ (freihalten).

15. Um sich nicht den ständigen Staus _____ (aussetzen), sind viele Bürger auf die öffentlichen Verkehrsmittel oder aufs Fahrrad _____ (umsteigen).

16. Inzwischen sind viele Radfahrwege _____ (anlegen) worden und die Radfahrer brauchen im Verkehr nicht mehr _____ (verunsichern) zu sein."

17. Inzwischen ist die Dunkelheit _____ (hereinbrechen). Die Stadtführung wird _____ (beenden) und die Touristen werden mit freundlichen Worten _____ (verabschieden).

§4 Passiv

I Das Vorgangspassiv

Einführung

> **Berlin.** Starkes Verkehrsaufkommen führte gestern Mittag zu einem Unfall auf der Berliner Straße. Ein 50-jähriger Opel-Fahrer musste verkehrsbedingt stark abbremsen, ein nachfolgender Mercedes-Fahrer fuhr auf das Auto auf, sodass der Opel auf das Fahrzeug vor ihm geschoben wurde. Durch den Aufprall wurde der Opel-Fahrer an Armen und Beinen verletzt, sein Auto hatte einen Totalschaden und wurde abgeschleppt.

Aktiv und Passiv geben verschiedene Aspekte eines Vorgangs an:
• Im Aktiv steht ein handelndes Subjekt, das Agens (= „der/die/das Handelnde")
  bzw. ein Urheber, im Mittelpunkt der Aussage.
• Im Passiv stehen Handlungen und Vorgänge im Mittelpunkt.
  Das Agens bzw. der Urheber tritt zurück und wird oft gar nicht genannt.
  Nicht alle Verben können das Passiv bilden.

Ü1   Warum Aktiv, warum Passiv?
Lesen Sie den Text genau und versuchen Sie zu erklären, warum in diesem Pressetext
Aktiv bzw. Passiv verwendet wird.

> **Schüler versucht Fahrerflucht**
> Bei einer Razzia* in der Silvesternacht beobachteten Polizeibeamte einen Mopedfahrer, der auf einem Fahrradweg auffällige 5 Schleifen fuhr. Der 19-jährige Schüler wollte flüchten, konnte aber von den Polizisten eingeholt und festgenommen werden. Er verweigerte jede Auskunft und auch einen Alkoholtest. Als er auf die Polizeiwache 10 gebracht werden sollte, leistete er heftigen Widerstand. Der Verdacht auf erheblichen Alkoholgenuss wurde durch die Blutprobe, die ihm entnommen wurde, nicht bestätigt. Erst mit einem Drogentest konnte sein 15 Drogenkonsum am Silvesterabend nachgewiesen werden. Der Jugendliche muss nun mit einer Strafanzeige rechnen.

* *die Razzia*: überraschende Fahndung der Polizei in einem Gebäude oder Gebiet

Textsorten, in denen das Passiv häufig verwendet wird

Geschehensbezogene Vorgänge

Sturmtief „Peter"
Im Harz wurden auf dem Brocken (1141 m) Spitzengeschwindigkeiten von bis zu 160 Stundenkilometern gemessen. Der Betrieb der Harzer Schmalspurbahn, die von Wernigerode aus auf den Brocken fährt, wurde wegen umgestürzter Bäume mehrmals unterbrochen. In der Harzregion mussten einige Straßen wegen Windbruch gesperrt werden, der Verkehr wurde umgeleitet.

Anweisungen

Wichtige Hinweise
Die Anschlussleitung muss mit mindestens 10 Ampere abgesichert sein.
Das Gerät darf nur mit reinem Wasser betrieben werden.
Die gewünschte Wassertemperatur kann mit dem Thermostat stufenlos eingestellt werden.

Regeln und Vorschriften

Die Grundrechte
Art. 3. [Gleichheit vor dem Gesetz]
(3)   Niemand darf wegen seines Geschlechtes, seiner Abstammung, seiner Rasse, seiner Sprache, seiner Heimat und Herkunft, seines Glaubens, seiner religiösen oder politischen Anschauungen benachteiligt oder bevorzugt werden.
Art. 4. [Glaubens-, Gewissens- und Bekenntnisfreiheit]
(2)   Die ungestörte Religionsausübung wird gewährleistet.
(3)   Niemand darf gegen sein Gewissen zum Kriegsdienst mit der Waffe gezwungen werden.

Definitionen, verallgemeinernde Aussagen

Elektroenzephalogramm (EEG)
Wenn Neuronen aktiviert werden, feuern sie elektrische Impulse. Auf diese Weise werden Informationen im Gehirn weitergeleitet. Die elektrischen Ströme, die dabei erzeugt werden, können bei einem EEG mit Hilfe von Elektroden auf der Kopfhaut gemessen werden.

Vorgangspassiv – Formen

	Aktiv	Vorgangspassiv
Präsens	sie beobachtet ihn	er wird beobachtet
Präteritum	sie beobachtete ihn	er wurde beobachtet
Perfekt	sie hat ihn beobachtet	er ist beobachtet worden
Plusquamperfekt	sie hatte ihn beobachtet	er war beobachtet worden
Futur I	sie wird ihn beobachten	er wird beobachtet werden

Das Vorgangspassiv wird mit dem Partizip Perfekt des Vollverbs und dem Hilfsverb *werden* (Partizip Perfekt: *worden*) gebildet. Statt Futur I wird meist das Präsens gebraucht.

Ü2 Das Brot des kleinen Mannes: Die Esskastanie
Bilden Sie Passivsätze in der angegebenen Zeit.

die Esskastanie / meist / Marone / nennen (*Präs.*)
Die Esskastanie wird meist Marone genannt.

1. in der Antike / die Stachelfrucht / von den Griechen / nach der Stadt „Kastana"
   an der Schwarzmeerküste / benennen (*Prät.*)
2. von den Römern / die griechische Bezeichnung / in „Castanea" / umwandeln (*Perf.*)
3. im Mittelmeerraum und in den Alpenländern / die Esskastanie / als
   Grundnahrungsmittel / betrachten (*Prät.*)
4. wegen des hohen Stärkeanteils / die Früchte / vor allem zur Brotherstellung /
   verwenden (*Prät.*)
5. die Esskastanie / daher auch / als Brot des kleinen Mannes / bezeichnen (*Perf.*)
6. aber / Esskastanien / auch / in gekochtem Zustand / essen (*Präs.*)
7. geröstete Maronen / im Winter / gern / pur / verzehren (*Präs.*)
8. gekochte Maronen / auch für Suppen / verwenden (*Präs.*)

Vorgangspassiv – Gebrauch

(1) Galilei entdeckte **die Jupitermonde** im Jahre 1610.
   Die Jupitermonde wurden von Galilei im Jahre 1610 entdeckt.

(2) **Ein selbst gebautes Fernrohr** ermöglichte die Entdeckungen.
   Die Entdeckungen wurden **durch ein selbst gebautes Fernrohr** ermöglicht.

(3) **Die Kirche** beobachtete Galilei mit Misstrauen.
   Galilei wurde **von der Kirche** mit Misstrauen beobachtet.

(4) **Freunde** gaben ihm den Rat, seine Thesen zu widerrufen.
   Ihm wurde der Rat gegeben, seine Thesen zu widerrufen.

(5) **Man** diskutierte Galileis Thesen heftig.
   Galileis Thesen wurden heftig diskutiert.

Die Akkusativergänzung des Aktivsatzes wird zum Subjekt des Passivsatzes (1)–(3) (5).
Das Subjekt des Aktivsatzes, das Agens bzw. der Urheber, wird im Passivsatz meist dann
nicht genannt, wenn es sich aus dem Zusammenhang ergibt bzw. wenn es bekannt oder
unwichtig ist (4) (*Freunde*).
Soll das Subjekt dennoch genannt werden, wird es in Verbindung mit *von* (+ D) (bei Personen,
Institutionen, Naturkräften) (1) (3) bzw. *durch* (+ A) (bei Vermittlern, Mitteln, Abstrakta) (2)
in den Passivsatz übernommen.
Das Subjekt *man* entfällt im Passivsatz (5).
Alle Satzglieder außer Subjekt und Akkusativergänzung werden unverändert in den Passivsatz
übernommen (1) (3) (4).

Ü3 Galileo Galilei*

Beschreiben Sie Galileis Leben und Wirken in Passivsätzen. Das Agens bzw. der Urheber braucht –
mit Ausnahme des ersten Satzes – nicht genannt zu werden, denn dies ergibt sich aus dem Kontext
bzw. ist selbstverständlich oder unwichtig. Die eingeklammerten Sätze bleiben unverändert.

Im Jahre 1589 berief die Universität Pisa den 25-jährigen Galilei zum Professor der
Mathematik. Ein paar Jahre später rief man ihn an die Universität in Padua.
(Mit seinen Entdeckungen erregte er großes Aufsehen.) Die Buchhändler verkauften
sein Buch über die Jupitermonde innerhalb von zwei Monaten. (Seine Thesen erschütterten
5   die Zeitgenossen Galileis in ihrem Weltbild zutiefst. Die Kirche der damaligen Zeit bestritt
seine Ideen.)
Sie lud ihn im Jahre 1632 vor das Inquisitionsgericht in Rom. Auf Befehl des Papstes
prüften Gelehrte seine Thesen. (Das Inquisitionsgericht** verurteilte daraufhin seine
Lehre.) Es zwang ihn unter Androhung der Folter zum Widerruf. (1633 schwor er als
10   treuer Katholik seinem „Irrtum" ab.)
Dennoch verbannte ihn die Kirche lebenslänglich in seine Villa in Arcetri und überwachte
ihn dort bis zu seinem Tod im Jahre 1642. Sie verbot sein Buch „Dialog über die beiden
Weltsysteme". Freunde brachten es aber heimlich ins Ausland, wo man es veröffentlichte.
Erst im Jahre 1741 gab man mit Erlaubnis der Kirche eine Gesamtausgabe von Galileis
15   Werken heraus.
Die Nachwelt nahm seine Erkenntnisse begeistert auf. Heute bezeichnet man Galilei als
Begründer der modernen Naturwissenschaft. Mehrfach haben Schriftsteller seinen Konflikt
mit der Kirche zum Stoff dichterischer Darstellungen gewählt. (Allerdings hat die katholische
Kirche Galilei erst am 2. November 1992 rehabilitiert.)

*   *Galileo Galilei* (1564–1642) war der Vorkämpfer der heliozentrischen Lehre des Kopernikus, die besagt,
    dass die Sonne – und nicht, wie bis dahin angenommen, die Erde – im Mittelpunkt der Welt steht. Diese
    Lehre brachte ihn in Konflikt mit der katholischen Kirche.
** *Inquisitionsgericht*: Gericht der katholischen Kirche, zuständig für Strafverfahren gegen „Ketzer", ab Ende des 12. Jh.

→ *Im Jahre 1589 wurde der 25-jährige Galilei von der Universität Pisa zum Professor*
   der Mathematik berufen. Ein paar Jahre später ...

Ü4 Galileis Leben

Schließen Sie nun das Buch und berichten Sie – möglichst in Passivsätzen – über Galileis Leben.
Beginnen Sie so:

→ *Schon als junger Mann wurde Galilei in Pisa zum Professor der Mathematik ernannt. ...*

Wann steht *es* in Passivsätzen mit Subjekt?

(1a) **Es wurde** ein Triumphzug veranstaltet.
(1b) Auf Wunsch vieler Fans wurde ein Triumphzug veranstaltet.
(2a) **Es wurden** Fahnen geschwenkt.
(2b) Vor lauter Begeisterung **wurden** Fahnen geschwenkt.
(3) Der Trainer **wurde** umjubelt.
(4) **Wurden** denn keine Fahnen geschwenkt?
(5) Doch, ich habe gesehen, dass Fahnen geschwenkt **wurden**.

Wenn das Subjekt in Passivsätzen den unbestimmtem Artikel (1a) oder keinen Artikel hat (2a), steht häufig das Pronomen *es* am Satzanfang. *es* wird aber, wenn immer möglich, durch ein anderes Satzglied ersetzt (1b) (2b).

es erscheint nie bei Subjekten mit bestimmtem Artikel (3) (falsch: *Es wurde der Trainer umjubelt.*) und nie in Fragen (4) und Nebensätzen (5).

Das finite Verb steht entsprechend dem Subjekt im Singular (1) (3) oder Plural (2) (4) (5), auch wenn der Satz mit *es* beginnt (1a) (2a).

Ü5   Nach einem Fußballspiel

Berichten Sie, wenn möglich, in Passivsätzen ohne *es* (Präteritum).

die ganze Stadt / von der Fußballbegeisterung / erfassen
Die ganze Stadt wurde von der Fußballbegeisterung erfasst.

1. großer Schaden / bedauerlicherweise / in einigen Stadtteilen / anrichten
2. Flaschen / werfen
3. Fensterscheiben / aus Übermut / einschlagen
4. Angriffe auf Passanten / beobachten
5. der Verkehr / durch wild durcheinander parkende Autos / blockieren
6. Autos / hemmungslos / beschädigen
7. einige Verkehrsunfälle / registrieren

Wann steht *es* in Passivsätzen ohne Subjekt?

(1) **Es** wird gern und viel gewandert.
(2) In Deutschland **wird** besonders an Wochenenden viel gewandert.
(3) Besonders an Wochenenden **wird** in Deutschland viel gewandert.

In Passivsätzen ohne Subjekt steht *es* am Satzanfang (1), wird aber, wenn immer möglich, durch ein anderes Satzglied ersetzt (2) (3).

Das finite Verb steht immer in der 3. Person Singular.

Ü6   Gruppenwanderungen

Berichten Sie, wenn möglich, in Passivsätzen ohne *es*.

beim Wandern / in Deutschland / gern / singen
Beim Wandern wird in Deutschland gern gesungen.
In Deutschland wird beim Wandern gern gesungen.

1. sonntags / bei schönem Wetter / wandern
2. ab und zu / rasten
3. mittags / picknicken
4. lachen und scherzen
5. nach Abschluss jeder Wanderung / einkehren
6. während des Essens / plaudern und diskutieren
7. oft / über frühere Wanderungen / sprechen

Ü7 Typisch für Deutschland?

Entscheiden Sie: *wird* oder *werden*?

Es _werden_ viele Sozialleistungen geboten.

1. Es _____ auf Sauberkeit und Ordnung geachtet.
2. Es _____ viele Umweltprojekte in Gang gesetzt.
3. Es _____ über Atomkraft diskutiert.
4. Es _____ über Politiker geschimpft.
5. Es _____ mehr Vorschriften als in anderen Ländern erlassen.
6. Es _____ zu wenig Widerstand gegen bürokratische Verfahren geleistet.
7. Es _____ viele ausländische Restaurants eröffnet.

Ü8 Und was fällt Ihnen in Deutschland auf?

Bilden Sie Passivsätze mit *es* am Satzanfang.

→ *Es wird viel gereist. ...*

Vorgangspassiv mit Modalverben

Passiv	Aktiv
(1) Die Tür **kann/konnte** geöffnet werden.	Er **kann/konnte** die Tür **öffnen.**
(2) Die Tür **hat/hatte** geöffnet werden **können.**	Er **hat/hatte** die Tür **öffnen können.**
(3) Es war gut, dass die Tür **geöffnet werden kann/konnte.**	Es war gut, dass er die Tür **öffnen kann/konnte.**
(4) Es war gut, dass die Tür **hat/hatte geöffnet werden können.**	Es war gut, dass er die Tür **hat/hatte öffnen können.**
(5) Er sagt, die Tür **habe** nur gewaltsam geöffnet werden **können.**	Er sagt, dass er die Tür nur gewaltsam **hat/hatte öffnen können.**
(6) Er sagt, die Tür **hätte dadurch beschädigt werden können.**	Er sagt, er **hätte** die Tür **dadurch beschädigen können.**

Das Vorgangspassiv mit Modalverb wird mit dem Partizip Perfekt des Vollverbs, dem Infinitiv *werden* und dem Modalverb als finitem Verb bzw. Infinitiv gebildet.
Statt Perfekt und Plusquamperfekt (2) wird meist das Präteritum gebraucht (1), vor allem in Nebensätzen (3).
Statt Futur I *(es wird beobachtet werden können)* wird meist das Präsens (1) verwendet.
Perfekt und Plusquamperfekt werden vor allem im Konjunktiv I (5) und II (6) gebraucht.
(Konjunktiv I vgl. §7 S. 113 ff., Konjunktiv II §6 S. 93 ff.)
Im Nebensatz gilt für Präsens und Präteritum die übliche Endstellung des finiten Verbs (3), im Perfekt und Plusquamperfekt steht das finite Verb vor den infiniten Verbformen (4).

Ü9   Sicherheitsanweisungen für einen Milchaufschäumer

Bilden Sie Passivsätze mit Modalverben im Präsens. Ergänzen Sie alle notwendigen Artikel.
Die in Klammern stehenden Sätze bleiben unverändert.

alle Anweisungen / sorgfältig / lesen müssen (, um mögliche Schäden und Unfälle
zu vermeiden)

*Alle Anweisungen müssen sorgfältig gelesen werden, um mögliche Schäden
und Unfälle zu vermeiden.*

1. in der Nähe des Geräts / Hitze und Feuchtigkeit / vermeiden müssen
2. das Kabel / austauschen müssen (, falls es beschädigt ist)
3. das Gerät / vom Stromnetz / trennen sollen (*Konj. II*) (, wenn es längere Zeit
   nicht benutzt wird)
4. das Kabel / immer direkt am Stecker / ziehen sollen (*Konj. II*), sonst / es /
   beschädigen können (*Konj. II*)
5. der Sockel des Geräts / nie / ins Wasser / tauchen dürfen (, denn ein Stromschlag
   stellt ein lebensgefährliches Risiko dar)
6. das Gerät / nicht mit Batterien / betreiben können
7. das Gerät / nach jeder Benutzung / spülen müssen
8. der Milchbehälter / nicht in der Spülmaschine / spülen dürfen

Ü10   Die Stadtverwaltung zieht Bilanz

Geben Sie die Informationen eines Sprechers der Stadt, wenn nicht anders angegeben,
im Passiv Präsens wieder.

die Renovierung der Stadthalle / in Angriff nehmen müssen, damit / sie /
beim 1 000-jährigen Jubiläum unserer Stadt / in zwei Jahren / für große
Veranstaltungen / nutzen können

*Die Renovierung der Stadthalle muss in Angriff genommen werden, damit
sie beim 1 000-jährigen Jubiläum unserer Stadt in zwei Jahren für große
Veranstaltungen genutzt werden kann.*

1. für die Finanzierung der teuren Renovierung / noch großzügige Sponsoren /
   gewinnen müssen
2. im letzten Jahr / das Theater / nicht / sanieren können (*Pass. Prät.*), weil /
   zuerst / das Konzerthaus / vergrößern sollen (*Pass. Prät.*)
3. das / in diesem Jahr / nachholen müssen
4. nach Fertigstellung der genannten Gebäude / die Festveranstaltungen / dann /
   in großzügigem Rahmen / feiern können
5. die Jugend / in die Vorbereitungen / einbeziehen sollen
6. zu unserer Freude / die Jugendarbeit / im letzten Jahr / großzügig /
   unterstützen können (*Pass. Prät.*)
7. hier / der Rotstift / auf keinen Fall / ansetzen dürfen

Ü11   Probleme der Wasserversorgung

Bilden Sie Passivsätze.

die Vorschriften zum Gewässerschutz / einhalten müssen
Die Vorschriften zum Gewässerschutz müssen eingehalten werden.

1. nach Möglichkeit / für die Wasserversorgung / Grundwasser aus Brunnen oder Quellen / verwenden sollen
2. damit / Quellwasser / als Trinkwasser / nutzen können, Quellen / vor Verschmutzung / schützen müssen
3. wegen des steigenden Wasserbedarfs / aber auch / auf Wasser aus Flüssen und Seen / zurückgreifen müssen
4. das Wasser / von Giftstoffen / reinigen müssen
5. Schadstoffe / vor allem / durch Filter / aus dem Wasser / entfernen können
6. da / die Bevölkerung / mit sauberem Wasser / versorgen müssen, Trinkwasser / regelmäßig / auf seine Reinheit / überprüfen müssen
7. so / viel Geld / in Wasseraufbereitungsanlagen / investieren müssen
8. deshalb / das kostbare Trinkwasser / nicht so leichtfertig / verschwenden sollen (*Konj. II*)

Ü12   Verkehrszeichen

Erklären Sie die Verkehrszeichen in Passivsätzen mit Modalverben.

1. Seitenwind

   → *Hier muss auf Seitenwind geachtet werden.*

2. Halt! Vorfahrt gewähren!

3. Kreisverkehr

4. Seitenstreifen nicht mehr befahren

5. Fahrradstraße

6. Verbot für Reiter

7. Schneeketten vorgeschrieben

8. Wendeverbot

Wann *wollen* zu *sollen* wird

(1) Die Bürger wollen vor Übergriffen der Polizei geschützt werden.
    Die Bürger wollen, dass sie vor Übergriffen der Polizei geschützt werden.

(2) Der Polizeiapparat sollte verkleinert werden.
    Die Bürger wollen, dass der Polizeiapparat verkleinert wird.
    Die Bürger wollen, dass die Regierung den Polizeiapparat verkleinert.

(3) Auf Wunsch der Bürger soll der Polizeiapparat verkleinert werden.

Das Modalverb *wollen* des Aktivsatzes bleibt im Passivsatz *wollen*, wenn sich der Wunsch auf die eigene Person bezieht (1).
Das Modalverb *wollen* wird im Passivsatz zu *sollen*, wenn sich der Wunsch auf eine fremde Person oder Sache bezieht (2).
Möchte man hinzufügen, wer etwas will, kann man Wendungen gebrauchen wie z. B. *auf Bitten/Empfehlung/Wunsch; nach dem Vorschlag / dem Willen; entsprechend den Forderungen / den Vorstellungen* (3).
Die Person, die etwas will, wird im Genitiv oder mit *von* angeschlossen (3). (vgl. §8 S. 132)

Ü13 Wie eine Demokratie beginnt

Entscheiden Sie: *wollen* oder *sollen*? Bilden Sie Hauptsätze im Passiv ohne Angabe des Agens.

Die Bürger wollen, dass die Polizei sie nicht mehr ständig überwacht.

Die Bürger wollen nicht mehr ständig überwacht werden.

1. Sie wollen, dass die neue Regierung sie an der Meinungsbildung beteiligt.
2. Sie wollen, dass die Behörden sie wie mündige Bürger behandeln.
3. Sie wollen, dass die Medien sie über alle öffentlichen Angelegenheiten informieren.
4. Sie wollen, dass die neue Regierung freie Wahlen durchführt.
5. Sie wollen, dass der Staat die Menschenrechte achtet.
6. Sie wollen, dass der Gesetzgeber das Demonstrationsrecht in die Verfassung aufnimmt.
7. Sie wollen, dass der Staat die Wirtschaft liberalisiert.

Ü14 Was junge Menschen sich wünschen

Berichten Sie von den Wünschen junger Menschen und verwenden Sie dabei Passivsätze mit *wollen* und *sollen*.

Junge Menschen wollen mit ihren Problemen ernst genommen werden.
Es sollen mehr Ausbildungsplätze geschaffen werden.

Sie können dabei folgenden Wortschatz verwenden:

in der Politik mehr beachten
in der Ausbildung unterstützen
Freizeitmöglichkeiten bieten
Jugendzentren eröffnen
kostenlose Sportmöglichkeiten anbieten
an der kommunalen Politik beteiligen
gut ausbilden
in den Schulen und Ausbildungsstätten Kantinen einrichten

Ü15 Ein neues Verkehrskonzept

 Wollen oder *sollen*? Setzen Sie die Aktivsätze ins Passiv. Die eingeklammerten Sätze bleiben unverändert.

Der Oberbürgermeister will, dass Experten ein neues Verkehrskonzept entwickeln.
Auf Wunsch des Bürgermeisters soll von Experten ein neues Verkehrskonzept entwickelt werden.

1. Diese Experten wollen, dass die Stadt und die Bürger sie mit Vorschlägen unterstützen.
2. Alle Bürger sind daran interessiert, dass man die Verkehrssituation verbessert. Im Interesse ...
3. Zunächst will man durch Umfragen feststellen, (mit welchen Verkehrsmitteln die Arbeitnehmer zur Arbeit fahren).
4. Radfahrer und Fußgänger wollen, dass man sie als gleichberechtigte Verkehrsteilnehmer behandelt.
5. Der Oberbürgermeister will Anreize für den Umstieg der Autofahrer auf öffentliche Verkehrsmittel schaffen. Nach dem Willen ...
6. Deshalb will man das öffentliche Verkehrsnetz ausbauen.
7. Die Bürger wollen, dass man sie in die Planungen einbezieht und zu Sitzungen des Verkehrsausschusses einlädt, (wenn über das Verkehrskonzept beraten wird).

Passivfähigkeit

(1) Das Dach der Klinik ist vom Sturm beschädigt worden.
   = **Der Sturm** hat das Dach der Klinik beschädigt.
(2) In Krankenhäusern wird in Schichten gearbeitet.
   = In Krankenhäusern arbeitet **man** in Schichten.

Das Vorgangspassiv kann gebildet werden, wenn hinter den Handlungen oder Vorgängen ein Urheber oder Agens erkennbar ist (1) oder ein Aktivsatz mit *man* gedacht werden kann (2).

Nach diesem Grundsatz bilden folgende Verbgruppen kein Passiv:

Transitive Verben des Habens oder Erhaltens	
Sie **hat** eine Knieverletzung. Sie **bekommt** Spritzen. Sie **kennt** einen guten Facharzt.	z. B. *behalten, bekommen, besitzen, erhalten, haben, kriegen* (ugs.); auch Verben des „geistigen Habens": *erfahren, kennen, wissen*
Transitive Verben, die einen Inhalt, eine Anzahl, ein Gewicht, eine Länge oder einen Preis angeben	
Das Medikament **enthält** einen Wirkstoff gegen Schmerzen. Sie **wiegt** fünfzig Kilogramm. Aber: Sie **wird** von der Krankenschwester **gewogen**.	Inhalt: *beinhalten, enthalten, fassen, umfassen* Anzahl: *betragen* Gewicht: *wiegen* Länge: *messen* Preis: *kosten*

Transitive Verben mit der Bedeutung „sein"	
Eine Knieverletzung **bedeutet** eine große Einschränkung. Schichtarbeit **stellt** für den Krankenpfleger ein großes Problem **dar**.	*bedeuten, bilden, darstellen*
Aber: Der Verlauf des Fiebers **wird** in Kurven **dargestellt**.	*darstellen* in der Bedeutung „zeigen"

Intransitive Verben mit *haben* im Perfekt	
Im Garten des Krankenhauses **blühen** Rosen.	z. B. *brennen, blühen, gehören zu, glühen, scheinen, schmecken*
Aber: In Krankenhäusern **wird** nicht nur **gearbeitet**, sondern auch **gefeiert**.	

Intransitive Verben mit *sein* im Perfekt (= Verben der Fortbewegung und der Zustandsveränderung) sowie reflexive Verben	
Er **ist** zu Fuß **gegangen**. Die Blumen **sind aufgeblüht**. Sie **beeilt sich** sehr. Das **freut mich**.	z. B. *gehen, aufblühen, sich beeilen, sich freuen*
In Krankenhäusern **wird** viel **hin- und hergelaufen**. Jetzt **wird** aber **aufgestanden**! Jetzt **wird sich** mal ein bisschen **angestrengt**!	**Ausnahme:** allgemeine Feststellungen und energische Aufforderungen

Unpersönliche Verben	
Es gibt heutzutage gute Medikamente. **Es mangelt** an Pflegepersonal.	z. B. *es gibt, es mangelt an, es regnet*

Folgende Verben, wenn sie als modalverbähnliche Verben gebraucht werden (vgl. §9 S. 149 f.)	
Der Krankenpfleger **lässt** die Patientin nicht allein aufstehen. Am liebsten **bleibt** sie im Bett liegen. Sie **lernt** Schmerzen ertragen.	*bleiben, fahren, fühlen, gehen, haben, helfen, hören, kommen, lassen, lehren, lernen, schicken, sehen, spüren*

Feste Verb-Nomen-Verbindungen / Funktionsverbgefüge (vgl. Anhang S. 349 ff.)	
Ärzte **sehen** ihre **Pflicht** darin, Patienten zu heilen. Manche Patienten **erfordern** viel **Geduld**.	z. B. *seine Pflicht sehen in Geduld erfordern*

Ü16 Wo ist ein Agens?

Ordnen Sie die Verben den beiden Spalten zu.

~~zunehmen~~ ~~empfehlen~~ passen wachsen aussuchen gelten schimpfen es riecht antworten auf rechnen mit dauern verteilen ertrinken gehören klappen warten auf hungern ausreichen verwenden bestehen aus

Passivfähige Verben	Nicht passivfähige Verben
empfehlen	*zunehmen*

Ü17 Prüfungsangst

Was passiert in unserem Kopf, wenn wir Angst vor Prüfungen haben? Berichten Sie darüber – soweit möglich – in Passivsätzen. Das Agens braucht nicht genannt zu werden.

Angst! Kennen Sie das Gefühl vor einer Prüfung? Stellt dieses Gefühl etwa eine Bedrohung für die bevorstehende Prüfung dar, weil Ihr ganzes Gehirn wie gelähmt scheint? Warum aber wirkt sich Angst auf unsere mentalen* Leistungen negativ aus? Wenn im Gehirn Informationsvermittlung stattfindet, aktiviert es mehrere Neurone** gleichzeitig.

5 Elektrische Impulse leiten dabei bestimmte chemische Substanzen (die sog. Transmittersubstanz) an benachbarte Neurone weiter. Dadurch befördert das Gehirn Informationen, und das „Denken" klappt.

Bei sehr starker Angst aber setzt der Körper Stresshormone frei. Diese verhindern die Weitergabe der Transmittersubstanz an andere Neurone, und es kommt zu einer Denkblockade.

10 Wir wissen dann nichts mehr von dem gelernten Stoff, auch wenn sich unser Gehirn noch so sehr anstrengt. Das ist die schlechte Nachricht.

Die gute Nachricht lautet: Der Körper kann solche Stresshormone ganz schnell wieder abbauen, wenn wir uns erfolgreich entspannen, z.B. durch kurzes Dehnen und Strecken oder mit einem Schluck Wasser. Denkblockaden kann man auch dadurch erfolgreich vorbeugen, dass man die

15 Prüfungsängste direkt vor der Prüfung aufschreibt. Auf diese Weise wird man ruhiger und kann sich auf die Prüfung konzentrieren. Auch gezielte Entspannungsübungen in der Zeit der Prüfungsvorbereitung helfen Ängste abbauen.

* *mental*: geistig; das Denken, den Verstand betreffend
** *das Neuron*, Pl. *Neurone(n)*: Nervenzelle

→ ... *Wenn ... stattfindet, werden mehrere Neurone gleichzeitig aktiviert. ...*

II Zustandspassiv und Zustandsform

Das Zustandspassiv

Das Zustandspassiv wird mit dem Hilfsverb *sein* und dem Partizip Perfekt des Vollverbs gebildet.

(1) Die Bauarbeiten an den Studentenwohnheimen **sind abgeschlossen**.
   Vorzeitig: *Was ging voraus?*
   Das Bauamt hat die Bauarbeiten abgeschlossen.
   Die Bauarbeiten sind abgeschlossen worden.

(2) Vorgestern wollte ich ein Zimmer mieten, aber da **waren** alle Zimmer schon **vergeben**.
   Vorzeitig: *Was ging voraus?*
   Das Studentenwerk hatte schon in der vorletzten Woche alle Zimmer vergeben.
   Schon in der vorletzten Woche waren alle Zimmer vergeben worden.

(3) Die Renovierung der Mensa **soll/sollte** im Herbst **abgeschlossen sein**.

(4) Ich hörte, die Zimmer **seien** schon alle **vergeben gewesen**.

(5) **Wären** doch die Zimmer nicht schon alle **vergeben gewesen**!

Das Zustandspassiv bezeichnet einen veränderten, erkennbar neuen Zustand von gewisser Dauer, der das Ergebnis eines vorausgegangenen abgeschlossenen Vorgangs ist. Aktiv und Vorgangspassiv sind gegenüber dem Zustandspassiv vorzeitig (1) (2).
Verben, die kein Vorgangspassiv bilden, können auch kein Zustandspassiv bilden.
Eine Reihe von Verben, bei denen das Geschehen nicht abgeschlossen ist, können zwar das Vorgangspassiv, nicht aber das Zustandspassiv bilden, z. B. *anfassen, anwenden, ausüben, beachten, fortsetzen, hören, überwachen, unterstützen, wiederholen* (falsch: *Die Versuchsreihe ist fortgesetzt. Der Vortrag ist gehört.*).
Das Präteritum wird für alle Vergangenheitsformen verwendet (2), Perfekt und Plusquamperfekt werden fast ausschließlich im Konjunktiv I (4) und II (5) gebraucht. (vgl. §7 S. 113 ff. und §6 S. 93 f.)
Wie das Vorgangspassiv kann auch das Zustandspassiv mit Modalverben gebildet werden.
Für die Vergangenheit wird das Präteritum gebraucht (3) (vgl. §8 S. 124 ff.).
In Sätzen mit Zustandspassiv wird das Agens bzw. der Urheber selten genannt.

Die Formen des Zustandspassivs		
Präsens	die Tür ist geschlossen	muss geschlossen sein
Präteritum	war geschlossen	musste geschlossen sein
Perfekt	ist geschlossen gewesen	
Plusquamperfekt	war geschlossen gewesen	
Futur I	wird geschlossen sein	

Ü18 Zustandspassiv – Vorgangspassiv: Bedeutung

Lesen Sie den Text genau und überlegen Sie, was die kursiv gedruckten Verbformen bedeuten.

Fahrrad gestohlen

In der Nacht zum Montag *wurde* am Rathaus ein hochwertiges Herrenfahrrad *gestohlen*. Es handelt sich dabei um ein dunkelgrünes
5 Mountainbike der Marke Steppenwolf, das mit vielen Extras *ausgestattet ist*. Das Fahr-rad *war* zum Zeitpunkt des Diebstahls mit einem speziellen Fahrradschloss an einen Laternenpfahl *angebunden*. Hinweise auf
10 mögliche Täter nimmt das Polizeirevier Süd entgegen unter der Telefonnummer ...

Ü19 Wohnungsprobleme von Studierenden

Sagen Sie im Zustandspassiv, was alles schon bzw. noch nicht gemacht ist.

Hat die Universität denn Notquartiere für obdachlose Studierende eingerichtet?
(ja / schon seit Semesterbeginn)
Ja, schon seit Semesterbeginn sind Notquartiere für obdachlose Studierende eingerichtet.

1. Ist die Öffentlichkeit über die Wohnungsnot der Studierenden unterrichtet worden? (ja / schon seit drei Wochen)
2. Ist der Bedarf an Zimmern ermittelt worden? (ja / zuverlässig)
3. Ist die Jugendherberge in die Planung einbezogen worden? (ja / selbstverständlich)
4. Hat die Universität alle Studierenden untergebracht? (nein / längst nicht alle)
5. Hat das Studierendenwerk weitere Wohnheime geplant? (nein / bis jetzt noch keine)

Ü20 Ein schweres Unwetter

Einen Tag später beschreiben die Bewohner die Zustände nach dem Unwetter.
Bilden Sie Sätze im Zustandspassiv Präsens.

Viele Straßen wurden durch umgestürzte Bäume blockiert.

Viele Straßen sind durch umgestürzte Bäume blockiert.

1. Viele Dächer wurden abgedeckt und Fernsehantennen umgeknickt.
2. Die Häuser wurden z. T. schwer beschädigt.
3. Fast die Hälfte der landwirtschaftlich genutzten Fläche wurde überschwemmt.
4. Die Landstraßen wurden wegen Überflutung oder Erdrutschen gesperrt.
5. Einige Dörfer wurden von der Außenwelt abgeschnitten.
6. In manchen Ortschaften wurden Strom- und Telefonleitungen unterbrochen.

Ü21 Eine Gerichtsverhandlung

Sagen Sie, welche Handlungen des Gerichts vorausgegangen sind.

Der Haftbefehl ist aufgehoben.

Das Gericht hat den Haftbefehl aufgehoben.

1. Es sind keine Journalisten zugelassen.
2. Die Zeugen sind bereits vernommen.
3. Die Beweisaufnahme ist abgeschlossen.
4. Der Angeklagte ist schuldig gesprochen.
5. Er ist zur Zahlung einer Geldstrafe verurteilt.
6. Das Urteil ist gefällt und verkündet.
7. Der Fall ist damit abgeschlossen.

Ü22 Mitteilungen im Telegrammstil

 Entscheiden Sie: Vorgang oder Zustand? Bilden Sie Passivsätze.

Hier Wohnungsvermittlung!

Hier werden Wohnungen vermittelt.

Durchgehend geöffnet! Das Geschäft ...

Das Geschäft ist durchgehend geöffnet.

1. Zimmer belegt! Die Zimmer ...
2. Frisch gestrichen! Die Türen ...
3. Warnung vor dem bissigen Hund! ...
4. Winterreifen vorgeschrieben!

5. Im Winter kein Streudienst. Im Winter ... nicht gestreut.
6. Kartenverkauf an der Abendkasse
7. Ausverkauft! Die Karten ...
8. Hier Mietwagenverleih!
9. Besetzt! Die Tiefgarage ...
10. Passkontrolle!

Ü23 Erfindungen verändern das Gesicht der Welt

Vorgang (*werden*) oder Zustand (*sein*)? Entscheiden Sie sich, wo immer es möglich ist, für das Zustandspassiv.

Durch Erfindungen _wird_ das Gesicht der Welt laufend verändert.

1. Nachdem z. B. das Segelschiff erfunden _____, _____ neue Erdteile entdeckt.
2. Seit wann das Wasserrad benutzt _____, wissen wir zwar, den Erfinder kennen wir aber nicht.
3. In späterer Zeit _____ dann Erfindungen von namentlich bekannten Erfindern wie Gutenberg, Watt, Franklin u. a. gemacht. Ihre Namen _____ auch heute nicht vergessen.
4. Unbekannt ist dagegen der Erfinder des Hochofens, in dem noch heute Eisenerz zu Eisen verarbeitet _____.
5. Durch Erfindungen _____ das Leben der Menschen spürbar erleichtert.
6. Und es _____ wohl von niemandem bezweifelt, dass die Welt von heute gegenüber früheren Zeiten verändert _____, nicht zuletzt aufgrund bedeutender Erfindungen.
7. Wenn heutzutage größere Projekte in Angriff genommen _____, _____ im Unterschied zu früher Teams von Spezialisten gebildet, da auch Wissenschaftler die komplexen Vorgänge in Wissenschaft und Technik nicht mehr überschauen können.
8. Da das Wissen des Einzelnen begrenzt _____, _____ es auch ausgeschlossen, dass alle wissenschaftlichen und technischen Voraussetzungen für eine Erfindung von einem Einzelnen geschaffen _____.
9. Wenn heute an größeren Projekten gearbeitet _____, _____ außerdem Zeit und Geld in einer Größenordnung gebraucht, die von einem Einzelnen gar nicht aufgebracht _____ können.
10. So _____ heute ein Zustand erreicht, der deutlich von allen anderen Epochen unterschieden _____.

Die Zustandsform

(1) Unterkünfte für Studierende **sind gesucht**.
    Gleichzeitig:
(2) Die Universität **sucht** Unterkünfte für Studierende.
(3) Unterkünfte für Studierende **werden gesucht**.

Neben dem Zustandspassiv gibt es eine Zustandsform, die wie das Zustandspassiv mit *sein* gebildet wird (1), aber gleichzeitig mit dem Aktiv (2) und dem Vorgangspassiv (3) verläuft und mit diesen austauschbar ist.

Die Partizip-Perfekt-Form hat in vielen Fällen die Bedeutung eines Adjektivs und ist demzufolge eine eigene Vokabel in Wörterbüchern. Sie wird z. B. von folgenden Verben gebildet: *bedrohen* (bedroht sein von/durch), *begehren* (begehrt sein), *betreffen* (betroffen sein von), *bewohnen* (bewohnt sein), *enthalten* (enthalten sein), *fragen* (gefragt sein), *fürchten* (gefürchtet sein), *meinen* (gemeint sein), *suchen* (gesucht sein), *überfordern* (überfordert sein von/durch), *umgeben* (umgeben sein von), *zwingen* (gezwungen sein zu).

Ü24 Gleichzeitig oder vorzeitig?

Lesen Sie den Text und überlegen Sie, ob die kursiv gedruckten Verbformen Gleichzeitigkeit oder Vorzeitigkeit ausdrücken. Ordnen Sie den beiden Spalten zu.

Boreout

Mit diesem Begriff *ist* Langeweile *gemeint*, die krank macht. Immer öfter wird dieses Syndrom in Arztpraxen diagnostiziert. Bore-
5 out wird durch Unterforderung am Arbeitsplatz verursacht. Während die einen *überfordert sind* und an Burnout leiden, *sind* andere an ihrem Arbeitsplatz *unterfordert*. Geschäftigkeit vorzutäuschen, also bei-
10 spielsweise Akten und Papiere hin- und herzutragen und Stress zu simulieren, kann anstrengend sein. Boreout *ist* vor allem in solchen Arbeitsbereichen *verbreitet*, in denen Arbeit wegrationalisiert wurde.

15 Boreout kann sich – wie Burnout – in Müdigkeit, Niedergeschlagenheit, Antriebslosigkeit oder Schlafstörungen äußern. In solchen Fällen sollte ein Facharzt aufgesucht werden. Manchmal sollte allerdings auch der
20 Arbeitsplatz gewechselt und eine Tätigkeit gesucht werden, mit der man besser *ausgelastet ist*. Während Burnout-Patienten mit unserem Mitleid rechnen können, ist das bei Menschen, die an Boreout leiden, nicht der
25 Fall. Das Phänomen wurde zum ersten Mal im Jahre 2007 beschrieben.

gleichzeitig	vorzeitig
ist gemeint	

Ü25 Wohnungsnotstand

Bilden Sie Sätze mit der Zustandsform.

Werden zu Semesterbeginn Zimmer gesucht? Ja, ...
Ja, zu Semesterbeginn sind Zimmer gesucht.

1. Werden Absagen vom Studierendenwerk gefürchtet? – Ja, ...
2. Meint man mit dem Begriff Wohnungsnotstand (, dass viele Studierende kein Dach über dem Kopf haben)? – Ja, ...
3. Betrifft der Wohnungsnotstand viele Studierende? Ja, viele Studierende ...
4. Zwingt die Wohnungsnot die Studierenden (, auf dem freien Wohnungsmarkt hohe Mieten zu zahlen)? – Ja, leider ...
5. Überfordert das Wohnungsproblem die Studierenden? – Ja, viele Studierende ...

Ü26 Was heißt „Interesse"?

Vorgangs- oder Zustandspassiv / Zustandsform? Setzen Sie, wenn möglich,
Zustandspassiv bzw. Zustandsform ein.

1. Es *wird* im Folgenden kurz auf das Wort „Interesse" eingegangen, dessen Bedeutung
   inzwischen durch häufige Benutzung abgeschwächt _____ .

2. Seine ursprüngliche Bedeutung _____ in seiner Wurzel enthalten.

3. Das lateinische Wort „inter-esse" kann mit „dazwischen sein" übersetzt _____ .

4. Damit _____ ein aktives Dabeisein gemeint.

III Zustandsreflexiv und reflexive Zustandsform

(1) Die Studierenden **sind** gut **erholt**.
   Vorzeitig: *Was ging voraus?*

(2) Die Studierenden **haben sich** gut **erholt**.

(3) Nicht jeder **ist** für den Lehrberuf **geeignet**.
   Gleichzeitig:

(4) Nicht jeder **eignet sich** für den Lehrberuf.

Eine begrenzte Zahl reflexiver Verben kann ein dem Zustandspassiv und der
Zustandsform entsprechendes Zustandsreflexiv (1) und eine reflexive Zustandsform (3)
mit dem Verb *sein* bilden.
Der reflexive Vorgang (2) (4) verläuft vorzeitig gegenüber dem Zustandsreflexiv (1), aber
gleichzeitig mit der reflexiven Zustandsform (3). In beiden Fällen entfällt das
Reflexivpronomen. Das Agens wird selten genannt.
Bei der reflexiven Zustandsform hat die Partizip-Perfekt-Form in vielen Fällen die Bedeutung
eines Adjektivs und ist demzufolge eine eigene Vokabel in Wörterbüchern. Sie wird z.B. von
folgenden Verben gebildet: *sich beherrschen* (beherrscht sein von), *sich beschäftigen*
(beschäftigt sein mit), *sich eignen* (geeignet sein für), *sich bemühen* (bemüht sein um),
sich einstellen (eingestellt sein auf), *sich empören* (empört sein über), *sich engagieren*
(engagiert sein bei/für), *sich entschließen* (entschlossen sein zu), *sich entspannen* (entspannt
sein), *sich erholen* (erholt sein), *sich erkälten* (erkältet sein), *sich gewöhnen* (gewöhnt sein an),
sich interessieren für (interessiert sein an), *sich konzentrieren* (konzentriert sein auf), *sich
richten* (gerichtet sein an/auf/gegen), *sich sorgen* (besorgt sein um), *sich verlieben* (verliebt
sein in), *sich vorbereiten* (vorbereitet sein auf).
(vgl. Verbliste im Anhang S. 352 ff.)

Ü27 Die Studentenbewegung der 1960er-Jahre*

Beschreiben Sie die Zustände Ende der 1960er-Jahre an deutschen Universitäten
mit Zustandsreflexiv bzw. reflexiver Zustandsform.

Die Studienbedingungen hatten sich verändert.
Die Studienbedingungen waren verändert.

Viele Studenten waren intensiv mit Politik beschäftigt.

1. Ende der 1960er-Jahre empörten sich die Studenten über die Zustände an den deutschen Universitäten.
2. Sie hatten sich zum Kampf für mehr Mitbestimmung an den Universitäten entschlossen.
3. Sie bemühten sich um Reformen.
4. Sie interessierten sich nicht für die Pflege alter Traditionen. (für → an)
5. Die Studentenunruhen richteten sich auch gegen die Studieninhalte.
6. Die Studenten hatten sich auf harte Auseinandersetzungen eingestellt.
7. Nach 1968 hat sich die Lage an den Universitäten wieder entspannt.
8. Die Studenten konzentrierten sich wieder mehr auf ihr Studium.

* **Studentenbewegung**: In den 60er-Jahren des 20. Jahrhunderts entwickelte sich eine internationale Studentenbewegung. Die Gründe dafür waren vielfältig: In Deutschland protestierten die Studenten u. a. gegen die konservative, restaurative Politik der Nachkriegszeit, gegen die Verdrängung der Nazi-Vergangenheit, gegen die traditionelle, autoritär gestaltete Gesellschaft und gegen veraltete Hochschulstrukturen. Beim Besuch des persischen Schahs in Bonn 1967 fanden erste große Demonstrationen statt, die durch gewaltsame Auseinandersetzungen mit der Polizei eskalierten. Daraufhin kam es vor allem in Universitätsstädten immer wieder zu heftigen Protestdemonstrationen und Straßenschlachten mit der Polizei. Die Studentenrevolte erreichte 1968 ihren Höhepunkt.

Ü28 Die Entdeckung des Weltraums

Bilden Sie Sätze in Zustandspassiv bzw. reflexiver Zustandsform.

Nennen Sie das Agens nur, wenn angegeben. Übernehmen Sie den eingeklammerten Satz unverändert.

Seit Langem richtet sich der Entdeckerdrang auf das Weltall.

Seit Langem ist der Entdeckerdrang auf das Weltall gerichtet.

Weltraumstationen haben die Auswirkungen der Schwerelosigkeit auf den Menschen untersucht.

Die Auswirkungen der Schwerelosigkeit auf den Menschen sind untersucht.

1. Seit Langem schon begeistern sich viele Menschen für die Weltraumforschung. (für → von)
2. In den 1960er- und 1970er-Jahren konzentrierte sich die Forschung auf Mondexpeditionen.
3. Am 20.7.1969 richtete sich die Aufmerksamkeit der Menschen auf die erste bemannte Mondlandung.
4. Die Weltraumforschung bemüht sich schon lange um die Erforschung weit entfernter Planeten.
5. Experten haben einige Planeten des Sonnensystems, z. B. Mars und Jupiter, mithilfe von unbemannten Sonden schon recht gut erforscht.
6. Politiker sorgen sich um die hohen Kosten der Weltraumfahrt.(→ be- / um → wegen)
7. Insgesamt haben die Expeditionen ins Weltall das heutige Weltbild stark geprägt. (+ *Agens*)
8. Mithilfe der Daten auf der goldenen Speicherplatte „Voyager Golden Records"(, die 1977 mit der „Voyager" ins Weltall geschickt wurde,) haben sich mögliche intelligente Lebewesen im All vielleicht schon über die Erde und ihre Bewohner informiert.

Ü29   Anmeldung zum Sprachkurs in Heidelberg

Sie möchten im Sommer an einem Sprachkurs in Heidelberg teilnehmen und erzählen ihren Freunden/Bekannten, was alles schon vorbereitet ist. Verwenden Sie dabei Sätze in Zustandspassiv bzw. Zustandsform oder in Zustandsreflexiv bzw. reflexiver Zustandsform.

Beginnen Sie so:

→ *Also, die Reise ist schon gut organisiert. Für den Sprachkurs bin ich natürlich auch längst angemeldet und ...*

Mögliche Nomen:	Mögliche Verben:
Kursgebühren Anmeldeformular Reise Pass Inhalte des Sprachkurses Flugticket Eingangstest Zimmer in Studentenwohnheim geforderte Anzahlung Auslandskrankenversicherung Nachsenden der Post Buch für Sprachkurs schlechtes Wetter in Deutschland Regenkleidung	sich informieren über verlängern bezahlen kaufen sich anschaffen ausfüllen sich besorgen sich einstellen auf buchen reservieren beantragen regeln sich vorbereiten auf

IV Gesamtübungen

Ü30   Glasklare Sache

Was passiert mit Altglas? Sagen Sie es, soweit möglich, im Passiv. Das Agens braucht nicht genannt zu werden, denn es versteht sich von selbst.

Die Verbraucher sollen altes Glas, also Flaschen, Marmeladen- und Gemüsegläser, in Altglascontainer werfen. Nicht in die Container gehören Glühbirnen, Fensterscheiben und feuerfestes Glas. Man sammelt Altglas, weil man es aufarbeiten und als Rohstoff wiederverwenden kann. Aus einer Tonne Altglas kann man eine Tonne Neuglas gewinnen. Dazu
5   muss man das Altglas einschmelzen. Weil das Ausgangsmaterial rein sein muss, darf man Plastik, Keramik, Ton oder Steine nicht in Altglascontainer werfen. Flaschenverschlüsse oder Metallteile sollte man möglichst entfernen. Die Etiketten können dranbleiben. Man braucht das Glas auch nicht zu spülen. Die Gemeindeverwaltungen wollen von den Bürgern nicht zu viel verlangen, sonst macht sich niemand die Mühe des Sammelns. Und gerade das will man
10   ja erreichen. Für die Gewinnung des Rohmaterials Glas sind einige Arbeitsgänge am Fließband notwendig: Mitarbeiter sortieren per Hand die größten Fremdkörper wie Dosen, Steine oder Porzellan heraus; Maschinen zerkleinern die alten Gefäße; ein Magnetabscheider sondert alle Eisenteile ab; nichtmagnetische Metalle entfernt man fotomechanisch und alle leichten Stoffe wie z. B. Papier saugt man ab. Man wäscht die Scherben nicht, das wäre ein unnötiger
15   Wasserverbrauch. Ganz zum Schluss gibt man das auf diese Weise gewonnene Rohmaterial in einen riesigen Ofen, in dem es bei 1 500 Grad schmilzt. Dann gießt man die flüssige, glühende Masse in Formen. So gewinnt man Millionen neuer Flaschen. Wichtig ist, dass man

verschiedenfarbiges Glas getrennt einschmilzt, denn man erzielt die Farbe durch chemische
Reaktionen. Grün gewinnt man durch die Zugabe von Chromoxyd, für die Gewinnung der
20   Farbe Braun muss man gleich mehrere Stoffe einsetzen. Wenn man beim Recycling die
verschiedenfarbigen Gläser mischt, entsteht eine undefinierbare Farbe, die niemand
(→ nicht) kauft. Deswegen sammelt man Glas nach Farben getrennt.

→ *Altes Glas, also Flaschen, Marmeladen- und Gemüsegläser, sollen in Altglascontainer*
     geworfen werden. ...

Ü31 Recycling von Altpapier

Beschreiben Sie mit Hilfe des Schaubildes, wie Altpapier in fünf Schritten recycelt wird.
Bilden Sie Passivsätze mit und ohne Modalverben.

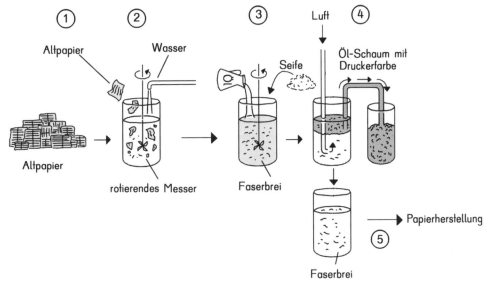

Beginnen Sie so:

→ *Zuerst muss Altpapier gesammelt werden. Dann ...*

Wortschatz zur Beschreibung:

(das) Altpapier sammeln
(der) Behälter
(das) Papier zerkleinern
(der) Faserbrei
(das) Wasser / (das) Öl einfüllen/hinzufügen
(die) Seife hineingeben

Ü32 Die Berliner Mauer*

Am 13. August 1961 sperrte die DDR ihre Grenze zu West-Berlin.

Bilden Sie, wenn nicht anders angegeben, Sätze im Passiv Präteritum.

in der Nacht des 13. August 1961 / ein Stacheldraht zwischen Ost- und West-Berlin / ziehen

In der Nacht des 13. August 1961 wurde ein Stacheldraht zwischen Ost- und West-Berlin gezogen.

1. die Straßenverbindungen zum Westen / blockieren / und / die deutsch-deutschen Telefonleitungen / kappen
2. bald danach / der Stacheldraht / durch eine Mauer / ersetzen
3. Anfang der 80er-Jahre / schließlich / die alte Mauer / durch glatte Betonwände / ersetzen
4. West-Berlin / durch die bis zu 4,20 m hohe und 160 km lange Mauer / ringsherum / einschnüren
5. zusätzlich / Gräben und Panzersperren / anlegen
6. zur Überwachung der Grenze / Beobachtungstürme / errichten
7. zwischen 1961 und 1989 / an dieser Mauer / fast 80 Menschen / von Grenzposten / erschießen
8. während der friedlichen Revolution im Herbst 1989 / Teilstücke der Mauer / herausreißen
9. in den nächsten drei Jahren / die Berliner Mauer / dann / ganz / entfernen
10. mit dem Abriss der Berliner Mauer / auch / die bunten Bilder auf der Mauer / zerstören
11. die Wände / von anonymen Künstlern / mit Graffiti** / bemalen (*Plusq.*)

** *das/der Graffito*: Zeichnung an Mauern

Ü33 Deutsch-deutscher Menschenhandel*

Berichten Sie, soweit möglich, in Passivsätzen über einen Teilaspekt der deutsch-deutschen Beziehungen. Das Agens kann – mit Ausnahme des ersten Satzes – entfallen, weil es sich aus dem Kontext ergibt.

Die BRD kaufte zwischen 1963 und 1989 fast 34 000 Häftlinge aus den Gefängnissen der DDR frei. Sie befreite auf diesem Wege auch politische Häftlinge. Die beiden deutschen Staaten tätigten diesen Menschenhandel regelmäßig. Der „Kopfpreis" für einen Häftling betrug anfangs etwa 40 000 DM (= etwa 20 000 Euro), ab 1977 erhöhte man ihn auf etwa 100 000 DM
5 (= etwa 50 000 Euro). Die DDR bekam nicht nur Bargeld für den „Verkauf" der Häftlinge, die BRD bezahlte den Freikauf auch in Gold. Die DDR (→ In der DDR …) investierte das Geld vor allem in Industrie- und Konsumgüter. Mit den Einnahmen aus dem Menschenhandel konnte man die Versorgungsschwierigkeiten wenigstens teilweise beseitigen. Die erste Gutschrift verwendete die DDR für Apfelsinen.
10 Die freigekauften Häftlinge brachte man in Bussen in die BRD. Da man die Transporte verschweigen wollte, ermahnte man die Häftlinge zum Stillschweigen.
Weil die DDR möglichst viele Häftlinge gegen Devisen „verkaufen" wollte, verurteilte sie politische Gefangene oft zu vielleicht ungerechtfertigt hohen Haftstrafen. Außerdem erhöhte sie das Strafmaß für bestimmte politische Delikte, z. B. für die Flucht aus der DDR.
15 Manche beurteilten den Häftlingsfreikauf aber auch kritisch. Und das nicht nur wegen des

Anreizes für die DDR, politische Gegner ins Gefängnis zu bringen, sondern auch, weil der Häftlingsfreikauf die politische Opposition schwächte bzw. reduzierte.

Während der friedlichen Revolution im Jahre 1989 erließ man in der DDR eine Amnestie für politische Häftlinge. Damit endete der deutsch-deutsche Menschenhandel.

→ *Zwischen 1963 und 1989 wurden von der BRD fast 34 000 Häftlinge aus den Gefängnissen der DDR freigekauft. ...*

* Nach dem Zweiten Weltkrieg (1939–1945) entstanden zwei deutsche Staaten, die BRD (Bundesrepublik Deutschland) und die DDR (Deutsche Demokratische Republik). Zwischen ihnen verlief die innerdeutsche Grenze, die von den Siegermächten festgelegt worden war. Um eine Massenflucht zu verhindern, sicherte die DDR auf ihrer Seite die Grenze mit einem Sperrgebiet, das teilweise vermint, mit Selbstschussanlagen und Beobachtungstürmen der DDR-Grenzposten sowie mit einem doppelten Stacheldrahtzaun versehen war. Ein Sonderfall war West-Berlin, das in der ehemaligen DDR lag und an Ost-Berlin grenzte. Seit dem 13. August 1961 umschloss die Berliner Mauer West-Berlin, das damit von der DDR und auch von Ost-Berlin abgeschnitten war. Die friedliche Revolution in der DDR im Jahre 1989 führte am 9. November 1989 zur Öffnung der Grenze (sogenannter Mauerfall) und am 3. Oktober 1990 zur Wiedervereinigung der beiden deutschen Staaten.

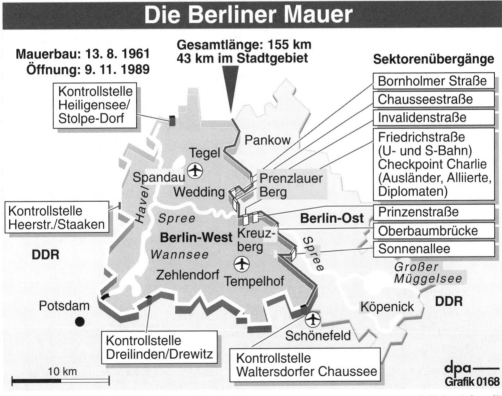

© Globus Infografik

§ 5 Passivumschreibungen

Ü1   Eine kleine Geschichte des Geldes

Lesen Sie den Text und versuchen Sie, die kursiv gedruckten Verbformen zu umschreiben.
Wodurch unterscheiden sie sich grammatikalisch von den Sätzen im Vorgangspassiv?

Heutzutage kann man sich ein Leben ohne Geld nicht mehr vorstellen. Aber lange Zeit lebten
die Menschen mit anderen Zahlungsmitteln, sie bezahlten z. B. mit Getreide, Salz oder Fellen
und Tieren, d. h. mit Waren, die *sich* wieder in andere Waren *eintauschen ließen.* Ein solches
Warengeld *war* aber oft verderblich oder schlecht *teilbar* und deshalb nicht perfekt. Für das

5   7. Jahrhundert vor Christus kann der Handel mit Münzgeld nachgewiesen werden. Es *ist* nicht
zu bestreiten, dass der Handel dadurch vereinfacht wurde. Der Vorteil von Münzgeld bestand
darin, dass es *sich* leicht *zählen ließ.* Als im 17. Jahrhundert Händler in Europa begannen, es
bei Banken zu deponieren und dafür Quittungen *ausgestellt bekamen,* war das der Beginn des
Papiergeldes. Diese Quittungen wurden als Geldersatz verwendet, weil sie im Gegensatz zu

10   Münzen leicht *zu transportieren waren.* Somit entstanden die Banknoten, die heute immer
mehr von Kreditkarten und anderen bargeldlosen Zahlungsmitteln verdrängt werden.

I Der Gebrauch der Passivumschreibungen

(1) Der Text ist gut **erklärbar.**
     Der Text **lässt sich** gut **erklären.**
     Der Text **erklärt sich** gut.
     Der Text ist gut **zu erklären.**
     = Der Text kann gut erklärt werden.
     = Man kann den Text gut erklären.

(2) Der Artikel **stößt auf** die heftige **Kritik** von Fachkollegen.
     = Der Artikel wird von Fachkollegen heftig kritisiert.
     = Fachkollegen kritisieren den Artikel heftig.

Passivumschreibungen sind Ersatzformen für das Passiv und werden diesem häufig vorgezogen.
Vom Passiv unterscheiden sie sich dadurch, dass sie zwar passivische Bedeutung, aber aktivische
Verbformen haben.
Mit dem Passiv gemeinsam haben sie, dass das Subjekt nicht Agens bzw. Urheber, sondern
Objekt der Handlung, also identisch mit der Akkusativergänzung des Aktivsatzes ist.
Es gibt Passivumschreibungen mit Modalfaktor (= mit modaler Bedeutung) (1) und ohne
Modalfaktor (2).

II Passivumschreibungen mit Modalfaktor

Passivumschreibungen mit dem Modalfaktor *können*

---

sein + Adjektiv auf -bar

(1) Smartphones sind als Telefon und als
   Computer verwendbar.
   = Smartphones **können** als Telefon und als
      Computer verwendet werden.

(2) Die Vorteile eines solchen Geräts sind
   unleugbar.
   = Die Vorteile eines solchen Geräts **können**
      nicht geleugnet werden.

gehen + Infinitiv mit zu

(3) Der alte Laptop geht nicht zu reparieren.
   = Der alte Laptop **kann** nicht repariert werden.

Die Passivumschreibung *sein* + Adjektiv auf *-bar* drückt eine Möglichkeit aus (1) (2).
Manche Adjektive auf *-bar* kommen nur mit dem Negationspräfix *un-* vor (2) (*unleugbar*,
vgl. z. B. auch *unabsehbar, unbestreitbar, unüberhörbar, unverkennbar, unverzichtbar*).
Adjektive auf *-bar* können nicht von allen Verben gebildet werden. Das Agens bzw. der
Urheber kann nicht genannt werden.
Die Suffixe *-fähig, -lich, -sam* sowie die von Verben auf *-ieren* abgeleiteten Adjektive mit den
Suffixen *-abel* und *-ibel* haben nur manchmal passivische Bedeutung, so z. B.: *diskutabel,
disponibel, erträglich, transportfähig, unaufhaltsam.*
Keine passivische Bedeutung jedoch haben z. B. *arbeitsfähig, ärgerlich, sparsam, spendabel.*
Auch die umgangssprachliche, nur in der 3. Person Singular und Plural gebrauchte
Passivumschreibung *gehen* + Infinitiv mit *zu* drückt eine Möglichkeit aus (3).

Ü2 Smartphones

Bilden Sie Sätze mit Adjektiven auf *-bar* bzw. *-abel*.

Die Vorteile von Smartphones können nicht bestritten werden.
Die Vorteile von Smartphones sind unbestreitbar.

1. Der Preis von Smartphones kann mittlerweile akzeptiert werden.
2. Die Helligkeit des Displays kann verändert werden.
3. Informationen können auch im grellen Tageslicht gelesen werden.
4. Smartphones können auch als Kamera und MP3-Player verwendet werden.
5. Die Preisentwicklung kann langfristig nicht vorausgesagt werden.
6. Heute schon können viele nicht auf das Smartphone verzichten. (viele → für viele /
   auf *entfällt*)

Ü3   Ein mittelalterlicher Turm

Schreiben Sie die Sätze in Passivsätze mit dem Modalverb *können* um.

Der Turm ist wegen seiner typischen Form unverwechselbar.

Der Turm kann wegen seiner typischen Form nicht verwechselt werden.

1. Er ist restaurierbar.
2. Die hohen Kosten für die Restaurierungsarbeiten sind gerade noch vertretbar.
3. Wegen der hohen Baukosten sind Eintrittsgelder in Zukunft unverzichtbar. (verzichten auf)
4. Der phantastische Blick von der Aussichtsplattform ist unbeschreiblich.
5. Er ist mit keiner anderen Aussicht vergleichbar.

Umschreibung mit unpersönlichem Subjekt: *sich lassen* + Infinitiv

Streitigkeiten **lassen sich** nicht immer **vermeiden**.

= Streitigkeiten können nicht immer vermieden werden.

Diese Passivumschreibung drückt eine Möglichkeit aus und wird nur in der
3. Person Singular und Plural gebraucht.
Das Agens bzw. der Urheber kann nicht genannt werden.

Ü4   Ein Haus mit vielen Mängeln

Bilden Sie Sätze mit *sich lassen* und Passivsätze mit *können*.

Die Tür klemmt. (sie / nur mit Mühe öffnen)
Sie lässt sich nur mit Mühe öffnen.
Sie kann nur mit Mühe geöffnet werden.

1. Der Wasserhahn in der Küche tropft. (er / nicht mehr abdichten)
2. Die Wände sind schief. (sie / nicht begradigen)
3. Die Treppen knarren bei jedem Schritt. (das / nicht beheben)
4. Die Heizung ist defekt. (das Haus / nicht mehr beheizen)
5. Die Schlafzimmertür hat sich verzogen. (sie / nicht mehr ganz schließen)

Ü5   Ein Gerichtsprozess

Bilden Sie Sätze mit *sich lassen*.

Der Mordfall konnte erst nach Monaten aufgeklärt werden.
Der Mordfall ließ sich erst nach Monaten aufklären.

1. Die Tatumstände konnten inzwischen rekonstruiert werden.
2. Für die Schuld des Angeklagten konnten genügend Beweise gefunden werden.
3. Aufgrund der Zeugenaussagen konnten viele Details geklärt werden.
4. Die Zeugenaussagen konnten am Tatort überprüft werden.
5. Gegen die Beweisführung konnte nichts eingewendet werden.

Reflexiv gebrauchte Verben mit unpersönlichem Subjekt

Nicht jedes Material **verarbeitet sich** problemlos.
= Nicht jedes Material kann problemlos verarbeitet werden.
= Nicht jedes Material lässt sich problemlos verarbeiten.

Diese Passivumschreibung drückt häufig, aber nicht immer eine Möglichkeit aus.
Sie lässt sich nur von relativ wenigen Verben bilden und wird nur in der 3. Person Singular
und Plural gebraucht.
Das Subjekt kann nur eine Sache sein.
Das Agens bzw. der Urheber kann nicht genannt werden.
Bei modaler Bedeutung – meist in Verbindung mit einer Modalangabe – kann diese Umschreibung
ohne Bedeutungsunterschied durch das Verb *sich lassen* + Infinitiv ersetzt werden.

Ü6 **Was sich von selbst versteht**
Bilden Sie Sätze mit reflexiv gebrauchten Verben.

Nicht jedes Produkt kann problemlos vermarktet werden.
Nicht jedes Produkt vermarktet sich problemlos.

1. Nicht jeder Verdacht kann bei genauerer Prüfung bestätigt werden.
2. Nicht jeder Roman kann gut verkauft werden.
3. Nicht jedes Problem lässt sich schnell lösen.
4. Nicht jedes Fremdwort lässt sich leicht aussprechen.
5. Nicht jedes Missverständnis lässt sich ohne Weiteres klären.

Passivumschreibungen mit den Modalfaktoren *müssen / sollen / können / nicht dürfen*: *sein / es gibt / bleiben* + Infinitiv mit *zu*

(1a) Für die Sicherheit im Labor **ist** noch viel **zu tun.**
   = Für die Sicherheit im Labor muss/soll/kann noch viel getan werden.

(1b) Unfälle **sind** nicht hundertprozentig **zu vermeiden.**
   = Unfälle können nicht hundertprozentig vermieden werden.

(1c) Mit gefährlichen Stoffen **ist** nicht **zu spaßen.**
   = Mit gefährlichen Stoffen darf nicht gespaßt werden.

(2) Für die Sicherheit **gibt es** noch viel **zu tun.**
   = Für die Sicherheit muss/sollte/kann noch viel getan werden.

(3) Was noch **zu tun bleibt**, ist festgelegt.
   = Was noch getan werden muss/sollte/kann, ist festgelegt.

Die Passivumschreibungen mit *sein* (1), *es gibt* (2) und *bleiben* (3) – jeweils + Infinitiv mit *zu* –
drücken eine Notwendigkeit (*müssen*), eine Forderung (*sollen* im Indikativ) bzw. eine Empfehlung
(*sollen*, auch im Konjunktiv II) oder eine Möglichkeit (*können*) (1b) aus, manchmal auch ein
Verbot (*nicht dürfen*) (1c) bzw. eine eingeschränkte Erlaubnis (*nur dürfen, wenn*).

Welche modale Bedeutung eine Passivumschreibung hat, muss aus dem Kontext erschlossen werden, ist aber nicht immer eindeutig (1a) (2) (3).

Das Agens bzw. der Urheber wird selten genannt.

Wenn die passivische Konstruktion *sein* + Infinitiv mit *zu* eine Notwendigkeit oder Forderung ausdrückt, dann entspricht sie der aktivischen Konstruktion *haben* + Infinitiv mit *zu*.

(vgl. § 9: *es gibt, bleiben* vgl. S. 152 ff.; *sein* vgl. S. 152 ff. und S. 156 f.; *haben* vgl. S. 152 ff. und S. 156 f.)

Ü7   Sicherheit im Labor

Bilden Sie Sätze mit *sein* + Infinitiv mit *zu*.

Alle Sicherheitsvorrichtungen müssen in regelmäßigen Abständen überprüft werden.

Alle Sicherheitsvorrichtungen sind in regelmäßigen Abständen zu überprüfen.

1. Absolute Sicherheit kann allerdings nicht garantiert werden.
2. Die Empfehlungen von Sicherheitsexperten sollten ernst genommen werden.
3. Fluchtwege müssen gekennzeichnet werden.
4. Sie dürfen nicht durch abgestellte Gegenstände blockiert werden.
5. Giftige Chemikalien müssen in einem abgeschlossenen Schrank aufbewahrt werden.

Ü8   Baumaterialien

müssen, sollen, können oder *dürfen*? Bilden Sie Passivsätze mit dem jeweils passenden Modalverb. Manchmal gibt es mehrere Möglichkeiten.

Im Bausektor sind viele „Krankmacher" nur schwer zu ersetzen.

Im Bausektor können viele „Krankmacher" nur schwer ersetzt werden.

1. Beim Einkauf von Baumaterialien, Farben und Lacken ist deshalb Verschiedenes zu beachten.
2. Beim Gebrauch dieser Stoffe sind Gefahren für die menschliche Gesundheit nicht auszuschließen.
3. Deshalb ist, wo immer möglich, auf schadstoffarme Produkte zurückzugreifen.
4. Holzschutzmittel sind mit größter Vorsicht zu gebrauchen.
5. Aber manchmal ist die Verwendung solcher Mittel nicht zu vermeiden.
6. Von der Verwendung chemischen Holzschutzes ist abzuraten.

Passivumschreibungen mit den Modalfaktoren *müssen / sollen: es gilt / es heißt / stehen* – jeweils + Infinitiv mit *zu* *gehören* + Partizip Perfekt

(1) Es **galt** viele Aufgaben **zu bewältigen**.
   = Viele Aufgaben mussten bewältigt werden.

(2) Es **hieß** eine Regierungskrise **zu vermeiden**.
   = Eine Regierungskrise musste/sollte vermieden werden.

(3) Leider **stand** ein Anstieg der Arbeitslosigkeit **zu befürchten**.
   = Leider musste ein Anstieg der Arbeitslosigkeit befürchtet werden.

(4) Die Verantwortlichen **gehören bestraft.**

   = Die Verantwortlichen müssen/sollten bestraft werden.

Die Passivumschreibungen *es gilt* (1), *es heißt* (2), *stehen* (3) – jeweils + Infinitiv mit *zu* –
und *gehören* + Partizip Perfekt (4) drücken eine Notwendigkeit (*müssen*, abgeschwächt auch im
Konjunktiv II), eine Forderung (*sollen* im Indikativ) bzw. eine Empfehlung (*sollen*, auch im
Konjunktiv II) aus.
Das Subjekt kann nur *es* (1) (2) bzw. eine Sache (3) sein.
Das Agens bzw. der Urheber kann nicht genannt werden.
es gilt (1) und *es heißt* (2) haben Aufforderungscharakter.
stehen (3) wird relativ selten und nur in Verbindung mit den Verben *erwarten*, *hoffen*,
befürchten gebraucht.
Mit der umgangssprachlichen Wendung *gehören* (4) werden – meist schimpfend –
Kritik und Unzufriedenheit bzw. Verbesserungsvorschläge ausgedrückt.
(*es gilt*, *es heißt*, *stehen* + Infinitiv mit *zu* vgl. §9 S. 152 ff.)

Ü9 Nach der deutschen Wiedervereinigung im Jahr 1990
Bilden Sie Sätze mit den in Klammern stehenden Passivumschreibungen.

Die Probleme mussten energisch angegangen werden. (es heißt)
Es hieß die Probleme energisch anzugehen.

1. Die Infrastruktur musste verbessert werden. (es gilt)
2. Es musste befürchtet werden, dass hohe Investitionen notwendig werden. (stehen)
3. Die Eigentumsverhältnisse mussten geklärt werden. (es gilt)
4. Das Verkehrsnetz musste ausgebaut werden. (es gilt)

Ü10 Am Eltern-Stammtisch
Bilden Sie Sätze mit *gehören* + Partizip Perfekt.

Die Steuern für kinderreiche Familien müssen gesenkt werden.
Die Steuern für kinderreiche Familien gehören gesenkt!

1. Die Regierungspartei muss abgewählt werden!
2. Dem Bürgermeister müsste mal ordentlich die Meinung gesagt werden!
3. Die Krippen und Kindergärten müssen ausgebaut werden!
4. Kinder müssen gut betreut werden!
5. Das Elterngeld muss erhöht werden!
6. Und überhaupt muss alles anders gemacht werden!

Ü11 Abfallvermeidung
Beschreiben Sie, wie man Abfälle vermeiden könnte! Verwenden Sie dabei Passivumschreibungen
mit *-bar*, *sich lassen*, *sein* + Infinitiv mit *zu*.

Sie können dabei folgenden Wortschatz verwenden:

Mögliche Nomen	Mögliche Verben:
ökologisch abbaubare Stoffe Recycling Verbrauch von Rohstoffen unnötige Verpackungen Karton Umwelt-Papier Verschwendung Müll Batterien Patronen (nachfüllen) Mehrwegflasche Akku Altpapier Stofftaschen Papier beidseitig (beschreiben) Servietten aus Stoff Werbebriefe und Wurfsendungen (ablehnen) Geschirr aus Pappe Porzellangeschirr für Partys (ausleihen) (auf) Plastikverpackungen (verzichten) Küchenabfälle (kompostieren)	abbauen akzeptieren (-abel) benutzen bestellen einsetzen ersetzen herstellen lagern nachfüllen planen produzieren reparieren sammeln tragen transportieren verarbeiten vermeiden verwenden verwerten verzichten (auf) wiederverwerten

→ *Oft sind große Abfallmengen vermeidbar.* ...

III Passivumschreibungen ohne Modalfaktor

lassen + Infinitiv

(1) Der Untersuchungsrichter **lässt** den Verdächtigen **verhören**.

= Der Untersuchungsrichter veranlasst, dass der Verdächtige verhört wird.

(2) Der Verdächtige **hatte sich** widerstandslos (von Polizisten) **festnehmen lassen**.

= Der Verdächtige hatte es widerstandslos hingenommen, dass er (von Polizisten) festgenommen wurde.

Diese Passivumschreibung wird nur verwendet, wenn es sich um Personen handelt.
Das Agens bzw. der Urheber kann mit *von* bzw. *durch* angeschlossen werden (2).
lassen + Infinitiv hat zweierlei Bedeutung:
• *veranlassen / verlangen / erwarten / dafür sorgen, dass (von jdm.) etw. getan wird* (1)
• *zulassen / erlauben / dulden / hinnehmen, dass jdm. (von jdm.) etw. getan wird* (2).
(vgl. §9 S. 149 ff.)

Ü12   Eine Gerichtsverhandlung
Bilden Sie Sätze mit *lassen* + Infinitiv.

Der Richter veranlasst, ...

dass der Zeuge zur Gerichtsverhandlung geladen wird.
Der Richter lässt den Zeugen zur Gerichtsverhandlung laden.

1. dass der Angeklagte in den Gerichtssaal geführt wird.
2. dass dem Angeklagten die Handschellen abgenommen werden.
3. dass die Zeugenaussagen protokolliert werden.
4. dass die Öffentlichkeit von der Verhandlung ausgeschlossen wird.

Ü13 Aschenputtel

Bilden Sie Sätze mit *lassen* + Infinitiv.

Ein reicher Mann heiratet nach dem Tod seiner Frau ein zweites Mal, und für seine Tochter kommen mit der Stiefmutter zwei Stiefschwestern ins Haus. Da beginnt für die Tochter, jetzt Aschenputtel genannt, eine böse Zeit. Doch am Ende geht für Aschenputtel alles gut aus und die Stiefschwestern bekommen ihre Strafe.

Aschenputtel lässt zu, ...

dass sie wie eine Küchenmagd behandelt wird.
Aschenputtel lässt sich wie eine Küchenmagd behandeln.

1. dass ihr ein grauer alter Kittel angezogen wird.
2. dass sie von den Stiefschwestern verspottet und herumkommandiert wird.
3. dass sie von einem Königssohn auf sein Schloss entführt wird.
4. dass sie bei ihrer Hochzeit von den Stiefschwestern auf dem Gang zur Kirche begleitet wird.
5. Die Stiefschwestern müssen ertragen, dass ihnen von Vögeln die Augen ausgepickt werden. (müssen *bleibt*)

Ü14 Der Richter

 veranlassen oder *zulassen*? Bilden Sie Sätze mit dem jeweils passenden Verb.

Der Richter lässt einen Justizbeamten rufen.
Der Richter veranlasst, dass ein Justizbeamter gerufen wird.

Der Richter lässt sich nicht beleidigen.
Der Richter lässt nicht zu, dass er beleidigt wird.

1. Der Richter lässt sich nicht mitten im Satz unterbrechen.
2. Er lässt den Zeugen vereidigen.
3. Er lässt Störer aus dem Raum weisen.
4. Er lässt sich nicht in lange Diskussionen verwickeln.
5. Er lässt den Gerichtssaal räumen.
6. Er lässt sich nicht ungerechtfertigt beschuldigen.

Ü15   Erwartungen

Sagen Sie mit *lassen* + Infinitiv, was Sie von anderen erwarten.

→ *Ich lasse mich von anderen gern zum Essen einladen. ...*

Ü16   Im OP (Operationssaal) eines Krankenhauses

Sagen Sie, wer im OP etwas veranlasst oder zulässt. Verwenden Sie dabei die
Passivumschreibung mit *lassen* + Infinitiv.

→ *Der Chirurg lässt die Patientin in den OP bringen.*
Der Chirurg lässt sich im OP gerne bedienen. ...

Mögliche Nomen:	Mögliche Verben:
Chirurg(in) Oberarzt(-ärztin) Assistenzarzt(-ärztin) Anästhesist(in) Patient(in) OP-Schwester(n) Putzfrau(en) Vertreter der Pharmaindustrie Operation OP-Tisch Skalpell Schere Verband Bett Unterlagen der Patienten Information(en) Nahtmaterial	herbeirufen kommen (zurück)bringen zuschicken fahren reichen beraten Kaffee/Tee kochen (zu)nähen operieren legen telefonieren

Adressatenpassiv: *bekommen/erhalten/kriegen* (ugs.) + Partizip Perfekt

Der Rektor **bekommt/erhält/kriegt** (von einem Verlag) einen Buchkatalog **zugeschickt**.
= Dem Rektor wird (von einem Verlag) ein Buchkatalog zugeschickt.
= Ein Verlag schickt dem Rektor einen Buchkatalog zu.

Das Adressatenpassiv wird mit Verben gebildet, die sich an einen Empfänger richten,
z. B. *anbieten, aushändigen, auszahlen, bescheinigen, bieten, bringen, in die Hand
drücken, erklären, ersetzen, erstatten, leihen, liefern, mitteilen, schenken, schicken,
überreichen, verleihen, verordnen, zeigen, zusprechen, zustellen.*
Die Dativergänzung, der Empfänger (= der Adressat), wird zum Subjekt, die Akkusativergänzung
des Aktivsatzes, die Sache, bleibt Akkusativergänzung.
Das Agens bzw. der Urheber kann genannt werden.

Ü17   Abifeier

 Geben Sie die Sätze im Adressatenpassiv wieder.

Der Rektor händigt den Abiturienten die Abschlusszeugnisse aus.
*Die Abiturienten erhalten / bekommen / kriegen (vom Rektor) die Abschlusszeugnisse
ausgehändigt.*

1. Er überreicht jedem Abiturienten ein Buch zur Erinnerung an die Schulzeit.
2. Die Theatergruppe der Schüler bietet dem Publikum ein unterhaltsames Programm.
3. Sie führen den Lehrern den Schulalltag aus der Schülerperspektive vor Augen.
4. Sie bescheinigen nicht allen Lehrern pädagogische Fähigkeiten.
5. Dem beliebten Vertrauenslehrer drücken zwei Schüler einen großen Blumenstrauß
   in die Hand.

Ü18 Geburtstag

Was haben Sie zum Geburtstag *geschickt/geschenkt/...* bekommen? Gebrauchen Sie
die folgenden Verben in Verbindung mit *bekommen*.

> anbieten aushändigen auszahlen bieten
> bringen in die Hand drücken erklären
> liefern mitteilen schenken s~~chicken~~
> überreichen verleihen zeigen zusprechen
> zustellen

→ *Ich habe eine Glückwunschkarte geschickt bekommen. ...*

Funktionsverbgefüge mit passivischer Bedeutung

(1) Der Bahnhof **befindet sich im Umbau.**

    = Der Bahnhof wird umgebaut.

(2) Beim Umbau muss die zukünftige Nutzung (durch die Stadt) **Berücksichtigung finden.**

    = Beim Umbau muss die zukünftige Nutzung (durch die Stadt) berücksichtigt werden.

Funktionsverbgefüge sind feste Wendungen, die aus einem Verbalnomen (einem von
einem Verb abgeleiteten Nomen) und einem Funktionsverb (einem Verb fast ohne eigene
Bedeutung) bestehen.
Sie haben meist die gleiche Bedeutung wie das Verb, von dem das Nomen abgeleitet ist.
Die Verbalnomen stehen im Präpositionalkasus (1), im Akkusativ (2) oder (selten) im
Dativ (z. B. *einer Kontrolle unterliegen*).
Das Agens bzw. der Urheber kann mit *von* bzw. *durch* angeschlossen werden (2).
Es gibt Funktionsverbgefüge mit passivischer (1) (2) und aktivischer Bedeutung
(*jdm. einen Ratschlag geben = jdn. beraten*).
Funktionsverbgefüge werden vor allem in der Verwaltungs-, Nachrichten-, Fach-
und Wissenschaftssprache gebraucht. Sie wirken offizieller als die entsprechenden
einfachen Verben. (Funktionsverbgefüge vgl. Anhang S. 349 ff.)

Ü19 Ein neuer Bahnhof

Formen Sie die Sätze mit den Passivumschreibungen in Passivsätze um.

In S. ist ein neuer Bahnhof im Bau.
In S. wird ein neuer Bahnhof gebaut.

1. In der Stadt gab es lange Diskussionen über die Kosten.
2. Es waren einige Planungsvarianten im Gespräch.
3. Die Abholzung vieler sehr alter Bäume ist auf starke Kritik gestoßen.
4. Die kontrovers geführten Verhandlungen über die Weiterführung des Projekts sind
   jetzt zum Abschluss gekommen.
5. Ein sehr renommierter Politiker hatte den Auftrag bekommen, den Konflikt
   zu schlichten.
6. Er hat dafür viel Lob bekommen. (viel → sehr)

Ü20   Ein hoffnungsvoller Doktorand

 Formen Sie die Passivsätze mit den in Klammern stehenden Passivumschreibungen um.

Der Doktorand wird von seinem Professor großzügig unterstützt. (Unterstützung erfahren)

Der Doktorand erfährt von seinem Professor großzügige Unterstützung.

1. Die These seiner Dissertation wird bereits in Fachkreisen beachtet. (Beachtung finden)
2. Das letzte Kapitel wird noch bearbeitet. (in Arbeit sein)
3. Die fertige Arbeit soll dann so schnell wie möglich gedruckt werden. (in Druck gehen)
4. Dem Doktoranden ist bereits die Mitarbeit an einem Forschungsprojekt angeboten worden. (das Angebot erhalten / Mitarbeit → mitarbeiten + *Inf.* mit *zu*)

IV Gesamtübungen

Ü21   Kleine Geschichte des Geldes

 Lesen Sie den Einführungstext (Ü1) noch einmal und formen Sie die kursiv gedruckten Passivumschreibungen in möglichst viele andere Passivumschreibungen – mit bzw. ohne Modalfaktor – um.

Heutzutage kann man sich ein Leben ohne Geld nicht mehr vorstellen. Aber lange Zeit lebten die Menschen mit anderen Zahlungsmitteln, sie bezahlten z. B. mit Getreide, Salz oder Fellen und Tieren, d. h. mit Waren, die *sich* wieder in andere Waren *eintauschen ließen*. Ein solches Warengeld *war* aber oft verderblich oder schlecht *teilbar* und deshalb nicht perfekt. Für das
5   7. Jahrhundert vor Christus kann der Handel mit Münzgeld nachgewiesen werden. Es *ist* nicht *zu bestreiten*, dass der Handel dadurch vereinfacht wurde. Der Vorteil von Münzgeld bestand darin, dass es *sich* leicht *zählen ließ*. Als im 17. Jahrhundert Händler in Europa begannen, es bei Banken zu deponieren und dafür Quittungen *ausgestellt bekamen,* war das der Beginn des Papiergeldes. Diese Quittungen wurden als Geldersatz verwendet, weil sie im Gegensatz zu
10   Münzen leicht *zu transportieren waren*. Somit entstanden die Banknoten, die heute immer mehr von Kreditkarten und anderen bargeldlosen Zahlungsmitteln verdrängt werden.

→ *... Aber lange Zeit ... Waren, die wieder in andere Waren einzutauschen waren. ...*

Ü22   Hanf*

 a) Bilden Sie Sätze mit den in Klammern stehenden Passivumschreibungen.

Die Nutzpflanze Cannabis sative kann vielseitig eingesetzt und vollständig genutzt werden. (sein + *Adj.* auf *-bar*)

Die Nutzpflanze Cannabis sative ist vielseitig einsetzbar und vollständig nutzbar.

1. In China kann die Nutzung des Hanfs bis in die Zeit um 2800 zurückverfolgt werden. (sich lassen + *Inf.*)
2. Die Chinesen hatten schon sehr früh entdeckt, dass aus den Fasern des Hanfs Papier hergestellt werden kann. (sich lassen + *Inf.*)
3. Die frühe Nutzung des Hanfs in China kann auch aus Textilfunden erschlossen werden. (sein + *Inf.* mit *zu*)

4. Es gibt fast nichts, was nicht aus Hanf hergestellt werden kann. (sich lassen + *Inf.*)
5. Hanf kann auch als Heilpflanze verwendet werden. (sein + *Adj.* auf -*bar*)
   (Verwendung finden)
6. Cannabis kann aufgrund seiner berauschenden Wirkung als eine der ältesten Drogen angesehen werden. (sein + *Inf.* mit *zu*)
7. Die schnell nachwachsende Hanfpflanze muss als wichtiger ökologischer und ökonomischer Rohstoff bezeichnet werden. (sein + *Inf.* mit *zu*)

b) Was bedeuten die Passivumschreibungen? Geben Sie die Sätze im Passiv wieder.

Zum Schutz der Umwelt gilt es den Einsatz schnell nachwachsender Rohstoffe zu verstärken.

Zum Schutz der Umwelt muss der Einsatz schnell nachwachsender Rohstoffe verstärkt werden.

1. Ob Hanf wirklich zu einem wichtigen Rohstoff der Zukunft wird, bleibt abzuwarten.
2. In Deutschland findet Hanf zunehmend Beachtung.
3. Inzwischen verkaufen sich Hanfprodukte gut.
4. Das Sortiment gilt es laufend zu erweitern.
5. In Deutschland ist der Anbau von Hanfsorten für die kommerzielle Nutzung genehmigungspflichtig.
6. In den 1990er-Jahren waren hier erst einmal die gesetzlichen Grundlagen für den Anbau von Nutzhanf zu schaffen.

* *Hanf* war in Europa seit der Antike eine wichtige Nutzpflanze und wurde seit dem 13. Jahrhundert u.a. für die Herstellung von Papier, Kleidung sowie von Seilen und Segeltuch für die Schifffahrt verwendet. In Deutschland verdrängten die Papierherstellung aus Holz, der rentablere Tabakanbau und die Einfuhr von Sisalfasern den Hanfanbau bis zum Ersten Weltkrieg (1914–18) fast ganz, und ab der Mitte des 20. Jahrhunderts ersetzten dann Kunstfasern die Textilien aus Hanf. Erst seit den 1990er-Jahren ist in Deutschland der Anbau bestimmter Nutzhanf-Sorten mit nur ganz unbedeutenden Mengen rauschwirksamer Stoffe unter strengen Auflagen erlaubt. 1925 wurde auf einer Genfer Konferenz ein globales Cannabis-Verbot beschlossen. Während der internationalen Studentenbewegung in den 1960er-Jahren wurde das Drogenthema wieder heiß diskutiert. In Deutschland sind bis heute Besitz, Handel und Anbau von Cannabis verboten.

§6 Konjunktiv II

Ü1 Armer Kurt ...

Unterstreichen Sie alle Formen des Konjunktivs II und überlegen Sie,
was der Konjunktiv bedeutet.

Armer Kurt
(Christine Nöstlinger, geb. 1936)

Ich bin das Kind der Familie Meier
und heiße Kurt.
Ich <u>wäre</u> lieber der Hund der Familie Meier.
Dann hieße ich Senta.
5 Ich könnte bellen, so laut, daß* sich die Nachbarn
empörten. Das würde die Meiers nicht stören.
Niemand sagte zu mir:
„Spring nicht herum! Schrei nicht so laut!"

Ich wäre auch gern die Katze von Meiers.
10 Dann hieße ich Musch.
Ich fräße nur das, was ich wirklich mag,
und schliefe am Sofa den halben Tag.
Niemand sagte zu mir:
„Iß* den Teller leer! Lehn nicht herum!"

15 Am liebsten wär ich bei Meiers ...

* Dies ist ein Originaltext, deshalb in der alten Rechtschreibung.

I Die Formen des Konjunktivs II

Der Konjunktiv II hat nur zwei Zeitstufen: Gegenwart/Zukunft und Vergangenheit.

Die Gegenwartsformen des Konjunktivs II

	Ind. Präs.	Ind. Prät.	Konjunktiv-II-Formen					*würde-* Formen
ich	komme	kam	käme	könnte	sagte	hätte	wäre	würde sagen
du	kommst	kamst	käm(e)st	könntest	sagtest	hättest	wär(e)st	würdest sagen
er/sie	kommt	kam	käme	könnte	sagte	hätte	wäre	würde sagen
wir	kommen	kamen	kämen	könnten	sagten	hätten	wären	würden sagen
ihr	kommt	kamt	käm(e)t	könntet	sagtet	hättet	wär(e)t	würdet sagen
sie	kommen	kamen	käme	könnten	sagten	hätten	wären	würden sagen

Vorgangs- und Zustandspassiv		
Ind. Präs.	**Ind. Prät.**	**Konjunktiv-II-Formen**
es wird gesagt	es wurde gesagt	es würde gesagt
es muss gesagt werden	es musste gesagt werden	es müsste gesagt werden
sie ist geöffnet	sie war geöffnet	sie wäre geöffnet

Die Gegenwartsformen des Konjunktivs II werden vom Indikativ Präteritum abgeleitet und erhalten ein Endungs-*e*, soweit es nicht schon im Indikativ vorhanden ist.

Die schwachen Verben bilden den Konjunktiv II ohne Umlaut (*sagte*), die starken und gemischten Verben auf *a, o, u* mit Umlaut (*käme, dächte, stünde*), manche Verben haben Doppelformen (*begönne/begänne, gewönne/gewänne, stünde/stände*).

Die Modalverben *dürfen, können, mögen, müssen* bilden den Konjunktiv II mit Umlaut (*müsste*), *sollen* und *wollen* ohne Umlaut (*sollte*).

Neben diesen Konjunktiv-II-Formen ist – ohne Bedeutungsunterschied – die *würde*-Form gebräuchlich (Konjunktiv II von *werden* + Infinitiv). Sie wird bei Formengleichheit von Konjunktiv II und Indikativ Präteritum (z. B. *sagte, gingen*) verwendet und auch dann, wenn sich die Konjunktiv II-Bedeutung nicht aus dem Kontext erschließen lässt.

Die *würde*-Form ist auch Ersatzform für die heute ungebräuchlichen Konjunktiv-II-Formen der starken und gemischten Verben, wobei die Umlaute *ä, ö, ü* besonders altertümlich wirken (*bräche, klänge, spränge; böte, fröre, schösse; erwürbe, schüfe, wüchse;* aber auch: *kennte, nennte*).

Die *würde*-Form kann grundsätzlich immer verwendet werden. Nur bei den Grundverben *haben* und *sein* sowie den Modalverben sollte man sie nicht gebrauchen (nicht: *würde haben / würde sein / würde wollen*).

In der gesprochenen Sprache wird die *würde*-Form bevorzugt, von den starken Verben werden kaum noch andere Formen als *bekäme, gäbe, ginge, käme, ließe, wüsste* benutzt.

In der Schriftsprache kommen – je nach Stilebene – noch Formen wie *bliebe, erschiene, fände, fiele, hielte, hinge, hieße, läge, liefe, nähme, riefe, säße, stünde* vor.

Bevorzugt wird die *würde*-Form immer in Fragen (*Würdest du hingehen?* statt: *Gingest du hin?*) und auch, wenn sich der Konjunktiv II auf die Zukunft bezieht (*Wenn er in der nächsten Woche die Nachricht bekommen würde, ...* statt: *bekäme*).

Die Vergangenheitsformen des Konjunktivs II

Indikativ	Konjunktiv II
kam er ist gekommen er war gekommen	er wäre gekommen
er sagte er hat gesagt er hatte gesagt	er hätte gesagt
er musste sagen er hat sagen müssen er hatte sagen müssen	er hätte sagen müssen

Vorgangs- und Zustandspassiv	
es wurde gesagt es ist gesagt worden es war gesagt worden	es wäre gesagt worden
es musste gesagt werden es hat gesagt werden müssen es hatte gesagt werden müssen	es hätte gesagt werden müssen
sie war geöffnet sie ist geöffnet gewesen sie war geöffnet gewesen	sie wäre geöffnet gewesen

Die Vergangenheitsformen des Konjunktivs II werden vom Indikativ Plusquamperfekt abgeleitet. Da alle Formen eindeutig und gebräuchlich sind, sollte die *würde*-Form nicht verwendet werden (nicht: *würde gesagt haben, würde gemacht worden sein*).

Ü2 Wie heißt der Konjunktiv II bzw. gegebenenfalls die *würde*-Form?

er hält → *er hielte / er würde halten*
er fliegt → *er würde fliegen*
er flog → *er wäre geflogen*

1. er wollte gefragt werden
2. sie muss arbeiten
3. es ist gewaschen worden
4. er ist glücklich
5. es war schade
6. wir wollten es
7. es wurde gearbeitet
8. du nimmst mich mit
9. er hatte Angst
10. wir wissen es
11. sie sind gefahren
12. wir bekommen Besuch
13. sie haben ihr geholfen
14. es wurde besprochen
15. sie konnten dabei helfen
16. sie hat viel Geld
17. er lief schnell

Ü3 Herr Reisemann und sein Urlaub
Bilden Sie Sätze mit *fast/beinahe*.

keinen Flug mehr bekommen
Fast hätte Herr Reisemann keinen Flug mehr bekommen.

1. am Abreisetag verschlafen
2. ihm der Bus vor der Nase wegfahren
3. von einem Auto angefahren werden
4. das Hotel seiner Wahl schon ausgebucht sein
5. mit seinem Segelboot in Seenot geraten
6. bei einem Sturm von der Seenotrettung an Land geholt werden müssen
7. ihm das den ganzen Urlaub verderben
8. seine Urlaubsidee bereuen
9. den angenehmen Ort und das Hotel nicht ausreichend genießen können
10. aber zum Schluss seinen Urlaub noch verlängern

II Gebrauch und Bedeutung des Konjunktivs II

(1) **Könnten** Sie uns genauer schildern, wie der Unfall passiert ist?	Höflichkeit
(2) **Hätte** der Autofahrer doch nicht überholt!	Wunschsätze
(3) **Wenn** der entgegenkommende Fahrer das Lenkrad nicht in letzter Sekunde herumgerissen **hätte**, **wären** beide Autos frontal zusammengestoßen.	Konditionalsätze
(4) Dieser Fahrer hat schnell reagiert, **sonst hätte** es einen schweren Unfall gegeben.	Sätze mit *sonst/andernfalls*
(5) Es sieht **so aus**, **als ob** der Beifahrer einen Schock erlitten **hätte** (habe).	Komparativsätze
(6) Er ist zu verwirrt, **als dass** er die Fragen der Polizisten beantworten **könnte** (kann).	Konsekutiv- und Modalsätze
(7) Es gibt keinen Autofahrer, **der** vor Unfällen sicher **wäre** (ist).	Relativsätze nach negierter Feststellung
(8) **Fast hätte** es einen frontalen Zusammenstoß gegeben.	Sätze mit *fast/beinahe*
(9) **Auch wenn** ich ein schnelles Auto **hätte**, würde ich nicht so rasen.	Konzessivsätze
(10a) Wie **wäre** es, wenn Sie zügig weiterfahren **würden**?	Empfehlungen/Vorschläge (vgl. §8 S. 129 f.)
(10b) An Ihrer Stelle **würde** ich nicht an der Unfallstelle stehen bleiben.	
(10c) Er **hätte** das Überholverbot beachten müssen/sollen und **hätte** nicht überholen dürfen.	
(10d) Es **wäre** besser (gewesen), wenn er die Folgen vorher bedacht hätte.	
(11) Ich **würde** nie in einer Kurve überholen.	etwas besser machen
(12) Der rasante Autofahrer **wäre** vielleicht ein guter Rennfahrer.	Möglichkeit
(13) Die Unfallfolgen **müssten/dürften/könnten** relativ schnell behoben sein.	Vermutungen mit *müsste/dürfte/könnte* (vgl. §8 S. 140 f.)
(14) Ich **hätte** nicht gedacht, dass die Polizei so schnell am Unfallort ist.	Erstaunen
(15) Ob ich auch so schnell reagiert **hätte**?	Zweifelnde Fragen
(16) Er behauptet, dass ihn die Sonne geblendet **hätte** (habe).	Indirekte Rede (vgl. §7 S. 116 ff.)
(17) Das **hätten** wir geschafft. Damit **wären** wir fertig.	Abschließende Feststellungen

Während der Indikativ einen Sachverhalt als wirklich und tatsächlich gegeben darstellt (real), bezeichnet der Konjunktiv II Nicht-Wirkliches, nur Gedachtes, Hypothetisches, Fiktives (irreal).

Wie die Beispiele zeigen, gibt es vielfältige Verwendungsmöglichkeiten für den Konjunktiv II: Am häufigsten kommen irreale Bedingungssätze vor (3).
Manchmal wird der Konjunktiv II fakultativ zum Indikativ (6) (7) bzw. zum Konjunktiv I (5) (16) gebraucht.

III Das Umkehrverhältnis von Indikativ und Konjunktiv II

(1) An seiner Stelle **würde** ich den Führerschein **nicht riskieren**.

= Er riskiert den Führerschein.

(2) An seiner Stelle **hätte** ich in der Kurve **nicht mehr überholt**.

= Er hat in der Kurve noch überholt.

(3) An seiner Stelle **hätte** ich **schon** vor der Polizei **ausgesagt**.

= Er hat noch nicht vor der Polizei ausgesagt.

(4a) An seiner Stelle **hätte** ich vor der Fahrt **kein Bier getrunken**.

(4b) An seiner Stelle **hätte** ich vor der Fahrt **nicht so viel Bier getrunken**.

(4c) An seiner Stelle **hätte** ich vor der Fahrt **weniger Bier getrunken**.

= Er hat vor der Fahrt (viel / zu viel) Bier getrunken.

(5a) An seiner Stelle **würde** ich **vorsichtig fahren**.

(5b) An seiner Stelle **würde** ich **nicht so leichtsinnig fahren**.

(5c) An seiner Stelle **würde** ich **vorsichtiger fahren**.

= Er fährt nicht vorsichtig genug. / Er fährt leichtsinnig.

Aussagen im Indikativ (Realität) und Aussagen im Konjunktiv II (Irrealität) stehen meist in einem Umkehrverhältnis: Aussagen im Konjunktiv II bedeuten, dass es in Wirklichkeit nicht so ist, sondern dass das Gegenteil der Fall ist.

Es gibt verschiedene Möglichkeiten, dieses Umkehrverhältnis von Bejahung und Verneinung auszudrücken:

• durch Negation der indikativischen Aussage, z. B. (1), (2), (4a)
• durch Bejahung der Negation (3)
• durch einen Gegenbegriff (5a).

Oft ist das Gegenteil nur eingeschränkt: *nicht so ...* (4b) (5b) oder ein Komparativ (4c) (5c). Welche der genannten Möglichkeiten der Aussage am besten entspricht, entscheidet der Kontext. (Negation vgl. § 19)

Ü4 **Empfehlungen**

Bilden Sie entsprechend den Beispielen Sätze im Konjunktiv II.

Er hat sich nicht an die Geschwindigkeitsbegrenzung gehalten.

An seiner Stelle hätte ich mich an die Geschwindigkeitsbegrenzung gehalten.

1. Er hatte vor der langen Autofahrt nur kurz geschlafen.
2. Er ist in der Kurve zu weit nach links gefahren.

Sie überholen oft.

Wie wäre es, wenn Sie nicht so oft überholen würden?

3. Sie pochen immer auf Ihr Recht.
4. Sie sind im Umgang mit anderen Menschen ziemlich unfreundlich.

Er ist zu dicht an seinen Vordermann herangefahren.

Es wäre besser gewesen, wenn er nicht so dicht an seinen Vordermann herangefahren wäre.

5. Er ist sehr schnell gefahren.
6. Er hat sich immer gleich aufgeregt.

Er hat zu spät gebremst. (müssen)

Er hätte früher bremsen müssen.

7. Er fährt sehr große Wagen. (können)
8. Er hat während der Autofahrt sein Handy ohne Freisprechanlage benutzt. (nicht dürfen)

Ü5 Deutschlernen

Ein Lerner / eine Lernerin aus Ihrem Freundeskreis hat im Deutschtest nicht so gut abgeschnitten. Sagen Sie, was Sie anders gemacht hätten bzw. wie er/sie sich in Zukunft besser auf den Test vorbereiten könnte. Bilden Sie Sätze im Konjunktiv II.

Sie können dabei folgenden Wortschatz verwenden:

abends fernsehen   in die Disco gehen   regelmäßig lernen   ausreichend schlafen
deutsche Zeitungen lesen   regelmäßig Nachrichten hören/sehen
morgens früher aufstehen   den Lernstoff wiederholen
zur Entspannung zwischendurch spazieren gehen   mehr Lernstrategien einsetzen
den Deutschlehrer um Rat fragen   ...

→ *An deiner Stelle hätte ich mit dem Lernen früher begonnen!* ...

IV Der Konjunktiv II als Ausdruck der Höflichkeit

(1) **Könnten** Sie mir ein Kännchen Kaffee bringen?
(2) Ich **möchte** gern ein Stück Apfelkuchen.
(3) **Dürfte** ich Sie noch um etwas Schlagsahne bitten?
(4) **Würden** Sie mir ein Glas Wasser bringen?
(5) **Wären** Sie so freundlich, mir noch etwas Zucker zu holen?
(6) Ich **hätte** gern die Rechnung (gehabt).
(7) Ich **wüsste** gern / **hätte** gern gewusst, wie spät es jetzt ist.
(8) Ich **würde** meinen/sagen, dass die Bedienung etwas freundlicher sein könnte.
(9) Es **wäre** zu überlegen, ob wir nächstes Mal (nicht) in ein anderes Café gehen.

Mit dem Konjunktiv II kann man auf höfliche, vorsichtige und zurückhaltende Art – oft in Form einer Frage – um etwas bitten (1)–(7).

Direkte Aufforderungen wirken härter und unfreundlicher (*Bringen Sie mir ein Kännchen Kaffee! Ich will die Rechnung!*).

Bitten mit dem Adverb *gern* stehen häufig im Konjunktiv II der Vergangenheit, beziehen sich aber auf die Gegenwart (6) (7).

Der Konjunktiv II steht auch in Höflichkeitsfloskeln (8) (9).

Ü6 Im Restaurant
Äußern Sie höfliche Wünsche!

→ *Hätten Sie etwas Butter für mich? ...*

Mögliche Verben:

mögen bringen bestellen haben reservieren brauchen zeigen bekommen essen trinken zahlen ...

Mögliche Nomen:

Essen Menü Speisekarte Rechnung Platz/Tisch am Fenster Glas Wein (alkoholfreies) Bier Mineralwasser frisch gepresster Orangensaft etwas Brot saftiges Steak knuspriges Hähnchen vegetarischer Gemüseteller frischer Fisch Salat der Saison Nachtisch Eis Kuchen Schlagsahne Vorspeise Salat Suppe Käse Serviette Besteck Glas Löffel Zucker Kaffee Milch Salz Pfeffer Essig und Öl Senf ...

V Irreale Wunschsätze

(1) **Wenn** mir das Lernen **doch nicht so schwer / leichter fiele!**
    = Mir fällt das Lernen schwer.

(2) **Hätte** ich im vergangenen Jahr **nur nicht so viel / weniger Pech gehabt!**
    = Ich hatte im vergangenen Jahr ziemlich viel Pech.

Irreale Wunschsätze mit der Konjunktion *wenn* sind der Form nach konditionale Nebensätze mit Endstellung des finiten Verbs (1). In Wunschsätzen ohne *wenn* (uneingeleitete Wunschsätze) steht das finite Verb am Satzanfang (2).
Die Partikeln *doch, nur, bloß* oder *doch nur, doch bloß* und das Ausrufezeichen verleihen dem Wunsch Nachdruck.
Wünsche leiten sich von einer als negativ empfundenen Realität her.
Ist ein Sprecher zuversichtlich, dass ein Wunsch in Erfüllung geht bzw. eine Befürchtung nicht Realität wird, kann er dies – mit obligatorischem *wenn* und *nur* – im Indikativ wiedergeben:
Wenn nur nicht alles schief geht! (= Es wird schon gut gehen.)

Ü7 Jahreswechsel
Formulieren Sie in irrealen Wunschsätzen, was im abgelaufenen Jahr nicht nach Wunsch verlaufen ist.

Ich hatte im vergangenen Jahr viele Probleme.
Hätte ich im vergangenen Jahr bloß nicht so viele / weniger Probleme gehabt!

1. Leider bin ich etwas passiv.
2. Ich war im vergangenen Jahr nicht sonderlich produktiv.
3. Ich habe wenig neue Kontakte geknüpft.
4. Ich war zu pessimistisch.

Ü8   Wünsche

Und jetzt äußern Sie Ihre eigenen Wünsche zum bevorstehenden Jahr und Ihre unerfüllt gebliebenen Wünsche des zurückliegenden Jahres.

→ *Wenn ich doch endlich meine Traumfrau / meinen Traummann finden würde!*
     Wenn ich doch nicht so viel Zeit mit unwichtigen Dingen verschwendet hätte! ...

Ü9   Der süße Brei

 Was wünschen sich Mutter und Tochter wohl? Bilden Sie irreale Wunschsätze.

Es war einmal ein armes frommes Mädchen, das lebte mit seiner Mutter allein, und sie hatten nichts mehr zu essen. Da ging das Kind hinaus in den Wald, und begegnete ihm da eine alte Frau, die wußte* seinen Jammer schon und schenkte ihm ein Töpfchen, zu dem sollt es sagen „Töpfchen, koche," so kochte es guten süßen Hirsebrei, und wenn es sagte „Töpfchen, steh,"
5   so hörte es wieder auf zu kochen. Das Mädchen brachte den Topf seiner Mutter heim, und nun waren sie ihrer Armut und ihres Hungers ledig und aßen süßen Brei, sooft sie wollten. Auf eine Zeit war das Mädchen ausgegangen, da sprach die Mutter „Töpfchen, koche," da kocht es, und sie ißt* sich satt; nun will sie, daß* das Töpfchen wieder aufhören soll, aber sie weiß das Wort nicht. Also kocht es fort, und der Brei steigt über den Rand hinaus und kocht immerzu,
10   die Küche und das ganze Haus voll, und [...] kein Mensch weiß sich da zu helfen. Endlich, wie nur noch ein einziges Haus übrig ist, da kommt das Kind heim, und spricht nur „Töpfchen, steh," da steht es und hört auf zu kochen; und wer wieder in die Stadt wollte, der mußte* sich durchessen.

(aus: *Brüder Grimm*: Kinder- und Hausmärchen)

*Dies ist ein Originaltext, deshalb in der alten Rechtschreibung.

→ *Wenn wir doch / nur / bloß nicht hungern müssten! ...*

Ü10   Ein beschwerlicher Umzug

Was bedeutet der Konjunktiv? Formen Sie die Konjunktivsätze in Indikativsätze um.

Wenn der Umzug doch schon geschafft wäre!
Der Umzug ist noch nicht geschafft.

1. Wenn wir doch schon mit der Arbeit fertig wären!
2. Hätten wir doch nicht so spät mit dem Packen begonnen!
3. Wenn doch nicht alles einzeln verpackt werden müsste!
4. Wenn wir uns doch bloß mehr Kisten und Kartons besorgt hätten!
5. Wären unsere Helfer doch früher gekommen!
6. Wenn wir den Umzug doch besser vorbereitet hätten!

VI Irreale Konditionalsätze

(1) **Wenn** es mir schlecht **ginge**, **würde** ich eine Therapie **machen**.

Ich **würde** eine Therapie **machen**, **wenn** es mir schlecht **ginge**.

= Weil es mir nicht schlecht geht, mache ich keine Therapie.

(2) **Wäre** Sigmund Freud* kein so guter Lehrer **gewesen**, **hätte** er nicht so viele Schüler **gehabt**.

= Sigmund Freud war ein guter Lehrer, deshalb hatte er so viele Schüler.

* *Sigmund Freud* (1856–1939): Nervenarzt, Begründer der Psychoanalyse; Erweiterung der älteren Psychologie durch Einbeziehung des Unbewussten

Irreale Konditionalsätze mit der Konjunktion *wenn* und Endstellung des finiten Verbs können voran- oder nachgestellt werden (1).

Uneingeleitete Konditionalsätze mit Spitzenstellung des finiten Verbs werden immer vorangestellt (2). Sie sind in der gesprochenen Sprache seltener.

Der irreale Charakter von Konditionalsätzen ist auch erkennbar, wenn eine der beiden Verbformen eindeutig konjunktivisch ist (*Wenn Freuds Theorien heute nicht so bekannt wären, spielte man nicht in allen möglichen Situationen darauf an.*). Die Bedingungen und die im Hauptsatz genannten Folgen sind nur angenommen, nicht real gegeben.

Auf die Gegenwart und Zukunft bezogene Bedingungen und Folgen sind – je nach Aussage – in der Zukunft realisierbar (1) bzw. nicht realisierbar (Anna: *Wenn ich ein Junge wäre, würde ich Pilot.*).

Bedingungen und Folgen, die sich auf die Vergangenheit beziehen, können nicht mehr realisiert werden (irreal), sie bedeuten das Gegenteil der indikativischen Aussage (2).

Dagegen sind Bedingungen und Folgen realer Bedingungssätze immer realisierbar (*Wenn es mir schlecht geht, suche ich einen Psychologen auf. Immer wenn es mir schlecht ging, habe ich mir Hilfe gesucht.*).

(Konditionalsätze im Indikativ vgl. §13 S. 198 ff.)

Ü11 **Die Revolution der Psychoanalyse**

Lesen Sie die folgenden Fakten aus dem Leben Sigmund Freuds. Geben Sie wieder, was unter bestimmten Umständen in seinem Leben und in der Nachwelt anders verlaufen wäre.

Der junge Freud beschäftigte sich mit neurologischen Fragen, dadurch wurde er auf die Bedeutung der Psyche aufmerksam.

Wenn sich der junge Freud nicht mit neurologischen Fragen beschäftigt hätte, wäre er nicht auf die Bedeutung der Psyche aufmerksam geworden.

1. Weil er nach den Ursachen seelischer Erkrankungen suchte, beschäftigte er sich auch mit dem Unbewussten.

2. Freud versuchte, psychische Krankheiten zu heilen, deshalb bemühte er sich intensiv um Behandlungsmethoden.

3. Seine Schriften waren von großer sprachlicher Qualität, deshalb bekam er 1930 den Goethe-Preis der Stadt Frankfurt verliehen.

4. Freud war mit seiner Behandlungsmethode erfolgreich. Er hatte großen Einfluss auf die Entwicklung der Psychotherapie.

5. Weil er das menschliche Unterbewusstsein entdeckt hat, konnte er die Psychoanalyse entwickeln.

6. Die Psychoanalyse hat das Menschenbild grundlegend verändert, deshalb war sie so revolutionär.

Worterklärungen:

Psychoanalyse: theoretisches System und Behandlungstechniken von psychischen Störungen nach Sigmund Freud
die Neurologie, neurologisch: Wissenschaft von der Funktionsweise des Nervensystems
die Psyche, psychisch: aus griech.: Hauch, Leben, Seele; das seelisch-geistige Leben des Menschen
die Psychotherapie: Heilbehandlung von seelischen Erkrankungen mit psychologischen Mitteln
das Unterbewusstsein: schwach bewusst oder dem Bewusstsein nicht zugänglich

Ü12   Stell dir vor, es wär' Krieg und keiner ginge hin

 Bilden Sie irreale Konditionalsätze der Gegenwart.

die Länder kompromissbereiter sein / es weniger Kriege geben

Wenn die Länder kompromissbereiter wären, gäbe es weniger Kriege.

1. kein Land Kriege führen wollen / nicht aufrüsten müssen (*Pass.*)
2. kein einziger Soldat bereit sein zu kämpfen / keine Kriege austragen können (*Pass.*)
3. die Nationen nicht so reichlich mit Waffen ausstatten (*Zustandspass.*) / sie vielleicht eher verhandeln
4. die Menschen vernünftiger sein / Konflikte friedlich regeln können (*Pass.*)
5. nicht ständig aufrüsten (*Pass.*) / mehr Geld für sinnvollere Projekte zur Verfügung stehen
6. die internationalen Abkommen über bewaffnete Konflikte einhalten (*Pass.*) / Kriege vielleicht weniger grausam verlaufen

Ü13   Ein Gedicht weiterschreiben

Lesen Sie das Gedicht von Christine Nöstlinger am Anfang dieses Paragraphen noch einmal und schreiben Sie es mit Konditionalsätzen im Konjunktiv II weiter.

→ *Am liebsten wäre ich bei Meiers das Auto, dann hieße ich Mercedes. Dann …*

(Das Ende des Originalgedichts finden Sie im Lösungsschlüssel S. 18)

Ü14   Wenn das Wörtchen wenn nicht wär', …

Lesen Sie den Text „Klempner".

Klempner*

Gäbe es keine Klempner, so würde auch nicht geblecht**.
Würde nicht geblecht, so hätten wir auch keine Regierungen.
Hätten wir keine Regierungen, so hätten wir auch keine Finanzverwaltung.
Hätten wir keine Finanzverwaltung, so erhielten wir auch keinen Nachweis, wo unser Geld bleibt, ergo muss es auch Klempner geben.

(Komischer Volkskalender, 1848, Hamburg)

*   *der Klempner*: jemand, der Gegenstände aus Blech usw. herstellt, Rohre für Gas und Wasser einbaut usw.
**   *blechen* (ugs.): gezwungen sein, viel zu bezahlen

a) Schreiben Sie nach dem Beispiel des „Klempners" einen Text in irrealen Konditionalsätzen mit einer Kette von „logischen" Folgerungen.

es / keine Regierungen geben – sie / nicht gestürzt werden können
keine Wahlen / stattfinden – es / auch keine Demokratie geben
Willkür und Ungerechtigkeit / herrschen – alle / unzufrieden sein
Also brauchen wir Regierungen.

→ *Gäbe es keine Regierungen, so könnten sie nicht gestürzt werden; ...*

b) Und nun schreiben Sie - entsprechend dem Beispiel des „Klempners" - Texte im Irrealis wahlweise zu folgenden oder auch anderen Themen:

Über die Notwendigkeit von ...

Schulen / Universitäten
Wettervorhersagen
Fußballplätzen
TV-Übertragungen von Fußballspielen
Verkehrsampeln
Beamten
Diskotheken
...

Gleichzeitigkeit und Vorzeitigkeit

(1) **Wären** die Skigebiete nicht ständig **vergrößert worden**, **wäre** die Hochgebirgslandschaft nicht so stark **zerstört worden**.
   = Weil die Skigebiete ständig vergrößert wurden (vergrößert worden sind), ist die Hochgebirgslandschaft stark zerstört worden (wurde ... zerstört).

(2) **Hätte** die Eisenbahn das Transportwesen im 19. Jahrhundert nicht **revolutioniert**, **hätte** der Massentourismus des 20. Jahrhunderts nicht **einsetzen können**.
   = Die Eisenbahn hatte das Transportwesen im 19. Jahrhundert revolutioniert, deshalb konnte der Massentourismus des 20. Jahrhunderts einsetzen.

(3) Die Alpentäler **wären** nicht so stark **zersiedelt**, wenn nicht so viele Unterkünfte für Urlauber **gebaut worden wären**.
   = Die Alpentäler sind stark zersiedelt, weil viele Unterkünfte für Urlauber gebaut worden sind (gebaut wurden).

Weil es im Konjunktiv II nur eine Vergangenheitsform gibt, kann bei Vorgängen in der Vergangenheit nicht - wie im Indikativ mit seinen drei Vergangenheitsformen - zwischen Gleichzeitigkeit (1) und Vorzeitigkeit (2) von Vorgängen unterschieden werden.
Die Zeitenfolge wird durch den Kontext deutlich (2).
Vorzeitigkeit kann im Konjunktiv II nur gegenüber Vorgängen im Präsens ausgedrückt werden (3).
(Gleich- und Vorzeitigkeit vgl. §20 S. 325 f.)

Ü15 Tourismus in den Alpen

 Was bedeutet der Konjunktiv? Geben Sie den Sachverhalt im Indikativ wieder.

Wenn die Alpen landschaftlich nicht so reizvoll wären, würden sie nicht so viele Besucher anziehen.

Die Alpen sind landschaftlich sehr reizvoll, deshalb ziehen sie viele Besucher an.

1. Das Reisen wäre nicht so beliebt, wenn die modernen Transportmittel nicht erfunden worden wären.
2. Die Urlauber könnten nicht so bequem anreisen, wenn die Alpenländer nicht so gute Straßen gebaut hätten.
3. Wäre der Wintersport nicht zur Mode geworden, hätten sich nicht so viele Alpendörfer zu Wintersportorten entwickelt.
4. Die Lawinengefahr wäre nicht gestiegen, wenn man nicht so große Waldflächen für den Skisport abgeholzt hätte.
5. Es würde nicht seit Jahren auf die Gefahren des Massentourismus hingewiesen, wenn die Folgen nicht überall sichtbar wären.

Irreale Sätze mit *sonst/andernfalls*

Der Vater von Friedrich Schiller war autoritär, **sonst/andernfalls hätte** er seinen Sohn nicht so streng **erzogen**.

= Der Vater von Friedrich Schiller war autoritär, deshalb erzog er seinen Sohn sehr streng.

= Weil der Vater von Friedrich Schiller autoritär war, erzog er seinen Sohn sehr streng.

Wenn die Bedingung, die im Hauptsatz vor *sonst/andernfalls* genannt wird, erfüllt ist, tritt die im Hauptsatz mit *sonst/andernfalls* angeführte Tatsache ein.
(vgl. §13 S. 203)

Ü16 Der junge Friedrich Schiller*

Beschreiben Sie sein Leben in irrealen Konditionalsätzen mit *sonst*.

Schiller war ein außergewöhnlich begabter Schüler. Deshalb kam er auf die Militärschule des Herzogs von Württemberg in Stuttgart.

Schiller war ein außergewöhnlich begabter Schüler, sonst wäre er nicht auf die Militärschule des Herzogs von Württemberg in Stuttgart gekommen.

1. Der Herzog zwang ihn zum Medizinstudium, so konnte er nicht Theologie studieren.
2. Weil auf der Schule großer Zwang herrschte, musste Schiller nachts lesen und schreiben.
3. Bei der Mannheimer Uraufführung seines Dramas „Die Räuber" 1782 durfte er nicht anwesend sein, daher reiste er heimlich dorthin.
4. Als der Herzog von Schillers heimlicher Reise nach Mannheim erfuhr, erhielt er 14 Tage Arrest.
5. Weil der Zwang beim herzoglichen Militär unerträglich wurde, floh Schiller noch im selben Jahr aus dem Herzogtum Württemberg nach Mannheim.

6. Da Mannheim damals zum Kurfürstentum Pfalz gehörte, war er hier vor dem württembergischen Herzog in Sicherheit.
7. Seine „Räuber" waren in Mannheim umjubelt worden, daher fand er dort 1783 eine Anstellung als Theaterdichter.
8. Weil Schiller in den Jahren danach von Freunden unterstützt wurde, konnte er sich intensiv der Schriftstellerei widmen.

* *Friedrich Schiller* (1759–1805), berühmter deutscher Schriftsteller; bekannte Dramen wie *„Die Räuber", „Kabale und Liebe", „Wilhelm Tell"* und Balladen wie *„Der Taucher", „Der Ring des Polykrates", „Das Lied von der Glocke".* Er begründete zusammen mit Goethe die sog. Weimarer Klassik.

VII Irreale Komparativsätze

(1) Sie benimmt/benahm sich so, **als ob / als wenn** sie ein verwöhntes Kind **wäre (sei)**.
   = Sie benimmt/benahm sich wie ein verwöhntes Kind.

(2) Sie tut so, **als hätte (habe)** sie den Computer **erfunden**.
   = Sie tut so wie jemand, der den Computer erfunden hat.

In irrealen Komparativsätzen mit den Konjunktionen *als ob / als wenn* steht das finite Verb am Satzende (1), in Sätzen mit *als* in zweiter Position (2). Im Hauptsatz steht meist *so*. Statt des Konjunktivs II wird manchmal auch der Konjunktiv I gebraucht (1) (2).
Ob der Komparativsatz im Konjunktiv der Gegenwart oder Vergangenheit steht, hängt von dem zeitlichen Verhältnis zwischen Einleitungs- und Komparativsatz ab: Bei Gleichzeitigkeit steht der Konjunktiv der Gegenwart (1), bei Vorzeitigkeit des Komparativsatzes der Konjunktiv der Vergangenheit (2).
Irreale Komparativsätze geben nur angenommene Vergleiche an, die der Realität entsprechen können, also möglich sind (1), oft aber auch unwahrscheinlich oder unmöglich sind (2).
Irreale Komparativsätze stehen bei Verben des Gefühls, des Eindrucks und der Wahrnehmung (z. B. *es ist mir, mir ist zumute, ich fühle mich, ich habe das Gefühl, es scheint (mir), es hat den Anschein, es kommt mir vor, ich habe den Eindruck, es sieht aus, es klingt, es hört sich an, es wirkt auf mich*) und bei Verben des Tuns und Verhaltens (z. B. *sich anstellen, sich aufführen, auftreten, jdn. behandeln, sich benehmen, sich geben, tun, sich verhalten*).
(Komparativsätze im Indikativ vgl. §13 S. 209 f.)

Ü17   Eine ideale Partnerin?
Bilden Sie irreale Vergleichssätze.

Sie lässt sich bedienen wie eine Prinzessin.
Sie lässt sich bedienen, als ob sie eine Prinzessin wäre / als wäre sie eine Prinzessin.

1. Sie hat einen Lebensstil wie jemand, der das Geldverdienen nicht nötig hat.
2. Sie verhält sich wie jemand, dem alle Wünsche erfüllt werden.
3. Sie gibt Geld aus wie jemand, der im Lotto gewonnen hat.
4. Sie benimmt sich wie jemand, der sein ganzes Leben lang verwöhnt wurde.
5. Sie tut so wie jemand, der überall beliebt ist.

Ü18   Heinrich Schliemann* – ein Sprachgenie

Bilden Sie irreale Sätze mit *als (ob)*. Der in Klammern stehende Satz bleibt unverändert.

Das Folgende hört sich wie ein Märchen an.

Das Folgende hört sich an, als ob es ein Märchen wäre / als wäre es ein Märchen.

1. (Schliemann lernte 16 Fremdsprachen.) Er beherrschte jede Fremdsprache nach kurzer Zeit fast so perfekt wie seine Muttersprache.
2. Er sprach diese 16 Fremdsprachen so fließend wie jemand, der sie im betreffenden Land gelernt hat.
3. Nachdem er sechs Wochen Russisch gelernt hatte, schrieb er an seine russischen Geschäftspartner Briefe wie ein ausgebildeter Fremdsprachenkorrespondent.
4. Wenig später konnte er sich mit russischen Kaufleuten in ihrer Muttersprache unterhalten wie jemand, der lange in Russland gelebt hat.

* *Heinrich Schliemann* (1822–1890): Kaufmann und Altertumsforscher; Ausgrabungen u. a. in Troja (heute Türkei) und Griechenland

Ü19   Edvard Munch*: *Der Schrei* (Lithografie von 1893)

Beschreiben Sie die Wirkung des Bildes in irrealen Komparativsätzen.

→ *Beim längeren Betrachten des Bildes ist es mir, als hörte ich den Schrei.*
   Es kommt mir vor, als ob ...

* *Edvard Munch* (1863–1944), norwegischer Maler und Graphiker

VIII Irreale Konsekutiv- und Modalsätze

so ..., dass / sodass

(1) Das Haus hat **so** viele Mängel, **dass** sich die Mieter durchaus **beschweren könnten** (können).
(2) Die Wohnungen sind verwohnt, **sodass** sie schon im letzten Jahr **hätten renoviert werden sollen** (renoviert werden sollten).

Irreale Konsekutivsätze mit der Konjunktion *so ..., dass / sodass* und den Modalverben *müssen* (Notwendigkeit), *sollen* (Forderung, Absicht) und *können* (Möglichkeit) sagen eindeutig, dass eine erwartete Folge nicht eintritt (1) bzw. bisher nicht eingetreten ist (2), während Konsekutivsätze im Indikativ das offen lassen. (vgl. §13 S. 195 f.)

Ü20 **Versäumte Pflichten eines Hausbesitzers**

Bilden Sie aus den Satzgliedern jeweils Satzgefüge mit Hauptsätzen im Präsens und irrealen Konsekutivsätzen mit *so..., dass/sodass* in der angegebenen Verbform. Ergänzen Sie die notwendigen Artikel.

Missstände / offensichtlich / sein // Hausbesitzer / unbedingt / etwas / tun müssen (*Aktiv Ggw.*)

Die Missstände sind so offensichtlich, dass der Hausbesitzer unbedingt etwas tun müsste.

1. Dach / undicht / sein // es / unbedingt / neu / decken müssen (*Pass. Ggw.*)
2. Treppen / steil / sein // jemand / stürzen können (*Aktiv Ggw.*)
3. Heizsystem / veraltet / sein // es / schon vor Jahren / erneuern sollen (*Pass. Vgh.*)
4. nicht alle elektrischen Leitungen / unter Putz / liegen // Unfälle / passieren können (*Aktiv Ggw.*)
5. Stahlträger der Balkone / verrostet / sein // sie / ersetzen müssen (*Pass. Ggw.*)
6. Haus / in einem schrecklichen Zustand / sein // die Miete / schon vor Jahren / herabsetzen müssen (*Pass. Vgh.*)
7. Mieter / viel Anlass zum Klagen / haben // sie / die Zahlung der Miete / verweigern können (*Aktiv Ggw.*)

Ü21 **Und was haben Sie zu kritisieren?**

Bilden Sie irreale Konsekutivsätze mit *so ..., dass/sodass*.

> an Ihrem Zimmer   an Ihrer Wohnung   am öffentlichen Verkehr   am Wetter   an Ihrer Lebenssituation   in Ihrer Umgebung   an Ihrem Freundes- oder Bekanntenkreis   ...

→ *In meinem Zimmer ist es im Sommer so heiß, dass ich ohne Klimaanlage gar nicht schlafen könnte. ...*

zu ..., als dass

(1) Deutschland hat **zu** viele Sehenswürdigkeiten, **als dass** man sie in wenigen Tagen **besichtigen könnte** (besichtigen kann).

   = Deutschland hat so viele Sehenswürdigkeiten, dass man sie nicht in wenigen Tagen besichtigen kann.

(2) In den Kriegen wurden **zu** viele Schlösser zerstört, **als dass** man alle **hätte wiederaufbauen können** (wiederaufbauen konnte).

   = In den Kriegen wurden so viele Schlösser zerstört, dass man nicht alle wiederaufbauen konnte.

Irreale Konsekutivsätze mit der Konjunktion *zu ..., als dass* lassen sich von negierten Folgesätzen mit *so ..., dass/sodass* ableiten, sie haben daher – ohne Negationswort! – negierende Bedeutung.
Der Konjunktiv II unterstreicht, dass bei einem Zuviel oder Zuwenig eines Sachverhalts eine bestimmte Folge nicht eintreten kann. Möglich ist aber auch der Indikativ, der allerdings neutral wirkt.

Ü22   Deutschland

Bilden Sie irreale Konsekutivsätze mit *zu ..., als dass*.

In Deutschland gibt es so viele Museen, dass man nicht alle besuchen kann.
In Deutschland gibt es zu viele Museen, als dass man alle besuchen könnte.

1. Deutschland hat wenig Bodenschätze, sodass es nicht ohne Importe auskommt.
2. Die deutschen Universitäten sind so überlaufen, dass man nicht sofort einen Studienplatz bekommt.
3. In Deutschland gibt es so viele Biersorten, dass man nicht alle probieren kann.
4. Die Deutschen lieben ihr Auto so sehr, dass sie nicht darauf verzichten wollen.

Ü23   Meine Heimat

Und jetzt beschreiben Sie Ihr Heimatland in irrealen Konsekutivsätzen mit *zu ..., als dass*.

→ *In meinem Heimatland ist es zu bergig, als dass man viel Rad fahren würde. ....*

Ü24   Unsere Erde

Bilden Sie aus den Satzgliedern irreale Sätze mit *zu ..., als dass* im Präsens und ergänzen Sie dabei die notwendigen Artikel.

in manchen Gegenden der Erde / Niederschläge / so gering / sein // Pflanzen / ohne künstliche Bewässerung / hohe Erträge / erbringen
In manchen Gegenden der Erde sind die Niederschläge zu gering, als dass Pflanzen ohne künstliche Bewässerung hohe Erträge erbringen würden.

1. Fels- und Schuttwüsten Nordafrikas / so steinig / sein // Nutzpflanzen / anbauen (*Pass.*)
2. Steppen / so unfruchtbar / sein // intensiver Getreideanbau / betreiben können (*Pass.*)
3. große Sandwüsten / so unwegsam / sein // sie / einfach / sich durchqueren lassen
4. in Höhen über 5 500 Metern / Sauerstoffgehalt der Luft / so niedrig / sein // Menschen / dort / leben können
5. manche Flüsse in steilem Gelände / so reißend / sein // sie / zur Schifffahrt / nutzen (*Pass.*)

ohne dass / (an)statt dass

(1) Er fuhr früher immer furchtbar schnell, **ohne dass** er je einen Strafzettel **bekommen hätte** (hat).
= Er hat nie einen Strafzettel bekommen.

(2) Er hustet einfach, **ohne dass** er (sich) die Hand vor den Mund **hielte** (hält).
= Er hält (sich) die Hand nicht vor den Mund, wenn er hustet.

(3) **Statt/Anstatt** dass er auch mal anderen **geholfen hätte**, hat er immer sich selbst helfen lassen.
= Er hat anderen nie geholfen.

Irreale Konsekutivsätze (1) und Modalsätze (2) mit der Konjunktion *ohne dass* geben an, dass etwas Erwartetes nicht eintritt bzw. bisher nicht eingetreten ist.
Modalsätze mit der Konjunktion *(an)statt dass* bieten zu dem Vorgang des Hauptsatzes, der als unpassend oder falsch empfunden wird, eine Alternative (3).

Der Konjunktiv II drückt Erstaunen und Verwunderung aus (1) (2) (3).
Bei gleichem Subjekt sind Infinitivsätze möglich, die aber – wie der Indikativ –
neutral wirken: *Er hustet, ohne (sich) die Hand vor den Mund zu halten.*
(*ohne dass* in Konsekutiv- und Modalsätzen im Indikativ vgl. § 13 S. 195 f. und S. 206 f.;
(an)statt dass in Modalsätzen im Indikativ vgl. § 13 S. 207 ff.)

Ü25   Da kann man sich nur wundern!

a) Bilden Sie irreale Sätze mit *ohne dass.*

Er erwartet von anderen Hilfe. Er selbst ist nicht zum Helfen bereit.

Er erwartet von anderen Hilfe, ohne dass er selbst zum Helfen bereit wäre.

1. Er nimmt Geschenke entgegen. Er hat noch nie ein Dankeschön über seine
    Lippen gebracht. (nie → je)
2. Er mischt sich in Gespräche ein. Er ist nicht dazu aufgefordert worden.
3. Er nimmt immer wieder Einladungen an. Er hat nie eine Gegeneinladung gegeben.
4. Er hat sich Geld von Freunden ausgeliehen. Er hat es bisher nicht zurückgezahlt.

b) Ergänzen Sie jetzt selbst irreale Sätze mit *ohne dass.*

Schon immer …
1. hat sie sich Bücher ausgeliehen, *ohne dass* …
2. hat sie von Büchern geschwärmt, …
3. hat sie sich als Musikexpertin ausgegeben, …
4. hat sie fremde Zimmer betreten, …
5. hat sie sich über andere Leute lustig gemacht, …

Ü26   Rückschau nach 20 Jahren – Gerechte Verteilung der Aufgaben?
Bilden Sie irreale Sätze mit *(an)statt dass.*

Immer musste sie die Kinder in den Kindergarten bringen. – Das hat er nie gemacht.
*Statt/Anstatt dass er mal die Kinder in den Kindergarten gebracht hätte, musste
sie das immer machen.*

1. Immer musste sie den Müll rausbringen. - …
2. Immer musste sie die Fenster putzen. - …
3. Immer musste er sich um die Steuererklärung kümmern. - …
4. Immer musste er die Gartenabfälle zur Mülldeponie fahren. - …
5. Immer musste sie die Hausaufgaben der Kinder durchsehen. - …

Ü27   Rückschau in die Kindheit
Und jetzt erinnern Sie sich an die Arbeitsverteilung in Ihrem Elternhaus. Bilden Sie irreale Sätze
mit *(an)statt dass.*

→ *Statt/Anstatt dass mein kleiner Bruder mal zum Bäcker gegangen wäre, musste ich
    immer das Brot holen. …*

IX Der Konjunktiv II in Relativsätzen

(1) Es gibt keinen Menschen, **der** nicht schon mal Fehler **gemacht hätte** (hat).
  = Jeder Mensch hat schon mal Fehler gemacht.

(2) Ich weiß nichts, **was** gegen schlechte Laune besser **helfen würde** (hilft) als Ablenkung.
  = Gegen schlechte Laune hilft Ablenkung am besten.
  = Nichts hilft gegen schlechte Laune besser als Ablenkung.

Der Konjunktiv II drückt in Relativsätzen, die nach einem negierten Hauptsatz stehen,
eine zahlenmäßige Vollständigkeit aus (1) (2).
Möglich ist auch der Indikativ, der aber stärkere Gewissheit ausdrückt.
Relativsätze mit einem Komparativ haben Superlativ-Bedeutung (2).

Ü28 Allzu menschlich

a) Drücken Sie die Vollständigkeit in einer Verbindung von negiertem Hauptsatz und
  Relativsatz aus.

Kein Mensch hat immer Recht. → *Es gibt keinen Menschen, der immer Recht hätte.*
Niemand ist immer gut gelaunt. → *Ich kenne niemanden, der immer gut gelaunt wäre.*

1. Jeder hat schon mal eine Notlüge gebraucht.
2. Kein Mensch gibt gern seine Fehler zu.
3. Jeder hat schon mal Enttäuschungen erlebt.
4. Niemand ist allwissend.

b) Ergänzen Sie nun selbst Relativsätze im Konjunktiv II.

5. Ich habe noch nie von einem Vorgesetzten gehört, ...
6. Ich kann mir keinen Menschen vorstellen, ...
7. Ich kenne keinen Politiker, ...
8. Ich bin noch nie einem Menschen begegnet, ...
9. Ich habe noch kein Kind erlebt, ...

Ü29 Lauter Superlative

 Ersetzen Sie die Superlative durch Komparative.

China ist das Land mit der höchsten Einwohnerzahl.
Es gibt kein Land, das mehr Einwohner hätte als China.

1. Russland ist das Land mit der größten Fläche.
2. Der Amazonas in Südamerika ist der längste Fluss der Erde.
3. Die Antarktis ist das kälteste Gebiet der Erde.
4. Das Death Valley (Tal des Todes) in den USA ist die wärmste Gegend der Erde.
5. Der Äquator ist die Zone mit den höchsten Niederschlägen.
6. Der Marianengraben im westlichen Pazifik ist die tiefste Stelle in den Weltmeeren.
7. La Rinconada in Peru ist die höchste Stadt der Erde. (ist → liegen)
8. Der Mount Everest in Nepal ist der höchste Berg der Erde.

X Gesamtübungen

Ü30 Wohngemeinschaften (WGs)

Formen Sie die Sätze mit den in Klammern angegebenen Anweisungen in irreale Aussagen um.

Jugendliche wachsen heute sehr selbstständig auf, sie lassen sich nicht mehr von den Eltern kontrollieren. (zu ..., als dass)

Jugendliche wachsen heute zu selbstständig auf, als dass sie sich noch von ihren Eltern kontrollieren ließen.

1. In Wohngemeinschaften haben die Jugendlichen ihre Freiheit und müssen nicht auf den gewohnten Komfort von zu Hause (Badezimmer, Küche) verzichten. (ohne dass)
2. Natürlich kommt es in jeder Wohngemeinschaft mal zu Auseinandersetzungen. (Natürlich gibt es keine Wohngemeinschaft, + *Relativsatz*)
3. Die Mitglieder halten sich an die gemeinsamen Absprachen. Es gibt nicht ständig Streit. (wenn)
4. Über Probleme muss offen gesprochen werden, sonst entstehen Spannungen. (wenn)
5. Wenn das Zusammenleben nicht harmonisch ist (+ müssen), fühlen sich die Mitglieder in der Gemeinschaft nicht wohl. (sonst)
6. Und das wünscht sich jeder. (Und es gibt niemanden, + *Relativsatz*)
7. Wohngemeinschaften scheinen sich als neue Lebensform durchgesetzt zu haben. (Es sieht so aus, als ob)
8. Auch ältere Menschen scheinen an dieser Lebensform Gefallen zu finden. (Es scheint, als)
9. Manche aus der älteren Generation bedauern, dass es nicht schon früher Wohngemeinschaften gegeben hat. (*Wunschsatz:* → Manche älteren Menschen wünschen sich: ...)

Ü31 WG – ja oder nein?

Warum wohnen junge Menschen Ihrer Meinung nach gern bzw. nicht gern in Wohngemeinschaften? Bilden Sie nun selbst irreale Aussagen zu diesem Thema.

→ *Wenn ich Musikstudentin wäre und Trompete spielen würde, könnte ich nicht in eine Wohngemeinschaft ziehen. ...*

Möglicher Wortschatz:

Wohngemeinschaften   viele Vorteile   bei jungen Leuten beliebt   nach eigenen Vorstellungen leben wollen   Vorstellungen vom Zusammenleben unterschiedlich   Probleme entstehen   unterschiedliche Menschen   nicht langweilig   Zusammenleben nicht immer leicht   Besetzung/Mitbewohner oft wechseln   Aufgaben übernehmen   Chaos   ...

Ü32   Mensch und Hund: Aus der Verhaltensforschung*

a) Bilden Sie irreale Sätze mit den in Klammern angegebenen Anweisungen.

Konrad Lorenz ging an einem Gartenzaun entlang. Er schreckte einen Hund auf. (wenn)

Wenn Konrad Lorenz nicht an einem Gartenzaun entlanggelaufen wäre, hätte er einen dahinter liegenden Hund nicht aufgeschreckt.

1. Der Hund sah wütend aus. Springt er dem Menschen gleich an die Gurgel? (als ob)
2. Der trennende Zaun wirkte wie eine Entfernung von vielen Metern, sodass der Hund mutig war und sich sicher fühlte. (wenn)
3. Konrad Lorenz kannte das Verhalten von Hunden sehr gut, deshalb ließ er sich von der Drohgebärde des Hundes nicht einschüchtern. (zu ..., als dass)

(Als Konrad Lorenz das Gartentor öffnete, stutzte der Hund, war verlegen und bellte weiter, allerdings weniger bedrohlich.)

b) Bilden Sie jetzt irreale Sätze mit *sonst*.

Weil Tiere Angst vor überlegenen Gegnern haben, halten sie die Fluchtdistanz** ein.

Tiere haben Angst vor überlegenen Gegnern, sonst würden sie die Fluchtdistanz nicht einhalten.

1. Der Hund floh, weil Konrad Lorenz die Fluchtdistanz überschritten hatte.
2. Weil der Hund den Fremden vor dessen Eintreten gesehen hatte, griff er ihn nicht an.
3. Der Hund stellte sich nicht zum Kampf, weil er fliehen konnte.

* Erforschung der menschlichen und tierischen Verhaltensweisen, Teilgebiet der Biologie
** die Fluchtdistanz – ein bestimmter Sicherheitsabstand

(nach: *Konrad Lorenz* (1903–1989, Verhaltensforscher): Zäune. In: ders., So kam der Mensch auf den Hund 16. Aufl. 1975 S. 83 ff.)

§ 7 Konjunktiv I

I Die Formen des Konjunktivs I

Der Konjunktiv I hat drei Zeitstufen: Gegenwart, Vergangenheit und Zukunft.

Die Gegenwartsformen des Konjunktivs I

Achtung! Nur die fett gedruckten Formen sind echte Gegenwartsformen des Konjunktivs I,
alle anderen sind Ersatzformen.

Ind. Präs.	Konj. I	Gebräuchliche Konjunktiv-I-Formen und Ersatzformen		
ich komme	(**komme**)	käme	könne	machte / würde machen
du kommst	(**kommest**)	käm(e)st	könntest	machtest / würdest machen
er kommt	**komme**	**komme**	**könne**	**mache**
wir kommen	(**kommen**)	kämen	könnten	machten / würden machen
ihr kommt	(**kommet**)	käm(e)t	könntet	machtet / würdet machen
sie kommen	(**kommen**)	kämen	könnten	machten / würden machen

ich **sei**		hätte	würde
du **sei(e)st** / wär(e)st		hättest	würdest
er **sei**		**habe**	**werde**
wir **seien**		hätten	würden
ihr **seiet** / wär(e)t		hättet	würdet
sie **seien**		hätten	würden

Vorgangs- und Zustandspassiv

Indikativ	Konjunktiv-I-Formen und Ersatzformen
wird/werden gemacht	**werde**/würden **gemacht**
muss/müssen gemacht werden	**müsse**/müssten **gemacht werden**
ist/sind geöffnet	**sei/seien geöffnet**

Die Gegenwartsformen des Konjunktivs I werden vom Indikativ Präsens abgeleitet und
erhalten ein Endungs-e, soweit es nicht schon im Indikativ vorhanden ist. Der Stammvokal
entspricht dem des Infinitivs (*lesen – lese, tragen – trage, wollen – wolle*).
Es werden nur noch wenige Konjunktiv-I-Formen gebraucht, und zwar nur solche,

die sich vom Indikativ Präsens unterscheiden. Das sind die 3. Person Singular aller
Verben, die 1./3. Person Singular der Modalverben und alle Formen des Verbs *sein*.
Die eindeutigen Konjunktiv-I-Formen der 2. Person Singular und Plural werden
heute ebenfalls fast nicht mehr verwendet.
Die übrigen Formen (1. Person Singular und 1./3. Person Plural) sind mit dem
Indikativ Präsens identisch.
Als Ersatzform dienen der Konjunktiv II und – besonders in der Umgangssprache –
die *würde*-Form. Ersetzt werden können aber auch eindeutige Konjunktiv-I-Formen
(*seien/wären; habe/hätte; werde/würde; könne/könnte; komme/käme/würde kommen*).

Die Vergangenheitsformen des Konjunktivs I

Indikativ	Konjunktiv-I-Formen und Ersatzformen
kam/kamen ist/sind gekommen war/waren gekommen	**sei/seien** gekommen
machte/machten hat/haben gemacht hatte/hatten gemacht	**habe**/hätten gemacht
musste/mussten machen hat/haben machen müssen hatte/hatten machen müssen	**habe**/hätten machen müssen

Vorgangs- und Zustandspassiv	
wurde/wurden gemacht ist/sind gemacht worden war/waren gemacht worden	**sei/seien** gemacht worden
musste/mussten gemacht werden hat/haben gemacht werden müssen hatte/hatten gemacht werden müssen	**habe**/hätten gemacht werden müssen
war/waren geöffnet (ist/sind geöffnet gewesen) (war/waren geöffnet gewesen)	**sei/seien** geöffnet gewesen

Die Vergangenheitsformen des Konjunktivs I werden vom Indikativ Perfekt abgeleitet.
Da alle Konjunktiv-I- und Konjunktiv-II-Formen gebräuchlich sind, sollte die umständliche
würde-Form nicht verwendet werden (nicht: *würde gemacht haben, würde gemacht worden
sein*).

Die Zukunftsformen des Konjunktivs I

Fut. I	er wird kommen	er werde/würde kommen

Die Zukunftsformen des Konjunktivs I werden mit *werden* + Infinitiv bzw. *würde* + Infinitiv gebildet. Es können aber auch die Gegenwartsformen des Konjunktivs I (*er/sie komme*) und des Konjunktivs II (*er/sie käme / würde kommen*) verwendet werden.

Ü1 Wie heißt der Konjunktiv I bzw. die Ersatzform?
Sie sagt: „Er will schon gehen."
Sie sagt, er wolle schon gehen.

1. „Sie werden abgeholt."
2. „Ich werde studieren können."
3. „Es wird erlaubt."
4. „Sie hat tüchtig gefeiert."
5. „Sie wissen nichts von der Sache."
6. „Es muss gleich erledigt werden."
7. „Es ist schon erledigt."
8. „Sie durften nicht gesehen werden."
9. „Sie wurden bestraft."
10. „Sie wollte spazieren gehen."
11. „Sie war gut versichert."
12. „Sie mussten eine Stunde warten."
13. „Sie sind gestartet."

II Der Gebrauch des Konjunktivs I

(1) Sie sagt/sagte, sie **gehe** täglich einkaufen.	Indirekte Rede
(2) **Man nehme** morgens und abends jeweils eine Tablette.	Anweisungen
(3) **Seien** wir vernünftig! **Seien** Sie so gut, mir beim Tragen zu helfen. Edel **sei** der Mensch, hilfreich und gut! Sie **lebe** hoch!	Aufforderungen und Wünsche (zum Teil feste Wendungen)
(4) Gegeben **sei** eine Gerade g : y = mx + b. In diesem Zusammenhang **sei** daran erinnert, dass … Es **sei** hier kurz erwähnt, dass …	Fach- und Wissenschaftssprache
(5) Was auch immer **geschieht/geschehe**, ich halte zu dir. **Komme**, was da **wolle**, … Wie dem auch **sei**, … Es **sei** denn, dass …	Konzessivsätze (zum Teil feste Wendungen)
(6) Sie tat so, als ob sie viel Zeit **hätte/habe**.	Irreale Komparativsätze (vgl. §6 S. 105 f.)

Der Konjunktiv I wird vor allem in der indirekten Rede gebraucht (1). Konzessivsätze (5) stehen meist im Indikativ (vgl. §13 S. 192 ff.), Komparativsätze (6) meist im Konjunktiv II (Komparativsätze im Indikativ vgl. §13 S. 209 f.).
Im Folgenden wird nur der Gebrauch des Konjunktivs I in der indirekten Rede geübt.

III Die indirekte Rede

(1) Auf einer Pressekonferenz fragt/fragte eine Journalistin, **ob** es Steuererhöhungen **gebe**.
    ← Auf einer Pressekonferenz fragt/fragte eine Journalistin: „Gibt es Steuererhöhungen?"

(2a) Der Politiker antwortet/antwortete, **dass** Steuererhöhungen nicht in Frage **kämen**.
(2b) Der Politiker antwortet/antwortete, Steuererhöhungen **kämen** nicht in Frage.
    ← Der Politiker antwortet/antwortete: „Steuererhöhungen kommen nicht in Frage."

(3) Die Journalistin will/wollte wissen, **warum** die Pressesprecher die Bürger immer noch nicht über die Gespräche mit der Opposition **informiert hätten**.
    ← Die Journalistin will/wollte wissen: „Warum haben die Pressesprecher die Bürger immer noch nicht über die Gespräche mit der Opposition informiert?"

(4) Der Politiker erklärt/erklärte gereizt, der Journalist **solle/müsse sich** noch etwas **gedulden**. Er **dürfe** nicht zu viel von ihm **verlangen**.
    ← Der Politiker erklärt/erklärte gereizt: „Gedulden Sie sich noch etwas! Verlangen Sie nicht zu viel von mir."

(5) Die Journalistin bittet/bat den Politiker, er **möge** sich zu den neuen außenpolitischen Vorstellungen seiner Partei **äußern**.
    ← Die Journalistin bittet/bat den Politiker: „Äußern Sie sich bitte zu den neuen außenpolitischen Vorstellungen Ihrer Partei."

(6) (Wenn die Zeitung am nächsten Tag von dem Interview berichtet, steht dort:)
    In dem **gestrigen** Interview gab der Politiker zu erkennen, dass in der **heutigen** Sitzung der Partei alle Diskussionspunkte noch einmal besprochen würden. **Er könne deshalb zu diesem Zeitpunkt** noch keine Einzelheiten nennen. Es werde einige Kurskorrekturen geben, weil **seine** Partei auf die neue außenpolitische Entwicklung reagieren müsse.
    ← Der Politiker sagt/sagte gestern: „In der **morgigen** Sitzung der Partei werden alle Diskussionspunkte noch einmal besprochen. Ich kann deshalb **jetzt** noch keine Einzelheiten nennen. Es wird einige Kurskorrekturen geben, weil **meine** Partei auf die neue außenpolitische Entwicklung reagieren muss."

(7) Die Journalistin fragt/fragte, was die Regierung **gemacht hätte**, wenn die Verhandlungen mit der Opposition nicht **zustande gekommen wären**.
    ← Die Journalistin fragt/fragte: „Was hätte die Regierung gemacht, wenn die Verhandlungen mit der Opposition nicht zustande gekommen wären?"

(8) Wenn vor Wahlen behauptet wird, dass es keine Steuererhöhungen **gäbe**, glaubt das niemand. (Auch der Sprecher glaubt das nicht.)

(9) Der Politiker sagt, dass es keine Steuererhöhungen **gebe**.

Die indirekte Rede gibt die Aussage einer Person aus der Perspektive eines Sprechers wieder, manchmal in verkürzter Form und mit etwas anderen Formulierungen (6) (z. B.: *jetzt – zu diesem Zeitpunkt*).

Für die indirekte Rede stehen der Konjunktiv I und seine Ersatzformen (Konjunktiv II und die *würde*-Form) zur Verfügung. Sie steht nach Verben des Sagens und Denkens (z. B. *antworten, behaupten, bemerken, berichten, betonen, bitten, denken, erklären, erwarten, erwidern, erzählen, glauben, hoffen, meinen, sagen, vermuten*) bzw. nach Verben des Fragens (z. B. *fragen, die Frage stellen, die Frage richten an, wissen wollen*).

Bei längeren Texten reicht ein Einleitungssatz zu Beginn. Der Konjunktiv ist dann obligatorisch (6).

Bei einem Sprecherwechsel muss durch die Redeeinleitung deutlich werden, wer spricht. Nebensätze, die mit der Konjunktion *dass* eingeleitet werden, haben Endstellung des finiten Verbs (2a); in uneingeleiteten Aussagesätzen (= ohne *dass*) steht das Verb in zweiter Position (2b).

Indirekte Fragesätze werden mit der Konjunktion *ob* (*Ja/Nein*-Fragen) (1) oder mit Fragewörtern (*W*-Fragen, z. B. *wann, warum, wen, wie, wo*) (3) eingeleitet.

Aufforderungen werden in der indirekten Rede – meist ohne einleitende Konjunktion – mit den Modalverben *sollen, müssen* oder *nicht dürfen* wiedergegeben (4), höfliche Bitten mit dem Modalverb *mögen* (5).

In der indirekten Rede müssen sich die Zeitformen und alle Angaben zu Personen, Ort oder Zeit nach der Perspektive des Sprechers richten (6).

In der direkten Rede auftretende Konjunktiv-II-Formen bleiben in der indirekten Rede erhalten (7).

Der Sprecher kann mit Hilfe des Konjunktivs II Zweifel an der Richtigkeit der von ihm wiedergegebenen Aussage ausdrücken. Da aber der Konjunktiv II auch immer Ersatzform sein kann, müssen diese Zweifel durch den Kontext gestützt werden (8).

Ansonsten lassen im Konjunktiv I bzw. in den Ersatzformen wiedergegebene Aussagen keine persönliche Stellungnahme des Sprechers erkennen. Der Sprecher gibt die gehörte/gelesene Aussage neutral und objektiv wieder (9).

In der Umgangssprache wird in der indirekten Rede statt des Konjunktivs I meist der Indikativ oder, besonders in uneingeleiteten Aussagesätzen (= ohne *dass*), der Konjunktiv II (*Der Politiker hat gesagt, es gäbe keine Steuererhöhungen.*) gebraucht.

Die indirekte Rede kann auch im Indikativ wiedergegeben werden:

(1a) **Laut** Regierungsbeschluss/Dem Regierungsbeschluss **zufolge wird** es keine Steuererhöhungen **geben.**

(1b) **Wie** aus Regierungskreisen verlautet/verlautete, **wird** über Steuererhöhungen nicht **nachgedacht.**

(2) Die Parteichefs behaupten/behaupteten, dass sie gut **zusammenarbeiten.**

(3) Der Politiker erinnert/erinnerte daran, dass es alle vier Jahre Wahlen **gibt.**

(4) Der Politiker sagt/sagte, dass es keine Steuererhöhungen **gibt.**

Der Konjunktiv I und seine Ersatzformen (Konjunktiv II und die *würde*-Form) sind für die indirekte Rede nicht obligatorisch.

Nach den Präpositionen *entsprechend, gemäß, laut, nach* und *zufolge* (1a) sowie nach der Konjunktion *wie* (1b) wird der Indikativ gebraucht.

Der Indikativ wird auch dann oft gebraucht, wenn eine Aussage schon durch das redeeinleitende Verb und die Nebensatz-Konjunktion als indirekte Rede erkennbar ist (2).

Der Indikativ wird auch bei feststehenden Tatsachen und objektiven Gegebenheiten gebraucht (3).

Ein Indikativ kann auch darauf hindeuten, dass der Sprecher die wiedergegebene Aussage nicht bezweifelt, sondern für richtig hält (4).

Übungen zur Transformation von der indirekten in die direkte Rede

Ü2 **Mit der Lieblingskuh auf Wanderschaft**

Setzen Sie im zweiten Abschnitt des Zeitungstextes die indirekte in die direkte Rede.

Mit der Lieblingskuh auf Wanderschaft

Paris. (AFP) Ein französischer Abiturient geht mit seiner Lieblingskuh auf eine viermonatige Wanderschaft und will sich dabei von Pflanzen ernähren. „Ich esse
5 die seit drei Jahren, langsam kenne ich sie", sagte der 17-jährige Hadrien. Zusammen mit Kuh Camomille will er am Freitag aufbrechen und zu Fuß knapp 1 200 Kilometer zurücklegen. Camomille
10 habe er im September aus der Herde seiner Eltern ausgesucht, die in einem Dorf im Westen von Frankreich einen Biobauernhof betreiben. Seitdem gewöhne er das Tier an den Marsch. Auch dass sie seine
15 Vorräte auf dem Rücken tragen muss, habe er der Kuh erst mal beibringen müssen. Hadrien sagte, er interessiere sich für traditionelles Handwerk und wolle sich umschauen, ob ein Handwerksberuf etwas
20 für ihn sein könne.

* *la camomille*: frz. die Kamille (ein Heilkraut)

Hadrien erzählt Journalisten von seinen Plänen:

→ *„Zusammen mit meiner Kuh Camomille will ich am Freitag aufbrechen und zu Fuß knapp 1 200 Kilometer zurücklegen. Camomille habe ich im September aus der Herde meiner Eltern ausgesucht, ..."*

Ü3 „Jurassic-Park" in China

Berichten Sie Freunden in direkter Rede, was Sie in der Zeitung gelesen haben.

Peking. (AFP) Im Osten Chinas haben Paläontologen offenbar eine neue Dinosaurier-Art entdeckt. Nahe der Stadt Zhucheng seien mehr als zwanzig versteinerte Ske5lette von bisher unbekannten Flugsauriern gefunden worden, berichtete die britische Wissenschaftszeitung „Proceedings oft the Royal Society B". Die neue Art sei zu Ehren von Charles Darwin „Darwinopterus modu10laris" getauft worden. Die Fossilien seien in 160 Millionen Jahren alten Felsen entdeckt worden. Dies bedeute, dass der „Darwinopterus" mindestens zehn Millionen Jahre 15vor dem ältesten bekannten Vogel – dem Archaeopteryx – gelebt habe. Der neu entdeckte Saurier ist den Wissenschaftlern zufolge ein Nachkömmling der primitiven Flugsaurier.
Gefunden wurden die Fossilien in einem 500 20Meter langen und 26 Meter tiefen Graben, berichtete die Zeitung „Jilu Evening News". In diesem Graben gebe es tausende versteinerter Dinosaurier-Knochen.

Beginnen Sie so:

→ „*Stellt Euch vor, eine britische Wissenschaftszeitung hat berichtet, dass im Osten Chinas nahe der Stadt Zhucheng mehr als zwanzig versteinerte Skelette ... gefunden worden sind / gefunden wurden. ...*"

Ü4 Kleine Rede über den Konjunktiv

Geben Sie in direkter Rede wieder, was ein Sprachkritiker dem Journalisten Ulrich Greiner über den Konjunktiv gesagt hat.

If I had a hammer. In früheren Jahren sei der Konjunktiv vom Aussterben bedroht gewesen, erzählte mir [...] ein Sprachkritiker, heute jedoch könne man geradezu von 5einem Grassieren des Konjunktivs sprechen, obgleich er oft falsch gebraucht werde. Er grassiere, weil ohne diese Möglichkeitsform vieles nicht möglich wäre. [...] Heute herrsche der sauerstoffarme, neblige Konjunk10tiv, der umso nebliger sei, als seine Benutzer dessen Möglichkeiten in der Regel nicht gewachsen seien. [...] Im Deutschen gebe es nämlich, was den meisten nicht klar sei, zwei Konjunktive. Der Konjunktiv I, wie die 15Grammatik ihn kurz nenne, werde vom Präsens abgeleitet und diene hauptsächlich der indirekten Rede, wobei in den Fällen, wo der Konjunktiv des Präsens dem Indikativ gleiche, die Konjunktivformen des Präteritums 20ersatzweise Verwendung fänden, um Verwechslungen auszuschließen. Der Konjunktiv II hingegen werde vom Präteritum abgeleitet und sei immer dann zu benutzen, wenn etwas Nicht-Wirkliches oder bloß 25Vorgestelltes, Vermutetes, Gewünschtes zur Rede stehe. Der Benutzer des Konjunktivs I also betrachte die mitgeteilte Information in der Regel als zutreffend, aber er müsse für den Wahrheitsgehalt nicht selber gera30destehen, sondern er rufe einen wirklichen oder imaginären Sprecher als Gewährsmann auf. Der Benutzer des Konjunktivs II aber gebe zu erkennen, dass die mitgeteilte Information nicht oder nur unter gewissen 35Bedingungen zutreffend sei.
(*Ulrich Greiner* in: DIE ZEIT vom 11.9.1987)

→ Der Sprachkritiker sagte: „*In früheren Jahren war der Konjunktiv vom Aussterben bedroht, ...*"

Übungen zur Transformation von der direkten in die indirekte Rede

Ü5 Fische

Formen Sie die direkte in die indirekte Rede um.

> Ein Fisch biss in einen Angelhaken. Was flatterst du so hektisch herum? fragten ihn die anderen Fische. Ich flattere nicht hektisch herum, sagte der Fisch an der Angel, ich bin Kosmonaut und trainiere in der Schleuderkammer. – Wer's glaubt, sagten die anderen Fische und sahen zu, wie es weitergehen sollte. Der Fisch an der Angel erhob sich und flog in hohem Bogen aus dem
> 5 Wasser. Die Fische sagten: Er hat unsere Sphäre verlassen und ist in den Raum hinausgestoßen. Mal hören, was er erzählt, wenn er zurückkommt. Der Fisch kam nicht wieder. Die Fische sagten: Stimmt also, was die Ahnen uns überliefert haben, dass es da oben schöner ist als hier unten. Ein Kosmonaut nach dem anderen begab sich zum Training in die Schleuderkammer und flog in den Raum hinaus. Die Kosmonauten standen in Reih und Glied und warteten, bis sie
> 10 drankamen. Am Ufer saß ein einsamer Angler und weinte. Einer der Kosmonauten sprach ihn an und fragte: O großer Fisch, was weinst du, hast du auch gedacht, dass es hier oben schöner ist? – Darum weine ich nicht, sagte der Angler, ich weine, weil ich niemandem erzählen kann, was hier und heute geschieht. Achtundfünfzig in einer Stunde und kein Zeuge weit und breit.
>
> (*Christa Reinig* (1926–2008, deutsche Schriftstellerin): Orion trat aus dem Haus, 1968)

→ *Ein Fisch biss an einen Angelhaken. Die anderen Fische fragten ihn, was er*
  so hektisch herumflattere. ...

Ü6 Lups

Berichten Sie in indirekter Rede, was Herr und Frau Lups sprechen und denken.

Herr Lups war ein Spatz. Seine Frau hieß Frau Lups. Denn dem Namen nach richten sich die Frauen nach ihren Männern. Es war Frühling und Frau Lups saß auf ihren Eiern. Herr Lups hatte Futter herangeschleppt. Jetzt saß er auf dem Nestrand und blinzelte in die Sonne. Die Menschen sagen immer, dass Spatzen frech und zänkisch sind, dachte Frau Lups, womit sie
5 natürlich nur die Männchen meinen. Ich kann es von meinem Mann eigentlich nicht finden. Ein fertiger Ehespatz ist er zwar noch nicht, aber er macht sich. Herrn Lups wurde es langweilig. „Ich möchte mich auch mal auf die Eier setzen." „Nein", sagte Frau Lups – nicht aus Eigensinn, rein aus pädagogischem Empfinden. „Piep!" sagte Herr Lups empört, „es sind auch meine Eier." „Nein", sagte Frau Lups – wieder nur aus pädagogischem Empfinden. Herr
10 Lups schlug erregt mit den Flügeln. „Ich habe das Recht auf den Eiern zu sitzen, ich bin der Vater!" schrie er. „Schlag nicht so mit den Flügeln", sagte Frau Lups, „es ist unschicklich, wenigstens hier im Nest. Außerdem macht es mich nervös. Ihr Männer müsst immer gleich mit den Flügeln schlagen. Nimm dir ein Beispiel an mir! Ich bin stets ruhig. Gewiss sind es deine Eier. Aber es sind mehr meine Eier als deine Eier. Das habe ich gleich gesagt. Denke dran, dass
15 du verheiratet bist!" „Daran denke ich unaufhörlich", sagte Herr Lups. „Aber du hast es vorhin anders gesagt. Das ist unlogisch." „Stör mich nicht mit deiner Logik", sagte Frau Lups, „wir sind verheiratet und nicht logisch." „So", machte Herr Lups und klappte arrogant mit dem Schnabel. „Findest du das etwa nicht?" Herr Lups hörte auf zu klappen. „Ja, ja, meine Liebe",

sagte er. Er macht sich, dachte Frau Lups. „Ich werde jetzt in den Klub gehen", sagte Herr Lups
20 und putzte sich die Flügel. „Du könntest dich auch mal auf die Eier setzen", sagte Frau Lups
vorwurfsvoll, „ich sitze schon den ganzen Vormittag darauf. Glaubst du, dass es ein Vergnügen
ist? Dabei sind es deine Eier." Herr Lups dachte, die Sonne müsse aufhören zu scheinen. Aber
sie schien weiter. „Mir steht der Schnabel still!" schrie er. „Eben wollte ich auf den Eiern
sitzen, da waren es deine Eier. Jetzt will ich in den Klub gehen, da sind es meine Eier. Wessen
25 Eier sind es nun endlich?!" „Schrei nicht so", sagte Frau Lups, „natürlich sind es deine Eier.
Ich habe es dir doch schon vorhin gesagt." Herrn Lups wurde schwindlig. „Du irrst dich",
sagte er matt.
„Frauen irren sich nie", sagte Frau Lups.
„Ja, ja, meine Liebe", sagte Herr Lups und setzte sich auf die Eier, die nicht seine Eier
30 und doch seine Eier waren.
„Männer sind so wenig rücksichtsvoll", sagte Frau Lups mit sanftem Tadel, „du hast eben
auch die weibliche Hand in deinem Leben zu wenig gefühlt."
„O doch", sagte Herr Lups und blickte auf die Krällchen seiner Gemahlin. [...]
Frau Lups horchte aufmerksam an den Eiern.
35 „Eins piepst sogar schon im Ei", sagte sie glücklich.
„Dann wird es ein Weibchen", sagte Herr Lups.
Frau Lups sah ihren Gatten scharf an.
„Gewiss", sagte sie, „es wird ein Weibchen. Die Intelligenz regt sich am frühesten."
Herr Lups ärgerte sich sehr und brütete.
40 „Aber das erste, das herauskommt, wird ein Männchen!" sagte er patzig.
Frau Lups blieb ganz ruhig.
„Das, was zuerst piepst, kommt auch zuerst heraus", sagte sie, „es wird also ein Weibchen.
Im Übrigen lass mich jetzt auf die Eier! Es wird kritisch. Das verstehen Frauen besser.
Außerdem sind es meine Eier."
45 „Ja, ja, meine Liebe", sagte Herr Lups.
Nach kurzer Zeit kam das Erste aus dem Ei.
Es war ein Männchen.
Herr Lups plusterte sich und zwitscherte schadenfroh.
„Siehst du", sagte Frau Lups, „ich habe es dir gleich gesagt. Es wird ein Männchen.
50 Aber ihr müsst eben alles besser wissen."
Herr Lups sperrte den Schnabel so weit auf wie noch nie.
Eine Steigerung war anatomisch undenkbar.
Aber er kriegte keinen Ton heraus.
Da klappte er den Schnabel zu.
55 Endgültig.
Jetzt ist er ganz entwickelt, es wird eine glückliche Ehe, dachte Frau Lups und half den
anderen Kleinen behutsam aus der Schale.
„Nun musst du in den Klub gehen, liebes Männchen", flötete sie, „du mußt dich etwas
zerstreuen. Ich bat dich schon so lange darum. Auf dem Rückweg bringst du Futter mit." –
60 „Ja, ja, meine Liebe", sagte Herr Lups.
Herr Lups hielt eine Rede im Klub.

„Wir sind Männer! Taten müssen wir sehen, Taten!!" schrie er und gestikulierte
mit den Flügeln.

Frau Lups wärmte ihre Kleinen im Nest.

65   „Seinen Namen werdet ihr tragen, alle werdet ihr Lups heißen", piepste sie zärtlich.

Denn dem Namen nach richten sich die Frauen nach ihren Männern.

(*Manfred Kyber* (1880–1933, deutscher Schriftsteller): Gesammelte Tiergeschichten 1926)

→ *[...] Frau Lups dachte, die Menschen sagten immer, dass Spatzen frech und
zänkisch seien, ...*

Ü7   Die Geschichte mit dem Hammer

Formulieren Sie in indirekter Rede, was der Mann denkt und sagt.

Ein Mann will ein Bild aufhängen. Den Nagel hat er, nicht aber den Hammer. Der Nachbar hat
einen. Also beschließt unser Mann hinüberzugehen und ihn auszuborgen. Doch da kommt ihm
ein Zweifel: Was, wenn der Nachbar mir den Hammer nicht leihen will? Gestern schon grüßte
er nur so flüchtig. Vielleicht war er in Eile. Aber vielleicht war die Eile nur vorgeschützt und
5   er hat etwas gegen mich. Und was? Ich habe ihm nichts angetan; der bildet sich da etwas ein.
Wenn jemand von mir ein Werkzeug borgen wollte, ich gäbe es ihm sofort. Und warum er
nicht? Wie kann man einem Mitmenschen einen so einfachen Gefallen abschlagen? Leute
wie dieser Kerl vergiften einem das Leben. Und dann bildet er sich noch ein, ich sei auf ihn
angewiesen. Bloß weil er einen Hammer hat. Jetzt reicht's mir wirklich. – Und so stürmt er
10   hinüber, läutet, der Nachbar öffnet, doch noch bevor er „Guten Tag" sagen kann, schreit ihn
unser Mann an: „Behalten Sie Ihren Hammer, Sie Rüpel!"

(*Paul Watzlawick* (1921–2007, Psychotherapeut): Anleitung zum Unglücklichsein 1983)

Beginnen Sie so:

→ *Der Mann denkt, was (wäre), wenn der Nachbar ihm den Hammer nicht leihen wolle? ...*

Ü8   Aprilscherze* für eine Zeitung schreiben

Sie haben witzige Ideen für einen Aprilscherz und schreiben Zeitungsartikel, in denen Sie direkte
und indirekte Rede verwenden. Als Anregung helfen Ihnen die geschilderten Situationen, für die
Sie einen Schluss finden sollen.

a)

Bürgerbeteiligung beim Ausbau der deutschen Autobahnen

Das Bundesverkehrsministerium hat angeblich bundesweit Bürger aufgefordert, beim Ausbau
der deutschen Autobahnen mitzuhelfen und deshalb schon 500 000 Schaufeln und andere
Geräte sowie Tausende von kleinen Baggern gekauft. Das Ministerium hofft auf eine rege
Beteiligung. Für besondere Verdienste will das Ministerium diesen Bürgern eigens dafür
kreierte Orden verleihen und einen Steuernachlass bei der Kfz-Steuer gewähren. Viele Bürger
sehen darin anscheinend einen Anreiz, beim Ausbau mitzuhelfen. Die Baufirmen rechnen
damit, dass dadurch manche Baustellen auf deutschen Autobahnen doppelt so schnell
fertiggestellt werden. ...

Der Zeitungsartikel:

→ *Das Bundesverkehrsministerium will Bürger beim Ausbau der Autobahnen beteiligen.*
Ein Sprecher des Ministeriums teilte mit, das Ministerium habe schon große Mengen
an Baumaschinen und Geräten gekauft. ...

b)

Meteorit vor dem Bundeskanzleramt in Berlin eingeschlagen

Vor dem Bundeskanzleramt in Berlin ist ein 40 cm großer Meteorit eingeschlagen. Laut
Regierungssprecher gab es keine Personenschäden. Der Hausmeister hat den Meteoriten in
einem großen Krater entdeckt. Die Regierung hat während ihrer Kabinettsitzung nichts von
dem Aufprall bemerkt und zeigte sich später erstaunt über den großen „Stein" direkt vor den
Fenstern. Der Sicherheitsdienst glaubte zunächst an einen Anschlag. Die Polizeidirektion
Berlin wollte sich zu dem Vorfall bislang nicht äußern. ...

Beginnen Sie so:

→ *Berliner Tagblatt. Ein Informant hat berichtet, dass gestern vor dem*
Bundeskanzleramt in Berlin ein 40 cm großer Meteorit eingeschlagen sei / ist.
Der Regierungssprecher sagte: „Es ..."

c)

Ufo über dem Frankfurter Flughafen gesichtet

Unbekanntes Flugobjekt (Ufo) von mehreren Fluglotsen auf Radarschirm geortet
keine Funkverbindung hergestellt
Ufo mehrere Minuten auf Radarschirmen gesichtet
heller Schein am Himmel auch von zwei Flugkapitänen gesehen
Bundesgrenzschutz gleich informiert
bislang kein Kommentar aus dem Innenministerium zu dem Vorfall

...

Beginnen Sie so:

→ *In der Nacht zum Montag wurde über dem Frankfurter Flughafen ein Ufo gesichtet.*
Einer der Fluglotsen teilte mit, er habe das Ufo auf seinem Radarschirm gesehen.
„Ich sah deutlich, dass das ‚Ding' sich minutenlang nicht von der Stelle bewegte",
berichtete er den erstaunten Journalisten. ...

* *Aprilscherz: der Brauch, am 1. April Scherze mit Familie oder Freunden zu machen und sie hereinzulegen, indem man
unglaubwürdige Geschichten erzählt. Auch in Zeitungen finden sich am 1. April solche Aprilscherze. (vgl. den
Ausdruck: jemanden in den April schicken)*

§8 Modalverben

I Modalverben in objektiver Aussage

Formen

	Aktiv	Passiv
Präsens	er muss lernen	es muss gelernt werden
Präteritum	er musste lernen	es musste gelernt werden
Perfekt	er hat lernen müssen	es hat gelernt werden müssen
Plusquamperfekt	er hatte lernen müssen	es hatte gelernt werden müssen

(1a) Sie **muss/musste** viel **lernen**.
(1b) Sie **hat/hatte** viel **lernen müssen**.

(2a) Sie weiß, dass viel **gelernt werden muss/musste**.
(2b) Sie weiß, dass viel **hat/hatte gelernt werden müssen**.

(3a) Sie sagt, sie **habe** viel **lernen müssen** / dass sie viel **habe lernen müssen**.
(3b) Sie weiß, dass sie noch intensiver **hätte lernen müssen**.

Die Aktivformen der Modalverben werden mit dem Infinitiv des Vollverbs und dem Modalverb als finitem Verb (1a) bzw. als Infinitiv (1b) gebildet.
Die Passivformen werden mit dem Partizip Perfekt des Vollverbs, dem Infinitiv *werden* und dem Modalverb als finitem Verb (2a) bzw. als Infinitiv (2b) gebildet.
(vgl. §4 S. 63)
Für die Vergangenheit wird – vor allem in Nebensätzen – meist das Präteritum, statt des Futur I (*wird lernen müssen / wird gelernt werden müssen*) das Präsens verwendet.
Perfekt und Plusquamperfekt werden vor allem im Konjunktiv I (3a) und
Konjunktiv II (3b) gebraucht.
(vgl. §7 S. 113 ff. und §6 S. 93 f.)
Im Nebensatz gilt für Präsens und Präteritum die übliche Endstellung des finiten Verbs (2a).
Im Perfekt und Plusquamperfekt steht das finite Verb vor den infiniten Verbformen (2b) (3).

Bedeutung

müssen		
Beispiele	**Bedeutung**	**Umschreibungen**
Die Autofahrer **müssen** die Kreuzung umfahren. Bei einem Unfall **muss** der Schuldige die Kosten übernehmen.	Notwendigkeit, Pflicht, Zwang aufgrund äußerer Umstände oder gesetzlicher Regelungen	notwendig / erforderlich / geboten / unerlässlich / unumgänglich / unausweichlich sein gezwungen / verpflichtet sein es bleibt nichts anderes übrig, als ...
Wir **müssen** dem Verletzten helfen.	Verpflichtung aufgrund der inneren Einstellung Das Modalverb *müssen* lässt keine freie Entscheidung zu.	nicht umhin können nicht darum herumkommen keine andere Wahl haben *haben* + Inf. mit *zu*[2] (Aktiv) *sein* + Inf. mit *zu*[1] (Passiv)
Du **müsstest** dich jetzt endlich mal zur Fahrprüfung anmelden.	Rat, dringende Empfehlung im Konjunktiv II (mit Missbilligung)	
Er **muss kein** neues Auto kaufen. Er **braucht**[3] **kein** neues Auto **zu** kaufen.	keine Notwendigkeit keine Pflicht, kein Zwang	nicht notwendig / nicht erforderlich sein (vgl. *müssen* + Negation)

sollen		
Beispiele	**Bedeutung**	**Umschreibungen**
Sie **soll** ihren Mann vom Bahnhof abholen.	Forderung / Erwartung / Auftrag / Anweisung	es empfiehlt sich empfehlenswert / angebracht / ratsam / wünschenswert / zweckmäßig / opportun sein es gehört sich geplant / vorgesehen / beabsichtigt sein Es wird (von jdm.) erwartet / gefordert / gewünscht / verlangt, dass ...
Man **soll** im Straßenverkehr Vorschriften einhalten.	Verpflichtung aufgrund eines fremden Willens Gesetze, Gebote, Vorschriften	verpflichtet sein / die Pflicht haben eine Aufgabe / einen Auftrag / eine Anweisung haben

Man **soll** sich rücksichtsvoll verhalten.	gesellschaftliche und religiöse Normen, Sitten und Gebräuche	*haben* + Inf. mit *zu*[2] (Aktiv) *sein* + Inf. mit *zu*[1] (Passiv)
	Das Modalverb *sollen* lässt eine freie Entscheidung zu.	
Sie **sollen/sollten** nicht immer so schnell fahren.	Aufforderungen, Empfehlungen, Ratschläge, Vorschläge (auch im Konjunktiv II)	

wollen		
Beispiele	**Bedeutung**	**Umschreibungen**
Sie **will** immer schneller als die anderen fahren.	Absicht, Plan (eigener Wille)	entschlossen / gewillt / willens sein
		etw. beabsichtigen / planen / vorhaben
		sich etw. vornehmen die Absicht / den Plan haben
Sie **will** ihren Mann vom Bahnhof abholen.	Bereitschaft	bereit sein
Sie **will** ihn endlich wieder bei sich haben.	dringender Wunsch	sich etw. wünschen / den Wunsch haben

mögen		
Beispiele	**Bedeutung**	**Umschreibungen**
Er **möchte** Rennfahrer werden. Das **wollte** er schon als Kind.	Wunsch, Bedürfnis, Lust Statt des Präsens (*mag*) wird heute meist der Konjunktiv II gebraucht (*möchte*, Prät. *wollte*).	das Bedürfnis / das Verlangen / den Wunsch / Lust haben etw. begehren / sich etw. wünschen jdn./etw. gern haben / lieben jdm. gefällt etw. jdm. sagt etw. zu geneigt sein, etw. zu tun
Seine Eltern bitten ihn, er **möge** sich das gründlich überlegen.	Der Konjunktiv I (*möge*[4]) wird für Aufforderungen und für Wünsche in der indirekten Rede gebraucht.	
Er **mag** / will seinen Wunsch aber **nicht** aufgeben. Er **mochte** / wollte jetzt noch **nicht** nachgeben.	Die Form *mag* (Prät. *mochte*) wird fast nur noch in negierter Form verwendet, meist aber durch *will* / *wollte* ersetzt.	

können

Beispiele	Bedeutung	Umschreibungen
Sie **kann** gut Auto fahren. Er **kann** sich in fremder Umgebung gut orientieren.	Fähigkeit körperlicher, intellektueller oder künstlerischer Art / angeboren oder erlernt sein	fähig / imstande / geschickt sein in der Lage sein für etw. geeignet / befähigt / begabt / veranlagt sein etw. beherrschen / vermögen jdm. gelingt etw. die Eignung / Begabung / Fähigkeit / Veranlagung haben
Auf der Autobahn **kann** sie zügig fahren.	Möglichkeit / Gelegenheit aufgrund objektiver Gegebenheiten	die Möglichkeit / Gelegenheit / Chance haben möglich sein Passivumschreibungen: *sein* + Inf. mit *zu*[1], *sich lassen*[5] *sein* + Adjektiv auf *-bar*[6] *haben* + Inf. mit *zu*[2] (Aktiv)
Sie **kann** mit dem Auto ihrer Eltern fahren.	Erlaubnis (= dürfen)	erlaubt / gestattet sein (vgl. *dürfen*)
Ohne Führerschein **kann** man **nicht** Auto fahren.	Verbot (= nicht dürfen)	verboten / nicht erlaubt sein ... (vgl. *dürfen* + Negation)

dürfen

Beispiele	Bedeutung	Umschreibungen
Max **darf** das Auto seines Freundes benutzen.	Erlaubnis	erlaubt / gestattet / zulässig sein die Erlaubnis / die Genehmigung haben
Er **darf** auf dem betriebseigenen Parkplatz parken.	Berechtigung	zu etw. berechtigt / befugt sein die Berechtigung / das Recht / die Befugnis / das Privileg haben
Hier **darf nicht** geparkt werden.	Verbot	*haben* + Inf. mit *zu*[2] (Aktiv) *sein* + Inf. mit *zu*[1] (Passiv) verboten / nicht erlaubt sein (vgl. *dürfen* + Negation)

[1] *sein* + Infinitiv mit *zu* vgl. §5 S. 83 f.; §9 S. 152 ff. und S. 156 f.
[2] *haben* + Infinitiv mit *zu* vgl. §9 S. 152 ff. und S. 156 f.
[3] *nicht brauchen ... zu* vgl. §9 S. 155 f.
[4] *mögen* vgl. §7 S. 116 f.
[5] *sich lassen* + *Infinitiv* mit *zu* vgl. §5 S. 82
[6] *sein* + Adj. auf *-bar* vgl. §5 S. 81 f.

In der objektiven Aussage geben Modalverben an, in welcher Art und Weise sich das Subjekt des Satzes zu dem im Vollverb ausgedrückten Vorgang verhält, d.h. Modalverben modifizieren eine Aussage:
Notwendigkeit (*müssen*), eigener Wille (*wollen*), fremder Wille (*sollen*), Lust/Wunsch (*mögen*), Fähigkeit/Möglichkeit (*können*), Erlaubnis/Berechtigung (*dürfen*).
Manchmal wird das Vollverb weggelassen. Dann ist das Modalverb Vollverb:
Sie kann gut Deutsch (sprechen). (Perfekt: *Sie hat gut Deutsch gekonnt.*)
Er will kein Geld (haben/nehmen). (Perfekt: *Er hat kein Geld gewollt.*)

Ü1   Wer die Wahl hat ...

Ordnen Sie die Umschreibungen den einzelnen Modalverben zu.

1. Lust haben ✔	14. einen Plan haben
2. unerlässlich sein	15. die Befugnis haben
3. fähig sein	16. eine Gelegenheit haben
4. den Wunsch haben	17. es empfiehlt sich
5. die Aufgabe haben ✔	18. entschlossen sein
6. notwendig sein ✔	19. das Bedürfnis haben
7. die Absicht haben ✔	20. berechtigt sein
8. geeignet sein	21. imstande sein
9. sich etwas vornehmen	22. gestattet sein ✔
10. es wird erwartet	23. eine Möglichkeit haben ✔
11. einen Rat bekommen	24. erforderlich sein
12. es bleibt nichts anderes übrig	25. zulässig sein
13. vorgesehen sein	26. genehmigt sein

müssen:	*notwendig sein, ...*
sollen:	*die Aufgabe haben, ...*
wollen:	*die Absicht haben, ...*
mögen:	*Lust haben, ...*
können:	*eine Möglichkeit haben, ...*
dürfen:	*gestattet sein, ...*

Ü2   Wer will, kann, muss, sollte oder darf etwas?

→ Setzen Sie die passenden Modalverben ein.

1. Wer anpassungsfähig ist, *kann* sich auf seine Umgebung einstellen.

2. Wer steuerpflichtig ist, _____ Steuern zahlen.

3. Wer neugierig ist, _____ etwas wissen.

4. Wer kriminell ist, _____ sich über eine Strafe nicht beschweren.

5. Wer untröstlich ist, _____ nicht getröstet werden.

6. Wer hilfsbereit ist, _____ helfen.

7. Wer immer unpünktlich ist, _____ seine Gewohnheiten ändern.

8. Wer kooperativ ist, _____ gut mit anderen zusammenarbeiten.

9. Wer herrschsüchtig ist, _____ bestimmen.

10. Wer zum Schweigen verpflichtet ist, _____ keine Aussage machen.

Ü3 Grundlagenforschung

Setzen Sie die passenden Modalverben ein. Manchmal gibt es mehrere Möglichkeiten.

1. Der wirtschaftliche Fortschritt, der den Lebensstandard sichern *soll*, ist unter anderem auch von der Grundlagenforschung eines Landes abhängig.

2. Deshalb _____ sie nicht unnötig durch Reglementierungen eingeengt werden.

3. Der Gesetzgeber _____ zwischen Chancen und Risiken abwägen.

4. Dabei _____ man bedenken, dass rechtliche Regelungen vielversprechende Entwicklungen blockieren _____.

5. Aus diesem Grunde _____ von Fall zu Fall entschieden werden.

6. Die Chancen, die im Bereich der Grundlagenforschung liegen, _____ nicht vertan werden, wenn man den Lebensstandard erhalten _____.

7. Wenn das notwendige Know-how aber nicht mehr zur Verfügung steht, wird die Industrie keine Spitzenleistungen mehr erbringen _____.

8. Es _____ nicht zugelassen werden, dass ganze Industriezweige wegen allzu bürokratischer Zulassungsvorschriften ins Ausland abwandern.

9. Und es _____ nicht ausgeschlossen werden, dass dann auch der wissenschaftliche Nachwuchs abwandert.

10. Bei der Einführung von Gesetzen und Vorschriften _____ man eine solche Kettenreaktion vor Augen haben.

Aufforderungen, Empfehlungen, Ratschläge und Vorschläge

(1) Sie **sollten** die Formalitäten etwas ernster **nehmen**.
   = Das empfehle ich Ihnen.
(2) Sie **müssen** die Antragsfristen **einhalten**. Das **müssten/sollten** Sie (eigentlich) wissen.
   = Es ist erforderlich, dass Sie die Antragsfristen einhalten.
(3) Sie **können/könnten** den zuständigen Sachbearbeiter jederzeit anrufen.
   = Das ist möglich.
(4) Sie **hätten** um Fristverlängerung bitten **können**.
   = Das wäre möglich gewesen.

Aufforderungen, Empfehlungen, Ratschläge und Vorschläge werden meist mit der Konjunktiv-II-Form *sollte* formuliert (1).

Empfehlungen und Ratschläge, die unbedingt zu beachten sind, werden mit *müssen* gebildet. Als abschwächende Konjunktiv-II-Form werden – oft in Verbindung mit *eigentlich* – *müsste* und *sollte* gebraucht (2).

Vorschläge, die nur auf eine Möglichkeit hinweisen, werden mit *können* bzw. der abschwächenden Konjunktiv-II-Form *könnte* gemacht (3) (4).

Ü4   Lästige Bürokratie

 Ein Antragsteller hat viele Fehler gemacht. Der zuständige Sachbearbeiter weist ihn darauf hin, was in Zukunft zu tun wäre bzw. in der Vergangenheit *(Vgh.)* hätte getan werden müssen. Beachten Sie die Zeitangaben.

Sie haben Ihren Antrag an die falsche Behörde geschickt. (Das geht nicht. *Präs.*)
Sie müssen Ihre Anträge in Zukunft an die zuständige Behörde schicken.

1. Sie haben die Fragen zu ungenau beantwortet. (Das wäre aber erforderlich gewesen. *Vgh.*)
2. Sie haben sich nicht genügend Zeit zum Ausfüllen genommen. (Das wäre aber empfehlenswert gewesen. *Vgh.*)
3. Sie haben nicht alle erforderlichen Unterlagen beigefügt. (Das empfehle ich Ihnen aber dringend. *Präs.*)
4. Sie haben die beigefügten Fotokopien nicht beglaubigen lassen. (Das wäre aber notwendig gewesen. *Vgh.*)
5. Sie haben die Hinweise und Erläuterungen nicht gründlich genug gelesen. (Das ist aber unerlässlich. *Präs.*)
6. Sie haben mit Bleistift geschrieben. (Das haben wir nicht so gern. *Präs.*)
7. Sie haben dem Sachbearbeiter viel Arbeit gemacht. (Das ist unfreundlich. *Vgh.*)

Ü5   Eine Freundin / ein Freund hat Probleme

Äußern Sie Aufforderungen, Ratschläge, Empfehlungen und Vorschläge mit Modalverben!

Das Problem: Ich bin immer müde.
Du solltest vielleicht abends früher ins Bett gehen.

Sie können dabei folgenden Wortschatz verwenden:

Mögliche Probleme:

unmotiviert   unzufrieden   zu wenig Zeit für Hobbys   immer und überall zu spät
Probleme mit der Arbeit   Ärger mit der Familie   Probleme mit dem Freund/der Freundin
ständiger Geldmangel   schlechter Job   fünf Kilo zugenommen   vergesslich   häufig krank

Mögliche Lösungen:

Du musst unbedingt ...   Du solltest vielleicht ...   Du müsstest eigentlich ...
Du könntest auch ...

nicht müssen / nicht brauchen ... zu – nicht dürfen

Der Patient **muss** operiert werden.

Negation:

(1) Der Patient **muss nicht operiert werden / braucht nicht operiert zu werden**.

= Es ist nicht notwendig.

(2) Der Patient **darf nicht operiert werden**.

= Es ist medizinisch nicht zu verantworten.

(3) Herzkranke Patienten **dürfen keinen** Leistungssport **treiben**.

= Das ist ihnen untersagt.

Das Modalverb *müssen* (in abgeschwächter Form *sollen*) kann auf zweierlei Weise negiert werden:

• mit *nicht müssen / nicht brauchen ... zu* (= *nicht notwendig sein*) (1) und

• mit *nicht dürfen* (= *verboten / nicht erlaubt sein*) (2) (3).

Je nach Sachverhalt ergeben beide Negationsmöglichkeiten einen Sinn, wenn auch mit unterschiedlicher Bedeutung, vgl. (1) und (2); in anderen Fällen ist dagegen nur eine der beiden Negationsmöglichkeiten sinnvoll (3).

(*nicht brauchen ... zu* vgl. §9 S. 155 f.; Negation vgl. § 19)

Ü6 Hier machen alle etwas falsch

Was darf oder muss man nicht tun bzw. braucht man nicht zu tun? Manchmal gibt es zwei Lösungen.

Jemand, der gesund ist, nimmt Medikamente ein.

Jemand, der gesund ist, muss keine Medikamente einnehmen / braucht keine Medikamente einzunehmen.

1. Ein herzkranker Patient setzt das Herzmittel ab.

2. Ein Lungenkranker raucht.

3. Ein Kettenraucher wundert sich, wenn er Lungenkrebs bekommt.

4. Jemand, der ein normales Gewicht hat, macht eine Schlankheitskur.

5. Eine untergewichtige Frau nimmt weiter ab.

6. Ein magenkranker Patient nimmt zu schwere Kost zu sich.

7. Jemand, der widerstandsfähig und robust ist, denkt ständig an Krankheiten.

Ü7 Was ist in Ihrem Land anders als in Deutschland?

Was muss, darf und kann man in Ihrem Land (nicht) tun?

Zum Beispiel in der Schule, in der Universität, in Geschäften, bei der Begrüßung, bei Diskussionen, bei einer Einladung, beim Essen, im Restaurant, auf einer Party, beim Abschied, beim Sport?

Wenn man Fremden begegnet oder Familienmitglieder, Freunde oder Bekannte trifft?

Wenn man Kritik üben möchte, höflich sein möchte, Komplimente machen will?

Wenn man ein Kompliment bekommt, als Gast etwas angeboten bekommt? ...

Bilden Sie Sätze mit den Modalverben *(nicht) müssen / dürfen / können*.

→ *In meinem Land muss man in der Schule aufstehen, wenn der Lehrer hereinkommt. ...*

wollen – sollen

(1) Die Stadt **soll** den Theateretat erhöhen.

    = Der Theaterdirektor **will**, dass die Stadt den Theateretat erhöht.

(2) **Die Schauspieler sollen** sich kollegialer verhalten.

    = Der Theaterdirektor **erwartet von den Schauspielern, dass sie** sich kollegialer verhalten.

Bei den Modalverben *wollen – sollen* gibt es einen Wechsel der Perspektive: Wenn jemand *will/möchte*, dass ein anderer etwas tut, dann *soll* der andere etwas tun (1).
(vgl. §4 S. 66 f.)
Das Gleiche gilt für Verben wie z. B. *empfehlen / auffordern / erwarten von*: Wem man etwas *empfiehlt* / Wen man zu etwas *auffordert* / Von wem man etwas *erwartet*, der *soll/sollte* etwas tun (2).

Ü8   Der Theaterdirektor

Sagen Sie, wer nach dem Wunsch bzw. auf Empfehlung des Theaterdirektors etwas tun soll/sollte.

Der Theaterdirektor möchte, dass zeitgenössische Autoren ihre Stücke selbst inszenieren.
Zeitgenössische Autoren sollen ihre Stücke selbst inszenieren.

1. Er fordert die Schauspieler auf, eigene Ideen in die Probenarbeit einzubringen.
2. Er empfiehlt den Schauspielern, auch mal Gastrollen an anderen Theatern zu übernehmen.
3. Er verlangt vom Personal, dass es bei Bedarf auch bereit ist, Überstunden zu machen.
4. Er erwartet von der Stadt, dass sie die Theaterarbeit an den Schulen unterstützt.
5. Er will, dass die Stadt das Theater vergrößert.
6. Er schlägt vor, dass auswärtige Theatergruppen während der Sommerpause Gastspiele geben.

Ü9   Transplantationen – Fragen an einen Experten

Beantworten Sie die Fragen und ersetzen Sie dabei die kursiv gesetzten Umschreibungen durch Modalverben.

Seit wann ist es möglich, menschliche Organe erfolgreich zu transplantieren? (seit 1954)
Seit 1954 können menschliche Organe erfolgreich transplantiert werden.

1. *Ist es erlaubt*, Organe sowohl von Verstorbenen als auch von lebenden Personen zu entnehmen? (Ja, laut Transplantationsgesetz)
2. *Ist es zulässig,* Transplantationen ohne das Einverständnis des Spenders vorzunehmen? (Nein,)
3. *Sind alle* Krankenhäuser *berechtigt,* Transplantationen durchzuführen? (Nein, nur in dafür zugelassenen Transplantationszentren)
4. *In welchen Fällen ist es möglich*, Organe zu transplantieren? (Nur wenn Blutgruppe und Gewebemerkmale von Spender und Empfänger übereinstimmen,)
5. *Sind* Abstoßungsreaktionen des Körpers auf das Transplantat immer vermeid*bar*? (Nein,)
6. *Ist es notwendig*, diese Reaktionen mit Medikamenten zu unterdrücken? (Ja,)

7. *Sind* die Mediziner *entschlossen*, die Zahl der Transplantationen noch zu erhöhen? (Ja,)

8. *Empfiehlt es sich*, Menschen mit guten Erfolgsaussichten bei Organtransplantationen zu bevorzugen? (Ja,)

Ü10 Wahlen

Ersetzen Sie die kursiv gesetzten Umschreibungen durch Modalverben.

In einer Demokratie *ist es notwendig, dass* in regelmäßigen Abständen Wahlen stattfinden.
In einer Demokratie *müssen* in regelmäßigen Abständen Wahlen stattfinden.

1. Die Bürger *haben* dann *die Möglichkeit*, unter verschiedenen Parteien oder Personen zu wählen.

2. Zu diesem Zweck *ist es erforderlich*, im Wahllokal einen Stimmzettel auszufüllen.

3. Die Bürger *sind* aber nicht zur Teilnahme an der Wahl *verpflichtet*.

4. Wer nicht *gewillt ist* zu wählen, wird nicht *dazu gezwungen*.

5. Jeder *hat das Recht*, zu Hause zu bleiben.

6. Dennoch *sei* jedem *empfohlen*, von seinem Wahlrecht Gebrauch zu machen.

7. Wer das 18. Lebensjahr vollendet hat, *ist* wahl*berechtigt*.

8. Und wer die Volljährigkeit erreicht hat, *ist* auch wähl*bar*.

9. Es *besteht* auch *die Möglichkeit*, sich an der Briefwahl zu beteiligen.

10. Sie hat den Vorteil, dass sich der Wähler am Wahltag nicht an seinem Wohnort aufzuhalten *braucht*.

11. Vielleicht *hat* er ja *vor*, gerade an diesem Tag zu verreisen.

Ü11 „Hauptsache, sie kann Spaghetti kochen!"

Lesen Sie den Text und überlegen Sie, ob die Umfrageergebnisse aus den 1990er-Jahren noch auf junge Leute von heute zutreffen. Dieser Vergleich wird leichter, wenn Sie die Erwartungen der Jugendlichen herausschreiben und dabei die kursiv gesetzten Umschreibungen durch Modalverben ersetzen.

Die Erwartungen der Jugendlichen an ihre Lebenspartner *sind* durchaus mit denen ihrer Elterngeneration vergleich*bar*. Was für Lebensgefährten *sich* 10- bis 15-Jährige 15
5 *wünschen* (haben + *Modalverb*), ergab eine Umfrage der Zeitschrift „Eltern" unter 2 110 Schülern und Schülerinnen. In der Umfrage kamen vertraute Rollenerwartungen zum Vorschein: *Es wird erwartet, dass* die künf- 20
10 tige Partnerin schön, treu und kinderlieb ist. Ein elf Jahre alter Junge stellt hohe Ansprüche an die Kochkunst seiner Partnerin: „*Ich verlange, dass* sie täglich für mich kocht. Dabei *hat* ihr Kochen natürlich hotelreif *zu sein*!" Ein anderer Junge *wünscht sich*, dass seine Frau *in der Lage ist*, Spaghetti zu kochen. Ein dreizehnjähriger Hauptschüler hat andere Erwartungen: „Ich *wünsche mir* etwas Ausländisches, mit Temperament und Feuer, z. B. eine Brasilianerin. Lieber was Wildes als was Langweiliges."

(Bitte lesen Sie weiter auf der nächsten Seite.)

Bescheiden dagegen ist ein 12-Jähriger: *„Ich gestatte* meiner Frau nicht, eine Brille zu tragen, sonst denken meine Freunde, ich
25 sei mit einer Lehrerin verheiratet." Und ein 15-jähriger Gymnasiast erklärt: „Es stört mich nicht, wenn sie arm ist, aber *es ist unerlässlich, dass* sie mich liebt." Die Wünsche der Mädchen sehen etwas anders aus:
30 „Ich *sehne mich nach* einem Mann, der gebildet, gescheit, höflich, gut aussehend ist." Eine 14-Jährige *ist fest entschlossen,* sich nur für einen Mann zu entscheiden, der *willens* und auch *fähig ist,* im Haushalt zu
35 helfen. Viele Mädchen *haben den Wunsch,* einen Mann mit Geld zu heiraten. Eine 13-Jährige meint: *„Es ist notwendig, dass* er wohlhabend ist." Eine 14 Jahre alte Gymnasiastin *hat* nicht *die Absicht,* sich schon
40 festzulegen: „Ich *habe vor,* erst ein paar Männer gründlich auszuprobieren, bevor ich Ja sage." Ob sie sich dann noch für einen Mann zu entscheiden *vermag*?

→ *Die Erwartungen der heutigen Jugendlichen können durchaus mit denen ihrer Elterngeneration verglichen werden. ...*

Ü12 Und was erwarten Sie von Ihrem Partner / Ihrer Partnerin?
Bilden Sie Sätze mit Modalverben.

→ *Er kann hoffentlich gut kochen.*
Sie sollte einen Beruf haben.
...

II Modalverben in subjektiver Aussage

Behauptungen und Vermutungen

Ü13 Bankräuber festgenommen
Lesen Sie den Text, schreiben Sie die kursiv gedruckten Verbformen heraus und beschreiben Sie deren grammatische Form. Kennen Sie die Bedeutung dieser Modalverben?

Hamburg. Der Hamburger Polizei ist es am Dienstag gelungen, einen mutmaßlichen Bankräuber festzunehmen. Der 33-jährige Mann *soll* in mehreren Fällen in Banken *ein-*
5 *gebrochen sein* und insgesamt 150 000 Euro *erbeutet haben.* Es *dürfte* sich um einen echten Profi *handeln.* Da er bei den Ein- brüchen in der Lage war, in Windeseile Alarmanlagen auszuschalten und Tresore zu
10 öffnen, *muss* er mit den jeweiligen Räumlichkeiten vertraut *gewesen sein* und auch die Tresore genau *gekannt haben.* Die Staatsanwaltschaft Hamburg hat noch am Abend Haftbefehl gegen ihn erlassen.

Formen

	Aktiv	Vorgangs- und Zustandspassiv
Präsens	sie soll ihn informieren	er soll informiert werden er soll informiert sein
Perfekt	sie soll ihn informiert haben sie soll abgereist sein	er soll informiert worden sein er soll informiert gewesen sein

In der subjektiven Aussage wird für die Gegenwart das Präsens und für die Vergangenheit
das Perfekt gebraucht.

Das Präsens der subjektiven und der objektiven Aussage ist in der Form identisch,
unterscheidet sich aber in der Bedeutung, die oft nur aus dem Kontext erschlossen
werden kann.

Die Vergangenheitsformen der subjektiven Aussage werden mit der finiten Form des
Modalverbs und dem Infinitiv Perfekt des Vollverbs gebildet, unterscheiden sich also
von den Vergangenheitsformen der objektiven Aussage (*sie hat ihn informieren sollen*).

Bedeutung

In der subjektiven Aussage geben Modalverben an, in welcher Art und Weise sich ein
Sprecher zu dem im Vollverb ausgedrückten Vorgang verhält, d. h., wie hoch er den
Wahrheitsgehalt eines Vorgangs oder einer Mitteilung einschätzt.

Behauptungen mit dem Modalverb *sollen*

Ü14 **Die Bedeutung von *sollen***

Lesen Sie die Texte und schauen Sie sich zunächst die Verbformen mit Modalverben genau an.
Was fällt Ihnen daran auf? Hat das Modalverb *sollen* in allen Sätzen dieselbe Bedeutung?

Dumpfes Grollen im Zollerngraben*

In der Nacht von Dienstag auf Mittwoch
wurde im Landkreis Balingen erneut ein Erdbeben der Stärke drei registriert. Nach
5 ersten Meldungen sollen die Menschen
gegen drei Uhr aus dem Schlaf gerissen worden sein und überstürzt ihre Häuser verlassen haben. Auf den Straßen soll Panik
geherrscht haben. Erdbeben unterschied-
10 licher Stärke sind in dieser Region keine
Seltenheit. Nach Registrierung und Besei-
tigung der Schäden soll ein Katalog von
Verhaltensmaßregeln für ähnliche Krisen-
situationen erstellt werden.

* *Hohenzollern- / Zollerngraben*: 30 m langer und 1,5 km breiter geologischer Graben der südwestlichen Schwäbischen Alb
in Baden-Württemberg; drei stärkere Erdbeben 1911, 1943 und 1978

Alte Damen um 1 500 Euro erleichtert

Eine 28 Jahre alte Münchnerin hat mehrere alte Damen um insgesamt 1 500 Euro
„erleichtert". Das Landgericht München ver-
5 urteilte die junge Frau zu einer Bewährungs-
strafe mit der Auflage, sie solle die Tat
durch Sozialarbeit wiedergutmachen und
das gestohlene Geld zurückzahlen. Laut
Staatsanwaltschaft soll die 28-Jährige auch
10 einen alten Rentner um 5 000 Euro betrogen
haben. Im Falle des Betrugs an dem Rentner
stellte das Gericht das Verfahren mangels
Beweisen ein.

Verwendung von *sollen*

Der Vermieter A. **behauptet** gegenüber der Nachbarin B.:
„Mein früherer Mieter Felix N. hat ständig laut Musik gehört."

Nachbarin B. erzählt das ihrer Freundin C. weiter:
„Der frühere Mieter Felix N. **soll** ständig laut Musik gehört haben."

Ein Sprecher (Nachbarin B.) gibt wieder, was jemand (Vermieter A.) von einer anderen Person
(Felix N.) oder einem Sachverhalt behauptet (hat).
Seine Skepsis gegenüber der Äußerung kann er mit dem Modalverb *sollen* zum Ausdruck bringen.
Auf diese Weise deutet er an, dass er nicht sicher ist, ob die Behauptung stimmt.

Umschreibungen für *sollen*

Man behauptet/berichtet/erzählt, dass ...
Ich habe gehört/gelesen/erfahren, dass ...
Es heißt, dass ...
Gerüchten/Berichten/Erzählungen zufolge ... / Es geht das Gerücht (um), dass ...
Nach Aussagen/Berichten/Erzählungen von ...
Angeblich ...

Ü15 Gerüchte über den Mieter Felix N.

Übernehmen Sie jetzt die Rolle der Nachbarin B. und erzählen Sie ihrer Freundin C., was Sie über Felix N. gehört haben. Bringen Sie Ihre Zweifel an den Gerüchten über Felix N. mit dem Modalverb *sollen* zum Ausdruck.

Der Vermieter A. hat mir *erzählt, dass* Felix N. ständig Besuch hatte.

Felix N. soll ständig Besuch gehabt haben.

1. *Nach seinen Aussagen* hat die Polizei die Wohnung seines Mieters zweimal durchsucht.
2. *Außerdem habe ich gehört, dass* er Umgang mit zwielichtigen Personen hatte.
3. *Angeblich* haben diese manchmal nachts im Treppenhaus großen Lärm gemacht.
4. *Es heißt, dass* sie untereinander Streit bekommen haben.
5. *Der Vermieter hat mir gegenüber* auch *behauptet, dass* Felix N. seine Miete nie pünktlich bezahlt hat.

Ü16 Haben Sie schon gehört?

Andere Nachbarn haben noch andere Behauptungen über Felix N. gehört und erzählen diese nun mit skeptischem Unterton weiter:

→ *Felix N. soll Schulden bei allen seinen Freunden haben. ...*

Ü17 Ein schweres Erdbeben

Einen Tag nach dem schweren Erdbeben bringt eine ausländische Zeitung folgende noch unbestätigte Meldungen. Setzen Sie die Präsenssätze ins Perfekt.

Bei dem Erdbeben soll es viele Tote geben.

Bei dem Erdbeben soll es viele Tote gegeben haben.

1. Viele Menschen sollen obdachlos werden. (+ innerhalb weniger Sekunden)
2. Eingestürzte Häuser sollen den Einsatz der Rettungskräfte stark behindern.
3. Viele Straßen sollen unpassierbar sein. (+ gleich)
4. Die ganze Versorgung soll zusammenbrechen. (+ sofort)
5. Aus aller Welt sollen Hilfsangebote eingehen. (+ schon)
6. Die ersten Transportflugzeuge sollen bereits unterwegs sein.
   (+ in den frühen Morgenstunden)
7. Ärzte sollen schon vor Seuchengefahr warnen.
8. Es sollen leichte Nachbeben registriert werden.

Behauptungen mit dem Modalverb *wollen*

Ü18   Die Bedeutung von *wollen*

Lesen Sie die Texte und schauen Sie sich zunächst die Verbformen mit Modalverben genau an. Was fällt Ihnen daran auf? Hat das Modalverb *wollen* in allen Sätzen dieselbe Bedeutung?

Lotto-Gewinner als Chef

Ein Buchhalter aus Südengland hat im Lotto 8 Millionen Euro gewonnen und damit die Firma seines Chefs gekauft. Da die Firma
5 finanzielle Probleme hatte, wollte der Angestellte sie mit dem Lottogewinn retten und die Angestellten vor der Arbeitslosigkeit bewahren. Seinen Angaben nach will er bei
10 dieser Rettungsaktion an seinen eigenen Vorteil gar nicht gedacht haben. Auf jeden Fall will er auch zukünftig in der Buchhaltung weiterarbeiten.

Zum Rücktritt des Ministers Herbert R.

In einem Interview zu seinem Rücktritt äußerte der Politiker, in seiner Zeit als Minister habe er für das Land nur das Beste
5 erreichen wollen. Den Vorwurf der Korruption lehnt er ab, er will sich aufgrund seiner Position nie bereichert haben. Im Übrigen will er in seinem Ministerium viele Reformen
10 vorangetrieben haben. Auf die Frage nach seinen weiteren Plänen meinte er, er wolle sich in Zukunft mehr um seinen Wahlkreis kümmern.

Verwendung von *wollen*

Der Schauspieler Lorenzo Bello **behauptet** von sich: „Ich habe schon immer viele Bewunderer gehabt."

Ein Kollege hört diese Äußerung und gibt sie weiter: „Lorenzo Bello **will** schon immer viele Bewunderer gehabt haben."

Ein Sprecher (ein Kollege) gibt wieder, was jemand (Lorenzo Bello) von sich selbst behauptet (hat). Mithilfe des Modalverbs *wollen* kann er zum Ausdruck bringen, dass er der Äußerung skeptisch gegenübersteht und an deren Richtigkeit zweifelt.

Umschreibungen für *wollen*

jd. behauptet von sich / sagt von sich, dass ...
jd. versichert / gibt vor / gibt damit an, dass ...
jd. tut so, als ob ...
seiner Aussage nach / seinen Angaben nach / angeblich ...

Ü19 Der Schauspieler Lorenzo Bello

Übernehmen Sie jetzt die Rolle des Sprechers und bringen Sie Ihre Zweifel an den Behauptungen des Schauspielers mit dem Modalverb *wollen* zum Ausdruck.

Der Schauspieler Lorenzo Bello *behauptet von sich, dass*
er an vielen Bühnen der Welt zu Hause war.
Der Schauspieler Lorenzo Bello will an vielen Bühnen der
Welt zu Hause gewesen sein.

1. *Angeblich* hatte er schon als junger Schauspieler großartige Erfolge.
2. *Besonders gibt er damit an, dass* er seine Rollen schon nach zweimaligem Lesen beherrscht hat.
3. *Er tut so, als ob* er nie Probleme mit seinen Filmpartnern hatte.
4. *Er betont, dass* er innerlich jung geblieben ist und deshalb noch mit 70 Jahren einen jugendlichen Liebhaber sehr überzeugend gespielt hat.
5. *Er versichert, dass* er seiner Frau immer treu war.

Kommentieren Sie nun weitere Behauptungen von Lorenzo Bello mit Skepsis.

→ *Er will ...*

Ü20 Eine Schlägerei

 a) Ersetzen Sie die Modalverben *sollen* bzw. *wollen* durch Umschreibungen.

Gestern kurz nach Mitternacht *soll* es vor dem Gasthof „Ritter" eine Schlägerei gegeben haben.
Ich habe gehört, dass es gestern kurz nach Mitternacht vor dem
Gasthof „Ritter" eine Schlägerei gegeben hat.

1. Anwohner der entfernt liegenden Ziegelgasse *wollen* kurz nach Mitternacht laute Hilferufe gehört haben.
2. Bei der Schlägerei *soll* einer der Beteiligten mit einem Messer verletzt worden sein.
3. Aber keiner der Beteiligten *will* ein Messer bei sich gehabt haben. (→ Aber jeder der Beteiligten ...)
4. Und keiner *will* mit dem Streit angefangen haben. (→ Und jeder von ihnen ...)
5. Die Lokalpresse *soll* heute schon über den Vorfall berichtet haben.
6. An der Schlägerei *sollen* fünf Personen beteiligt gewesen sein.

b) *Wollen* oder *sollen*? Ersetzen Sie jetzt die kursiv gesetzten Umschreibungen durch Modalverben.

Angeblich hat ein Zeuge der Schlägerei versucht, den Streit zu schlichten.
Ein Zeuge der Schlägerei will versucht haben, den Streit zu schlichten.

1. *Ich habe gehört, dass* auch eine Frau in die Schlägerei verwickelt war.
2. *Zeugenaussagen zufolge* ist es um Politik gegangen.

3. *Nach eigenen Angaben* haben sich die Beteiligten aber noch nie für Politik interessiert.

4. Alle *behaupten,* ganz unschuldig in die Schlägerei hineingezogen worden zu sein.

5. *Gerüchten zufolge* war auch Alkohol im Spiel.

6. Ein Zeuge *erzählt überall herum, dass* er die Beteiligten auch schon bei anderen Schlägereien gesehen hat.

Vermutungen mit den Modalverben *müssen, dürfen, können* und *mögen*

müssen		
Beispiele	**Bedeutung**	**Umschreibungen**
Frau M. **muss** krank gewesen sein. (Sie sieht blass aus.)	feste Überzeugung starke Vermutung Gewissheit: fast 100 %	(ganz) bestimmt / natürlich / (ganz) sicher / gewiss / zweifellos / selbstverständlich mit Sicherheit / auf jeden Fall / ohne Zweifel überzeugt / sicher sein Alle Anzeichen sprechen dafür, dass … Alles deutet darauf hin, dass …
Ihre Tochter **müsste** informiert sein.	Der Konjunktiv II schwächt diese Gewissheit etwas ab.	wohl, sicherlich
Frau M. **muss** ja **nicht** im Krankenhaus gewesen sein. Ihre Tochter **braucht** ja **nicht** alles **zu** wissen.	Negation: *nicht müssen* *nicht brauchen* + Inf. mit *zu* Unsicherheit, Zweifel Es bleibt offen, ob der vermutete Sachverhalt zutrifft. Gewissheit: ca. 50 %	vielleicht / möglicherweise / unter Umständen unsicher / zweifelhaft sein nicht sicher sein

dürfen (nur im Konjunktiv II)		
Beispiele	**Bedeutung**	**Umschreibungen**
Frau M. **dürfte** verreist sein. (Wir haben sie lange nicht gesehen.)	nur im Konjunktiv II: vorsichtig geäußerte Vermutung Gewissheit: ca. 80 %	vermutlich / wahrscheinlich ziemlich sicher sein etw. annehmen / vermuten davon ausgehen, dass … Viele Anzeichen sprechen dafür / deuten darauf hin, dass … etw. scheint zu stimmen etw. wird stimmen (= Fut. I)

können

Beispiele	Bedeutung	Umschreibungen
Frau M. **kann** eine Kur gemacht haben.	eine vermutete Möglichkeit unter weiteren denkbaren Möglichkeiten Gewissheit: ca. 50 %	vielleicht / eventuell / vermutlich / möglicherweise / unter Umständen möglich / denkbar / nicht ausgeschlossen sein
Frau M. **könnte** eine Kur gemacht haben.	Der Konjunktiv II schwächt diese Gewissheit etwas ab.	etw. für möglich / für nicht ausgeschlossen halten
Ihr schlechtes Aussehen **kann nur** bedeuten, dass sie krank ist. (= Sie **muss** krank sein.)	*nur können* = „müssen" Gewissheit: fast 100 %	bestimmt / sicher sein (vgl. *müssen*)
Frau M. **kann nicht** gesund sein.	Negation: *nicht können* Ausschluss einer vermuteten Möglichkeit Gewissheit: fast 100 %	keinesfalls / auf (gar) keinen Fall / unter (gar) keinen Umständen unmöglich / undenkbar / ausgeschlossen / ganz unwahrscheinlich sein etw. für unmöglich / für ausgeschlossen halten Alle Anzeichen sprechen dagegen, dass ... Nichts deutet darauf hin, dass ...

mögen

Beispiele	Bedeutung	Umschreibungen
Wie **mag** sich Frau M. jetzt wohl fühlen?	Unsicherheit, Ratlosigkeit (nur in Fragen)	Wer weiß / Ich weiß nicht, wie (sich Frau M. fühlt.)
Frau M. **mag** auch familiäre Probleme haben, aber das geht mich nichts an.	Vermutung, die man für unwichtig hält, unzureichender Gegengrund (konzessiv)	Selbst / Auch wenn / Obwohl (sie familiäre Probleme hat), ...
Das **mag** sein.	*mögen* = „können" Eine unter anderen Möglichkeiten, mit Gleichgültigkeit geäußert	vielleicht, eventuell (vgl. *können*)

Die Modalverben *müssen, dürfen* (nur im Konjunktiv II), *können* und *mögen* drücken in der subjektiven Aussage Vermutungen aus.
Mit der Wahl eines dieser Modalverben gibt der Sprecher zu erkennen, wie stark er von dem Wahrheitsgehalt eines Vorgangs oder einer Mitteilung überzeugt ist.

Ü21   Vermutung oder Tatsache?

Lesen Sie den Text, schreiben Sie die Verbformen heraus und geben Sie daneben die Bedeutung in Stichwörtern oder kurzen Kommentaren an.

Wertvoller Brillantring aus Vitrine gestohlen

Der Diebstahl muss während der Geschäftszeit passiert sein. Da die Besitzerin des Juweliergeschäfts die Polizei erst gegen 21 Uhr benachrichtigt hat, kann sie das Fehlen des Schmuckstücks erst nach Geschäftsschluss bemerkt haben. Es dürfte schwierig sein, den Täter zu fassen, denn vermutlich hat er sich längst aus dem Staub gemacht. Da den ganzen Tag über immer wieder Kunden im Geschäft waren, kann der Täter wohl kein Anfänger gewesen sein. Nun fragt die Polizei, ob jemand Hinweise geben kann. Klar ist: Die Geschäftsinhaberin hätte ihre Vitrinen längst besser sichern müssen. Das darf jetzt nicht länger hinausgeschoben werden, das dürfte sie aber einiges kosten.

→ *muss ... passiert sein = subjektive Aussage / feste Überzeugung: zweifellos,*
   ganz bestimmt
...

Ü22   Was mag denn da passiert sein?

Sie kommen an eine Unfallstelle und ziehen aus dem, was Sie dort sehen, Schlussfolgerungen mithilfe von Modalverben.

a) Sagen Sie, was Ihnen sofort klar ist.

Die Straßen sind nass. (regnen)
Es muss geregnet haben.

1. Auf der Straßenmitte liegen viele Scherben. (Unfall)
2. Am Straßenrand stehen zwei beschädigte Autos. (Autos zusammenstoßen)
3. Ein Krankenwagen kommt. (Verletzte)
4. Die Bremsspuren beider Autos sind ziemlich lang. (hohe Geschwindigkeit)

b) Sagen Sie jetzt, was Sie für unmöglich halten.

Die Betroffenen wirken erleichtert. (keine Schwerverletzten)
Es kann keine Schwerverletzten gegeben haben.
Es kann nicht so schlimm gewesen sein.

1. Die Reifen beider Autos sind unbeschädigt. (Reifen nicht platzen)
2. Es steht kein weiteres Auto in der Nähe. (keine anderen Autos beteiligt sein)
3. Die Leitplanke am Mittelstreifen ist nicht beschädigt. (nicht gegen Leitplanke fahren)
4. Der Alkoholtest war bei beiden Fahrern negativ. (kein Alkohol)

c) Stellen Sie jetzt Vermutungen über die möglichen Unfallursachen an.

So kann es gewesen sein.
Der Fahrer kann am Lenkrad eingeschlafen sein.

1. Die Sonne ...
2. Auf der regennassen Straße ...
3. Beim Überholen ...
4. Seine Beifahrerin ...

d) Äußern Sie nun Vermutungen über die wahrscheinlichen Unfallfolgen.

Das wird wohl als Nächstes passieren.
In kürzester Zeit dürfte es wegen des Unfalls zu einem Stau kommen.

1. Die Schnittwunden und Prellungen der Autoinsassen ...
2. Beide Unfallautos ...
3. Die Reparaturkosten ...
4. Der an dem Unfall Schuldige ...

Ü23 Kleider machen Leute
Bringen Sie Ihre feste Überzeugung zum Ausdruck, dass etwas so sein muss und nur so sein kann. Ergänzen Sie weitere Sätze mit Modalverben.

Eine Frau im Kimono ...
Eine Frau im Kimono muss eine Japanerin sein.
Eine Frau im Kimono kann nur eine Japanerin sein.

1. Ein Mann mit Turban ...
2. Ein Mann im Poncho mit großem Sonnenhut ...
3. Ein Mann mit weißer Schürze und weißer Mütze ...
4. Ein Mann mit Tomahawk und Federschmuck ...
5. Eine Frau mit einem Dirigentenstab in der Hand ...
6. Ein Mann ...
7. ...

Ü24 Sakralbauten
Machen Sie deutlich, dass Ihrer Überzeugung nach etwas so sein muss und gar nicht anders sein kann.

Der Bau auf dieser Abbildung ...
Der Bau auf dieser Abbildung muss ein antiker griechischer Tempel sein.
Dieser Bau kann keine Pyramide sein.

1. Der Bau auf Abbildung 1 …

2. Der Bau auf Abbildung 2 …

3. Der Bau auf Abbildung 3 …

4. Der Bau auf Abbildung 4 …

5. Der Bau auf Abbildung 5 …

6. Der Bau auf Abbildung 6 …

1.

2.

3.

4.

5.

6.

Ü25 Viele Vermutungen

Äußern Sie Ihre Vermutungen entsprechend dem Beispiel mithilfe von Modalverben.

Wir klingeln bei Bekannten. In der Wohnung brennt Licht, aber niemand öffnet.

Was mag da bloß los sein?
Das dürfte sich bald klären.
Sie müssen uns gehört haben.
Sie können das Klingeln nicht überhört haben.
Sie könnten beim Fernsehen eingeschlafen sein.
Es muss ja nicht gleich etwas Schlimmes passiert sein.

1. Sie kommen abends nach Hause und wollen in Ihre Wohnung, aber der Schlüssel passt nicht.
2. Sie sitzen im Restaurant und möchten bezahlen. Da stellen Sie fest, dass Sie Ihr Portemonnaie nicht bei sich haben.
3. Sie haben sich eine fremde Stadt angesehen. Nun möchten Sie in Ihr Hotel zurückgehen, finden aber den Weg nicht mehr.
4. Sie haben die Absicht, ins Kino zu gehen. Ein Bekannter wollte Sie abholen, kommt aber nicht.

Ü26 Millionär in seiner Villa tot aufgefunden – die Polizei ermittelt

Stellen Sie Behauptungen und Vermutungen über diesen Tod an, indem Sie Sätze in der Vergangenheit mit Modalverben in subjektiver Aussage bilden.

→ *Der Millionär kann einen Herzinfarkt erlitten haben. ...*

> **Mögliche Inhalte:**
>
> Anwohner? Todesursache? natürlicher Tod? Tatwaffe? Zeugen? Fingerabdrücke? Verdächtige? der Gärtner?
> Alibi? Tatzeit? Erben? Familie? Freunde? ...

Ü27 Was ist passiert?

Stellen Sie Vermutungen zu den Fotos an.

→ *Es kann eine Bruchlandung gewesen sein.*
   ...

145

1.
2.

III Gesamtübungen

Ü28 **Was ist mit Lukas los?**

Tatsache? Behauptung? Vermutung? Setzen Sie die Sätze in die Vergangenheit (objektive
Aussage: Präteritum, subjektive Aussage: Perfekt). Die in Klammern stehenden Sätze geben
einen Hinweis auf die Art der Aussage.

Lukas kann in den Ferien nicht in Urlaub fahren. (Er muss Geld verdienen.)
Lukas konnte in den Ferien nicht in Urlaub fahren.

1. Er kann aber nicht den ganzen Tag bei der Arbeit sein. (Ich habe ihn doch
   nachmittags öfter im Garten seiner Eltern gesehen.)
2. Er will Medizin studieren. (Das ist seine Absicht.)
3. Das soll auch der Wunsch seiner Eltern sein.
4. Er kann aber nicht Medizin studieren. (Er hat keine Zulassung zum Studium bekommen.)
5. Er muss ein schlechtes Abiturzeugnis haben.
6. Das dürfte ihn ziemlich ärgern.
7. Er soll sich bei seinen Freunden ständig darüber beklagen.

Ü29 **Eine Sportlerin**

 Subjektive oder objektive Aussage? Erklären Sie die Modalverben durch Umschreibungen.

Sie darf an dem morgigen Wettkampf teilnehmen.
Sie ist zu dem morgigen Wettkampf zugelassen. (objektiv)

1. Sie soll starke Gegnerinnen haben.
2. Sie dürfte aber trotzdem gute Gewinnchancen haben.
3. Sie muss natürlich tüchtig trainieren.
4. Sie soll sehr ehrgeizig sein.
5. Sie muss bereits eine bekannte Sportlerin sein.
6. Sie kann Niederlagen nur schwer hinnehmen.
7. Das könnte auf viele Sportler zutreffen.

Ü30   Der Einbrecher kam immer gegen Morgen

Berichten Sie über dieses Geschehen, indem Sie neue Sätze mit den passenden
Modalverben bilden.

Seit Montag *hat* sich ein 42-jähriger Deutscher wegen etlicher Wohnungseinbrüche vor
Gericht *zu* verantworten.

*Seit Montag muss sich ein 42-jähriger Deutscher wegen etlicher Wohnungseinbrüche
vor Gericht verantworten.*

1. Der Mann hat *angeblich* für eine richtige Einbruchsserie gesorgt.
2. *Es heißt, dass* er in insgesamt 30 Häuser und Wohnungen eingebrochen ist.
3. Erst vor Kurzem *gelang es* der Polizei, den Mann zu fassen.
4. Er *behauptet* allerdings, seit Jahren im Ausland gelebt und nur einen einzigen
   Einbruch begangen zu haben.
5. Aber da hat er *ohne Zweifel* gelogen.
6. Da er überall seine Fingerabdrücke hinterlassen hat, war er *auf jeden Fall* an den
   Einbrüchen beteiligt.
7. *Wahrscheinlich* wird er aufgrund der Indizien bald verurteilt.
8. *Wer weiß*, wie die geschädigten Personen auf seine Verurteilung reagieren?

Ü31   Das Lachen

Lesen Sie den Text und sammeln Sie Informationen zu diesem Thema. Berücksichtigen Sie nur
die Sätze mit den kursiv gesetzten Umschreibungen und ersetzen Sie diese durch Modalverben.
Verkürzen Sie dabei die Sätze auf das Wesentliche. Die Ideengeber (z. B. Aristoteles) brauchen
nicht genannt zu werden.

Schon seit der Antike *versuchen* Philosophen herauszufinden, warum der Mensch lacht:
Aristoteles *war der Meinung, dass* das Lachen den Menschen vom Tier unterscheidet.
Auch Tiere, z. B. Affen, sind zu *lachen imstande.* Evolutionsbiologen *behaupten, dass* das
Lachen zunächst eine Art Drohgebärde (Zähnefletschen) gegenüber Feinden gewesen ist
5   und sich innerhalb einer Gruppe entwickelt hat. *Dahinter stand der Wunsch,* Konflikte im
Zusammenleben zu vermeiden. Nach Meinung anderer Wissenschaftler ist Lachen *vermutlich*
eine anarchische Reaktion des Menschen, denn durch Auslachen *lassen sich* Autoritäten in
Frage stellen. Wie auch immer: Lachen *ist* im Zusammenhang mit dem Sozialgefüge zu sehen:
Die bäuerliche Gesellschaft kennt eine Lachkultur, nicht aber die bürgerliche; Frauen lachen
10   mehr als Männer, Untergebene mehr als ihre Chefs. Die Mediziner *behaupten, dass* Lachen
gesund ist, weil es ihrer Meinung nach den Stoffwechsel des Körpers positiv zu beeinflussen
vermag. Angeblich wird sogar die Gefahr von Herzinfarkten durch Lachen verringert. So *ist
es* inzwischen *gelungen,* erfolgreiche Lachtherapien zu entwickeln. Lachen *ist* oft nur schwer
zu kontrollieren. *Es ist* sogar *möglich, dass* es zu einem Lachkrampf führt. Dabei *bleibt nichts
15   anderes übrig, als* einfach weiter zu lachen, *es gelingt* gar nicht mehr aufzuhören. Und Lachen
vermag auch andere anzustecken, sodass schließlich eine ganze Gruppe lacht. Lachen ist
vermutlich auch kulturell bedingt: So gibt es Witze, über die nur Menschen einer bestimmten
Kultur zu lachen *fähig sind,* andere aber nicht. Wie *sich* aus dem Gesagten erkennen *lässt,* ist
Lachen ein komplexes Phänomen und nicht nur für Wissenschaftler interessant.

→ *Schon seit der Antike wollen Philosophen herausfinden, warum der Mensch lacht. ...*

Ü32   Wer eignet sich zum Wissenschaftler?

Erklären Sie jemandem die Bedeutung des folgenden Textes, indem Sie die Modalverben umschreiben.

Das Leben von Wissenschaftlern *soll* sehr aufregend und befriedigend sein. In Wirklichkeit jedoch *müssen* Wissenschaftler oft mit Enttäuschungen und Rückschlägen fertig werden. Nur selten *können* sie die Befriedigung über eine gelungene Arbeit auskosten. Selbst Sigmund Freud *will* dieses „ozeanische Gefühl" nicht oft erlebt haben.

5   Welche Fähigkeiten *müssen* Wissenschaftler haben? Voraussetzung ist, dass sie ausdauernd und methodisch forschen *können*. Auch hat sich jeder selbst zu prüfen, ob er gründlich und sorgfältig arbeiten *will* und *kann*. Diese Anforderungen *dürften* so manchen Nachwuchswissenschaftler überfordern. Deshalb *sollten* junge Wissenschaftler die eigenen Fähigkeiten sehr kritisch überprüfen und die Wissenschaft unter Umständen aufgeben. So mancher *dürfte*

10   sich nach dem Rückzug aus der wissenschaftlichen Arbeit richtiggehend befreit fühlen.

→ *Nach verbreiteter Meinung ist das Leben von Wissenschaftlern sehr aufregend und befriedigend. ...*

Ü33   Charles Darwin (1809–1882)

Was bedeuten die kursiv gedruckten Modalverben? Ersetzen Sie diese durch Umschreibungen.

Man *darf* Charles Darwin zu den bekanntesten Naturforschern des 19. Jahrhunderts zählen. Zeitgenössische Kritiker Darwins sagten, er sei ein guter Beobachter, aber er *könne* nicht argumentieren. Dennoch: Sein Buch „Die Entstehung der Arten" hätte keinen so großen Erfolg gehabt, wenn er nicht überzeugend hätte argumentieren *können*. Darwins Argumente *können*

5   zudem durchaus nachvollzogen werden. Im Jahre 1831 *konnte* Darwin eine Weltumseglung begleiten. Zuerst *soll* aber ein anderer Naturforscher für diese Reise ausgewählt worden sein. Erst als dieser von der Reise zurücktrat, wählte man Darwin aus. Diese Reise *soll* das spätere Leben und Denken dieses Mannes bestimmt haben. Auf der Weltumseglung *konnte* Darwin viele faszinierende Entdeckungen machen, die die Naturforschung in höchstem Maße bereichert

10   haben. Wenn er auch nicht das Phänomen der Evolution entdeckte, so *dürfte* er auf dieser Reise schon auf das Problem der Entstehung der Tierarten gestoßen sein. Diese Reise *muss* seine Gedankenwelt entscheidend beeinflusst haben, denn was er in der Folge publizierte, wird zu Recht als Vorbereitung zur „Entstehung der Arten" angesehen. Nach dieser Reise *konnte* die Darwinsche „Revolution" nicht mehr aufgehalten werden.

(nach: *F. M. Wuketits:* Charles Darwin – der stille Revolutionär)

→ *Es ist berechtigt, Charles Darwin zu den bekanntesten Naturforschern des 19. Jahrhunderts zu zählen. ...*

§ 9 Modalverbähnliche Verben mit dem Infinitiv

I Modalverbähnliche Verben mit dem Infinitiv ohne *zu*

(1) Sie **hört/hörte** den Motor plötzlich **aufheulen**.
Sie **hat/hatte** den Motor plötzlich **aufheulen hören**.
Sie sagt, dass sie den Motor plötzlich **hat/hatte aufheulen hören**.

(2) Der Prüfer **lässt/ließ** den Fahrschüler den Rückwärtsgang **einlegen**.
Der Prüfer **hat/hatte** den Fahrschüler den Rückwärtsgang **einlegen lassen**.
Ich habe gesehen, dass der Prüfer den Fahrschüler den Rückwärtsgang
hat/hatte einlegen lassen.

(3) Der junge Mann **lernt/lernte** rückwärts **einparken**.
Der junge Mann **hat/hatte** rückwärts **einparken gelernt**.
Ich habe beobachtet, wie der junge Mann rückwärts **einparken gelernt hat**.

(4) Der Fahrlehrer **geht/ging** zwischendurch **telefonieren**.
Der Fahrlehrer **ist/war** zwischendurch **telefonieren gegangen**.
Ich habe gesehen, dass der Fahrlehrer zwischendurch **telefonieren gegangen ist**.

(5) Der Fahrschüler **bleibt/blieb** währenddessen im Auto **sitzen**.

(6) Der Fahrschüler **ist/war** währenddessen im Auto **sitzen geblieben**.

Einige Verben können wie modale Hilfsverben gebraucht werden und den Inhalt einer
Aussage modifizieren. Sie stehen dann mit dem Infinitiv ohne *zu* (1)-(5).
Folgende Verben können als modale Hilfsverben mit dem Infinitiv eines Vollverbs
verbunden werden:

- Verben der Wahrnehmung: *sehen, hören, fühlen, spüren* (1)
- Verben der Veranlassung: *lassen, schicken* (2)
- die Verben *haben, helfen, lehren, lernen* (3)
- Verben der Fortbewegung: *fahren, gehen, kommen* (4)
- das Verb *bleiben* in Verbindung mit Verben wie *stehen, sitzen, liegen,
  hängen, stecken, kleben, wohnen, bestehen* (5).

Diese Verben können mit einer (1) oder mit zwei (2) Akkusativergänzungen gebraucht werden, das Verb *lernen* und die Verben der Bewegung stehen meist ohne Akkusativergänzungen (3) (4). Diese modalverbähnlichen Verben bilden kein Passiv.

In Perfekt und Plusquamperfekt stehen die Verben *helfen*, *hören*, *lassen* und *sehen* wie Modalverben als Infinitiv am Satzende, im Nebensatz tritt die finite Verbform vor die beiden Infinitive (1) (2).

Bei den übrigen Verben steht in Perfekt und Plusquamperfekt das Partizip Perfekt am Satzende (3) (4) (6), im Nebensatz hat die finite Verbform Endstellung (3) (4).

Die Verben der Fortbewegung (*fahren*, *gehen*, *kommen*) und *bleiben* bilden das Perfekt mit *sein* (4) (5).

Mit den Verben *helfen*, *lehren*, *lernen* und *schicken* können auch Infinitivsätze mit dem Infinitiv mit *zu* gebildet werden:

Der junge Mann **lernt** schnell rückwärts **einparken**.
Der junge Mann **lernt** schnell(,) rückwärts **einzuparken**.

Der Fahrlehrer **hilft** dem Prüfer die Prüfungsbögen **austeilen**.
Der Fahrlehrer **hilft** dem Prüfer(,) die Prüfungsbögen **auszuteilen**.

(Passivumschreibung mit *lassen* vgl. §5 S. 86 ff.)

Ü1   In einer Fahrschule

Bilden Sie Sätze im Präsens.

Ein Fahrschüler erklärt Verkehrsschilder. (der Fahrlehrer / lassen)
Der Fahrlehrer lässt einen Fahrschüler Verkehrsschilder erklären.

1. Die Fahrschüler füllen die Anmeldebögen aus. (der Fahrlehrer / helfen)
2. Ein Fahrschüler buchstabiert seinen schwierigen Namen. (er / lassen)
3. Ein anderer Fahrschüler holt den Autoschlüssel. (er / schicken)
4. Ein neuer Fahrschüler fährt gerade am Berg an. (lernen)
5. Ein junger Mann läuft aufgeregt hin und her. (der Prüfer / sehen)
6. Er spricht mit anderen über die bevorstehende Fahrprüfung. (der Prüfer / hören)
7. Nach der Prüfung holt ein Vater seinen Sohn ab. (kommen)
8. Die anderen trinken noch zusammen Kaffee. (gehen)

Ü2   Flugbetrieb

Bilden Sie Sätze im Perfekt.

Der letzte Passagier ist eingestiegen. (die Stewardess / sehen)
Die Stewardess hat den letzten Passagier einsteigen sehen.

1. Die Passagiere haben über die Verspätung geschimpft. (das Bodenpersonal / hören)
2. Einige Flugzeuge sind auf dem Rollfeld gelandet. (Passagiere / sehen)
3. Gestern Abend haben die Piloten mit Freunden gegessen. (gehen)
4. Sie haben dann noch lange an der Hotelbar gesessen. (bleiben)
5. Der Kopilot ist schon oft gestartet und gelandet. (der Pilot / lassen)
6. Der Kopilot ist schon früh geflogen. (lernen)

Das Verb *lassen* (= veranlassen, auffordern) (vgl. §5 S. 86 ff.)

Ü3 Erziehungsentscheidungen (1)

Sagen Sie mit Hilfe des Verbs *lassen*, was Eltern veranlassen.

Die Eltern veranlassen, dass ihr Sohn eine gute Schule besucht.

Die Eltern lassen ihren Sohn eine gute Schule besuchen.

1. dass er in einem Verein Sport treibt.
2. dass er in den Ferien einen Sprachkurs im Ausland macht.
3. dass er ein Instrument spielt.
4. dass er in einer Privatschule zeichnen und malen lernt.

Das Verb *lassen* (= erlauben, zulassen) (vgl. §5 S. 86 ff.)

Ü4 Erziehungsentscheidungen (2)

Sagen Sie mit Hilfe des Verbs *lassen*, was Eltern ihrem Sohn nicht erlaubt haben.

Die Eltern haben ihrem Sohn nicht erlaubt, dass er viel fernsieht.

Die Eltern haben ihren Sohn nicht viel fernsehen lassen.

1. dass er den ganzen Abend mit seinen Freunden telefoniert.
2. dass er auf Partys geht.
3. dass er stundenlang im Internet surft.
4. dass er allein in die Ferien fährt.

Ü5 Erziehungsentscheidungen (3)

Schreiben Sie nun mit Hilfe des Verbs *lassen*, was Ihre Eltern veranlasst oder (nicht) erlaubt haben.

→ *Meine Eltern haben mich (nicht) ... lassen. ...*

Modalverbähnliche Verben mit dem Infinitiv eines Vollverbs und einem Modalverb

(1) Der Prüfer **will/wollte** den Prüfling nicht **durchfallen lassen**.
(2) Der Fahrschüler **hätte** den Motor nicht **ausgehen lassen dürfen**.
(3) Der Prüfer betonte, dass er den Prüfling nicht **habe durchfallen lassen wollen**.

Wenn zu einem modalverbähnlichen Verb (*lassen*) in Verbindung mit einem Vollverb (*durchfallen*) noch ein Modalverb (*wollen*) hinzukommt, bildet das Modalverb im Präsens und Präteritum die finiten Verbformen, das modalverbähnliche Verb steht als Infinitiv hinter dem Infinitiv des Vollverbs (1).
Perfekt und Plusquamperfekt werden immer mit *haben* gebildet und meist nur in Konjunktiv II (2) und Konjunktiv I (3) gebraucht. Das modalverbähnliche Verb steht als Infinitiv zwischen den beiden anderen Infinitiven (2). Im Nebensatz steht das finite Verb vor den Infinitiven (3). (Konjunktiv I vgl. §7 S. 113 ff.; Konjunktiv II vgl. §6 S. 93 f.)

Ü6 Eine Prüfungssituation (1)

Bilden Sie, wenn nicht anders angegeben, Sätze im Präsens.

Der Fahrschüler lässt sich prüfen. (wollen)
Der Fahrschüler will sich prüfen lassen.

1. Der Fahrschüler lernte Auto fahren. (unbedingt wollen, *Prät.*)
2. Man hört beim Schalten das Getriebe krachen. (nicht dürfen)
3. Der Fahrlehrer lässt keine Prüfungsbögen im Auto rumliegen. (wollen)
4. Der Prüfer lässt den Fahrschüler die Prüfung nicht bestehen. (können)
5. Der Fahrschüler lässt sich seine Enttäuschung nicht anmerken. (wollen)

Ü7 Eine Prüfungssituation (2)

Sagen Sie im Konjunktiv II der Vergangenheit, was der Prüfer bzw. der Fahrschüler (nicht) hätte tun müssen, dürfen oder können.

Der Prüfer ließ den Fahrschüler durchfallen. (nicht müssen)
Der Prüfer hätte den Fahrschüler nicht durchfallen lassen müssen.

1. Der Prüfer ließ den Fahrschüler eine halbe Stunde im Auto warten. (nicht dürfen)
2. Er ließ ihn mehrmals an einem steilen Berg anfahren. (nicht müssen)
3. Er ließ ihn in der Hauptverkehrszeit durch die Innenstadt fahren. (nicht müssen)
4. Der Prüfling ist mitten auf der Kreuzung stehen geblieben. (nicht dürfen)
5. Der Prüfer ließ den Fahrschüler die Prüfung nicht bestehen. (können)

II Modalverbähnliche Verben mit dem Infinitiv mit *zu*

(1) Für die Party **gibt/gab** es viel **zu tun**.
    Für die Party **hat/hatte** es viel **zu tun gegeben**.

(2) Die Gäste **scheinen/schienen** in bester Laune **zu sein**.
    Die Gäste **scheinen** in bester Laune **gewesen zu sein**.

Die meisten der in der Tabelle hier darunter aufgeführten Verben haben, wenn sie wie Hilfsverben gebraucht werden, modale Bedeutung (Notwendigkeit, Forderung, Möglichkeit). Perfekt und Plusquamperfekt werden mit dem Partizip Perfekt des modalverbähnlichen Verbs gebildet (1).

Das Verb *scheinen* bildet das Perfekt – wie Modalverben in subjektiver Aussage – mit dem Infinitiv Perfekt des Vollverbs (2).

Einige Verben sind Passivumschreibungen (1). (vgl. §5 S. 83 ff.)

Beispiele	Bedeutung	Verb
Wird seine Traumfrau heute auf der Party sein, oder wird er sie wieder nicht **zu sehen bekommen?**	möglich sein, eine Gelegenheit haben, etwas können	*bekommen / kriegen* (ugs.)
Ob er heute Abend endlich Erfolg haben wird, **bleibt abzuwarten.**	etwas tun müssen / sollen (Perfekt selten)	*bleiben*[1]
Doch diesmal **braucht** er auf seine Traumfrau **nicht** lange **zu warten.**	etwas nicht / nur / kaum müssen (Perfekt und Plusquamperfekt vorwiegend in Konjunktiv I und Konjunktiv II; in gespr. Sprache auch ohne *zu*)	*nicht / nur / kaum brauchen*[2]
Die Party **droht** für ihn eine Enttäuschung **zu werden.**	etwas Unangenehmes befürchten müssen (Perfekt selten)	*drohen*
Denn das Verhalten seiner Traumfrau **gibt** ihm **zu denken.**	jdn. zu etwas veranlassen	*geben*
Da **gibt** es noch viel **zu tun.**	etwas tun müssen / sollen	*es gibt*[1]
Er **gedenkt** seine Traumfrau **anzusprechen.**	etwas beabsichtigen / wollen (Perfekt selten; gehobener Sprachstil)	*gedenken*
Es **gilt abzuwarten.**	etwas tun müssen / sollen (Perfekt selten; gehobener Sprachstil)	*es gilt*[1]
Er **hatte** bisher nicht viel **zu lachen.**	etwas müssen / sollen / nicht dürfen, nur dürfen / können	*haben*
Es heißt einen guten Eindruck auf sie **zu machen.**	etwas tun müssen / sollen (kein Perfekt; wenig erweiterter Infinitiv auch ohne *zu* möglich)	*es heißt*[1]
Mit einem ihrer Bekannten **kam** er auf ihre zahlreichen Verehrer **zu sprechen.**	zu etwas Gelegenheit haben; mit etwas anfangen	*kommen auf*

Er wusste schon von ihnen, denn er **pflegt** seine Traumfrau immer mal wieder **anzurufen.**	die Gewohnheit haben (Perfekt selten)	*pflegen*
Auf der letzten Party haben sie sich lange unterhalten, aber heute **scheint** sie ihn völlig **zu übersehen.**	einen bestimmten Eindruck haben, den Anschein haben	*scheinen*
Eine Traumfrau **ist** eben nicht so leicht **zu erobern.**	etwas muss / soll / kann / darf nicht / darf nur getan werden	*sein*[1]
Es **steht zu befürchten**, dass seine Bemühungen umsonst sind.	etwas erwarten / befürchten müssen (Perfekt selten)	*stehen*[1]
Deshalb **sucht** er sie **zu vergessen.**	sich bemühen / etwas wollen (gehobener Sprachstil)	*suchen*
Er **traut sich** kaum sie anzuschauen.	zu etwas den Mut haben	*sich trauen*
Er **vermag** sich seine Gefühle nicht recht **zu erklären.**	zu etwas fähig sein, etwas können (meist negiert; gehobener Sprachstil)	*vermögen*
Für seine Traumfrau **verspricht** dieser Abend ein Erfolg **zu werden.**	positiv bevorstehen; unwillkürlich geschehen	*versprechen*
Sie **versteht** Männern den Kopf **zu verdrehen.**	zu etwas fähig sein, etwas können	*verstehen*
Leider **weiß** sie seine Qualitäten nicht **zu schätzen.**	zu etwas fähig sein, etwas können	*wissen*

[1] Passivumschreibung vgl. §5 S. 82 ff.
[2] *nicht/nur/kaum brauchen ... zu* vgl. §8 S. 131

Ü8 Betrugsfall vor dem Landgericht Düsseldorf

Bilden Sie Sätze mit Hilfe der in Klammern angegebenen Anweisungen und behalten Sie, wo nicht anders angegeben, die Zeitform der vorgegebenen Sätze bei.

Ein Vermögensverwalter kommt vor Gericht, weil er Geld veruntreut haben soll. Jahrelang hatte er die Vollmacht über die Finanzen eines wohlhabenden älteren Herrn. Dieser fordert nun das Geld zurück.

In der Verhandlung gibt der Kläger keine exakten Auskünfte über seine finanziellen Verhältnisse. (vermögen)
In der Verhandlung vermag der Kläger keine exakten Auskünfte über seine finanziellen Verhältnisse zu geben.

1. Offensichtlich hat er seine Einkünfte nur selten überprüft. (pflegen, *Prät.*)
2. Er hat den Vermögensverwalter nicht auf die fehlenden Geldbeträge angesprochen. (brauchen / nicht → nur, *Konj. II der Vgh.*)
3. Der angeklagte Vermögensverwalter hat seine Pflichten gegenüber dem Kläger vernachlässigt. (scheinen)
4. Er redet sich vor Gericht heraus. (verstehen)
5. Der Verteidiger des Angeklagten erklärt hinsichtlich der veruntreuten Geldsumme so manches. (→ Für den Verteidiger des Angeklagten ... / es gibt)
6. Die unterschiedlichen Standpunkte werden herausgearbeitet. (es gilt)
7. Der Verteidiger spricht auch über die unübersichtlichen Geldgeschäfte des Klägers. (kommen auf / über *entfällt*)
8. Der Angeklagte schätzt (wissen), was er an seinem Anwalt hat.
9. Der Anwalt des Klägers dagegen verteidigt seinen Mandanten nicht gut. (verstehen)
10. Es wird befürchtet (stehen), dass der Kläger sein Geld nur teilweise wiedersieht.
11. Daher verbirgt er seine Enttäuschung kaum. (vermögen)
12. Der Prozess wird eine Niederlage für ihn. (drohen)
13. Das Urteil des Landgerichts muss abgewartet werden. (bleiben)
14. Beide, Kläger und Angeklagter, lesen den Urteilsspruch zu gegebener Zeit. (bekommen)

Das Verb *nicht/nur/kaum brauchen ... zu* (= nicht/nur/kaum müssen)

(vgl. §8 S. 131)

Ü9 Im Studium: Arne bekommt gute Ratschläge von Paul
Bilden Sie Sätze mit *nicht/nur/kaum brauchen ... zu* entsprechend den Beispielen.

Arne: Ich muss den ganzen Tag in der Bibliothek sitzen.
Paul: Du brauchst nicht den ganzen Tag in der Bibliothek zu sitzen.

1. Ich muss den gesamten Stoff wiederholen.
2. Ich muss immerzu an die Prüfung denken.
3. Ich muss auf Partys verzichten.

Arne: Ich muss deine Hilfe beanspruchen. (mir nur sagen)
Paul: Du brauchst es mir nur zu sagen.

4. Ich muss die Hausarbeit ganz neu schreiben. (nur kürzen)
5. Ich muss mich auf die mündliche Prüfung vorbereiten. (kaum noch)
6. Ich muss noch früher aufstehen als bisher. (kaum früher)

Arne: Ich habe mich zu stark unter Druck gesetzt.

Paul: Du hättest dich nicht so stark unter Druck zu setzen brauchen.

7. Ich war sehr nervös.
8. Ich hatte Angst, dass mir die Zeit nicht reicht.
9. Ich habe die Arbeit zu früh abgegeben.

Ü10   „Hinterher ist man immer schlauer!" sagte der Kläger.

Lesen Sie die Übungssätze der oben stehenden Übung (Ü8) „Betrugsfall vor dem Landgericht" noch einmal und formulieren Sie möglichst viele Ratschläge für den Kläger mit *nicht/nur/ kaum brauchen ... zu.*

→ *Sie hätten Ihre Kontoauszüge nur öfter zu überprüfen brauchen! ...*

Die Verben *haben* und *sein*

(1) Die Aufsicht **hat** während der Prüfung für Ruhe **zu sorgen.**
    = Die Aufsicht muss während der Prüfung für Ruhe sorgen.

(2) Die Prüflinge **haben** möglichst leserlich **zu schreiben.**
    = Die Prüflinge sollen/sollten möglichst leserlich schreiben.

(3) In einer Prüfung **sind** nur zugelassene Hilfsmittel **zu benutzen.**
    = In einer Prüfung dürfen nur zugelassene Hilfsmittel benutzt werden.

(4) Aufregung **ist** kaum **zu vermeiden.**
    = Aufregung kann kaum vermieden werden.

haben + Infinitiv mit *zu* hat aktivische Bedeutung (1) (2), *sein* + Infinitiv mit *zu* hat passivische Bedeutung (3) (4).

Diese Konstruktionen, die vorwiegend im Amtsdeutsch verwendet werden, drücken eine Notwendigkeit (*müssen*) (1), eine Forderung (*sollen* im Indikativ) bzw. eine Empfehlung (*sollen*, auch im Konjunktiv II) (2), ein Verbot (*nicht dürfen*, abgeschwächt: *sollte nicht*) bzw. eine eingeschränkte Erlaubnis (*nur dürfen*) (3) oder eine Möglichkeit (*können*) (4) aus. Welche modale Bedeutung jeweils vorliegt, muss aus dem Kontext erschlossen werden, ist aber nicht immer eindeutig.

(Passivumschreibung mit *sein* + Infinitiv mit *zu* vgl. §5 S. 83 f.)

Das Verb *haben* + Infinitiv mit *zu* kommt in der Bedeutung von *können* auch in Redewendungen vor:

Redewendungen mit *haben* + Infinitiv mit *zu*

etw./nichts aufzuweisen **haben** (z. B. Erfolge)

nichts / nicht mehr viel zu erwarten **haben**

nichts / nicht viel zu lachen **haben**

nichts / nicht viel zu melden **haben**

etw./nichts zu sagen **haben**

sich (= D) viel / nichts mehr zu sagen **haben**

etw./nichts Besseres zu tun **haben**

nichts / nicht viel zu verlieren **haben**

Ü11   In einer Prüfung

Entscheiden Sie: *müssen/sollen/können/dürfen*? Aktiv oder Passiv?
Bilden Sie Sätze mit Modalverben.

Die Prüflinge sind vor Beginn der Prüfung über den Ablauf zu informieren.
Die Prüflinge müssen vor Beginn der Prüfung über den Ablauf informiert werden.

1. Nicht jeder Prüfling hat ein gutes Ergebnis zu erwarten.
2. Die Kandidaten haben Täuschungsversuche zu unterlassen.
3. Die Aufsicht hat nur die erlaubte Hilfestellung zu geben.
4. Die Prüfungsergebnisse sind oft nur schwer vorherzusagen.
5. Prüfungen sind nicht zu leicht zu nehmen.

Ü12   Aus einer Prüfungsordnung

Bilden Sie aus den Satzgliedern Sätze mit *haben* bzw. *sein* + Infinitiv mit *zu*.
Verwenden Sie dabei nicht das Subjekt *man*.

der Antrag auf Zulassung zur Prüfung / schriftlich einreichen
Der Antrag auf Zulassung zur Prüfung ist schriftlich einzureichen.

1. die Ablehnung eines Antrags / schriftlich / mitteilen
2. für die Zulassung zur Prüfung / der Prüfling / festgelegte Leistungsnachweise / vorlegen
3. nach der Zulassung / die Prüfung / innerhalb der vorgeschriebenen Frist / ablegen
4. der Prüfling / eine Fristüberschreitung / selbst / vertreten
5. bei Krankheit / er / ein ärztliches Attest / vorlegen
6. der Prüfungsausschuss / die Einhaltung der Prüfungsordnung / achten auf
7. das Ergebnis / dem Prüfling / im Anschluss an die mündliche Prüfung / mitteilen

III Gesamtübung

Ü13 Kinder brauchen Märchen

 Schreiben Sie mit Hilfe der in Klammern stehenden Verben einen zusammenhängenden Text im Präsens.

Märchen (helfen – erziehen) Kinder: Kinder (sich lassen – erzählen oder vorlesen) nämlich gern Märchen. Dabei (sehen – still sitzen) man sogar unruhige Kinder. Die komplexe moderne Welt (drohen – überfordern) Kinder. Deshalb (suchen – eintauchen) sie in die Märchenwelt, wobei sie die Märchen auf sich (lassen – wirken). Durch Märchen (scheinen – angesprochen werden) die Gefühle der Kinder stark. Dadurch (vermögen – anregen) sie auch die Fantasie der Kinder. Kinder (sehen – überwinden) die Märchenfiguren alle möglichen Gefahren: Märchen wie „Das tapfere Schneiderlein" (helfen – stärken) das Vertrauen der Kinder in ihre eigenen Kräfte. Und sie (sehen – hinausziehen / finden) „Hans im Glück" allein in die weite Welt und sein Glück. Die ausgleichende Gerechtigkeit und der gute Ausgang der Märchen geben den Kindern die Zuversicht, dass sie (brauchen – sich nicht fürchten). Außerdem (sich lassen – deuten) Märchen als Projektionen menschlicher Wünsche und Ängste. Die Welt der Märchen (helfen – bewältigen) den Kindern ihre Ängste. Denn trotz mancher Grausamkeiten (vermögen – stärken) Märchen das Vertrauen in einen sinnvollen Weltzusammenhang. Man könnte sogar sagen, dass Kinder die Welt durch Märchen besser (lernen – verstehen), weil die Märchenhandlungen den Kindern (geben – denken) und in ihrer Vorstellungswelt (bleiben – haften). Märchen (scheinen – beeindrucken) aber nicht nur Kinder im „Märchenalter".

→ *Märchen helfen Kinder (zu) erziehen: ...*

§10 Nominalisierung – Verbalisierung

I Nominalstil – Verbalstil

(1) Der Bachelor-Studiengang ist modular aufgebaut, man studiert entweder ein Haupt- und ein Nebenfach oder zwei Hauptfächer.

(2) Der modulare Aufbau des Bachelor-Studiengangs beinhaltet das Studium entweder eines Haupt- und eines Nebenfachs oder zweier Hauptfächer.

Im Verbalstil sind Verben und Nomen angemessen verteilt, die Verben haben eine starke Eigenbedeutung (1).

Im Nominalstil überwiegen nominale Ausdrücke, d. h. Nomen, oft mit Attributen oder als Zusammensetzungen. Hier sind die Nomen die Bedeutungsträger, während die Verben wenig Eigenbedeutung haben (2).

Der Verbalstil wirkt lebendiger und ist einfacher zu verstehen, während der Nominalstil abstrakter ist. Er wird oft in der Fach- und Wissenschaftssprache verwendet.

Verbalstil	← Transformation →	Nominalstil
Das Semester beginnt.	Subjekt → Genitivattribut	der Beginn **des Semesters**
Man begrüßt **die Studierenden**. **Die Studierenden** werden begrüßt.	Akkusativergänzung im Aktivsatz / Subjekt im Passivsatz → Genitivattribut	die Begrüßung **der Studierenden**
Der Rektor begrüßt die Studierenden.	Subjekt = Agens des Aktivsatzes → *durch* + A → *von* + D	die Begrüßung der Studierenden **durch den Rektor**
Studierende bewerben sich. Sie fertigen **Hausarbeiten** an.	Nominativ ohne Artikel → *von* + D	die Bewerbung **von Studierenden** die Anfertigung **von Hausarbeiten**
Der Rektor berichtet **dem Kultusministerium**.	Dativergänzung → Präpositionalattribut	der Bericht des Rektors **an das Kultusministerium**
Die Studierenden nehmen **an Seminaren** teil.	Präpositionalergänzung → Präpositionalattribut	die Teilnahme der Studierenden **an Seminaren**

Der Rektor fordert **mehr Geld**.	Akkusativergänzung wird bei einigen Verben → Präpositionalattribut	die Forderung des Rektors **nach mehr Geld**
Er weist auf Probleme hin.	Personalpronomen → Possessivartikel	**sein** Hinweis auf Probleme
Die Vorlesung beginnt **pünktlich**.	Adverb → Adjektiv	der **pünktliche** Beginn der Vorlesung
Die Studierenden sind **sehr motiviert**.	*sein* + Adjektiv → Nomen	die **hohe Motivation** der Studierenden
Vor dem Institut **darf nicht** geparkt werden.	Modalverben → Nomen mit modaler Bedeutung	Park**verbot** vor dem Institut
Während er einen **Vortrag** hält, ...	Feste Verb-Nomen-Verbindung → das zugehörige Verb entfällt	während seines **Vortrags**
Das **Semester beginnt**.\n\nim **Ausland studieren**	Nomen + Verb → Nomen + Nomen / zusammengesetztes Nomen\n(Das ist aber nicht immer möglich.)	der **Beginn des Semesters** / der **Semesterbeginn**\nein **Studium im Ausland** / ein **Auslandsstudium**

Ü1   Aufnahmen vom Körper: Die Computertomografie

Lesen Sie die beiden Texte genau. Welche stilistischen Unterschiede können Sie erkennen?

a) Eine Ärztin schreibt Folgendes in einer Fachzeitschrift:

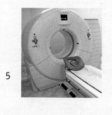

Bei der Computertomografie (CT) handelt es sich um die Bestrahlung von Gewebeabschnitten des Körpers mithilfe von Röntgenstrahlen und die anschließende compu- 10 terbasierte Zusammenfügung der Daten zu einem zwei- oder dreidimensionalen Bild. Das Verfahren erlaubt die wirkungsvolle Untersuchung von z. B. Tumoren, Knochenbrüchen oder Blutungen. Allerdings ist die hohe Strahlenbelastung von Nachteil.

b) Eine Ärztin erklärt ihrem Patienten in einem Aufklärungsgespräch Folgendes:

„Bei der Computertomografie wird der menschliche Körper mithilfe von Röntgenstrahlen untersucht. Aber im Unterschied zum Röntgengerät kann der Computertomograf den Körper mehrschichtig darstellen, denn er kann zwei- oder dreidimensionale Bilder erzeugen. Mithilfe dieser Technik können z. B. Tumoren, Blutungen oder Knochenbrüche genauer als beim Röntgen untersucht werden. Ein Nachteil ist, dass bei diesem Verfahren der Körper stark mit Strahlen belastet wird."

II Nominalisierung verbaler Ausdrücke

Ü2 Hochschulbetrieb (1)

Formulieren Sie nominale Ausdrücke.

Tutoren führen die Studienanfänger in ihr Fach ein.

die Einführung der Studienanfänger in ihr Fach durch Tutoren

1. Studierende suchen Wohnungen.
2. Studierende müssen sich versichern.
3. Das Semester wird feierlich eröffnet.
4. Die Zulassung für bestimmte Studienfächer ist beschränkt.
5. Die Studierenden kritisieren das Zulassungsverfahren.
6. Sie fordern bessere Studienbedingungen.
7. Alte Universitätsstädte sind beliebt.

Nominalisierung und Attribuierung

(1) Der Wohlstand **wächst.**
   - → das **Wachstum** des Wohlstands
   - → der **wachsende** Wohlstand

(2) Die Wirtschaftslage ist **stabil.**
   - → die **Stabilität** der Wirtschaftslage
   - → die **stabile** Wirtschaftslage

(3) Die Prognosen **treffen zu.**
   - → die **zutreffenden** Prognosen

(4) Die Arbeitslosenquote ist **niedrig.**
   - → die **niedrige** Arbeitslosenquote

Manche Verben und Adjektive kann man nominalisieren oder als Attribut in Form eines Partizips bzw. Adjektivs vor ein Nomen stellen (1) (2).
Bei manchen Verben und Adjektiven gibt es nur die zweite Möglichkeit (3) (4).

Ü3 Aus dem Wirtschaftsleben

Nominalisieren bzw. attribuieren Sie die Sätze. Prüfen Sie Variationsmöglichkeiten.

Die Produktion steigt.

die steigende Produktion / der Anstieg der Produktion

1. Die Preise werden spürbar gesenkt.
2. Die Wirtschaftspolitik ist erfolgreich.
3. Der Wirtschaftsminister ist einflussreich.
4. Eine Zinserhöhung steht bevor.
5. Die Zinspolitik ist fragwürdig.
6. Die Investitionsbereitschaft ist groß.
7. Eine Steigerung des Sozialprodukts wird erwartet. (eine → die)
8. Die Arbeitslosigkeit geht zurück.
9. Der Optimismus ist verständlich.

Ü4   Umfrage unter Jugendlichen: Wogegen würden Sie mal demonstrieren?
Nominalisieren Sie die verbalen Ausdrücke.

1. Michael Schmidt (17 Jahre):
   „Dagegen, dass die Steuern erhöht werden und dass Jugendliche nach
   der Ausbildung arbeitslos sind."
   Die Jugendlichen wollen demonstrieren ...
   gegen die Erhöhung von Steuern / gegen Steuererhöhungen und ...

2. Benjamin Becker (18 Jahre):
   „Dagegen, dass große Autos sehr viel Kraftstoff verbrauchen." (viel → hoch)

3. Sophie Koch (13 Jahre)
   „Dagegen, dass Tiere gequält werden und dass Tierversuche gemacht werden."

4. Eva Möller (20 Jahre):
   „Dagegen, dass die Ausbildungsbedingungen schlecht sind und dass das
   Lehrpersonal häufig nicht gut ausgebildet ist."

Ü5   Und wogegen würden Sie demonstrieren?
Sagen Sie es im Nominalstil.

   → *Ich würde demonstrieren ...*
   ... gegen die Bürokratisierung des Alltags ...

Ü6   Der Bürger im Staat

Vervollständigen Sie die Sätze mit einem nominalen Ausdruck.

Die Bürger möchten gesichert und geschützt leben. Der ... ist verständlich.
Der Wunsch der Bürger nach Sicherheit und Schutz ist verständlich.

1. Die Bürger können nur bei Wahlen Einfluss auf politische Prozesse nehmen.
   Die Bürger haben nur bei Wahlen die ...
2. Politiker und Journalisten informieren die Bürger oft unzureichend.
   Die ... ist oft unzureichend.
3. Die Bürger empören sich über die Verschwendung von Steuergeldern.
   Der Staat sollte die ... ernst nehmen.
4. Die Opposition fordert eine gründliche Überprüfung. Die ... ist begrüßenswert.
5. Alleinerziehende Mütter wünschen sich mehr Unterstützung. Der ... ist berechtigt.
6. Die Sozialleistungen können nicht mehr in dem bisherigen Umfang finanziert werden.
   Die ... ist nicht länger möglich.
7. Sozial Schwache müssen aber unterstützt werden. Ein Sozialstaat hat aber die ... zu
   gewährleisten.

III Verbalisierung nominaler Ausdrücke

(1) die **Bewerbung** vieler Abiturienten um einen Studienplatz in Heidelberg
→ Viele Abiturienten **bewerben** sich um einen Studienplatz in Heidelberg.

(2) die **Beliebtheit** Heidelbergs bei den Studierenden
→ Heidelberg **ist** bei den Studierenden **beliebt**.

Die Verbalisierung ist die Umkehrung der Nominalisierung: Ein nominaler Ausdruck wird in einen verbalen Ausdruck umgeformt, wobei das sinntragende Nomen zum Verb (1) bzw. zu einer Verbindung von Adjektiv + *sein* wird (2).

Ü7 Hochschulbetrieb (2)
Berichten Sie in Aktiv- bzw. Passivsätzen im Präsens.

das rechtzeitige Eintreffen der Studierenden am Studienort
Die Studierenden treffen rechtzeitig am Studienort ein.

1. Zimmervermittlung durch das Studierendenwerk
2. die Hoffnung vieler Studierender auf ein Stipendium
3. die Begabtenförderung durch verschiedene Stiftungen
4. der Wunsch vieler Studierender nach einem Auslandsstudium
5. der Dank des Rektors an die Studierendenvertreter für ihre Mitarbeit
6. der Wunsch der Studierenden nach noch stärkerer Mitbestimmung in den Hochschulgremien
7. die Hochschulfinanzierung durch die einzelnen Bundesländer

Ü8 Was sich die UNO auf ihre Fahnen geschrieben hat
Bilden Sie Passivsätze mit *sollen*.

Bekämpfung von Armut und Hunger
Armut und Hunger sollen bekämpft werden.

1. Gleichstellung der Geschlechter
2. stärkere Bildungsbeteiligung von Mädchen in den Entwicklungsländern
3. Senkung der Kindersterblichkeit
4. Verbesserung der Gesundheitsversorgung der Mütter
5. Bekämpfung von HIV/AIDS, Malaria und anderen Krankheiten
6. Sicherung der Versorgung mit hygienisch einwandfreiem Trinkwasser
7. Aufbau einer globalen Partnerschaft für Entwicklung

§ 11 Infinitivsätze

I Die Tempusformen

Gleichzeitigkeit und Vorzeitigkeit

(1) Der Richter bittet den Angeklagten, **sich** zum Tathergang **zu äußern.**
    = Der Richter bittet den Angeklagten, dass er sich zum Tathergang **äußert.**

(2) Der Angeklagte konnte damit rechnen, fair **behandelt zu werden.**
    = Der Angeklagte konnte damit rechnen, dass er fair **behandelt wurde.**

(3) Ihm kam zugute, nicht **vorbestraft zu sein.**
    = Ihm kam zugute, dass er nicht **vorbestraft war.**

(4) Er erinnert daran, beim Eintreffen der Polizei **stehen geblieben zu sein** und den
    Polizisten **zugewinkt zu haben.**
    = Er erinnert daran, dass er beim Eintreffen der Polizei **stehen geblieben ist**
      und den Polizisten **zugewinkt hat.**

(5) Er wunderte sich darüber, nicht schon früher **festgenommen worden zu sein.**
    = Er wunderte sich darüber, dass er nicht schon früher **festgenommen worden war.**

(6) Er gesteht, bei seiner Festnahme fast **erleichtert gewesen zu sein.**
    = Er gesteht, dass er bei seiner Festnahme fast **erleichtert war.**

(7) Die Polizei wartete lange darauf, ihn **festnehmen zu können.**
    = Die Polizei wartete lange darauf, dass sie ihn **festnehmen konnte.**

Infinitivsätze haben kein eigenes Subjekt. Sie beziehen sich auf eine Person oder Sache
im übergeordneten Satz.
Für Infinitivsätze gibt es nur zwei Zeiten: Infinitiv Präsens und Infinitiv Perfekt.
Welcher Infinitiv verwendet werden muss, hängt vom zeitlichen Verhältnis zwischen
Infinitiv- und übergeordnetem Satz ab:
• Bei Gleichzeitigkeit des Geschehens in Infinitiv- und übergeordnetem Satz wird für
  Gegenwart und Vergangenheit der Infinitiv Präsens Aktiv (1) bzw. der Infinitiv
  Präsens Passiv (2) (3) gebraucht.
• Bei Vorzeitigkeit des Infinitivsatzes wird der Infinitiv Perfekt Aktiv (4) bzw. der
  Infinitiv Perfekt Passiv (5) (6) gebraucht.
Gegenüber Infinitivsätzen im Perfekt Passiv werden oft *dass*-Sätze bevorzugt (5) (6).
Bei Infinitivsätzen mit Modalverb steht *zu* zwischen Haupt- und Modalverb (7).

Nach einer Reihe von Verben stehen fast ausschließlich Infinitivsätze:
z. B. *es ablehnen, anfangen, aufhören (damit), beabsichtigen, befehlen, beginnen, sich bemühen (darum), beschließen, sich entscheiden (dafür), sich entschließen (dazu), es gelingen, neigen (dazu), planen, probieren, (es) verbieten, vergessen, es vermeiden, versuchen, verzichten darauf, vorhaben, es wagen, sich weigern.*

Der Infinitiv Perfekt steht oft nach folgenden Verben:
z. B. *anklagen, anlasten, bedauern, behaupten, bekennen, bereuen, beschuldigen, bestreiten, sich eingestehen, sich entschuldigen (dafür/damit), sich entsinnen, sich erinnern (daran), erklären, gestehen, leugnen, versichern, vorhalten, vorwerfen, zugeben.*

(vgl. Anhang S. 337 ff.)

Ü1 Der Kaufhauserpresser Arno Funke alias Dagobert

Entscheiden Sie: Gleichzeitigkeit oder Vorzeitigkeit? Bilden Sie Infinitivsätze im Infinitiv Präsens bzw. Infinitiv Perfekt.

Arno Funke wird vorgeworfen, dass er von einem Berliner Kaufhaus eine hohe Geldsumme erpresst hat.
Arnold Funke wird vorgeworfen, von einem Berliner Kaufhaus eine hohe Geldsumme erpresst zu haben.

1. Er erinnert sich, dass er nach Erhalt des Geldes in der Welt herumgereist ist.
2. Später versuchte er, dass er durch Bombendrohungen Geld erpresste und seine inzwischen wieder leere Kasse füllte.
3. Er wollte vermeiden, dass er mit seinen Aktionen Menschenleben gefährdete.
4. Er gibt zu, dass er vom vielen Planen ziemlich gestresst war.
5. Das Gericht bescheinigt ihm, dass er intelligent sowie technisch und handwerklich begabt ist.
6. In den Monaten vor seiner Festnahme hielt er es für durchaus möglich, dass er irgendwann aufgeben und sich der Polizei stellen musste.
7. Zur Entschuldigung für seine Straftaten führt er an, dass er nach seiner berufsbedingten Arbeitsunfähigkeit als Lackierer kein Geld gehabt hat.
8. Er musste sich darauf einstellen, dass er zu einer mehrjährigen Haftstrafe verurteilt wurde.

Ü2 Liebeskummer

Ein junger Mann nimmt seinen ganzen Mut zusammen und schreibt in einer Mail an seine Angebetete, was ihn bewegt. Schließen Sie an die übergeordneten Sätze gleichzeitige und vorzeitige Infinitivsätze im Aktiv und Passiv an.

Ich ertrage es nicht, *von dir ignoriert zu werden.*

Ich hoffe sehr, *dir bald meine Liebe beweisen zu können.*

1. Ich habe vor, ...
2. Ich wünsche mir, ...
3. Es wäre so schön, ...
4. Ich habe mir gestern große Mühe gegeben, ...
5. Ich behaupte, ...
6. Jetzt habe ich Angst, ...

Ü3   Arno Funkes Gerichtsverhandlung

Arno Funke zeigt Reue. Lesen Sie dazu nochmals den Text aus Übung 1 und formulieren Sie in Infinitivsätzen, was er vor Gericht gesagt haben könnte. Sie können dabei auf die Verblisten im Anhang zurückgreifen.

> **Vorschläge für weitere übergeordnete Sätze:**
>
> Es ist mir wichtig, ... / Ich habe immer versucht, ... / Es tut mir leid, ... / Ich bereue, ...

→ *Ich bitte die Richter, milde beurteilt zu werden.*
  Ich habe vor, mich nach meiner Entlassung in gemeinnützigen Organisationen
  zu engagieren. ...

II Infinitiv-Sätze und *dass*-Sätze

(1) Heutzutage sind viele Menschen daran gewöhnt, ihren Arbeitsplatz öfter zu wechseln.

    = Heutzutage sind **viele Menschen** daran gewöhnt, dass **sie** ihren Arbeitsplatz öfter wechseln.

(2) Manchen Menschen gelingt es nicht, beruflich erfolgreich zu sein.

    = **Manchen Menschen** gelingt es nicht, dass **sie** beruflich erfolgreich sind.

(3) Im 19. Jahrhundert zwang man Kinder, in Fabriken zu arbeiten.

    = Im 19. Jahrhundert zwang man **Kinder**, dass **sie** in Fabriken arbeiteten.

(4) Es war das Schicksal der Industriearbeiter, in Armut zu leben.

    = Es war das Schicksal **der Industriearbeiter**, dass **sie** in Armut lebten.

(5) Ihr Leben bestand darin, täglich bis zu 18 Stunden zu arbeiten.

    = **Ihr** Leben bestand darin, dass **sie** täglich bis zu 18 Stunden arbeiteten.

(6) Im 19. Jahrhundert war es nicht üblich, Urlaub zu machen.

    = Im 19. Jahrhundert war **es** nicht üblich, dass **man** Urlaub machte.

(7) Die Gewerkschaften plädierten dafür, das soziale Elend zu mildern.

    = Die Gewerkschaften plädierten dafür, dass **man** das soziale Elend mildert.

(8a) Die Industriearbeiter empfanden es als große Ungerechtigkeit, **arm und benachteiligt zu sein.**

(8b) Die Industriearbeiter empfanden es als große Ungerechtigkeit, in Armut **leben zu müssen.**

(8c) Die Industriearbeiter empfanden es als große Ungerechtigkeit, arm **zu sein** und in Mietskasernen **zu wohnen.**

Infinitivsätze ohne Konjunktion entsprechen Nebensätzen mit der Konjunktion *dass*. Infinitivsätze werden mit dem Infinitiv + *zu* gebildet und haben kein eigenes Subjekt. Dieses ergibt sich aus dem übergeordneten Satz, wo es schon als Satzglied erscheint.

Infinitivsätze können gebildet werden, wenn das gedachte Subjekt des Infinitivsatzes, das im *dass*-Satz erkennbar ist (1)–(8), mit dem Subjekt (1), der Dativergänzung (2), der Akkusativergänzung (3), dem Attribut (4), dem Possessivartikel (5) oder der Präpositionalergänzung des übergeordneten Satzes identisch ist.

Infinitivsätze sind auch möglich, wenn dem gedachten Subjekt *man* eines Infinitivsatzes das Subjekt *es* vorausgeht (6).

Nach einigen Verben, die sich an die Allgemeinheit wenden, können Infinitivsätze stehen, das gedachte Subjekt des Infinitivsatzes ist dann *man* (z. B. *anordnen, auffordern (dazu), sich aussprechen dafür/dagegen, bitten (darum), empfehlen, erlauben, gestatten, plädieren dafür/dagegen, protestieren dagegen, raten (dazu), veranlassen (dazu), verbieten, vorschlagen, vorschreiben, warnen (davor)* (7).

Bezieht sich der Infinitiv + *zu* auf zwei oder mehrere voneinander unabhängige Adjektive oder Partizipien, braucht er nur einmal genannt zu werden (8a). Bei voneinander abhängigen Infinitiven steht *zu* vor dem letzten Infinitiv (8b). Bei mehreren voneinander unabhängigen Infinitiven muss *zu* vor jedem Infinitiv stehen (8c).

Infinitivsätze können nicht nur nach Verben (2) (3) (5) (7) stehen, sondern auch nach Adjektiven (6) und Partizipien (1) sowie nach Nomen (4) und nach Funktionsverbgefügen (8). (vgl. Anhang: Verben S. 337 ff.; Adjektive und Partizipien S. 344 ff.; Nomen S. 347 f.; Funktionsverbgefüge S. 349 ff.)

Infinitivsätze sind nicht möglich:
• nach vielen Verben des Sagens
  z. B. *antworten, berichten, erzählen, fragen, sagen;* Ausnahmen: z. B. *behaupten, erklären, versprechen*
• nach Verben der Wahrnehmung
  z. B. *auffallen, bemerken, beobachten, erfahren, erkennen, feststellen, hören, riechen, sehen, spüren, wahrnehmen*
• nach dem Verb *wissen*.

(Infinitiv- und *dass*-Sätze in Subjekt-, Objekt- und Attributsätzen vgl. §12)
(Infinitivsätze vgl. §13: *um ... zu* S. 189 ff.; *ohne ... zu* S. 195 f. und S. 206 f.; *(an)statt ... zu* S. 207 ff.)

Ü4   Einstellung zur Arbeit (1)

Entscheiden Sie: Infinitiv- oder *dass*-Satz? Bilden Sie, wenn möglich, Infinitivsätze.

Die Einstellung zur Arbeit hat sich im Laufe der Jahrhunderte gewandelt.
Man kann beobachten, *dass sich die Einstellung zur Arbeit im Laufe der Jahrhunderte gewandelt hat.*

Man hat der Arbeit nicht zu allen Zeiten eine überragende Bedeutung beigemessen.
Es war nicht zu allen Zeiten üblich, *der Arbeit eine überragende Bedeutung beizumessen.*

1. In der Antike führte nur die Beschäftigung mit Kunst und Wissenschaften zu gesellschaftlichem Ansehen.
   Man weiß, ...
2. Nur Männer aus der Oberschicht konnten politische Ämter ausüben.
   Nur Männer aus der Oberschicht hatten die Möglichkeit, ... (*können entfällt*)
3. Die Oberschicht war auf die Arbeit von Sklaven angewiesen.
   Es ist eine Tatsache, ...
4. Die Sklaven mussten hart arbeiten und konnten nicht frei leben.
   Es war das Schicksal der Sklaven, ...
5. Die Oberschicht beanspruchte die Arbeitskraft der Sklaven und verachtete sie gleichzeitig als Personen.
   Die Oberschicht hat es nicht als Widerspruch empfunden, ...
6. Die Sklaven wurden wie Waren gehandelt und galten als Sache und Eigentum ihres Herrn.
   Für die Sklaven war es entwürdigend, ...
7. Ein Sklavenhalter durfte über Leben und Tod seiner Sklaven entscheiden.
   Jeder Sklave wusste, ...
8. Auch noch in späteren Jahrhunderten hielt man Sklaven.
   Nach dem Völkerrecht ist es heute verboten, ...

Ü5   Fernunterricht

Berichten Sie von der 28-jährigen technischen Zeichnerin Mirjam Schaar, indem Sie aus den Angaben in Klammern Infinitivsätze oder, wenn das nicht möglich ist, *dass*-Sätze bilden.

Welche Absicht hat Mirjam Schaar? (Architektur studieren)
Mirjam Schaar hat die Absicht, Architektur zu studieren.

1. Was weiß sie? (ihr fehlen die Voraussetzungen)
2. Was bereut sie heute? (vorzeitig vom Gymnasium abgehen und nicht das Abitur machen)
3. Welche Information hat sie? (man / das Abitur in mehrjährigem Fernunterricht nachholen können)
4. Wozu ist sie entschlossen? (den Fehler ihrer Jugendzeit revidieren)
5. Worin besteht der Vorteil des Fernunterrichts für Mirjam? (zeitlich und räumlich flexibel sein)

6. In welcher glücklichen Lage ist sie als Ehefrau und Mutter von zwei Kindern? (von ihrer Familie unterstützt werden)
7. Wozu sind Ehepartner und Kinder bereit? (Aufgaben übernehmen und ihre Belastungen mittragen)
8. Worum will sie sich bemühen? (die Nachteile des individuellen Lernens beim Fernunterricht durch E-Learning abschwächen)
9. Was traut sie sich zu? (durchhalten können und mit einem guten Abitur einen Studienplatz sowie später auch einen Arbeitsplatz bekommen)

Ü6 Wünsche, Hoffnungen und Ängste von Jugendlichen

Stellen Sie sich vor, Sie sind Journalist(in) und befragen Jugendliche zu diesem Thema. Was für Antworten könnten Sie da bekommen? Sagen Sie es in gleichzeitigen und vorzeitigen Infinitivsätzen im Aktiv und Passiv.

→ *Jan wünscht sich, bei allen beliebt zu sein.*
Ole hofft, die Abschlussprüfung mit Auszeichnung bestanden zu haben und sich nicht um einen Studienplatz sorgen zu müssen.
Manuel hat keine Angst davor, in der Schule zu versagen.
...

Bildung von Infinitivsätzen auf dem Umweg einer Aktiv/Passiv-Transformation

Transformation Passiv → Aktiv

Es ist wichtig, dass Menschen nicht nur nach ihrer Arbeitsleistung **beurteilt werden**.
→ Es ist wichtig, dass **man** Menschen nicht nur nach ihrer Arbeitsleistung **beurteilt**.
→ Es ist wichtig, Menschen nicht nur nach ihrer Arbeitsleistung **zu beurteilen**.

Ü7 Einstellung zur Arbeit (2)

Bilden Sie Infinitivsätze nach dem obigen Beispiel.

In der Neuzeit wurde die Arbeit aufgewertet und zum Lebensinhalt gemacht.
In der Neuzeit fing man an, ...
die Arbeit aufzuwerten und zum Lebensinhalt zu machen.

1. Der Sinn des Lebens wurde im Arbeiten gesehen.
   Erst in der Neuzeit wurde es üblich, ...
2. Diese Einschätzung der Arbeit wird heute nicht mehr von allen geteilt.
   In unserer heutigen „Spaßgesellschaft" neigen nicht mehr alle dazu, ... (nicht *entfällt*).
3. Inzwischen werden Urlaub, Freizeit und Spaß oft in den Vordergrund gestellt. (oft *entfällt*).
   Inzwischen ist es schon fast selbstverständlich, ...

Transformation Aktiv → Passiv

Ein Arbeitnehmer kann erwarten, dass seine Vorgesetzten ihn **unterstützen**.

→ **Ein Arbeitnehmer** kann erwarten, dass **er** von seinen Vorgesetzten **unterstützt wird**.

→ Ein Arbeitnehmer kann erwarten, von seinen Vorgesetzten **unterstützt zu werden**.

Ü8   Arbeitnehmer – Chef

Bilden Sie Infinitivsätze nach dem obigen Beispiel. Das Agens kann entfallen.

Ein Arbeitnehmer darf erwarten, dass sein Chef ihn auch als Mensch achtet.
Ein Arbeitnehmer darf erwarten, *auch als Mensch geachtet zu werden*.

1. Jeder Arbeitnehmer wünscht sich, dass sein Chef ihn bei Beförderungen berücksichtigt.
   Jeder Arbeitnehmer wünscht sich, ...

2. Natürlich haben viele Arbeitnehmer die Erwartung, dass ihr Chef sie wegen ihrer hohen Leistungsbereitschaft befördert.
   Natürlich haben viele Arbeitnehmer die Erwartung, ...

3. Mancher Arbeitnehmer hofft vielleicht darauf, dass sein Chef ihn mal vor allen Kollegen lobt.
   Mancher Arbeitnehmer hofft vielleicht darauf, ...

III Die Stellung des Infinitivsatzes

(1a) In sozialen Berufen ist **es** wichtig, mit Menschen gut umgehen zu können.
     Mit Menschen gut umgehen zu können(,) ist in sozialen Berufen wichtig.
     Mit Menschen gut umgehen zu können, **das** ist in sozialen Berufen wichtig.

(1b) Viele Jungen träumen **davon**, als Fußballprofi Karriere zu machen.
     Als Fußballprofi Karriere zu machen, **davon** träumen viele Jugendliche.

(2) Motivierend ist die Aussicht, mit einem qualifizierten Abschluss einen Arbeitsplatz zu finden.
     Die Aussicht, mit einem qualifizierten Abschluss einen Arbeitsplatz zu finden, ist motivierend.

(3) Jeder sollte versuchen, Stress am Arbeitsplatz zu vermeiden.
     Jeder sollte Stress am Arbeitsplatz zu vermeiden versuchen.
     Stress am Arbeitsplatz zu vermeiden, **das** sollte jeder versuchen.

Infinitivsätze werden meist nachgestellt, können aber durch Umstellung hervorgehoben werden und sind dann gehobener Sprachstil. Es gibt verschiedene Möglichkeiten der Umstellung:
• Infinitivsätze können vorangestellt werden (1)
• Infinitivsätze, die von Nomen abhängig sind, können im übergeordneten Satz gleich hinter das Nomen gestellt werden (2)
• Infinitivsätze können auf unterschiedliche Weise in den übergeordneten Satz eingebaut werden (3).

Ü9   Berufswahl

Verändern Sie die Stellung des Infinitivs. Manchmal gibt es mehr als eine Möglichkeit.

Viele Mädchen haben die Absicht, Kauffrau oder Bankkauffrau zu werden.

Die Absicht, Kauffrau oder Bankkauffrau zu werden, haben viele Mädchen.
Kauffrau oder Bankkauffrau zu werden, diese Absicht haben viele Mädchen.

1. Viele kleine Jungen träumen davon, Rennfahrer oder KFZ-Mechaniker zu werden.
2. Für den Ingenieurberuf ist es unerlässlich, technisches Verständnis zu haben.
3. Voraussetzung dafür ist die Fähigkeit, beispielsweise die Konstruktion einer Maschine zu verstehen.
4. Es gilt, in Krisenzeiten den Arbeitsmarkt aufmerksam zu beobachten.
5. Man darf nicht zögern, berufsfremde Arbeit anzunehmen.
6. Man sollte in diesem Fall die Chance nutzen, auch andere Berufsfelder kennenzulernen.

Ü10   Anforderungen für Ihren Wunschberuf

Beschreiben Sie nun mit Hilfe von Infinitivsätzen, welche Anforderungen für Ihren Wunschberuf wichtig sind. Variieren Sie dabei die Stellung des Infinitivs.

→ *In meinem Beruf wird viel Wert darauf gelegt, immer pünktlich zu sein.*
  Immer pünktlich zu sein, darauf wird in meinem Beruf viel Wert gelegt. ...

§ 12 Subjektsätze, Objektsätze und Attributsätze

I   Indirekte Fragesätze mit Fragewörtern und der Konjunktion *ob*
II   Objektsätze, Subjektsätze und Attributsätze
III Gesamtübungen

I Indirekte Fragesätze mit Fragewörtern und der Konjunktion *ob*

(1) **Warum** passieren so viele Tankerunfälle?
   → Experten ist klar, **warum** so viele Tankerunfälle passieren.

(2) **Mit welchen** ökologischen Folgen muss gerechnet werden?
   → Viele stellen die Frage, **mit welchen** ökologischen Folgen gerechnet werden muss.

(3) **Ist** schon wieder ein Tankerunfall **passiert**?
   → Jemand fragt, **ob** schon wieder ein Tankerunfall passiert ist.

Indirekte Fragesätze, die Ergänzungsfragen wiedergeben, die also z.B. nach dem
Warum? Wann? Wie? Wofür? eines Sachverhalts fragen (= *W*-Fragen), werden mit
Fragewort (+ Präposition) eingeleitet (1) (2).
Indirekte Fragesätze, die Entscheidungsfragen wiedergeben, die also danach fragen,
ob ein Sachverhalt zutrifft oder nicht (= *Ja/Nein*-Fragen), werden mit der Konjunktion
ob eingeleitet (3).

Ü1   **Tankerunfälle**
Entscheiden Sie: Fragewort oder Konjunktion *ob*?

Wie viele schwere Tankerunfälle haben sich in den letzten Jahren ereignet?
Experten können Auskunft darüber geben, *wie viele schwere Tankerunfälle sich in den
letzten Jahren ereignet haben.*

1. Gibt es besonders gefährliche Tankerrouten? Viele fragen, ...

2. Wohin wird das Öl hauptsächlich transportiert?
   Jemand möchte wissen, ...

3. Werden die vorgeschriebenen Routen immer eingehalten?
   Es wäre interessant zu wissen, ...

4. Auf welche Weise kann der Öltransport sicherer gemacht werden?
   Man muss überlegen, ...

5. Könnte der Schaden nicht dadurch begrenzt werden, dass Öl auf kleineren Tankern
   transportiert wird? Man muss sich fragen, ...

Indirekte Fragesätze mit *ob* oder *dass*

(1) Wissen Sie, **ob** Frau Müller viel arbeitet?

  = Der Fragende weiß nicht, **ob** Frau Müller viel arbeitet oder nicht.

(2) Aber Frau Müllers Mann kann Ihnen sagen, **ob** sie viel arbeitet oder nicht:
Sie arbeitet viel.

(3) Ihrem Chef ist es bestimmt nicht gleichgültig, **ob** sie viel arbeitet (oder nicht).

(4) Wissen Sie, **dass** Frau Müller viel arbeitet?

  = Der Fragende weiß, **dass** Frau Müller viel arbeitet.

(5) Nein, ich wusste bisher nicht, **dass** Frau Müller viel arbeitet.

(6) Ich halte es aber für möglich/wahrscheinlich, **dass** sie viel arbeitet.

Die Konjunktion *ob* steht bei fraglichen Sachverhalten mit einer Alternative, wobei offen
bleibt, ob die Alternative zutrifft oder nicht (1).
ob steht auch, wenn von zwei oder mehr Alternativen die zutreffende bekannt ist (2)
sowie nach Ausdrücken der (negierten) Gleichgültigkeit (3).
Die Konjunktion *dass* steht bei eindeutig zutreffenden bzw. nicht zutreffenden
Sachverhalten ohne Alternative (4) (5) und bei Vermutungen, d. h. bei Sachverhalten,
die für unmöglich/möglich oder unwahrscheinlich/wahrscheinlich gehalten werden (6).

Ü2   Ist Frau Müller ein Workaholic?

Entscheiden Sie: *dass* oder *ob*? Anna und Carla, zwei besorgte Kolleginnen, unterhalten sich.

Anna: Arbeitet Frau Müller immer so viel?

Carla: Es ist möglich, _dass_ sie immer so viel arbeitet.

  Ihre Chefin weiß bestimmt, _ob_ sie immer oder nur manchmal so viel arbeitet.

1. *Anna:*   Nimmt sie sich am Wochenende Arbeit mit nach Hause?

  Carla: Ihr Mann könnte uns sicher sagen, _____ sie an den Wochenenden zu
Hause arbeitet.

2. *Anna:*   Macht sie keinen Urlaub?

  Carla: Ich weiß nicht, _____ sie in diesem Jahr Urlaub macht.

  Ich weiß nur, _____ sie im letzten Jahr mit ihrem Mann am Meer war.

3. *Anna:*   Wissen Sie, _____ sie irgendwelche Hobbys hat?

  Carla: Wissen Sie denn nicht, _____ sie Tennis spielt?

  Anna: Nein, ich wusste nicht, _____ sie Tennis spielt.

  Carla: Ich wüsste gern, _____ sie noch weitere Hobbys hat.

4. *Anna:*   Wundern Sie sich denn nicht, _____ ihr Mann ihren übertriebenen
Arbeitseifer akzeptiert?

  Carla: Ich bin gar nicht so sicher, _____ ihr Mann ihren Lebensstil akzeptiert.

  Ich glaube eher, _____ er darunter leidet.

  Ich kann nicht gerade behaupten, _____ er einen glücklichen
Eindruck macht.

5. *Anna:* Glauben Sie, _____ man ihren Arbeitseifer schon als Sucht bezeichnen kann?
   Carla: Ich glaube schon, _____ es eine Art Sucht ist.

6. *Anna:* Hat sie schon mal mit einem Psychologen darüber gesprochen?
   Carla: Ich habe keine Ahnung, ____ sie sich schon mal an einen Psychologen gewandt hat.
   Aber ihr Mann weiß vermutlich, _____ sie schon mal bei einer Beratung war.

7. *Anna:* Meinen Sie, _____ es sich hier vor allem um Ehrgeiz handelt?
   Carla: Zum Teil schon, aber ich habe Zweifel, ____ es das allein ist.

II Objektsätze, Subjektsätze und Attributsätze

(1) Manchen Menschen machen **längere Arbeitszeiten** nichts aus.
   → Manchen Menschen macht **es** nichts aus, **länger zu arbeiten.**

(2a) Andere fordern **mehr Freizeit.**
   → Andere fordern, dass **ihnen mehr Freizeit zugestanden wird.**

(2b) Viele Menschen berichten gern **von ihren beruflichen Erfolgen.**
   → Viele Menschen berichten gern **davon, wie erfolgreich sie im Beruf sind.**

(3) Jedes Jahr gibt es Tarifgespräche **über Lohnerhöhungen.**
   → Jedes Jahr gibt es Tarifgespräche **darüber, ob die Löhne erhöht werden.**

Satzglieder können aus einem Satz ausgegliedert und zu Nebensätzen gemacht werden,
d. h., Subjekte können zu Subjektsätzen (1), Akkusativ-, Dativ-, Genitiv- und Präpositional-
ergänzungen (Objekte) zu Objektsätzen (2) und Attribute zu Attributsätzen (3) werden.
Bei dieser Umformung wird das betreffende Satzglied verbalisiert.
Umgekehrt können Nebensätze nominalisiert werden.
Inhaltlich besteht zwischen diesen Sätzen kein Unterschied.
Stilistisch sind nominale Varianten eher schriftlichen Äußerungen vorbehalten.
Subjekt-, Objekt- und Attributsätze können mit den Konjunktionen *dass* (2a) oder
ob (= fragend) (3) oder mit Fragewörtern (2b) eingeleitet werden; sie können aber auch
Infinitivsätze sein (1).
Anstelle des ausgegliederten Satzglieds steht im übergeordneten Satz manchmal ein
sogenanntes Korrelat (*es* bzw. Pronominaladverb *da(r)* + Präposition) als Hinweis auf den
folgenden Nebensatz. Ob ein Korrelat obligatorisch, fakultativ oder nicht zugelassen ist,
ist jeweils festgelegt.
(Korrelate vgl. Anhang S. 337 ff.)
Infinitivsätze, die von einem Korrelat abhängen (1) (*es*) (2b) (*davon*) oder von einem Verweiswort
(*Länger zu arbeiten, **das** macht manchen Menschen nichts aus.*), grenzt man durch ein
Komma ab. In allen anderen Fällen kann ein Komma gesetzt werden, um die Satzstruktur
zu verdeutlichen.
(Nominalisierung und Verbalisierung vgl. § 10; Infinitivsätze vgl. § 11)

Subjektsätze

(1)   **Energiesparen** ist sinnvoll.

(1a) → **Es** ist sinnvoll, **Energie zu sparen.**

(1b) → Sinnvoll ist **(es)**, **Energie zu sparen.**

(1c) → Natürlich ist **es** jedem möglich, **Energie zu sparen.**

(2)   Vielen Leuten gefällt **Energiesparen** nicht.

→ Vielen Leuten gefällt **es** nicht, **Energie zu sparen.**

(3)   **Der verschwenderische Umgang der Menschen mit Energie** ärgert Umweltschützer.

→ Umweltschützer ärgert **(es)**, **dass die Menschen verschwenderisch mit Energie umgehen.**

(4)   Uns bleibt nichts anderes übrig als **der verstärkte Einsatz erneuerbarer Energien.**

→ Uns bleibt nichts anderes übrig, als **erneuerbare Energien verstärkt einzusetzen.**

es kann immer am Satzanfang stehen (1a). Tritt ein anderes Satzglied an den Satzanfang, ist *es* bei Adjektiven, Partizipien und Nomen + *sein* fakultativ (1b), in erweiterten Sätzen aber notwendig (1c).

Bei Vollverben ist *es* im Satzinnern – je nach Verb – obligatorisch (2), fakultativ (3) oder nicht möglich (4).

Wenn das Subjekt eines Satzes zum Nebensatz (= Subjektsatz) wird, tritt im übergeordneten Satz an die Stelle des Subjekts oft das Korrelat *es* als Hinweis auf den folgenden Nebensatz.

Ü3   **Wie verhält man sich als energie- und umweltbewusster Verbraucher?**

a)   Formen Sie die Subjekte in Infinitivsätze um.

Energiesparen ist angesichts der auslaufenden Energievorräte unerlässlich.

Angesichts der auslaufenden Energievorräte ist es unerlässlich, Energie zu sparen.

1. Eine Senkung des Energieverbrauchs ist in jedem Haushalt möglich.
2. Die Isolation der Außenwände bleibt keinem energiebewussten Hausbesitzer erspart.
3. Die Installation einer Brennwertheizung empfiehlt sich ebenfalls.
4. Der Einbau von Doppelglasfenstern macht sich auf jeden Fall bezahlt.

b)   Formen Sie die Infinitivsätze in Subjekte um.

Nicht nur beim Einkaufen ist es ratsam, sich umweltbewusst zu verhalten.

Nicht nur beim Einkaufen ist umweltbewusstes Verhalten ratsam.

1. Es versteht sich von selbst, auf überflüssige Verpackungen zu verzichten.
2. Außerdem bietet es sich an, Agrarerzeugnisse aus biologischem Anbau zu kaufen.
3. Es hat manchmal Erfolg, umweltschädliche Produkte zu boykottieren.
4. Jedem ist es zumutbar, die Haushaltsabfälle richtig zu entsorgen.

Objektsätze

(1) Viele Menschen halten **Nichtstun** nicht lange aus.
     Viele Menschen halten **es** nicht lange aus, **nichts zu tun.**

(2) Andere sind **an Stress** gewöhnt.
     Andere sind **daran** gewöhnt, **im Stress zu sein.**

(3) Manche beklagen **die ständig zunehmende Arbeitsbelastung.**
     Manche beklagen (**es**), **dass die Arbeitsbelastung ständig zunimmt.**

(4) Aber viele Arbeitnehmer sind auch **zu Überstunden** bereit.
     Aber viele Arbeitnehmer sind auch (**dazu**) bereit, **Überstunden zu machen.**

(5) Andere fordern **eine Verkürzung der Arbeitszeit.**
     Andere fordern, **dass die Arbeitszeit verkürzt wird.**

Wenn die Akkusativergänzung oder die Präpositionalergänzung eines Satzes zum
Nebensatz wird (= Objektsatz), tritt im übergeordneten Satz an die Stelle der
Akkusativergänzung oft das Korrelat *es* (1) (3), an die Stelle der Präpositionalergänzung
ein Pronominaladverb (*da(r)* + Präposition) (2) (4) als Korrelat.
Das Korrelat weist jeweils auf den nachfolgenden Nebensatz hin:

Workaholics halten	**Nichtstun**	nicht lange aus.
Workaholics halten	**es**	nicht lange aus, **nichts zu tun.**
Sie sind	**an Stress**	gewöhnt.
Sie sind	**daran**	gewöhnt, **im Stress zu sein.**

Je nach Verb, Adjektiv oder Partizip sind Korrelate obligatorisch (1) (2), fakultativ (3) (4)
oder nicht möglich (5).
Als Korrelat einer Akkusativ-, Dativ-, Genitiv- und Präpositionalergänzung steht *es* nie
am Satzanfang.

Ü4   Woran erkennt man einen Workaholic?

Formen Sie die Akkusativ- und Präpositionalergänzungen in *dass*-Sätze bzw., wenn möglich,
in Infinitivsätze um und umgekehrt. Ergänzen Sie gegebenenfalls Korrelate.

Man erkennt einen Workaholic an seiner zwanghaften Aktivität.
Man erkennt einen Workaholic daran, dass er zwanghaft aktiv ist.

1. Er begreift nicht, dass sein Verhalten krankhaft ist.
2. Er wehrt sich dagegen, sich psychotherapeutisch behandeln zu lassen.
3. Ein Workaholic ist tägliche Arbeitszeiten von 12 bis 16 Stunden gewohnt.
4. Er gibt seine Abhängigkeit von der Arbeit aber nicht gern zu.
5. Einem Workaholic kommt es auf berufliche Anerkennung und Sozialprestige an.
6. Bis kurz vor dem Zusammenbruch lehnt er es ab, zum Arzt zu gehen.
7. Niemand kann bestreiten, dass anspruchsvollere Berufsgruppen besonders anfällig
    für die Arbeitssucht sind.

Attributsätze

(1) Heutzutage gibt es in keiner Branche eine Garantie **für unveränderliche Berufsbilder.**

→ Heutzutage gibt es in keiner Branche eine Garantie **(dafür), dass Berufsbilder unveränderlich sind / dass sich Berufsbilder nicht verändern.**

(2) Auch die Frage **nach den Berufsaussichten** ist verständlich.

→ Auch die Frage, **wie die Berufsaussichten sind / welche Berufsaussichten man hat / ob man Berufsaussichten hat,** ist verständlich.

(3) Nicht jeder hat die Möglichkeit **zu selbstständiger Arbeit.**

→ Nicht jeder hat die Möglichkeit, **selbstständig zu arbeiten.**

Auch Genitivattribute und Präpositionalattribute können zu Nebensätzen werden (= Attributsätze). Korrelate (= Pronominaladverbien: *da(r)* + Präposition) sind fakultativ (1), obligatorisch oder nicht möglich.

Attributsätze können mit der Konjunktion *dass* (1) oder mit Fragewörtern (*ob; wie, wann, wo; welche* usw.) (2) eingeleitet werden.

Attributsätze können auch Infinitivsätze sein (3).

Ü5 Berufswahl

Formen Sie die Attribute in Nebensätze bzw., wenn möglich, in Infinitivsätze um und umgekehrt. Verwenden Sie dabei die Konjunktion *dass* oder Fragewörter.

Bernds Entscheidung für einen praktischen Beruf steht fest. (+ ergreifen)

Bernds Entscheidung, einen praktischen Beruf zu ergreifen, steht fest.

1. Aber ihn beschäftigt noch die Frage nach seiner Eignung für den gewählten Beruf.
2. Allerdings hatte er schon immer Freude daran, kreativ zu arbeiten.
3. Für ihn besteht jetzt noch Unsicherheit über die Finanzierbarkeit der geplanten Ausbildung.
4. Deshalb ist für ihn die Frage wichtig, wie lange die Ausbildung dauert und wie viel sie kostet.
5. Er hat das Bedürfnis nach einem gesicherten Leben. (+ führen)
6. Ab und zu spielt er sogar mit dem Gedanken, eine eigene Werkstatt zu gründen.
7. Doch kann niemand eine Garantie dafür geben, dass ein Berufsleben erfolgreich verläuft.

III Gesamtübungen

Ü6 Worauf Ausbildungsbetriebe Wert legen

Setzen Sie, wo notwendig, obligatorische bzw. in Klammern fakultative Korrelate ein (*es* bzw. Pronominaladverbien). Benutzen Sie die Listen im Anhang als Hilfe.

1. Ausbildungsbetriebe sehen _es_ als ihre Pflicht an, ihre Azubis* intensiv zu betreuen.
2. Sie versprechen _____ den Azubis, sie gut auszubilden.
3. Die Ausbildungsbetriebe überlassen _____ den Meistern, sich um die Azubis zu kümmern.
4. Die Azubis müssen sich _____ verlassen können, dass die Meister kompetent sind.
5. Aufgabe der Meister ist _____, die Azubis anzuleiten.
6. Sie verstehen _____(,) die Azubis zu motivieren.
7. Beiden Seiten ist _____ wichtig, dass ein gutes Betriebsklima herrscht.
8. Sie legen Wert _____, dass im Team gearbeitet wird.
9. Ausbildungsbetriebe gehen _____ aus, dass ihre Azubis lernbereit sind.
10. Sie verlangen _____ von den Azubis, dass sie eigenverantwortlich arbeiten.
11. Von den Azubis wird _____ erwartet, dass sie korrekt arbeiten.
12. Den Azubis ist _____ zuzumuten, dass sie pünktlich und fleißig sind.
13. Sie sind _____ gewohnt, von den Meistern kritisiert zu werden, aber hoffen natürlich _____, gelobt zu werden.
14. Die Meister empfehlen _____ ungeeigneten Azubis, sich für einen anderen Beruf zu entscheiden.
15. Manche aber entschließen sich nur ungern _____.

* *Azubi*: ugs. für Auszubildende(r)

Ü7 „Die Leiden des jungen Werthers" (1774) – Goethes berühmter Roman

Lesen Sie die Zusammenfassung dieses Romans und geben Sie seinen Inhalt wieder, indem Sie die kursiv gesetzten Nominalisierungen in Nebensätze mit *dass* bzw., wenn möglich, in Infinitivsätze umformen.

Der Briefroman „Die Leiden des jungen Werthers" handelt von Werthers unglücklicher Liebe zu Lotte. Werther, ein junger wohlhabender Mann, sehnt sich *nach Freiheit von allen bürgerlichen Zwängen*. Seinem Wesen nach ist er nicht *für*
5 *ein Leben in der bürgerlichen Gesellschaft* geschaffen, denn ihm fällt *die Anpassung an die bürgerlichen Lebens-verhältnisse* schwer.

© Wikipedia: Foto H.-P. Haack

Da trifft er Lotte. Diese junge Frau ist nach dem Tod ihrer Mutter *mit der Erziehung ihrer acht jüngeren Geschwister* beschäftigt. Werther beeindruckt *ihr völlig natürliches*
10 *Benehmen inmitten der großen Kinderschar.* Sofort verliebt er sich in sie und hofft *auf ihre Gegenliebe (Gegen- → auch)*. Ihre gemeinsamen Interessen zeigen sich beispielsweise *in ihrer Begeisterung für dieselben literarischen Werke.* Aber Werthers Hoffnung *auf eine dauerhafte Bindung Lottes an ihn* erfüllt sich nicht, denn sie wird ihren tüchtigen Verlobten Albert heiraten. Da macht Werther sich *seine ausweglose Lage* bewusst und trifft den
15 Entschluss *zum Selbstmord.*
Goethes Roman war – entgegen seinen Erwartungen – sofort sehr erfolgreich und machte den jungen Autor berühmt. Seit dem Erscheinen des Buches beschäftigten sich viele Künstler *mit der Verarbeitung des Stoffs,* z. B. in Gedichten, Dramen und Opern. 1972 machte sich beispielsweise Ulrich Plenzdorf mit seinem Roman „Die Leiden des jungen W." *an die Bearbeitung dieses Stoffes für junge Leser des 20. Jahrhunderts.*

> → *Der Briefroman „Die Leiden des jungen Werthers" handelt von Werthers unglücklicher Liebe zu Lotte. Werther, ein junger wohlhabender Mann, sehnt sich danach, von allen bürgerlichen Zwängen frei zu sein. ...*

Ü8 **Was würden Sie heutzutage einer unglücklich verliebten Person raten?**
Bilden Sie Subjekt-, Objekt- sowie Attributsätze.

> → *Ich würde ihm/ihr dazu raten, eine Kontaktanzeige im Internet aufzugeben. ...*

Verben zur Auswahl:

jdm. abraten von   achten auf   jdn. anregen zu   appellieren an jdn.
jdn. auffordern zu   (es) befürworten   sich bemühen um   jdm. etw. empfehlen
jdm. raten zu   ...

jdm. die Anregung geben   jdm. den Tipp geben   jdm. einen Vorschlag machen   ...

es ist angebracht   es ist erfolgversprechend   es ist erforderlich   es ist unerlässlich
es ist unpassend   es ist unsinnig   es ist vorteilhaft   es ist wichtig   ...

Ü9 **Sprachenvielfalt**
Kürzen Sie den Text, indem Sie die Nebensätze im Wissenschaftsstil nominalisieren.

Für Sprachwissenschaftler eröffnet sich im Hinblick darauf, dass weltweit bis zu
5 000 Sprachen gesprochen werden, ein breites Forschungsgebiet. Ihnen geht es
nämlich unter anderem darum, die Besonderheiten und Gemeinsamkeiten der
einzelnen Sprachen zu klären. So ist es möglich, die Weltsprachen in bestimmte
5 Sprachfamilien einzuteilen. Zum Beispiel ist heute unbestritten, dass das Deutsche
zur indoeuropäischen Sprachfamilie gehört (→ Zugehörigkeit zu). Beim Vergleich
von Zahlwörtern z. B. wird deutlich, dass die indoeuropäischen Sprachen eng
verwandt sind. Ein weiteres Anliegen der Sprachwissenschaftler ist es seit dem
19. Jahrhundert, die unterschiedlichen Sprachtypen herauszuarbeiten. Kriterium

10   für die Zuweisung zu einem bestimmten Sprachtypus ist z.B. die Frage (→ Frage nach),
was die einzelnen Sprachen in bestimmten Bereichen – z.B. in Grammatik, Phonetik,
Phonologie – unterscheidet und was sie gemeinsam haben, unabhängig davon, ob sie
geschichtlich zusammenhängen. Für deutsche Sprachwissenschaftler ist es natürlich
interessant zu versuchen, das Deutsche einem dieser Sprachtypen zuzuordnen

15   (→ Zuordnung zu). Sie beschäftigen sich daher vor allem mit der Frage, worin die
Besonderheiten der deutschen Sprache liegen (liegen *entfällt*). Zu den Charakteristika
der deutschen Sprache gehört beispielsweise, dass die Verben im Satz eine feste Position
haben (eine → die). Außerdem zeichnet sich die deutsche Sprache dadurch aus, dass sie
reich an Wortzusammensetzungen ist. Gemeinsamkeiten zwischen der Muttersprache und

20   der zu erlernenden Sprache machen es leichter, eine Fremdsprache zu erlernen. Auch hilft
die Kenntnis der Besonderheiten der deutschen Sprache dabei, das Deutsche als
Fremdsprache zu vermitteln.

→ *Für Sprachwissenschaftler eröffnet sich im Hinblick auf weltweit bis zu
5 000 gesprochene Sprachen ein breites Forschungsgebiet. ...*

§ 13 Adverbialsätze

I Einführung

Übersicht über die wichtigsten Konjunktionen, Adverbien und Präpositionen

	Konjunktionen	Adverbien	Präpositionen
Kausalsatz	weil da zumal denn	**Konjunktionaladverbien:** deshalb; deswegen; daher; aus diesem Grund **Relativadverbien:** warum; weshalb; weswegen	wegen + G aufgrund + G aufgrund von + D aus + D vor + D mangels + G
Finalsatz	damit um ... zu	**Konjunktionaladverbien:** dazu; dafür **Relativadverbien:** wofür; wozu	zu + D; für + A zwecks + G
Konzessivsatz	obwohl obgleich zwar ... aber auch wenn selbst wenn	**Konjunktionaladverbien:** trotzdem dennoch allerdings	trotz + G ungeachtet + G auch bei + D selbst bei + D

	Konjunktionen	Adverbien	Präpositionen
Konsekutivsatz	sodass so ..., dass	**Konjunktionaladverbien:** infolgedessen folglich deshalb deswegen daher	infolge + G infolge von + D
Konditionalsatz	wenn falls sofern im Falle, dass vorausgesetzt, (dass) es sei denn, (dass)	 **Konjunktionaladverbien:** sonst andernfalls	bei + D mit + D durch + A unter + D im Falle + G im Falle von + D ohne + A
Modalsatz	indem dadurch, dass ohne dass ohne ... zu (an)statt dass (an)statt ... zu wie als je ... desto je ... umso je nachdem	**Konjunktionaladverbien:** dadurch; damit; dabei **Relativadverbien:** wobei; wodurch; womit **Konjunktionaladverb:** stattdessen	durch + A mit + D unter + A mittels + G mithilfe + G ohne + A (an)statt + G nach + D entsprechend + D laut + G/D gemäß + D zufolge + G/D bei + D mit + D durch + A unter + D entsprechend + D gemäß + D

	Konjunktionen	Adverbien	Präpositionen
Temporalsatz	*während* *solange*	**Konjunktionaladverbien:** *währenddessen; solange*	*während + G* *zeit + G*
	als *wenn*	*damals* *da*	*bei + D* *in + D* *mit + D* *auf + D/A*
	sooft; immer wenn		*bei jedem + D*
	nachdem; sobald; *sowie*	**Konjunktionaladverbien:** *dann; danach; daraufhin* **Relativadverbien:** *wonach; worauf(hin)*	*nach + D* *gleich nach + D*
	seitdem; seit	**Konjunktionaladverbien:** *seitdem; seither*	*seit + D*
	bis	*bis dahin*	*bis + D* *bis zu + D*
	bevor; ehe	*davor; vorher; zuvor*	*vor + D*

Man kann Sätze durch Konjunktionen, Konjunktionaladverbien und Relativadverbien (= Adverbien in der Funktion von Konjunktionen) verbinden und dadurch einen bestimmten inhaltlichen Zusammenhang zwischen ihnen herstellen (Grund, Zweck, Gegengrund, Folge, Bedingung, Art und Weise, Zeit). Inhaltliche Beziehungen lassen sich auch durch Präpositionen ausdrücken, die mit einem nominalen Ausdruck zu Präpositionalangaben verbunden werden. Solche Angaben werden auch Adverbialangaben genannt. (vgl. §18) (Nominalisierung und Verbalisierung vgl. §10; Konjunktionaladverbien vgl. §17 S. 266 f.; Relativadverbien vgl. §14 S. 235 f. und S. 239 f.)

Gebrauch der Konjunktionen, Adverbien und Präpositionen

Konjunktionen

		Nachdem	das Festival beendet war, reisten die Künstler ab.
Die Künstler	reisten ab,	nachdem	das Festival beendet war.
Die Zuschauer	zerstreuten sich,	nachdem	das Festival beendet war, sehr schnell.

Konjunktionen leiten Nebensätze ein, die einem Hauptsatz vorangestellt oder nachgestellt oder in einen Hauptsatz eingeschoben werden können.

Konjunktionaladverbien

Das Festival war beendet, **danach**	zerstreuten sich	die Zuschauer.
Das Festival war beendet, die Zuschauer	zerstreuten sich	**danach** sehr schnell.

Konjunktionaladverbien (hier kurz als „Adverbien" bezeichnet) leiten Hauptsätze ein, die immer nachgestellt werden. Sie können am Anfang des Hauptsatzes oder nach dem finiten Verb stehen.

Relativadverbien

Das Festival war beendet, **woraufhin** die Künstler abreisten.

Relativadverbien (hier kurz als „Adverbien" bezeichnet) leiten Nebensätze ein, die immer nachgestellt werden. Relativadverbien werden relativ selten gebraucht:
- *weshalb, weswegen, warum* (Folge); *wozu, wofür* (Zweck)
- *wodurch, womit, wobei* (Art und Weise); *worauf(hin), wonach* (Zeit).

Präpositionen

Nach dem Ende des Festivals	haben	die Zuschauer	den Festplatz		verlassen.
Die Zuschauer	haben		den Festplatz	**nach dem Ende des Festivals**	verlassen.
Die Zuschauer	zerstreuten		sich	**nach dem Ende des Festivals.**	

Präpositionen verbinden sich mit nominalen Ausdrücken zu Präpositionalangaben (= Adverbialangaben mit Präposition), die am Satzanfang, innerhalb eines Satzes oder bei einteiligen Verben am Satzende stehen können.

II Kausalsätze

Nebensätze und Hauptsätze des Grundes / der Ursache

Fragen: *Warum? Weshalb? Wieso? Aus welchem Grund?*

Konjunktionen:	*weil*	NS / meist nachgestellt
	da	NS / meist vorangestellt
	zumal (= vor allem, weil ... / besonders deshalb, weil ...)	NS / immer nachgestellt
	denn	HS / immer nachgestellt

Adverbien:	Grund:	Konjunktionaladverbien: *nämlich* (hinter dem Verb) *eben* (= resignativ) (hinter dem Verb)	HS / immer nachgestellt
	Folge:	Konjunktionaladverbien: *deshalb; deswegen* *daher; darum* *aus diesem Grund*	HS / immer nachgestellt
		Relativadverbien: *warum; weshalb; weswegen*	NS / immer nachgestellt
Präpositionen:	*wegen* + G / (+ D ugs.) *aufgrund* + G; *aufgrund von* + D *aus* + D; *vor* + D *angesichts* + G / *angesichts von* + D *dank* + G/D *kraft* + G (geschr./admin.) *mangels* + G (= weil ... nicht (genügend)) *infolge* + G / *infolge von* + D	

Konjunktionen

(1) Lob ist wichtig, **weil** es das Selbstwertgefühl stärkt.

(2) Lob ist wichtig, **denn** es stärkt das Selbstwertgefühl.

(3) **Da** (ja / bekanntlich) jeder gern gelobt wird, sollte man mit Lob nicht sparen.

(4) Lob ist (wegen seines hohen Motivationspotenzials) wichtig, **zumal** es das Selbstwertgefühl stärkt.

Die Konjunktion *weil* antwortet auf *Warum*-Fragen und gibt einen Grund an (1), ebenso die Konjunktion *denn*. Der mit *denn* eingeleitete Hauptsatz hat keine Inversion (2). Die Konjunktion *da* gibt einen bekannten Sachverhalt als Grund an. Nebensätze mit *da* werden dem Hauptsatz meist vorangestellt, weil sie an etwas Bekanntes (im Text) anschließen (3). Der Nebensatz mit der Konjunktion *zumal* fügt einem genannten bzw. nicht genannten ersten Grund einen weiteren, meist besonders wichtigen, verstärkenden Grund hinzu (4).

Adverbien (Grund)

Lob ist wichtig, es stärkt **nämlich** das Selbstwertgefühl.
Das Kind ist zu selbstbewusst, es wird **eben** dauernd gelobt.

Adverbien (Folge)

Lob stärkt das Selbstwertgefühl, **deshalb** ist es so wichtig.
Lob stärkt das Selbstwertgefühl, **weshalb** es so wichtig ist.

Präpositionen

(1)   **angesichts** überfüllter Schulklassen
(2)   **aufgrund** seines Könnens, **aufgrund** von Fakten
(3)   **dank** seines pädagogischen Talents / **dank** seinem pädagogischen Talent;
      dank seiner Vorschläge
(4)   **kraft** seines Amtes, **kraft** seiner Autorität, **kraft** seines umfassenden Wissens
(5)   **mangels** Lob; **mangels** Vorschlägen
(6)   **wegen** Ungehorsam; **wegen** Aufträgen
(7a) Lob ist **wegen** seiner starken Motivation sinnvoll.
(7b) Lob ist seiner starken Motivation **wegen** sinnvoll.

Die Präposition *angesichts* hat einen optischen Bezug (1).
Die Präposition *aufgrund* hat einen kausalen Bezug (2).
Die Präposition *dank* kann nur mit etwas Positivem verbunden werden. Nach der
Präposition *dank* kann im Singular der Genitiv oder Dativ stehen, im Plural steht
meistens der Genitiv (3).
Die Präposition *kraft* (= durch Kraft von) (geschr./admin.) steht nur bei Abstrakta
und drückt Fähigkeit, Kompetenz, Macht aus (4).
Nach den Präpositionen *mangels* und *wegen* entfällt bei Nomen ohne Artikel und ohne
adjektivisches Attribut im Singular (wenn also der Genitiv nicht erkennbar ist)
meist die Genitivendung *-(e)s*; im Plural steht der Dativ (5) (6).
wegen (7a) kann auf einer gehobenen Stilebene auch nachgestellt werden (7b).

Ü1   Lob wirkt motivierend

a)   Verbinden Sie die Satzpaare mit den in Klammern angegebenen Konnektoren.
Achten Sie darauf, welcher der beiden Sätze den Grund und welcher die Folge angibt.

deshalb, denn
Lehrer sollten ihre Schüler öfter loben.
Lob wirkt motivierend

Lehrer sollten ihre Schüler öfter loben, denn Lob wirkt motivierend.
Lob wirkt motivierend, deshalb sollten Lehrer ihre Schüler öfter loben.

   weswegen, aus diesem Grund
1. Lob fördert die Zufriedenheit am Arbeitsplatz.
   Ein Chef sollte seine Mitarbeiter häufig loben.

   da, nämlich
2. In Agrargesellschaften kann man abends das Ergebnis seiner Arbeit sehen.
   Die Anerkennung der eigenen Arbeit durch andere spielt eine geringere Rolle.

zumal, weil
3. Wer allerdings in einem modernen Beruf tätig ist, ist abends oft nicht zufrieden.
Er sieht das Produkt seiner Arbeit nicht so recht.
Oft bleibt das erwartete Lob des Vorgesetzten zur Bestätigung seines
Selbstwertgefühls aus.

deswegen, weil
4. Das bei Lob im Gehirn ausgeschüttete „Glückshormon" Dopamin bewirkt
Motivation und Aufmerksamkeit.
Loben ist beim Lernen und am Arbeitsplatz sehr wichtig.

denn, zumal
5. Lob ist wichtig.
Es motiviert mehr als Kritik oder Strafe.
Auch befriedigt es unser Bedürfnis nach Anerkennung.

weil, nämlich
6. Nur ein ehrlich ausgesprochenes Lob motiviert wirklich.
Es ist Honig für die Seele.

b) Bilden Sie aus den Kausalsätzen Präpositionalangaben mit den in Klammern
angegebenen Präpositionen.

Lob ist wichtig, weil es ein hohes Motivationspotenzial hat. (dank / ein → sein)
Lob ist dank seines hohen Motivationspotenzials wichtig.

1. Es hat motivierende Wirkung, deshalb sollten Chefs ihre Mitarbeiter häufig
loben. (aufgrund / + sein-)
2. Viele Menschen reduzieren ihre Arbeitszeit, denn sie sind nicht ausreichend
motiviert. (mangels)
3. Viele Menschen arbeiten nicht nur, weil sie Geld verdienen müssen.
(wegen / müssen *entfällt*)
4. Sie arbeiten, zumal sie die Aussicht auf Lob motiviert. (auch wegen / zumal → auch)

Ü2   Wunsch nach Freiheit verhindert Kinder

a) Lesen Sie den Text und formulieren Sie Kausalsätze mit der Konjunktion *weil*.

> **Hamburg.** (dpa) Die Angst vor dem Verlust der eigenen Freiheit ist nach Ansicht vieler Bundesbürger der Hauptgrund für die niedrige Geburtenquote in Deutschland.
> 5 60 Prozent glauben, dass der Wunsch nach Unabhängigkeit das größte Hindernis für eine Familiengründung darstellt, wie eine repräsentative Studie der Hamburger Stiftung für Zukunftsfragen ergab. Auf dem
> 10 zweiten Platz folgt die Sorge vor finanziellen Mehrbelastungen (58 Prozent). 51 Prozent sind der Meinung, dass für viele Bürger die Karriere wichtiger sei als die Familien-
> planung. Die Geburtenrate in Deutschland
> 15 liegt derzeit bei 1,36 Kindern pro Frau. „Viele Deutsche haben schlichtweg Angst vor der Familiengründung", sagte der wissenschaftliche Leiter der Stiftung, Ulrich Reinhardt. Vorherrschend seien diverse Sorgen,
> 20 auch die vor „dem falschen Zeitpunkt oder den Zukunftsperspektiven für den eigenen Nachwuchs". Schlechte staatliche oder gesellschaftliche Voraussetzungen – wie fehlende Kindergartenplätze – seien ebenfalls wichtige Aspekte.

→ *Die Geburtenrate in Deutschland ist so niedrig, ...*
weil viele Bundesbürger Angst vor dem Verlust der eigenen Freiheit haben.
weil viele Bundesbürger Angst davor haben, die eigene Freiheit zu verlieren. ...

b) Nehmen Sie jetzt die Gegenposition ein und sagen Sie in Kausalsätzen mit Konjunktionen, Adverbien oder Präpositionen, aus welchen Gründen Frauen oder Sie selbst sich für Kinder entscheiden.

→ *Ich stamme aus einer kinderreichen Familie, deshalb wünsche ich mir Kinder. ...*

Die Präpositionen *aus* und *vor*

(1) Die Mutter wird ganz bleich **vor Schreck**.
(2) Sie schlägt ihr Kind **aus Überzeugung** nicht.

Die Präpositionen *aus* und *vor* stehen vor Nomen, die Gefühle, Eigenschaften oder Einstellungen ausdrücken und bestimmte Reaktionen auslösen:
• *vor* steht bei unbewussten, unbeabsichtigten Körperreaktionen (1),
• *aus* steht bei bewussten, geplanten Handlungen (2).
In Präpositionalangaben mit *aus* und *vor* steht meist kein Artikel.

Ü3   Kindliche Launen

Entscheiden Sie: *aus* oder *vor*?

1. Moritz hat seinen Willen nicht bekommen. Er tobt und läuft _vor_ Zorn rot an. _____
   Angst vor der Strafe der Mutter schließt er sich in seinem Zimmer ein. Er heult _____
   Wut und zittert _____ Angst am ganzen Leib. _____ Trotz geht er nicht ins Bett.

2. Lotti wird manchmal ganz grün _____ Neid auf die Spielsachen ihrer Freundin Emma
   und hat ihr schon öfter mal etwas weggenommen. _____ Enttäuschung hat Emma

dann einige Tage nicht mit ihr gespielt. Heute kann Lotti _____ Freude auf ihre Geburtstagsgeschenke kaum noch schlafen.

3. Paula macht _____ Übermut ihr Spielzeug kaputt und strahlt dabei _____ Freude übers ganze Gesicht. Die Mutter hat ihr _____ Gutmütigkeit gleich ein neues Spielzeug gekauft.

4. Die Mutter kann sich _____ Zeitmangel nur wenig um Martin kümmern. Abends sinkt sie _____ Erschöpfung in den Sessel und sieht _____ Gewohnheit fern. Aber _____ Liebe zu ihrem Kind nimmt sie alle Anstrengungen auf sich.

III Finalsätze

Nebensätze und Hauptsätze der Absicht/des Zwecks/des Ziels

Fragen: *Wozu? Mit welcher Absicht? Zu welchem Zweck? Mit welchem Ziel?*

Konjunktionen:	*damit; um … zu*	NS/meist nachgestellt
Adverbien:	**Konjunktionaladverbien:** *dafür; dazu*	HS/immer nachgestellt
	Relativadverbien: *wofür; wozu*	NS/immer nachgestellt
Präpositionen:	*zu* + D; *für* + A *zwecks* + G (geschr./admin.) *zum Zwecke* + G (geschr./admin.) *um* + G + *willen*	

Konjunktionen

(1) Eine Stiftung hat der Studentin ein Stipendium gewährt, **damit** sie ihre Doktorarbeit abschließt. (= … **weil** sie ihre Doktorarbeit abschließen **soll.**)

(2) Ein Student ist nach Deutschland gekommen, **um** hier zu studieren. (= … **weil** er hier studieren **will.**)

(3) Er hat Deutsch gelernt, um hier studieren zu können.

Die Konjunktion *damit* wird bei verschiedenem Subjekt in Haupt- und Nebensatz (1), die Konjunktion *um … zu* bei gleichem Subjekt in Haupt- und Nebensatz gebraucht (2) (3). Die Konjunktionen *damit* und *um … zu* enthalten die Bedeutung von *sollen* (fremder Wille) bzw. *wollen/mögen* (eigener Wille), deshalb stehen diese beiden Modalverben nie in Finalsätzen.
Ein Finalsatz mit *damit* entspricht einem Kausalsatz mit *sollen* (1), ein Finalsatz mit *um … zu* entspricht einem Kausalsatz mit *wollen* (2).
In Finalsätzen steht häufig das Modalverb *können* (3).

Adverbien

Der Student will studieren; **dazu** ist er nach Deutschland gekommen.
Der Student will studieren, **wozu** er nach Deutschland gekommen ist.

Präpositionen

Der Student ist **zum Studieren** nach Deutschland gekommen.
Er soll sich **zwecks Klärung** des Studienfach-Wechsels in der
Universitätsverwaltung melden.

Ü4   Wozu studieren?

Studierende wurden gefragt, welche Ziele sie mit ihrem Studium verfolgen. Geben Sie
die Antworten in Finalsätzen mit *damit* bzw., wenn möglich, mit *um ... zu* wieder.

Ich möchte weiterkommen als meine Eltern.
Ich studiere, um weiterzukommen als meine Eltern.

1. Mein Leben soll wirtschaftlich gut abgesichert sein.
2. Meine Begabungen und Fähigkeiten sollen gefördert werden.
3. Ich möchte einen Beitrag zu gesellschaftlichen Veränderungen leisten.
4. Ich will später keine untergeordnete Tätigkeit ausüben müssen.
5. Die väterliche Arztpraxis soll in Familienhand bleiben.

Ü5   Erlebnispädagogik*

Fassen Sie die Ziele der Erlebnispädagogik im Nominalstil zusammen, indem Sie die
finalen Nebensätze in Präpositionalangaben umformen.

Die Erlebnispädagogik wurde entwickelt,

1. um den kognitiven Lernprozess durch Erfahrung und Erleben zu ergänzen.
2. um die Schüler zu selbstverantwortlichen und selbstbestimmten
   Persönlichkeiten zu erziehen.
3. damit die Fähigkeiten und Potenziale jedes einzelnen Schülers entdeckt
   und gefördert werden.
4. damit die Schüler mit physischen, psychischen und sozialen Herausforderungen
   konfrontiert werden.
5. damit Aufgaben im handwerklich-technischen bzw. künstlerischen Bereich
   selbstständig geplant und durchgeführt werden.
6. um Initiative und Spontaneität zu unterstützen sowie zu Kreativität und
   Fantasie anzuregen.

* *Kurt Hahn* (1886–1974) wird oft als „Vater der Erlebnispädagogik" bezeichnet, die mit ihm ihren ersten
Höhepunkt erreichte. Er gründete 1962 in einem alten Schloss in Wales/Großbritannien das Atlantic College.
Es ist das älteste von inzwischen 13 United World Colleges (UWC), in denen 16- bis 18-jährige Schüler aus
ungefähr 80 Nationen nach zwei Schuljahren das International Baccalaureate ablegen. 2014 wurde in
Freiburg ein United World College eröffnet. Kurt Hahn war 1920 Mitbegründer und bis 1933 Leiter von
Schule und Internat Schloss Salem in Baden-Württemberg.

→ *Die Erlebnispädagogik wurde entwickelt:*

    1. *zur Ergänzung des kognitiven Lernprozesses durch Erfahrung und Erleben ...*

Ü6 Multikulturelles in alten Gemäuern

Mit welcher Absicht gründete Kurt Hahn das Atlantic College?

Antworten Sie mit finalen Nebensätzen und verwenden Sie dabei die Konjunktionen *damit* bzw., wenn möglich, *um ... zu.*

Kurt Hahn gründete das College, ...

Umsetzung der Grundsätze der Erlebnispädagogik in der Schulpraxis
um die Grundsätze der Erlebnispädagogik in der Schulpraxis umzusetzen.

1. Vermittlung von internationaler Bildung nach einem internationalen Lehrplan
2. die Schüler / Kennenlernen fremder Kulturen und Entwicklung von interkulturellem Verständnis
3. die Schüler / Möglichkeiten zum sozialen Engagement
4. Stärkung der Kooperations-, Team- und Kommunikationsfähigkeit
5. die Schüler / Erarbeitung von Strategien zur Konfliktbewältigung

Ü7 Bertolt Brecht (1898–1956): „Der Zweckdiener"

Herr K. stellt die folgenden Fragen: „Jeden Morgen macht mein Nachbar Musik auf einem Grammophonkasten. Warum macht er Musik? Ich höre, weil er turnt. Warum turnt er? Weil er Kraft benötigt, höre ich. Wozu benötigt er Kraft? Weil er seine Feinde in der Stadt besiegen muss, sagt er. Warum muss er Feinde besiegen? Weil er essen will, höre ich." Nachdem Herr K. dies gehört hatte, dass sein Nachbar Musik mache, um zu turnen, turne, um kräftig zu sein, kräftig sein wolle, um seine Feinde zu erschlagen, seine Feinde erschlage, um zu essen, stellte er seine Frage: „Warum isst er?"

Bilden Sie nach dem Beispiel der Geschichte von Bertolt Brecht Satzfolgen mit Fragen und Antworten.

Ich stelle mir folgende Fragen:
Mein Mieter geht täglich ins Fitness-Studio. Warum geht ...?
Warum geht er täglich ins Fitness-Studio? Weil er fit bleiben will. Wozu ...? Weil / Um ...

1. Meine Nachbarin schläft jeden Tag bis in den späten Morgen hinein. Warum schläft ...?
2. Ein Bekannter liest nur dicke Bücher. Warum liest ...?
3. Meine Lehrerin geht zwei- bis drei Mal in der Woche ins Kino. Warum geht ...?
4. ...

IV Konzessivsätze

Nebensätze und Hauptsätze des unzureichenden/unwirksamen Gegengrundes

Fragen: *Trotz welchen Grundes? Trotz welcher Umstände?*

Konjunktionen:	*obwohl; obgleich; wenngleich; obschon ungeachtet der Tatsache, dass*	NS
	zwar ..., aber	HS + HS
	wenn ... auch (noch so) *auch wenn; selbst wenn*	NS/meist vorangestellt
Adverbien:	**Konjunktionaladverbien:** *trotzdem; dennoch* *gleichwohl* (veraltend); *allerdings*	HS/immer nachgestellt
Präpositionen:	*trotz* + G; *ungeachtet* + G *bei all* + D; *auch bei* + D; *selbst bei* + D	

Konjunktionen

(1) **Obwohl** die Dreharbeiten schwierig waren, ist der Film ein großer Erfolg.
(2) Der Film ist ein großer Erfolg, **obwohl** die Dreharbeiten schwierig waren.
(3) **Zwar** waren die Dreharbeiten schwierig, **aber** der Film ist (trotzdem) ein Erfolg.
(4) Die Dreharbeiten waren **zwar** schwierig, der Film ist **aber** (trotzdem) ein großer Erfolg.
(5) **Wenn** die Dreharbeiten **auch (noch so)** schwierig waren, der Film ist (dennoch) ein Erfolg.
(6) **Waren** die Dreharbeiten **auch (noch so)** schwierig, (so) ist der Film (dennoch) ein Erfolg.
(7) **Auch wenn/Selbst wenn** die Dreharbeiten schwierig waren, der Film ist ein großer Erfolg.

Der Nebensatz mit *obwohl* oder einer anderen konzessiven Konjunktion kann vorangestellt (1) oder nachgestellt werden (2).
Mit der Konjunktion *zwar ..., aber* werden zwei Hauptsätze gebildet (3). *zwar* und *aber* können auch im Satzinneren nach dem finiten Verb stehen (4).
Nach den Konjunktionen *wenn ... auch/auch wenn/selbst wenn* beginnt der nachfolgende Hauptsatz mit dem Subjekt (5) (7).
Die Konjunktion *wenn* kann entfallen. Dann beginnt der Nebensatz mit dem finiten Verb, im folgenden Hauptsatz steht das finite Verb an erster oder zweiter Stelle (6).

Adverbien

Die Dreharbeiten waren schwierig, **trotzdem / dennoch / allerdings** ist der Film ein großer Erfolg.
Die Dreharbeiten waren schwierig, der Film ist **trotzdem / dennoch / allerdings** ein großer Erfolg.

Präpositionen

Trotz / Ungeachtet der schwierigen Dreharbeiten ist der Film ein großer Erfolg.
Bei allen Schwierigkeiten ist doch ein großer Film entstanden.
Auch bei / Selbst bei erfahrenen Regisseuren kann es bei den Dreharbeiten
Schwierigkeiten geben.

trotz gutem Teamgeist
trotz Erfolg
trotz Zwischenfällen

Nach der Präposition *trotz* können singularische Nomen ohne Artikel im Dativ stehen.
Bei Nomen ohne Artikel und ohne adjektivisches Attribut entfällt im Singular meist die
Genitivendung *-(e)s*, im Plural steht der Dativ.

Ü8 Schwierige Verhandlungen

Bilden Sie Sätze mit den in Klammern angegebenen Konjunktionen, Adverbien
und Präpositionen.

Man beriet von morgens bis abends. Die Verhandlungen zogen sich über mehrere
Tage hin. (obwohl / trotzdem)
Obwohl man von morgens bis abends beriet, zogen sich die Verhandlungen über
mehrere Tage hin.
Man beriet von morgens bis abends; trotzdem zogen sich die Verhandlungen
über mehrere Tage hin.

1. Die Kompromissbereitschaft ist groß. Man einigt sich selten in allen Fragen. (selbst wenn / selbst bei)
2. Es wird sehr offen diskutiert. Es kann Missverständnisse geben. (auch wenn / auch bei)
3. Die Gesprächspartner bemühten sich. Nicht alle Meinungsverschiedenheiten konnten ausgeräumt werden. (wenn ... auch noch so / bei all)
4. Einige Teilnehmer wollten die Konferenz früher als vorgesehen beenden. Sie wurde wie geplant zu Ende geführt. (zwar ..., aber)
5. Einige Konferenzteilnehmer reisten vorzeitig ab. Man führte noch Abstimmungen durch. (ungeachtet der Tatsache, dass / ungeachtet)
6. Man einigte sich in den meisten Fragen. Einige Teilnehmer waren mit dem Ergebnis der Konferenz nicht zufrieden. (trotzdem / trotz)
7. Alles war gut vorbereitet. Es lief nicht alles nach Plan. (dennoch / trotz)

Ü9 Eine Filmrezension: „Ziemlich beste Freunde"*

Der folgende Text ist wegen der vielen Präpositionalangaben stilistisch sehr eintönig.
Machen Sie aus dem Text eine Filmkritik, indem Sie ihn neu und sprachlich abwechslungsreicher
gestalten und dabei die in Klammern angegebenen Konjunktionen und Adverbien verwenden.

Der Film zeigt, wie der reiche Philippe den jungen farbigen Driss *trotz (obwohl)* dessen Vorstrafe als seinen Pfleger auswählt. Dabei macht Driss den Eindruck, als ob es ihm bei
5 diesem Job ums Geld und nicht um Fürsorge ginge. Und Philippe möchte *trotz (zwar ... aber)* seiner erheblichen körperlichen Behinderung kein Mitleid, sondern Achtung und Anerkennung. Er stellt Driss *trotz (trotz-*
10 *dem)* der eindringlichen Warnungen vor dem Vorbestraften ein. Und dann passiert das Erstaunliche: Die beiden lernen *trotz (obwohl)* der Unterschiedlichkeit ihrer Charaktere miteinander umzugehen. Es ereignet
15 sich sogar noch mehr als das: *Ungeachtet (ungeachtet der Tatsache, dass)* ihrer Zugehörigkeit zu unterschiedlichen sozialen Schichten (→ angehören) entwickelt sich eine echte Freundschaft. Dem jungen Farbi-
20 gen gelingt *trotz (dennoch)* seiner gänzlichen Unerfahrenheit im Umgang mit behinderten Menschen die Pflege des im Rollstuhl sitzenden Philippe. Und trotz ihres Interes-
25 ses an ganz verschiedenen Dingen haben sie viel Spaß miteinander. Sie amüsieren sich beispielsweise bei einer nächtlichen Autofahrt durch Paris *trotz (obwohl)* der polizeilichen Verfolgung: Philippe täuscht die Poli-
30 zei *trotz (zwar ... aber)* seiner körperlichen Unbeweglichkeit mit einem epileptischen Anfall. Und gegen Ende des Films wagt Philippe trotz seines schweren Unfalls beim Paragliding wieder einen Flug und nimmt
35 Driss mit, was dem sonst so coolen jungen Mann ziemliche Angst bereitet.
Der Film ist aber *trotz (trotzdem)* des zugrunde liegenden ernsten Themas heiter. Außerdem bleibt er *ungeachtet (ungeachtet der Tatsache, dass)* der Verharmlosung eini-
40 ger Probleme nicht an der Oberfläche. Und *trotz (obwohl)* der Darstellung des Alltags eines behinderten Menschen wirkt der Film nicht sentimental. Deshalb wohl sind Zuschauer und Kritiker *trotz (auch wenn)*
45 einiger unrealistischer Details von dem Film begeistert.

* In dem französischen Kultfilm „Ziemlich beste Freunde" aus dem Jahr 2011 stellt ein reicher, querschnittsgelähmter Mann (Philippe) einen jungen, kriminellen Farbigen (Driss) aus der Pariser Vorstadt als Pfleger ein. Dieses ungleiche Männerpaar macht in der Folge ziemlich interessante Erfahrungen. Der Film, der ein großer Publikumserfolg war, basiert auf der Autobiographie von Philippe Pozzo di Borgo, der beim Paragliding abgestürzt war.

→ *Der Film zeigt, wie der reiche Philippe den jungen farbigen Driss als seinen Pfleger auswählt, obwohl dieser vorbestraft ist. (...) Und ...*

Ü10 Das Sozialprodukt*

weil (Grund) oder *obwohl* (Gegengrund)? Entscheiden Sie.

Prognosen über das Wachstum des Sozialprodukts sind mit Vorsicht zu genießen, _weil_ sie ungenau sind. Aber _____ (1) die Trefferquoten solcher Prognosen gering sind, finden sie bei den Politikern große Beachtung. Ungenau sind die Prognosen der Statistiker vor allem, _____ (2) sie nicht alles zählen können, was sie zählen möchten. So geht die

Tätigkeit von Hausfrauen, _____ (3) sie nicht bezahlt wird, in keine Statistik ein, _____ (4) es sich natürlich um richtige Dienstleistungen handelt. Wenn z. B. ein Professor seine Haushaltshilfe heiratet, sinkt das Sozialprodukt, _____ (5) er ihr nun keinen Lohn mehr zahlt.

Und _____ (6) diese Ungereimtheiten bekannt sind, gilt das Sozialprodukt als Maß des Wohlstands, _____ (7) es das Gefühl vermittelt, mit einer einzigen Ziffer eine wichtige Aussage zur Wirtschaftslage treffen zu können. Außerdem lieben viele Politiker die Wachstumsrate, _____ (8) sie ihren Wählern versprochen haben, für stetiges Wachstum zu sorgen. Denn mit Wachstum – so die Politiker – wird die Lösung vieler Probleme einfacher, _____ (9) dann genügend Geld vorhanden ist.

Aber nicht jedes Wachstum bedeutet mehr Wohlstand. So lässt z. B. die Behebung von Umweltschäden das Sozialprodukt steigen, _____ (10) es sich hier eindeutig um negative Folgen des Wachstumsprozesses handelt.

* Das *Sozialprodukt* ist die Summe der in einem bestimmten Zeitraum produzierten Güter und Dienstleistungen.

V Konsekutivsätze

Nebensätze und Hauptsätze der Folge

Fragen: *Mit welcher Folge? Mit welchem Ergebnis?*

Konjunktionen:	*sodass / so ..., dass*	NS / immer nachgestellt
	ohne dass / ohne ... zu (= so ..., dass ... nicht)	NS / meist nachgestellt
	so/derart/dermaßen..., dass *ein solches / ein derartiges / solch ein ..., dass* *ein so / ein solch / ein derart / ein dermaßen..., dass*	
Adverbien:	**Konjunktionaladverbien:** *infolgedessen; folglich; so; also* *deshalb; deswegen; daher; darum* *aus diesem Grund* *demnach; somit; demzufolge; mithin* (selten)	HS / immer nachgestellt
	Relativadverbien: *warum; weshalb; weswegen*	NS / immer nachgestellt
Präposition:	*infolge* + G / *infolge von* + D (Grund)	

Konjunktionen

Die Weltbevölkerung wächst, **sodass** die Ernährungsdefizite zunehmen.
Die Weltbevölkerung wächst **so/derart/dermaßen** (schnell), **dass** die Ernährungsdefizite zunehmen.
Es gibt **ein solches / ein derartiges / solch ein** Bevölkerungswachstum, **dass** die Ernährungsdefizite zunehmen.
Es gibt **ein so /(ein) solch / ein derart / ein dermaßen** schnelles Bevölkerungswachstum, **dass** die Ernährungsdefizite zunehmen.
Die letzte Ernte fiel in einigen Regionen schlecht aus, **ohne dass** es zu einer Hungersnot kam/gekommen wäre.

so, derart, dermaßen, solch betonen das Hauptsatz-Geschehen. Sie stehen nie vor einem Komparativ (falsch: *Die Bevölkerung wächst so schneller, dass …*)
Die Konjunktion *ohne dass / ohne … zu* kann auch modale Bedeutung haben. (vgl. §13 S. 206 f.)
ohne dass kann auch mit dem Konjunktiv II gebraucht werden. (vgl. §6 S. 108 f.)

Adverbien

Die Weltbevölkerung wächst schnell; **infolgedessen** nehmen die Ernährungsdefizite zu.
Die Weltbevölkerung wächst schnell, **weshalb** die Ernährungsdefizite zunehmen.

Präposition

Infolge schlechter Ernten kann es zu Ernährungsengpässen kommen.
Infolge des schnellen Bevölkerungswachstums nehmen die Ernährungsdefizite zu.

Die Präposition *infolge* steht nur bei Nomen, die ein Geschehen, aber keine Sache oder Person bezeichnen (falsch: *infolge alter Maschinen; infolge tüchtiger Bauern*).

Ü11   Folgen der Bevölkerungsexplosion

Bilden Sie Sätze mit der Präposition *infolge* und beachten Sie dabei, welcher der beiden Sätze die Folge angibt.

Die Weltbevölkerung nimmt rapide zu. Die Versorgung mit Nahrungsmitteln ist gefährdet.
Infolge der rapide zunehmenden Weltbevölkerung / Infolge der rapiden Zunahme der Weltbevölkerung ist die Versorgung mit Nahrungsmitteln gefährdet.

1. Die Städte dehnen sich gewaltig aus. Es entstehen große Ballungsräume.
2. Weltweit werden Landschaften zerstört. Bisher unberührte Gebiete werden besiedelt.
3. Die Nachfrage nach Gütern und Nahrungsmitteln steigt. Die Industrie wächst.
4. Der Verbrauch von Energie und Rohstoffen steigt. Die Industrialisierung nimmt zu.
5. Die Umwelt wird stark belastet. Der natürliche Lebensraum des Menschen wird allmählich zerstört.
6. Die Menschen reagieren mit Stress. Die Bevölkerungsdichte ist hoch.

Ü12 Visionen von der Landwirtschaft in der Großstadt*

Bilden Sie Sätze mit den in Klammern angegebenen Konjunktionen und Adverbien.

ständige Zunahme der Weltbevölkerung
→ steigender Bedarf an neuem Ackerland
(sodass)

Die Weltbevölkerung nimmt ständig zu,
... sodass der Bedarf an neuem
Ackerland steigt.
... sodass mehr neues Ackerland
gebraucht wird.

1. Fehlende landwirtschaftliche Flächen auf dem Erdboden → Notwendigkeit der Gewinnung zusätzlicher Anbauflächen in Hochhäusern und auf Flachdächern (folglich)

2. Nutzung der Hochhäuser als Wohnraum und Bauernhof → Versorgung der hier lebenden Menschen mit selbst angebautem, frischem Obst und Gemüse (infolgedessen)

3. Verbrauchernahe Produktion von Nahrungsmitteln → Einsparung von Transportkosten sowie von CO_2-Emissionen (sodass)

4. Anbau der Nahrungsmittel auf Flachdächern → direkte Nutzung des Sonnenlichts zur Pflanzenzucht (sodass) (+ können)

5. Nutzung der unteren Stockwerke der Hochhäuser für die Tierhaltung → Fütterung der Tiere mit den pflanzlichen Abfällen aus den oberen Stockwerken (infolgedessen) (+ können)

6. Entstehung von Dung bei der Tierhaltung → Möglichkeit der Düngung der Pflanzen (sodass)

7. Produktion von Sauerstoff durch die Pflanzen → weitgehende Geschlossenheit dieses Ökosystems (somit)

* Mit der wachsenden Weltbevölkerung werden Siedlungs- und Agrarflächen knapp. Besonders unter jüngeren Bewohnern ist es in Großstädten schon seit Längerem Mode, auf Flachdächern Tomaten und andere Nutzpflanzen zu züchten. Nun haben Architekten und Agrarexperten Visionen vom Bauernhof im Wolkenkratzer oder von der Farm auf Flachdächern. So gibt es z.B. Entwürfe für einen Bauernhof in einem New Yorker Wolkenkratzer, der auch Wohn- und Geschäftsräume integriert. Und in Berlin soll eine riesige Farm auf einem Flachdach entstehen.

VI Konditionalsätze

Nebensätze und Hauptsätze der Bedingung

Fragen: *Unter welcher Bedingung? In welchem Falle?*

Konjunktionen:	*wenn; falls*	NS / meist vorangestellt
	sofern	NS / meist nachgestellt
	gesetzt den Fall, (dass) (geschr./admin.) *im Falle, dass / für den Fall, dass* *angenommen, (dass)* *in der Annahme, dass*	NS bzw. HS / meist vorangestellt
	vorausgesetzt, (dass) *unter der Voraussetzung, dass* *unter der Bedingung, dass*	NS bzw. HS / meist nachgestellt
	es sei denn, (dass) (= wenn ... nicht)	NS bzw. HS / immer nachgestellt
	außer wenn	NS / immer nachgestellt
Adverbien:	**Konjunktionaladverbien:** *sonst; andernfalls* (geschr.) (= wenn ... nicht, dann)	HS / immer nachgestellt
Präpositionen:	*bei* + D; *mit* + D; *durch* + A; *unter* + D *im Falle* + G / *im Falle von* + D *unter der Voraussetzung* + G *unter der Bedingung* + G *ohne* + A (= wenn ... nicht)	

Konjunktionen

(1) **Wenn** man verschiedene Kulturen vergleicht, zeigt sich, dass dem Menschen aggressives Verhalten angeboren ist.
(2) **Falls/Sofern** Menschen besonders aggressiv sind, sollte man nach den Ursachen fragen.
(3) **Vergleicht** man verschiedene Kulturen, zeigt sich, dass dem Menschen aggressives Verhalten angeboren ist.
(4) Menschen können nicht zusammenleben, **es sei denn, dass** sie ihre Aggressionen beherrschen.
(5) Menschen können nicht zusammenleben, **es sei denn**, sie beherrschen ihre Aggressionen.

Nebensätze mit *wenn* (1) bzw. ohne *wenn* (3) haben neben konditionaler immer auch temporale Bedeutung.

Nebensätze mit *falls/sofern* haben nur konditionale Bedeutung (2).

Die Konjunktionen *wenn* und *falls/sofern* können entfallen; dann steht das finite Verb am Satzanfang (3).

Die konjunktionale Wendung *es sei denn, (dass)* hat die Bedeutung *wenn ... nicht* (4) (5).

Adverb

Menschen müssen ihre Aggressionen beherrschen, **sonst** können sie nicht zusammenleben.

Präpositionen

Beim Vergleich verschiedener Kulturen zeigt sich, dass dem Menschen aggressives Verhalten angeboren ist.

Menschen können **ohne die Beherrschung ihrer Aggressionen** nicht zusammenleben.

Der Präposition *ohne* in konditionaler Bedeutung entsprechen die Konjunktionen *wenn ... nicht*, *außer wenn* und *es sei denn, (dass)*. Die Konjunktion *ohne dass/ohne ... zu* hat konsekutive oder modale Bedeutung (vgl. §13 S. 195 f. und S. 206 f.).

Ü13 **Aggressives Verhalten bei Affen und Menschen**

 Berichten Sie von den Untersuchungen des bekannten Verhaltensforschers Irenäus Eibl-Eibesfeldt*, indem Sie den unten stehenden Abschnitt aus seinem Buch in Nebensätzen mit *wenn* wiedergeben.

„Vergleichende Untersuchungen zeigten schließlich, dass aggressives Verhalten bei Affen und Menschen gleicherweise bevorzugt in folgenden Situationen auftritt:

1. Bei Konkurrenz um Nahrung
2. Bei Verteidigung eines Jungen
3. Beim Kampf um die Vormachtstellung zwischen zwei etwa Gleichrangigen
4. Bei Weitergeben erlittener Aggressionen an Rangniedere
5. Bei Wahrnehmung eines sich abweichend verhaltenden Gruppenmitgliedes
6. Beim Wechsel im Ranggefüge
7. Bei der Paarbildung
8. Beim Eindringen eines Fremden in die Gruppe
9. Beim Raub von Gegenständen [...]"

(In: *Irenäus Eibl-Eibesfeldt*: Der vorprogrammierte Mensch)

* Irenäus Eibl-Eibesfeldt, geb. 1928, österreichischer Verhaltensforscher, Schüler von Konrad Lorenz

→ *Aggressives Verhalten tritt bei Affen und Menschen bevorzugt auf, ...*
   1. *wenn es Konkurrenz um Nahrung gibt / wenn sie um Nahrung konkurrieren.*
   2. *...*

Ü14   Experten geben Tipps für ein gesundes Leben
Lesen Sie die Ratschläge der Experten und machen Sie daraus Notizen zu einem
gesünderen und besseren Leben.

Genuss macht gesund!

Die Tipps von Ärzten, Psychologen und Ernährungswissenschaftlern sollen helfen, gesund zu bleiben und Widerstandskräfte gegen Krankheiten zu mobilisieren. Wir haben hier die wichtigsten Punkte für Sie zusammengestellt:

Zunächst einmal sollten Sie sich darüber im Klaren sein, dass die psychische und physische Widerstandskraft wächst, wenn Sie eine lebensfrohe Einstellung haben. So werden, wenn Sie häufig lachen, beispielsweise der Blutkreislauf und die Sauerstoffversorgung des Körpers verstärkt. Und wenn Sie mit Ihrem Arbeitsplatz zufrieden sind, sinkt Ihr Krankheitsrisiko ebenfalls. Überhaupt tun Sie viel für Ihre Gesundheit, wenn Sie die schönen Dinge des Lebens genießen. Sie sollten also kein schlechtes Gewissen haben, wenn Sie Ihre Zeit mit Mittagsschläfchen oder Spazierengehen „verschwenden". Auf jeden Fall steht fest, dass Menschen leichter krank werden, wenn sie die kleinen Freuden des Alltags nicht bejahen. Und abgesehen von krankmachenden Faktoren lebt es sich insgesamt besser, wenn man optimistisch in die Zukunft blickt.

→ Experten sagen, dass man gesünder und besser lebt:
    mit/bei einer lebensfrohen Einstellung ...

wenn – falls / sofern

(1) **Wenn/Immer wenn** die Patientin Beschwerden hat, geht sie zu ihrem Hausarzt.

(2) Oft ist, **wenn** Medikamente nicht mehr helfen, eine Operation der letzte Ausweg.

(3a) **Nur wenn/Erst wenn** die Patientin auf die Therapie anspricht, ist mit einer
    Besserung zu rechnen.

(3b) Mit einer Besserung ist **nur/erst/immer (dann)** zu rechnen, wenn die Patientin auf
    die Therapie anspricht.

(4) **Falls/Sofern/(Wenn)** die Therapie erfolglos bleibt, muss die Patientin
    operiert werden.

(5) Ihr bleibt eine Operation erspart, **falls/sofern/(wenn)** sie doch noch auf
    die Therapie anspricht.

Die Konjunktion *wenn* muss gebraucht werden, wenn ein Bedingungssatz auch temporale
Bedeutung hat (1), wenn er verallgemeinernde Aussagen enthält (*immer wenn / jedes Mal,
wenn*) (1) oder die Bedeutung „nur wenn"/„erst wenn" hat (3a). *nur, erst, immer* können
auch im vorangestellten Hauptsatz stehen (2) (3b).
Statt *wenn* können die Konjunktionen *falls/sofern* stehen, wenn es nur auf die konditionale
Bedeutung ankommt (4), wenn es um Einzelfälle geht (4) (5) oder wenn die Erfüllung der
Bedingung bezweifelt wird bzw. wie ein Zufall erscheint (5).

Ü15 Ein Krankenhausaufenthalt
Entscheiden Sie: *wenn* oder *falls*? Setzen Sie, wenn möglich, *falls* ein.

Kranke werden immer dann an Fachärzte überwiesen, *wenn* der Hausarzt es für notwendig hält.

1. Gestern wurde Frau Dietz ins Krankenhaus eingeliefert. _____ die verabreichten Medikamente anschlagen, dürften die Schmerzen bald nachlassen.
2. _____ das Fieber in den nächsten Tagen zurückgeht, darf sie aufstehen.
3. Jedes Mal, _____ der Arzt zur Visite kommt, fragt sie ihn nach ihrer Entlassung.
4. Er will sie aber erst dann entlassen, _____ kein Rückfall mehr zu erwarten ist.
5. Immer _____ Komplikationen auftreten, wird ein weiterer Arzt hinzugezogen.
6. Das wird man auch tun, _____ dieser Fall bei ihr eintritt.
7. _____ Frau Dietz nicht so schnell entlassen wird, wird ihr Mann Urlaub nehmen müssen.
8. Die Kinder sollen, _____ sie von der Schule heimkommen, keine leere Wohnung vorfinden.

es sei denn, (dass) / außer wenn (= wenn ... nicht)

Aggressionen können zerstörerisch wirken, **es sei denn, dass** man sie bekämpft.
Aggressionen können zerstörerisch wirken, **es sei denn**, man bekämpft sie.
Aggressionen können zerstörerisch wirken, **außer wenn** man sie bekämpft.

= Aggressionen können zerstörerisch wirken, **wenn** man sie **nicht** bekämpft.

Wenn die im Satz mit *es sei denn, (dass)* bzw. mit *außer wenn* genannte Bedingung nicht erfüllt wird, tritt der im vorangehenden Satz bezeichnete Sachverhalt ein.

Ü16   Kampf gegen Drogen

wenn oder *es sei denn, dass* ...? Stehen hier die richtigen Konjunktionen? Kreuzen Sie an!

	richtig	falsch
Das weltweite Drogenproblem wird sich verschärfen, wenn alle Länder im Kampf gegen Drogen zusammenarbeiten.	☐	☑
1. Das Drogenproblem ist eingrenzbar, wenn es weltweit energisch bekämpft wird.	☐	☐
2. Das Drogenproblem kann nicht aus der Welt geschafft werden, wenn die Polizei unnachgiebig nach den Tätern fahndet.	☐	☐
3. Bauern werden weiterhin Pflanzen für den Drogenkonsum anbauen, es sei denn, dass sie mit dem Anbau von Getreide, Blumen oder Gewürzen mehr Geld verdienen können.	☐	☐
4. Das Drogenproblem wird sich noch ausweiten, es sei denn, dass die Pläne zur Drogenbekämpfung schnell in die Tat umgesetzt werden.	☐	☐
5. Die Nachfrage nach Drogen wird nicht abnehmen, wenn Aufklärungskampagnen Erfolg haben.	☐	☐
6. Es würde weniger Drogentote geben, es sei denn, dass den Drogenabhängigen mehr Hilfen angeboten werden.	☐	☐

Ü17   Konfliktvermeidung

Setzen Sie *wenn* bzw. *es sei denn, dass* ein.

Eine friedliche Welt kann nur geschaffen werden, _wenn_ alle Völker es wollen.

1. Aber es wird auch in Zukunft Kriege geben, _____ die Menschen sich ändern.

2. Es würde friedlicher in der Welt zugehen, _____ man die Nutzlosigkeit militärischer Auseinandersetzungen einsehen würde.

3. Das Wettrüsten hört nicht auf, _____ die Politiker zu der Einsicht kommen, dass heutzutage ein Krieg allgemeine Vernichtung bedeuten kann.

4. Spannungen werden nicht abgebaut, _____ die Politiker ehrlicher miteinander umgehen.

sonst/andernfalls (= wenn ... nicht, dann)

(1) Man **muss** den Arbeitstag sinnvoll strukturieren, **sonst** wird er unproduktiv.
 = Wenn man den Arbeitstag nicht sinnvoll strukturiert, wird er unproduktiv.

(2) Man **sollte/darf** sich nicht ständig ablenken lassen, **sonst** wird der Arbeitstag unproduktiv.
 = Wenn man sich ständig ablenken lässt, wird der Arbeitstag unproduktiv.

(3) Sie strukturiert ihren Arbeitsalltag sinnvoll, sonst **wäre** sie nicht so produktiv.

Wenn die Bedingung, die im Hauptsatz vor *sonst* oder *andernfalls* genannt wird, nicht
erfüllt wird, tritt die im Hauptsatz mit *sonst* oder *andernfalls* angeführte Folge ein (1).
Im Satz vor *sonst/andernfalls* steht häufig ein Modalverb (1) (2).
Sätze mit *sonst/andernfalls* werden auch mit dem Konjunktiv II gebildet (3). (vgl. §6 S. 104 f.)

Ü18 Bekommen Sie auch zu viele E-Mails? Ratschläge zum Umgang mit der E-Mail-Flut
Verbinden Sie die beiden Sätze durch *sonst* und ergänzen Sie die passenden Modalverben.

Die Arbeit wird ständig unterbrochen. Man schafft sein Arbeitspensum nicht.
Die Arbeit darf nicht ständig unterbrochen werden, sonst schafft man sein
Arbeitspensum nicht.

1. Man ruft E-Mails nach jedem Signalton auf. Man lässt sich zu sehr von
   außen steuern.
2. Man stellt den Signalton einfach ab und checkt E-Mails nur zu festgelegten Zeiten.
   Man verliert nicht so viel Zeit und Konzentration (so → zu).
3. Man reagiert auf berufliche E-Mails außerhalb der Arbeitszeit. Die Erholungszeit
   reduziert sich.
4. Berufliches wird in die private Zeit verlegt. Privat- und Arbeitssphäre
   vermischen sich.
5. E-Mails werden für zu viele Zwecke verwendet. Man wird zum Opfer
   einer E-Mail-Flut.

Ü19 Gehen Sie offline!
Viele Menschen entwickeln eine Art Online-Abhängigkeit. Geben Sie als Experte
Ratschläge, indem Sie Sätze mit *sonst* bilden.

→ *Gehen Sie offline, sonst bekommen Sie Ihren Alltag nicht in den Griff. ...*

Sie können dabei den folgenden Wortschatz verwenden:

keine Konzentration auf die Arbeit
keine Struktur in den Arbeitsabläufen
keine Erholung
andauernde Ablenkung im Netz
ständige Beantwortung von Mails
keine Stressvermeidung
...

VII Modalsätze

Nebensätze und Hauptsätze der Art und Weise und des Mittels

Fragen: *Auf welche Weise? Wie? Wodurch? Womit?*

Modalsatz (1)

Konjunktionen:	*indem* *dadurch, dass*	NS / meist nachgestellt
Adverbien:	**Konjunktionaladverbien:** *dadurch; damit; dabei; so; auf diese Weise*	HS / immer nachgestellt
	Relativadverbien: *wobei; wodurch; womit*	NS / immer nachgestellt
Präpositionen:	*durch* + A; *mit* + D; *unter* + D (nur instrumental:) *mittels* + G (geh.) *mithilfe* + G; *unter Zuhilfenahme* + G *unter Zuhilfenahme von* + D	

Konjunktionen

Der menschliche Körper wird mit Energie versorgt, **indem** er Nahrung aufnimmt.
Der menschliche Körper kann (**nur**) **dadurch** mit Energie versorgt werden, **dass** er
Nahrung aufnimmt.
(**Allein**) **Dadurch, dass** der menschliche Körper Nahrung aufnimmt, wird er mit
Energie versorgt.

In der zusammengesetzten Konjunktion *dadurch, dass* gehört *dadurch* zum Hauptsatz
und weist auf den Nebensatz mit *dass* hin. Die Partikeln *nur, bloß, allein, vor allem*
u. a. dienen der Hervorhebung.

Adverbien

Der menschliche Körper nimmt Nahrung auf; **dadurch/so** wird er mit Energie versorgt.
Der menschliche Körper nimmt Nahrung auf, **wodurch** er mit Energie versorgt wird.

Präpositionen

Durch die Aufnahme von Nahrung wird der menschliche Körper mit Energie versorgt.
Die Landwirtschaft wurde **mithilfe von Maschinen**, z. B. **mittels** Mähdrescher,
rationalisiert.

Ü20 Die Sicherstellung der Ernährung

In den letzten beiden Jahrhunderten wurde die Ernährung weitgehend gesichert und unabhängiger von schlechten Ernten und regionalen Engpässen. Lesen Sie hier einige der Entwicklungsschritte:

1. Die landwirtschaftliche Produktion wurde gesteigert.
2. Die Anbauflächen für Nahrungsmittel wurden vergrößert.
3. Die landwirtschaftlichen Methoden wurden intensiviert.
4. Zunehmend wurden Maschinen und Kunstdünger eingesetzt.
5. Es wurden neue Verkehrsmittel entwickelt und Verkehrswege ausgebaut.
6. Die alten Konservierungsmethoden wurden verbessert und neue erfunden.
7. Lebensmittel wurden z. B. unter Luftabschluss erhitzt.

Geben Sie jetzt die einzelnen Entwicklungsschritte stichwortartig mit Hilfe von Präpositionalangaben an.

Man hat die gesteckten Ziele erreicht:

1. *durch die Steigerung der landwirtschaftlichen Produktion*
2. ...

Ü21 Wie kann man sich optimal auf eine Prüfung vorbereiten?

a) Sie haben in einem Buch gelesen, mit welchen Lernstrategien man sich optimal vorbereiten kann. Dazu haben Sie sich Notizen gemacht, mit deren Hilfe Sie nun einer Freundin/einem Freund Ratschläge erteilen. Verwenden Sie dabei die in Klammern angegebenen Adverbien.

eine gute Zeiteinteilung vor einer Prüfung / nicht in Stress kommen (dadurch)
Man sollte seine Zeit vor einer Prüfung gut einteilen, dadurch kommt man nicht in Stress.

1. ausreichend Schlaf / sich am besten erholen können (dabei)
2. Ausschalten äußerer Reize (z.B. Nebengeräusche) / sich besser konzentrieren können (dadurch)
3. Verzehr von genügend Obst und Gemüse / sich gesund ernähren (so)
4. Spaziergänge an der frischen Luft / die Konzentrationsfähigkeit steigern (dadurch)
5. ausreichend Flüssigkeitsaufnahme / Konzentrationsfähigkeit auch noch erhöhen können (auf diese Weise)
6. von Zeit zu Zeit ein Stück Schokolade / sich motivieren können (dadurch)

b) In diesem Buch geben Experten weitere Tipps. Berichten Sie jemandem, was Sie noch zum Thema Lernstrategien gelesen haben, indem Sie abwechselnd die Konjunktionen *indem* oder *dadurch, dass* verwenden:

Sie können Texte durch Unterstreichen wichtiger Informationen effektiver lesen.
Sie können Texte effektiver lesen, indem Sie wichtige Informationen unterstreichen.

1. Durch Anfertigung einer Strukturskizze können Sie sich schneller einen Überblick über den Text verschaffen.

2. Mithilfe kurzer Zusammenfassungen der Texte können Sie den Inhalt später besser wiederholen.

3. Sie können das Gelernte durch mehrmaliges Wiederholen besser im Langzeitgedächtnis speichern.

4. Mit kleinen selbst entworfenen Tests und deren Lösung können Sie Ihren Wissensstand überprüfen.

5. Mit der Erstellung einer Checkliste können Sie sich einen Überblick über die noch zu lernenden Themen verschaffen.

6. Durch Gespräche mit Freunden und Lehrern können Sie Ihre Prüfungsängste reduzieren.

c) Machen Sie jetzt selbst Vorschläge, wie man effektiv Sprachen lernt.

→ *Man lernt neue Vokabeln dadurch am besten, dass man sie mehrmals schreibt. Neuen Wortschatz kann man am besten behalten, indem man sich passende Situationen dazu vorstellt. ...*

Modalsatz (2)

Konjunktionen:	ohne dass / ohne ... zu (= negierend)	NS / meist nachgestellt
Präposition:	ohne + A (= negierend) (nur instrumental:) ohne Zuhilfenahme + G / von + D	

Konjunktionen

(1) Manche Menschen fühlen sich an ihrem Arbeitsplatz überlastet, **ohne dass** es einen ersichtlichen Grund dafür gibt/gäbe.
= Es gibt **keinen** ersichtlichen Grund dafür.

(2) Andere machen Überstunden, **ohne** dazu gezwungen **zu** sein.
= Sie sind **nicht** dazu gezwungen.

Modalsätze mit der Konjunktion *ohne dass / ohne ... zu* haben negierende Bedeutung: Sie geben an, dass der Hauptsatz nicht von einem erwarteten Nebensatz-Geschehen begleitet wird (1) (2).
Bei gleichem Subjekt in Haupt- und Nebensatz können Infinitivsätze gebildet werden (2).
ohne dass kann auch mit dem Konjunktiv II gebraucht werden (1) (vgl. §6 S. 108 f.).
Die Konjunktion *ohne dass / ohne ... zu* kann auch konsekutive und konditionale Bedeutung haben (vgl. §13 S. 195 f. und S. 206 f.).

Präposition

Manche Menschen fühlen sich **ohne ersichtlichen Grund** an ihrem Arbeitsplatz überlastet.

Ü22 Weniger Arbeit, mehr Freizeit?

Bilden Sie Sätze mit der Konjunktion *ohne ... zu*.

Viele Menschen haben heutzutage viel Freizeit, aber sie können nichts damit anfangen.

Viele Menschen haben heutzutage viel Freizeit, ohne etwas damit anfangen zu können.

1. Viele Menschen verdienen genügend Geld, aber sie genießen ihren Wohlstand nicht.
2. Viele möchten in einer leitenden Stellung arbeiten, aber sie wollen keine Verantwortung übernehmen. (wollen *entfällt*)
3. Viele wünschen sich mehr Urlaub, aber sie können sich an den arbeitsfreien Tagen nicht erholen.
4. Viele verwünschen ihren vollen Terminkalender, aber sie tun nichts gegen die Überlastung.
5. Viele fordern mehr Freizeit, aber sie akzeptieren keine Lohnkürzungen.

Ü23 Was es nicht alles gibt!

Bilden Sie Modalsätze mit der Präposition *ohne* und setzen Sie dann die Merkwürdigkeiten mit Modalsätzen fort.

Auto fahren – keinen Führerschein haben

Er fährt ohne Führerschein Auto.

1. sich über Stotterer lustig machen – kein Mitgefühl haben
2. schwierige Bergtouren machen – nicht richtig dafür ausgerüstet sein
3. weit ins Meer hinausschwimmen – nicht an Haifische denken (→ Gedanken)
4. seine Interessen durchsetzen – keine Rücksicht auf andere nehmen

   ...

Modalsatz (3)

Konjunktionen:	*(an)statt dass / (an)statt ... zu* (= negierend)	NS / meist vorangestellt
Adverb:	*stattdessen*	HS / immer nachgestellt
Präpositionen:	*(an)statt* + G *an Stelle / anstelle* + G *an Stelle / anstelle von* + D (= negierend)	

Konjunktionen

(1) **Statt/Anstatt dass** sich beim Glücksspiel der Traum vom Glück erfüllt, führt Spielen oft in den finanziellen Ruin.

= Beim Glücksspiel erfüllt sich der Traum vom Glück **nicht**.

(2) **Statt/Anstatt** Kontakte zu ihren Mitmenschen **zu** knüpfen, suchen Spieler Spielhallen auf.

= Spieler knüpfen **keine** Kontakte zu ihren Mitmenschen.

(3) **Statt/Anstatt** Spielhallen aufzusuchen, sollten Spieler Kontakte zu ihren Mitmenschen suchen.

= Sie sollten **keine** Spielhallen aufsuchen, sondern Kontakte zu ihren Mitmenschen suchen.

(4) **Statt/Anstatt** dass der Spieler Kontakte zu seinen Mitmenschen **geknüpft hätte**, ging er jeden Abend in die Spielhalle.

Modalsätze mit der Konjunktion *(an)statt dass / (an)statt ... zu* haben negierende Bedeutung: Sie bieten zu dem Vorgang des Hauptsatzes, der als unpassend oder falsch empfunden wird, eine Alternative (2) bzw. zeigen Folgen/Konsequenzen auf (1).
Bei gleichem Subjekt in Haupt- und Nebensatz können Infinitivsätze gebildet werden (2).
Man kann Sätze mit *(an)statt* auch als Empfehlung formulieren, dann steht *(an)statt* bei dem als unpassend oder falsch empfundenen Vorgang (3).
Die Konjunktion *(an)statt dass* wird mit dem Konjunktiv II gebraucht, wenn Erstaunen oder Verwunderung ausgedrückt werden sollen (4) (vgl. §6 S. 108 f.).

Adverb

Beim Glücksspiel erfüllt sich der Traum vom Glück meist nicht, **stattdessen** führt Spielen oft in den finanziellen Ruin.

Präpositionen

Statt/Anstatt Freunden / **Anstelle von** Freunden sucht ein Spieler Spielhallen auf.

Das Verb bezieht sich oft auch auf die Präpositionalangabe (*Spielhallen aufsuchen / Freunde aufsuchen*).

statt/anstatt Arbeitstagen

Nach der Präposition *(an)statt* stehen pluralische Nomen ohne Artikel und ohne adjektivisches Attribut im Dativ.

Ü24 Glücksspiel an Automaten

Bilden Sie abwechselnd Sätze mit der Konjunktion *anstatt ... zu* und dem Adverb *stattdessen*.

Der Spieler setzt sich mit seinen Mitmenschen nicht offen auseinander. Er benutzt den Spielautomaten als Möglichkeit für gefahrlose Auseinandersetzungen.

Anstatt sich mit seinen Mitmenschen offen auseinanderzusetzen, benutzt der Spieler den Spielautomaten als Möglichkeit für gefahrlose Auseinandersetzungen.
Der Spieler setzt sich mit seinen Mitmenschen nicht offen auseinander, stattdessen benutzt er den Spielautomaten als Möglichkeit für gefahrlose Auseinandersetzungen.

1. Der Spieler setzt sich mit seinem eigenen Verhalten nicht selbstkritisch auseinander. Er verdrängt seine Probleme beim Glücksspiel.
2. Der Spieler bekämpft seine Spielsucht nicht. Er versucht seine Leidenschaft zu rechtfertigen.
3. Der Spieler sucht Erfolgserlebnisse nicht im Beruf. Er erhofft sie sich vom Glücksspiel.
4. Der Spieler zeigt seine Geschicklichkeit nicht als Hobbybastler oder Künstler. Er funktioniert das Automatenspiel zum Geschicklichkeitsspiel um.

5. Der Spieler scheut hohen Geldeinsatz nicht. Er investiert immer höhere Summen.

6. Der Spieler zieht keine Konsequenzen aus dem Verlustgeschäft. Er träumt weiter von großen Gewinnen.

Ü25 Freizeitverhalten

Beobachten Sie das Freizeitverhalten Ihrer Mitmenschen und schlagen Sie Alternativen vor (wahlweise mit Präposition, Konjunktion oder Adverb).

→ *Manche machen aus jeder sportlichen Aktivität Leistungssport, stattdessen sollte man Sport als Freizeitvergnügen treiben.*

...

Ü26 Frieden schaffen ohne Waffen

Entscheiden Sie: *ohne (dass)* oder *(an)statt (dass)*? Setzen Sie die richtige Konjunktion ein.

Ein Land erklärt einem anderen Land den Krieg,

ohne dass die Verhandlungen abgeschlossen sind.

1. _____ dies eine langfristige Konfliktlösung verspricht.
2. _____ ausreichend vorbereitet zu sein.
3. _____ ihn noch hinauszuzögern.
4. _____ genügend Rückhalt in der Bevölkerung zu haben.
5. _____ die Bündnispartner vorher informiert zu haben.
6. _____ den Frieden zu erhalten.

Modalsatz (4): Komparativsätze

Konjunktionen:	*(genauso / ebenso) wie*	NS / meist nachgestellt
	als	NS / immer nachgestellt

(1) Die Behandlung von Geschwistern sollte **so** (gerecht) sein, **wie** sich das jeder wünscht. Der jüngere Bruder sollte **genauso/ebenso** behandelt werden **wie** die ältere Schwester. Babys schlafen nachts **nicht so** ausdauernd, **wie** Eltern das gern hätten.

(2) Neugeborene Babys können die Stimme ihrer Mutter **schon besser** erkennen, **als** man für möglich hält. Neugeborene sehen oft **anders** aus, **als** Eltern sie sich vorgestellt haben.

(3) Das zweite Kind **ist** charakterlich oft ganz anders als das erste. (= ganz anders, **als** es das erste Kind **ist**.)

Komparativsätze werden bei (verneinter) Gleichheit mit *wie* eingeleitet (1). Komparativsätze werden bei Ungleichheit und nach *anders* mit *als* eingeleitet (2). Wenn das Verb in Haupt- und Nebensatz identisch ist, wird der Nebensatz meist verkürzt mit *wie/als* wiedergegeben (3). (irreale Komparativsätze vgl. §6 S. 105 f.)

Ü27   Die Fähigkeiten neugeborener Babys

Antworten Sie auf die Fragen, indem Sie Vergleichssätze mit den in Klammern angegebenen Wörtern bilden. (*Komp.* = Komparativ; *Pos.* = Positiv)

Nehmen neugeborene Babys die Welt genau so wahr wie wir? (anders // vermuten)

Neugeborene Babys nehmen die Welt anders wahr, als wir vermuten.

1. Sind sie denn nicht sehr hilflos? (hilflos, *Pos.* // erwarten)
2. Sehen sie denn schon gut? (gut, *Komp.* // glauben)
3. Lernen sie nicht sehr langsam?
   (nicht / langsam, *Pos.*, sondern schnell, *Komp.* // annehmen)
4. Sind sie denn schon orientierungsfähig? (orientierungsfähig, *Komp.* // denken)
5. Sind „frischgebackene" Eltern mit ihren Babys nicht manchmal überfordert?
   (viele / nicht / überfordert, *Pos.* // sie / befürchten, *Perf.*)

Ü28   Wie gut ist unser Geruchssinn? Ergebnisse eines Geruchstests

Wie oder *als*? Setzen Sie die richtige Konjunktion ein.

Gerüche lassen uns weniger gleichgültig, _als_ wir annehmen.

1. Im Gegenteil: Sie beeinflussen uns mehr, _____ wir denken.
2. Ein guter Geruchssinn ist für unser Wohlbefinden wichtiger, _____ wir generell meinen.
3. Gerüche lassen sich schwerer beschreiben, _____ man denkt. (Probieren Sie es mal aus und versuchen Sie, Ihr Lieblingsparfüm oder den Duft des Waldes zu beschreiben.)
4. Wir können uns Gerüche auch nicht so gut in Erinnerung rufen, _____ das mit anderen Dingen, z.B. einem Bild, gelingt.
5. Parfüms können wir nicht so gut unterscheiden, _____ wir das gern möchten.
6. Manche Menschen hatten im Test keine so gute Nase, _____ sie erwartet hatten.
7. Wir schätzen unseren Geruchssinn oft anders ein, _____ er in Wirklichkeit ist.
8. Den Geruch von Bananen konnten ältere Menschen nicht so gut wahrnehmen, _____ sie vor dem Test geglaubt hatten.
9. Dagegen konnten sie den Duft von Rosen besser wahrnehmen, _____ sie vermutet hatten.
10. Allerdings nimmt unsere Nase manche Gerüche besser wahr, _____ wir uns das wünschen.

Wiedergabe von Mitteilungen

Konjunktion:	*wie*	NS / meist vorangestellt
Präpositionen:	*nach + D / D + nach* *entsprechend + D / D + entsprechend*	voran- oder nachgestellt
	D + gemäß (meist geschr.) *D + zufolge*	meist nachgestellt
	zufolge + G (seltener) *laut + D* (/+G)	vorangestellt

(1a) **Nach Meinung der Schlafforscher/Der Meinung der Schlafforscher nach** gehört Schlaf zu den biorhythmischen Vorgängen im Organismus.

(1b) **Wie** die Schlafforscher meinen, gehört Schlaf zu den biorhythmischen Vorgängen im Organismus.

(2a) **Neueren Schlaftheorien zufolge** wird der Schlaf-Wach-Rhythmus u. a. durch neurochemische Substanzen gesteuert.

(2b) **Wie** neuere Schlaftheorien besagen, wird der Schlaf-Wach-Rhythmus u. a. durch neurochemische Substanzen gesteuert.

Die Konjunktion *wie* leitet Nebensätze ein, die die Informationsquelle für das Hauptsatz-Geschehen angeben (1b) (2b). Statt dieser Nebensätze mit *wie* werden aber meist Präpositionalangaben gebraucht (1a) (2a).

Die Präpositionen *nach* (meist ohne Artikel) und *entsprechend* können einem Nomen voran- oder nachgestellt werden (1a) (*entsprechend seinem Vorschlag / seinem Vorschlag entsprechend*).

Die Präpositionen *zufolge* und *gemäß* werden meist nachgestellt (2a) (*seinen Erwartungen gemäß*). *laut* (meist ohne Artikel) steht vor einem Nomen meist ohne Genitiv-*(e)s* (*laut Wetterbericht*) oder im Dativ (*laut gestrigem Wetterbericht, laut Presseberichten*).

laut wird mit Nomen verbunden, die etwas Geschriebenes oder Gesprochenes bezeichnen (*laut Statistik*).

Die Präposition *laut* kann auch kausale Bedeutung haben.

Die Wendungen *nach Ansicht von / nach Auffassung von* entsprechen *dass*-Sätzen (*Jemand vertritt die Ansicht/Auffassung, dass ...*).

Beispiele für Präpositionalangaben

nach Ansicht/Einschätzung/Mitteilung von Experten

nach Meinung des Forschers / seiner Meinung nach

nach Ansicht/Auffassung von Fachleuten

entsprechend seinem Vorschlag / seinem Vorschlag entsprechend

laut Wetterbericht / laut gestrigem Wetterbericht / laut Presseberichten

seinen Erwartungen gemäß

dem Rat zufolge / den Beobachtungen zufolge / neueren Theorien zufolge

Ü29 Sind Sie ein Morgenmuffel?

Schreiben Sie den folgenden Text neu. Betonen Sie dabei den Wissenschaftscharakter des Textes, indem Sie die kursiv gesetzten Sätze mit Präpositionalangaben wiedergeben. Sie können sich dabei an den oben aufgeführten Wendungen orientieren.

Ob wir Frühaufsteher sind oder morgens lieber lange ausschlafen, ist – *so schätzen Wissenschaftler es zumindest ein* – genetisch bedingt. *Die Schlafforscher erklären das so:* Wie frisch wir uns am Morgen fühlen, hängt nicht nur von der Tagesform ab, sondern von unserer „inneren Uhr". Denn diese innere Uhr, *so ihre Auffassung,* tickt bei Morgenmuffeln
5   langsamer. *Aus Studien wurde bekannt, dass* diese ohne Wecker später aufwachen würden. *Die Wissenschaftler meinen, dass* sie durch den Wecker am frühen Morgen richtig aus dem Schlaf gerissen werden. *Experten empfehlen* in solchen Fällen, den Tag langsam zu beginnen (+ sollen). *Sie raten,* den lauten Wecker durch einen Radio- oder Musikwecker zu ersetzen (+ sollen). *Die Forscher vermuten, dass* es auch besser ist, sich vor dem Aufstehen zunächst
10 zu strecken und zu dehnen. *Sie raten* außerdem *dazu,* sich am Morgen Zeit zu nehmen und den Tag ohne Stress zu beginnen (+ sollen).

→ *Ob wir Frühaufsteher sind oder morgens lieber lange ausschlafen,
   ist zumindest nach Einschätzung von Wissenschaftlern genetisch bedingt. ...*

Modalsatz (5): Proportionalsätze

Konjunktionen:	je ..., desto / je ..., umso immer ..., je	NS mit *je* meist vorangestellt HS mit *immer* stets vorangestellt
Präpositionen:	bei + D, mit + D durch + A, unter + D	

Konjunktionen

(1) **Je größer** der Wohlstand eines Landes ist, ...
     = Der Wohlstand eines Landes ist groß.

  (2) **desto / umso höher ist** die Lebenserwartung.
       = Die Lebenserwartung ist hoch.

  (3) **desto mehr/stärker geht** die Kindersterblichkeit **zurück**.
       = Die Kindersterblichkeit geht zurück.

  (4) **desto weniger** Kinder werden geboren.
       = Es werden wenig Kinder geboren.

  (5) **desto mehr Benachteiligungen** haben kinderreiche Familien.
       = Kinderreiche Familien haben viele Benachteiligungen.

  (6) **eine desto geringere Rolle** spielt die Familie.
       = Die Familie spielt eine geringe Rolle.

  (7) **mit desto größerer Wahrscheinlichkeit** sinkt die Kindersterblichkeit.
       = Die Kindersterblichkeit sinkt mit großer Wahrscheinlichkeit.

(8) **mit einer desto höheren Lebenserwartung** ist zu rechnen.

   = Mit einer hohen Lebenserwartung ist zu rechnen.

(9a) Die Lebenserwartung ist **umso höher, je größer** der Wohlstand eines Landes ist.

(9b) Die Kindersterblichkeit geht **immer weiter** zurück, **je größer** der Wohlstand eines Landes ist.

je + Komparativ und *desto/umso + Komparativ* bilden feste Verbindungen und werden nie getrennt. *je* leitet einen Nebensatz mit Endstellung des Verbs ein (1), *desto/umso* leitet einen Hauptsatz ein (2)–(8).

In diesen Proportionalsätzen werden zwei Aussagen verglichen, wobei eine Änderung der Aussage des Nebensatzes mit *je* eine Änderung der Aussage des Hauptsatzes mit *desto/umso* zur Folge hat.

Enthält ein Satz ein Adjektiv, wird aus diesem der Komparativ gebildet und hinter *je* bzw. *desto/umso* gestellt (1) (2) (4)–(8).

Wenn es im Satz kein Adjektiv gibt, aus dem ein Komparativ gebildet werden kann, passen Komparative wie *besser, eher, leichter, mehr, stärker* (3) (*gelingen → desto eher/leichter gelingen*).

weniger steht als endungsloser Komparativ bei (eingeschränkter) Negation von Verben (*wenig/kaum arbeiten → umso weniger arbeiten*) und Nomen (4) (*keine/kaum/wenig Kinder → desto weniger Kinder*).

Der unbestimmte Artikel steht vor *desto/umso* (6).

Präpositionen stehen vor *desto/umso* (7) und vor dem unbestimmten Artikel (8).

Wird der Hauptsatz vorangestellt, wird meist *umso* gebraucht (9a).

Vorangestellte Hauptsätze können auch mit *immer + Komparativ* gebildet werden (9b).

Proportionalsätze mit *desto/umso/immer* haben auch konditionale Bedeutung (*Wenn der Wohlstand wächst, werden weniger Kinder geboren.*).

Präposition

Bei einem höheren Lebensstandard geht die Kindersterblichkeit immer mehr zurück.

Ü30 Eine gute Ausbildung

Ergänzen Sie die Nebensätze mit *je* durch Sätze mit *desto* oder *umso*.

Mit einer guten Ausbildung ...
1. hat man gute berufliche Chancen.
2. kann man auf einen gut bezahlten Arbeitsplatz hoffen.
3. kann man seine Familie ernähren.
4. kann man einen hohen Lebensstandard genießen.
5. wird man für eine gute Ausbildung seiner Kinder sorgen.
6. kann man sein Leben interessanter gestalten.

→ *Je besser man ausgebildet ist, ...*
   1. *desto/umso bessere berufliche Chancen hat man. ...*

Ü31 Das Artensterben bei Vögeln

Bilden Sie Sätze mit *je ..., desto* oder *je ..., umso*. Benutzen Sie, wenn es im Satz kein Adjektiv gibt, die Komparative *mehr* und *stärker*.

Die Artenvielfalt der einheimischen Vogelwelt geht zurück. Unsere Umwelt wird arm.

Je stärker die Artenvielfalt der einheimischen Vogelwelt zurückgeht, desto ärmer wird unsere Umwelt.

1. Die Landschaft wird durch menschliche Eingriffe verändert. Den Vögeln bleibt ein kleiner Lebensraum.
2. Luft und Wasser werden verschmutzt. Die Vögel finden wenig Nahrung.
3. Die landwirtschaftlich genutzten Flächen sind vogelfeindlich. Die Brutplätze für Vögel werden knapp.
4. Der Mensch greift in den Lebensraum der Vögel ein. Umweltbewusste Gruppen setzen sich mit großem Engagement für ihren Schutz ein.
5. Das Klima verändert sich. Man muss schwerwiegende Auswirkungen auf die Vogelwelt befürchten.
6. Die europäischen Winter werden wärmer. Das Zugverhalten der Vögel verändert sich.
7. Viele Zugvögel bleiben im Winter in Mitteleuropa. Sie verdrängen heimische Vogelarten.

Ü32 Logische Folgerungen

a) Setzen Sie die gedankliche Folge der begonnenen *je ..., desto*-Sätze fort.

1. Je stärker ein Land industrialisiert ist, desto höher ist der Lebensstandard.
   Je höher der Lebensstandard ist, ...

2. Je größer der Wohlstand eines Landes ist, umso mehr Menschen sind motorisiert.
   Je mehr Menschen motorisiert sind, ...

3. Je höher die Lebenserwartung ist, desto älter werden die Menschen.
   Je älter die Menschen werden, ...

4. Je besser die klimatischen Bedingungen sind, umso mehr Landwirtschaft kann betrieben werden.
   Je mehr Landwirtschaft betrieben werden kann, ...

b) Ergänzen Sie jetzt selbst weitere Proportionalsätze mit *je..., desto* und setzen Sie die gedankliche Folge fort.

5. ...

Modalsatz (6)

Konjunktion:	*je nachdem(,)* + Fragewort (z. B. *ob, wer, wie, wann, was für ein*)	NS / meist nachgestellt
Präpositionen:	*entsprechend* + D / D + *entsprechend*	voran- oder nachgestellt
	gemäß + D (geschr.)	meist nachgestellt

Konjunktion

Richter verhängen mildere oder härtere Strafen, **je nachdem**(,) **was** für eine Straftat vorliegt.
= Richter verhängen mildere oder härtere Strafen. Das hängt von der Straftat ab.

Zeugen können vereidigt werden, **je nachdem**(,) **ob** ihre Aussagen wichtig sind oder nicht.
= Wenn ihre Aussagen wichtig sind, werden Zeugen vereidigt; wenn ihre Aussagen nicht (so) wichtig sind, werden sie nicht vereidigt.

Der Hauptsatz enthält Alternativen. Welche von ihnen zutrifft, hängt vom Nebensatz ab, der die Kriterien für die Entscheidung nennt. Zwischen *nachdem* und dem Fragewort kann ein Komma stehen. Proportionalsätze mit *je nachdem* haben auch konditionale Bedeutung.

Präpositionen

Richter verhängen **entsprechend** der begangenen Straftat / der begangenen Straftat **entsprechend/gemäß** mildere oder härtere Strafen.

Die Präposition *entsprechend* kann voran- oder nachgestellt werden, die Präposition *gemäß* wird meist nachgestellt.

Ü33 Rechtsprechung

Bilden Sie wahlweise Nebensätze mit *je nachdem* und Präpositionalangaben mit *entsprechend*.

Richter können Zeugenaussagen verwerten. (ihre Glaubwürdigkeit)
Richter können Zeugenaussagen verwerten, je nachdem(,) wie glaubwürdig sie sind.
Richter können Zeugenaussagen entsprechend ihrer Glaubwürdigkeit / ihrer
Glaubwürdigkeit entsprechend verwerten.

1. Ein Prozess kann Tage oder Wochen dauern. (die Schwierigkeit des zu verhandelnden Sachverhalts)
2. Der Angeklagte muss sich auf einen mehr oder weniger aufsehenerregenden Prozess einstellen. (begangene Straftat)
3. Angeklagte werden vor einen Einzelrichter oder vor ein Schöffengericht gestellt. (das zu erwartende Strafmaß)

4. Richter können am Jugendgericht, Zivilgericht, Arbeitsgericht oder Strafgericht tätig sein. (ihre Interessen)
5. Gutachter können das Urteil des Gerichts beeinflussen. (die Überzeugungskraft ihrer Argumente)
6. Gerichtsurteile fallen unterschiedlich aus. (die Berücksichtigung mildernder Umstände)

VIII Temporalsätze

Nebensätze und Hauptsätze der Zeit

(1) **Während** ein Flugzeug **startete**, **warteten** zwei andere auf die Starterlaubnis.
(2) **Nachdem** das Flugzeug **gestartet war**, **rollte** das nächste auf die Startbahn.
(3a) **Bevor** das Flugzeug auf die Startbahn **rollte**, **hatte** es die Erlaubnis der Fluglotsen **bekommen** (bekam).
(3b) Bevor das Flugzeug auf die Startbahn **rollte**, **bekam** es die Erlaubnis der Fluglotsen.

Temporale Nebensätze können im Verhältnis zum Hauptsatz gleichzeitig (1), vorzeitig (2) oder nachzeitig (3a) sein. Diese zeitliche Beziehung wird aber nicht immer korrekt wiedergegeben; so wird z. B. statt Nachzeitigkeit meist Gleichzeitigkeit gebraucht (3b) (vgl. §20 S. 325 f.).

Konjunktionen für Gleichzeitigkeit, Vorzeitigkeit und Nachzeitigkeit
Die Pfeile weisen auf die üblicherweise gebrauchten Zeiten hin:

	Vorzeitigkeit	Gleichzeitigkeit	Nachzeitigkeit
Temporalsatz (1)*		während; solange	
Temporalsatz (2)*	als; wenn sooft immer wenn jedes Mal wenn	als; wenn sooft immer wenn jedes Mal wenn	
Temporalsatz (3)*	nachdem sobald → sowie → kaum dass →	sobald sowie kaum dass	
Temporalsatz (4)*	seitdem seit	seitdem seit	
Temporalsatz (5)*		bis	← bis
Temporalsatz (6)*		bevor ehe	← bevor ← ehe

* Nähere Erläuterungen hierzu finden Sie im Folgenden unter Temporalsatz (1) bis Temporalsatz (6).

Temporalsatz (1)

Fragen: *Wann? Wie lange?*

Konjunktionen:	*während; solange* (gleichzeitig)	NS / meist vorangestellt
Adverbien:	**Konjunktionaladverbien:** *währenddessen* *unterdessen* *inzwischen* *gleichzeitig* *zugleich* *zur gleichen Zeit* *solange*	HS / immer nachgestellt
Präpositionen:	*während* + G *zeit* + G in der Wendung: *zeit seines Lebens* (= solange er lebte)	

Konjunktionen

Während Mozart Konzertreisen durch Europa machte, schrieb er viele Musikstücke.
Er hat komponiert, **solange** er lebte.

Die Konjunktion *während* antwortet auf die Frage: *Wann?*, *solange* antwortet auf die Frage: *Wie lange?* Diese Temporalsätze drücken eine Gleichzeitigkeit des Geschehens in Haupt- und Nebensatz aus, wobei *während* eine teilweise oder vollständige, *solange* immer eine vollständige zeitliche Parallelität anzeigt.
Die Konjunktion *während* kann auch einen Gegensatz ausdrücken (adversativer Gebrauch): *Während heute kaum jemand die Kompositionen seines Vaters Leopold kennt, ist Mozarts Musik weltberühmt.*

Adverb

Mozart war oft auf Reisen; **währenddessen** schrieb er viele Musikstücke.

Präpositionen

Während seiner Konzertreisen durch Europa schrieb Mozart viele Musikstücke.
Mozart hat **zeit seines Lebens** komponiert.

während Dirigierkursen

Nach der Präposition *während* stehen pluralische Nomen ohne Artikel und ohne adjektivisches Attribut im Dativ.

Ü34   **Geteilte Aufmerksamkeit**

a) Was ist gleichzeitig möglich und was nicht?

Bilden Sie (negierte) Sätze mit *während* und *können*.

Gemüse putzen – Radio hören
Während ich Gemüse putze, kann ich Radio hören.

1. Bedienungsanleitung lesen – wegen eines Arzttermins telefonieren
2. schwimmen – über mein weiteres Tagesprogramm nachdenken
3. Roman lesen – nebenbei Vokabeln lernen

b) Und welche Aufgaben erledigen Sie gleichzeitig? Welche nicht?

→ *Während ich im Internet surfe, kann ich nicht mit Freunden telefonieren.*
   ...

Ü35   **Wolfgang Amadeus Mozart (1756 Salzburg – 1791 Wien)**
Erzählen Sie aus dem Leben Mozarts und formen Sie dabei die
Präpositionalangaben in Nebensätze mit der Konjunktion
während um.

Während der Vorbereitungen für seine ersten Konzertreisen
schrieb der fünfjährige Mozart schon seine ersten Stücke.
*Während sich der fünfjährige Mozart auf seine ersten
Konzertreisen vorbereitete, schrieb er schon seine ersten Stücke.*

1. Während der Komposition seiner ersten Oper im Jahre 1768 schrieb er noch
    ein Singspiel.
2. Mozarts Musikstil formte sich während seiner Tätigkeit als Konzertmeister
    in Salzburg (1779–1781).
3. Während der Entstehung seiner sechs Joseph Haydn gewidmeten Streichquartette
    (1782–1785) hatte er viele Konzertverpflichtungen.
4. Während der Uraufführung seiner Oper „Die Zauberflöte" am 20. September 1791
    reagierte das Publikum reserviert.
5. Während seines Aufenthaltes in Prag im Sommer 1791 verschlechterte sich sein
    Gesundheitszustand.
6. Er starb im Alter von nur 35 Jahren während der Arbeit an seinem „Requiem".
7. Mozart hat zeit seines Lebens schöpferisch gearbeitet.

Temporalsatz (2)

Fragen: *Wann? Wie oft?*

Konjunktionen:	*als*; *wenn* (gleichzeitig) *als*; *wenn* (= nachdem) (vorzeitig) *immer wenn*; *jedes Mal wenn*; *wann immer*; *sooft* (gleichzeitig; vorzeitig = *nachdem*)	NS; meist vorangestellt
Adverbien:	**Konjunktionaladverbien:** *damals*; *da*	HS; immer nachgestellt
	Relativadverbien: *wonach*; *worauf(hin)*	NS; immer nachgestellt
Präpositionen:	*bei* + D *in* + D *mit* + D *auf* + D *auf* + A ... *(hin)* *bei jedem* + D	

Konjunktionen

(1) **Als** das europäische Bürgertum im 18. Jahrhundert wirtschaftlich erstarkte, wollte es auch politische Macht haben.

(2) **Als/Nachdem** der Adel seine politische Vormachtstellung verloren hatte, begann im 19. Jahrhundert das bürgerliche Zeitalter.

(3) **Wenn** man früher von „Bürgern" sprach, meinte man meist die freien Bürger einer Stadt.

(4) **Sooft/Immer wenn** man heute den Begriff „Bürger" verwendet, meint man damit den politisch und sozial vollberechtigten Staatsbürger.

Die Konjunktion *als* steht bei einmaligen Vorgängen der Vergangenheit (1).
Bei Vorzeitigkeit hat *als* die Bedeutung von *nachdem* (2).
Die Konjunktion *wenn* steht bei sich wiederholenden Vorgängen der Vergangenheit (3) und bei einmaligen oder sich wiederholenden Vorgängen der Gegenwart und Zukunft.
Die Konjunktionen *sooft/immer wenn/jedes Mal wenn/wann immer* stehen bei sich regelmäßig wiederholenden Vorgängen der Vergangenheit, Gegenwart und Zukunft (4).

Adverbien

Das europäische Bürgertum erstarkte im 18. Jahrhundert wirtschaftlich; **damals** wollte es auch politische Macht haben.
Das europäische Bürgertum erstarkte im 18. Jahrhundert wirtschaftlich, **woraufhin** es auch politische Macht haben wollte.

Präpositionen

Mit dem wirtschaftlichen Erstarken im 18. Jahrhundert wollte das europäische
Bürgertum auch politische Macht haben.
Auf die Nachricht von der Französischen Revolution (hin) reagierten die deutschen
Intellektuellen begeistert.

auf ihre Bitte hin / auf seine Frage hin
auf höheren Befehl (hin)
auf Anregung seines Chefs (hin)

Die Präposition *auf ... (hin)* steht bei Nomen mit Artikel bzw. Pronomen. Bei Nomen mit
Adjektiv oder nachgestelltem Attribut ist *hin* fakultativ.
Die Präposition *auf ... (hin)* kann auch kausale, konditionale und lokale Bedeutung haben
(*auf seinen Wunsch hin = weil/wenn/als er sich etwas wünschte*).

Ü36 Deutschland und die Französische Revolution
Entscheiden Sie: *wenn* oder *als*?

Als 1789 die Französische Revolution ausbrach, drangen ihre Ideen sofort
über Frankreichs Grenzen nach Deutschland.

1. _____ in Deutschland über die Prinzipien der Französischen Revolution diskutiert wurde,
   ging es auch immer um die Frage der eigenen nationalen Identität.
2. _____ sich die Machtverhältnisse in Frankreich durch die Revolution änderten,
   erwachte auch in Deutschland die Hoffnung auf eine neue Gesellschaftsordnung.
3. _____ in Deutschland die Anhänger der Französischen Revolution zur Feder griffen,
   kamen zum ersten Mal breite Schichten der Bevölkerung zu Wort.
4. Aber _____ deutsche Intellektuelle für die Ideen der Französischen Revolution
   eintraten, mussten sie mit hohen Strafen rechnen.
5. _____ sich die Französische Revolution ab 1792 radikalisierte, waren die deutschen
   Intellektuellen enttäuscht.
6. _____ Napoleon Bonaparte an die Macht kam, wurden die sozialen Errungenschaften
   von 1789 gesetzlich verankert.
7. _____ heute über die Französische Revolution diskutiert wird, wird ihre historische
   Bedeutung hervorgehoben.

Ü37 Historische Ereignisse
Schreiben Sie nun über historische Ereignisse in Ihrem Land, indem Sie Sätze mit *als*
und *wenn* bilden.

→ *Als vor ... Jahren die neue Regierung an die Macht kam, ...*
  Wenn damals über ... gesprochen wurde, ...

Ü38 Ein großer Romantiker: Joseph von Eichendorff (1788–1857)*

Lesen Sie die Informationen aus Eichendorffs Leben und setzen Sie die Konjunktionen *als* bzw. *wenn* ein.

Als Joseph von Eichendorff 1788 auf Schloss Lubowitz (Oberschlesien) geboren wurde, kämpfte die Familie bereits mit finanziellen Problemen. Trotzdem hatte Eichendorff eine glückliche Kindheit, und auch, _____ (1) er das Gymnasium in Breslau besuchte, war er dort standesgemäß untergebracht. Aber schon, _____ (2) er zum Jurastudium nach Halle und Heidelberg ging, verschlechterte sich die finanzielle Lage der Familie. Dennoch wurde er immer, _____ (3) er unterwegs war, z.B. auch zu Studienzwecken, von einem Diener begleitet. Und in seiner Jugend- und Studentenzeit war, _____ (4) er reiste, stets sein älterer Bruder Wilhelm dabei. _____ (5) sich die beiden Brüder dann zum Studium in Wien aufhielten, verschlechterte sich die finanzielle Situation der Familie so sehr, dass sich beide entschlossen, ihr Studium schnellstens abzuschließen. _____ (6) der preußische König 1813 zum Widerstand gegen Napoleon aufrief, hatte Eichendorff sein Studium gerade beendet und zog patriotisch gesinnt als Freiwilliger in den Krieg. Er mochte die revolutionäre Zeit nicht, und _____ (7) er später in seinen Werken die Französische Revolution beschrieb, stellte er sie nicht wie ein historisches Ereignis, sondern wie eine Naturgewalt dar. _____ (8) er aus der Armee entlassen wurde, kehrte er in seine Heimat zurück und heiratete gegen den Willen seiner Eltern die verarmte Adlige Luise von Larisch. Nach seiner Zeit als Referendar und Assessor in Breslau beschritt er, _____ (9) er in den Staatsdienst eintrat, einen für Adlige damals ungewöhnlichen Weg. Seine heute bekannteste Novelle „Aus dem Leben eines Taugenichts" schrieb er, _____ (10) er sich in finanziell sehr schwierigen Verhältnissen befand. Interessant dabei ist, dass er, _____ (11) er bereits für Ehefrau und zwei Kinder sorgen musste, am Beispiel des Protagonisten der Novelle das Ideal eines freien, ungebundenen Lebens beschrieb: Der naive Taugenichts wandert nämlich völlig sorglos nach Italien. _____ (12) er fröhlich ist, spielt er Geige, und _____ (13) er traurig oder ängstlich ist, vertraut er sich ganz einfach Gott an. Seinen ersten Roman „Ahnung und Gegenwart" hatte Eichendorff schon 1812 geschrieben, _____ (14) er noch in Wien studierte. Schon in diesem Werk tauchten die für Eichendorff typischen romantischen Landschaften von Schlössern, Bergen und Tälern in der Morgensonne auf. Und auch _____ (15) er später – wie z.B. im „Taugenichts" – Landschaften beschrieb, griff er auf diese sprachlich formelhaften Elemente zurück. Man kann darin seine Sehnsucht nach dem verlorenen Paradies seiner Kindheit erkennen, denn als junger Mann hatte er erlebt, wie die Familie nach und nach alle Güter (und später sogar den Familienbesitz Schloss Lubowitz) verlor. So erklärt es sich auch, dass Eichendorff, _____ (16) er als Erwachsener über seine Kindheit und Jugend schrieb, viele Erlebnisse romantisch verklärte. Seine Geldprobleme lösten sich erst, _____ (17) er Stellen in verschiedenen Ministerien in Danzig, Königsberg und schließlich Berlin bekam. Seinen schriftstellerischen Neigungen konnte er in seinem ganzen Berufsleben nur nachgehen, _____ (18) ihm Zeit dafür blieb. Schon _____ (19) er noch lebte, wurde er „der letzte Ritter der Romantik" genannt. Die literarische Epoche der Romantik war dann endgültig vorbei, _____ (20) er 1857 starb.

* Eichendorff wurde vor allem wegen seiner Gedichte, aber auch wegen seiner Novellen, z.B. „Aus dem Leben eines Taugenichts" und „Das Marmorbild", bekannt.

Temporalsatz (3)

Frage: *Wann?*

Konjunktionen:	*nachdem* (vorzeitig) *sobald / sowie / kaum dass* (vorzeitig / meist gleichzeitig)	NS / meist vorangestellt
Adverbien:	**Konjunktionaladverbien:** *dann; danach; daraufhin*	HS / immer nachgestellt
	Relativadverbien: *wonach; worauf(hin)*	NS / immer nachgestellt
Präposition:	*nach* + D *gleich nach* + D	

Konjunktionen

Nachdem Karl May gestorben war, kümmerte sich seine Frau um seinen Nachlass.
Kaum dass er seinen Wohnort wechselte / gewechselt hatte, fiel er schon wegen
Diebstahls oder Betrugs auf.

Die Handlung des Temporalsatzes mit der Konjunktion *nachdem* ist gegenüber dem
Geschehen des Hauptsatzes vorzeitig. Der Gebrauch der Vorzeitigkeit ist obligatorisch.
Bei den Temporalsätzen mit den Konjunktionen *sobald / sowie / kaum dass* (= *gleich nachdem*)
steht wegen des geringen zeitlichen Abstands meist die gleiche Zeit.

Adverbien

Karl May war gestorben; **daraufhin** kümmerte sich seine Frau um seinen Nachlass.
Karl May war gestorben, **woraufhin** sich seine Frau um seinen Nachlass kümmerte.

Präposition

Bald **nach seinem Tod** entstanden Legenden und Mythen um ihn.

Ü39   Karl May (1842–1912)

Lesen Sie die Biographie von Karl May und setzen Sie die in Klammern stehenden Verben
in der passenden Zeit ein.

Viele Deutsche haben als Jugendliche Bücher von Karl May verschlungen. Nachdem
man einmal einen Abenteuerroman von ihm *gelesen hat* (lesen), möchte man noch
mehr von den Abenteuern des tapferen Apachenhäuptlings Winnetou im „Wilden Westen"
oder des Kara Ben Nemsi im fernen Kurdistan erfahren. Und selbst wenn man weiß,
dass Karl May diese Länder teilweise erst bereiste, nachdem er diese Reiseromane
_____ (schreiben) (1), ist man fasziniert von seinen
Geschichten, die in wildromantischen Landschaften spielen.

Karl May wuchs als fünftes von vierzehn Kindern in ärmlichen Verhältnissen auf. Nachdem seinen Lehrern seine Phantasie _____ (auffallen) (2), förderten sie ihn sehr, sodass er eine Möglichkeit zur Lehrerausbildung bekam. Aber kaum dass er im Lehrerseminar _____ (aufgenommen werden) (3), klagten seine Mitbewohner ihn wegen mehrerer Diebstähle an. Nachdem die Schulbehörde ihn deshalb vom Lehrerberuf ausgeschlossen hatte, _____ (geben) (4) er Privatunterricht, _____ (schreiben) (5) erste Erzählungen und _____ (begehen) (6) weiterhin Straftaten. Er wurde sogar steckbrieflich gesucht, nachdem er wegen Betrugs und Hochstapelei _____ (angezeigt werden) (7). Nachdem die Polizei ihn _____ (festnehmen) (8), wurde er zu vier Jahren Gefängnis verurteilt. In der Gefängnisbibliothek las er viel Reiseliteratur, was ihm später vermutlich half, unbekannte Länder zu beschreiben. Denn sobald er aus dem Gefängnis _____ (entlassen werden) (9), begann seine Karriere als Schriftsteller. Nachdem er seine ersten Reiseromane _____ (veröffentlichen) (10), lernte er Erfolg und finanzielle Sicherheit kennen. Sein Ruhm hörte nicht auf, nachdem er _____ (sterben) (11). Seine Bücher wurden in sehr viele Sprachen übersetzt und auch verfilmt.

* *Karl May* ist einer der meistgelesenen, meistübersetzten und erfolgreichsten deutschsprachigen Schriftsteller des 19. Jahrhunderts, Autor besonders von Jugendbüchern und Abenteuerromanen. Gesamtauflage seiner Bücher: über 200 Millionen Exemplare.

Ü40 Bekannte Persönlichkeiten

Wählen Sie bekannte Persönlichkeiten Ihres Landes aus (Schriftsteller, Politiker, Künstler, Wissenschaftler, ...) und schreiben Sie deren Biographie.

Bilden Sie dabei möglichst viele Nebensätze mit den Konjunktionen *nachdem, sobald, kaum dass.*

Temporalsatz (4)

Frage: *Seit wann?*

Konjunktionen:	*seit / seitdem* (gleichzeitig/vorzeitig)	NS / meist vorangestellt
Adverbien:	*seitdem; seither*	HS / immer nachgestellt
Präpositionen:	*seit* + D *von* + D ... *an/auf*	

Konjunktionen

(1) **Seit(dem)** es die Frauenbewegung gibt, kämpfen Frauen für Gleichberechtigung.

(2) **Seit(dem)** Frauen in der Französischen Revolution Frauenrechte formuliert hatten, hat sich in der Gesellschaft viel verändert.

Bei gleichzeitigen Vorgängen in Hauptsatz und Nebensatz, die zum *seit(dem)*-Zeitpunkt begonnen haben und andauern, wird Gleichzeitigkeit gebraucht (1).
Bei einmaligen Vorgängen, die zum *seit(dem)*-Zeitpunkt abgeschlossen sind, wird Vorzeitigkeit gebraucht (2).

Adverb

In der Französischen Revolution wurden Frauenrechte formuliert; **seitdem** kämpfen Frauen für Gleichberechtigung.

Präpositionen

Seit dem Bestehen der Frauenbewegung kämpfen Frauen für Gleichberechtigung.
Von da an war die Frauenfrage ein wichtiges gesellschaftliches Thema.

von Montag an, von Kindheit an, von heute an, von nun an
von Jugend auf, von klein auf

Die Präposition *von ... an / von ...auf* ist vor allem in festen Wendungen gebräuchlich.

Ü41   Gleichberechtigung von Mann und Frau (1)

Setzen Sie die in Klammern angegebenen Verben in der richtigen Zeit ein.

Seit Frauen den Weltbund für Frauenwahlrecht *gegründet hatten* (gründen), kämpften die Frauen vieler Länder gemeinsam für ihr Wahlrecht.

1. Die deutschen Frauen haben das Wahlrecht, seit Deutschland im Jahre 1918 zu einer Demokratie _____ (werden). Seitdem die Frauen _____ (wählen dürfen), sind sie nicht mehr von Staat und Gesellschaft ausgeschlossen.

2. Seit die familienrechtlichen Bestimmungen des Bürgerlichen Gesetzbuches im Jahre 1953 _____ (aufgehoben werden), hat der deutsche Ehemann nicht mehr die alleinige Entscheidungsgewalt in allen Familienangelegenheiten.

3. Seitdem Frauen sich stärker am öffentlichen Leben _____ (beteiligen), steht für viele Frauen die Mutterrolle nicht mehr im Mittelpunkt ihres Lebens.

4. Auch wollen immer mehr Frauen berufstätig sein, seit die Kinderzahl _____ (zurückgehen).

5. Deshalb kämpfen Frauen auch, seitdem sich das Rollenverständnis _____ (verändern), um eine gerechtere Verteilung der Aufgaben bei Haushaltsführung und Kindererziehung.

6. Seit Frauen Spitzenpositionen in Staat, Wirtschaft und Gesellschaft _____ (besetzen), müssen manche Männer alte Vorurteile überprüfen.

Temporalsatz (5)

Fragen: *Bis wann? Wie lange?*

Konjunktion:	*bis* (nachzeitig / meist gleichzeitig)	NS / meist vorangestellt
Adverb:	*bis dahin*	HS / immer nachgestellt
Präposition:	*bis* (*zu* + D)	

Konjunktion

(1) **Bis** die Gleichheit gesetzlich verankert wurde, hatten Frauen lange gekämpft.
(2) Frauen kämpften so lange, **bis** die Gleichheit gesetzlich verankert wurde.
(3) **Bis** die Frauen ihr Ziel **nicht** erreicht hatten, gaben sie **nicht** auf.
(4) Die Frauen gaben **nicht** auf, **bis** sie ihr Ziel (nicht) erreicht hatten.

Die Konjunktion *bis* gibt einen Grenzpunkt an, der das Geschehen des Hauptsatzes beendet.
Das Nebensatz-Geschehen ist also gegenüber dem Hauptsatz-Geschehen nachzeitig (1),
Haupt- und Nebensatz stehen aber meist in der gleichen Zeit (2).
Vorzeitigkeit des Hauptsatzes wird nur gebraucht, wenn das Hauptsatzgeschehen als
abgeschlossen betont werden soll (1).
Aus dem gleichen Grund kann auch der Nebensatz vorzeitig sein (3).
Wenn bei verneinter Aussage der *bis*-Satz vorangestellt oder eingeschoben wird, müssen
Haupt- und Nebensatz verneint werden (3).
Wird der *bis*-Satz nachgestellt, ist nur die Verneinung des Hauptsatzes obligatorisch (4).

Adverb

Die Gleichheit wurde gesetzlich verankert; **bis dahin** mussten die Frauen
lange kämpfen.

Präposition

(1) **Bis jetzt** kämpfen Frauen für gleichen Lohn bei gleicher Arbeit.
(2) **Bis zur gesetzlichen Verankerung der Gleichheit von Männern und Frauen** mussten
    die Frauen lange kämpfen.

bis steht vor Temporaladverbien und Uhrzeitangaben.
Vor Temporalangaben ohne Artikel steht meist *bis* (*bis jetzt; bis 9 Uhr; bis Ostern; bis Ende 2014;
bis nächste Woche*) (1).
Vor Temporalangaben mit Artikel steht *bis zu* (*bis zu den Wahlen; bis (zum) Montag;
bis (zum Jahre) 2014; bis (zum) Ende des Jahres 2014; bis zur nächsten Woche*) (2).

Ü42   Gleichberechtigung von Mann und Frau (2)

Verbalisieren Sie die Präpositionalangaben und bilden Sie Sätze mit der Konjunktion *bis*.

Bis zur Einführung des Wahlrechts für Frauen im Jahre 1918 hatten die Frauen als Staatsangehörige zwar Pflichten, aber keine Rechte.

Bis das Wahlrecht für Frauen im Jahre 1918 eingeführt wurde (worden war), hatten die Frauen als Staatsangehörige zwar Pflichten, aber keine Rechte.

1. Bis zur Lockerung des Vereinsrechts zu Beginn des 20. Jahrhunderts war Frauen die Mitgliedschaft in Parteien und politischen Organisationen nicht erlaubt.

2. Bis zur Auflehnung gegen ihre Rechtlosigkeit hatten Frauen ihre Benachteiligung jahrhundertelang geduldig hingenommen.

3. An Gleichberechtigung war bis zur Veränderung der traditionellen Familienstruktur nicht zu denken.

4. Bis zur Auflösung der Großfamilie gab es eine geschlechtsspezifische Arbeitsteilung.

5. Bis zur Aufhebung der traditionellen Rollenverteilung waren Frauen für die unbezahlte Haus- und Familienarbeit zuständig.

6. Bis zum Beginn der neuen Frauenbewegung in den 1960er-Jahren hatten Frauen kaum theoretische Konzepte und Programme.

7. Bis zur Umsetzung der in der Verfassung der Bundesrepublik festgelegten Gleichberechtigung vergingen etwa 30 Jahre.

Temporalsatz (6)

Frage: *Wann?*

Konjunktionen:	*bevor / ehe* (nachzeitig / meist gleichzeitig) (*ehe*: geschr.)	NS / meist vorangestellt
Adverbien:	*davor*; *vorher*; *zuvor*	HS / immer nachgestellt
Präposition:	*vor* + D	

Konjunktionen

(1) **Bevor/Ehe** Bücher gedruckt wurden, hatte es nur handgeschriebene Bücher gegeben.

(2) **Bevor/Ehe** Bücher gedruckt wurden, gab es nur handgeschriebene Bücher.

(3) **Noch bevor** das Taschenbuch in Deutschland eingeführt wurde, hatte es sich in England und Amerika schon durchgesetzt.

(4) **Bevor** Gutenberg den Buchdruck **nicht** erfunden hatte, konnten Bücher **nicht** zur Massenware werden.

(5) Bücher konnten **nicht** zur Massenware werden, **bevor** Gutenberg den Buchdruck (nicht) erfunden hatte.

Das Geschehen des Nebensatzes mit *bevor/ehe* ist gegenüber dem Hauptsatz-Geschehen nachzeitig (1) (3), Haupt- und Nebensatz stehen aber meist in der gleichen Zeit (2). Vorzeitigkeit kann aber auch im Nebensatz gebraucht werden, wenn ein Geschehen als abgeschlossen betont werden soll (4).

Der zeitliche Abstand zwischen dem Hauptsatz- und Nebensatzgeschehen kann genauer bestimmt werden: *kurz bevor, lange bevor, noch bevor* (3).

Wenn bei verneinter Aussage der Satz mit *bevor* oder *ehe* vorangestellt oder eingeschoben wird, müssen Haupt- und Nebensatz verneint werden (4). Wird der Satz mit *bevor* oder *ehe* nachgestellt, ist nur die Verneinung des Hauptsatzes obligatorisch (5).

Adverb

Bücher wurden ab Mitte des 15. Jahrhunderts gedruckt; **davor** gab es nur handgeschriebene Bücher.

Präposition

Vor der Erfindung des Buchdrucks konnten Bücher nicht zur Massenware werden.

Ü43 Buchdruck

Bilden Sie aus den Präpositionalangaben Nebensätze mit *bevor*.

Vor der Entwicklung des Druckverfahrens wurden Bücher vervielfältigt, indem man sie gleichzeitig mehreren Schreibern diktierte.

Bevor das Druckverfahren entwickelt wurde, wurden Bücher vervielfältigt (waren ... vervielfältigt worden), indem man sie gleichzeitig mehreren Schreibern diktierte.

1. Vor der Erfindung des Papiers durch die Chinesen im 1. Jahrhundert n. Chr. wurde auf Papyrusrollen, Palmblätter, Holz- und Tontafeln und auf Pergament geschrieben.
2. Die Ägypter, Griechen und Römer hatten vor dem Aufkommen der flachen, viereckigen Buchform im 1./2. Jahrhundert n. Chr. Bücher in Form von Rollen.
3. Vor der Verwendung von Pappe als Bucheinband wurden Bücher in Metall, Leder, Pergament oder Leinen gebunden.
4. Bücher waren vor der Mechanisierung der Papier- und Buchherstellung eine große Kostbarkeit.
5. In Asien und Europa wurde vor der Erfindung des Buchdrucks durch Gutenberg mit eingefärbten Stempeln und Platten auf Stoffe und Papier gedruckt.
6. Vor dem Druck des ersten Buches hatte sich Gutenberg etwa zwanzig Jahre mit dem Problem des Buchdrucks beschäftigt.
7. Vor der Möglichkeit von Buchbestellungen im Internet hatte der Buchhandel das Monopol für den Verkauf von Fachliteratur und Belletristik.

Gesamtübungen zu den Temporalsätzen (1)–(6)

Ü44   Wie „Billy the Kid" (1859–1881) zum Mythos wurde

Machen Sie aus den unten stehenden Notizen einen zusammenhängenden Text zur Biographie des legendären „Billy the Kid" in der Vergangenheit. Verwenden Sie dabei die in Klammern stehenden Konjunktionen und Adverbien.

1. Billy the Kid im Jahre 1859 geboren werden – seine Mutter nach New Mexico ziehen (danach)
2. er in New Mexiko etliche Diebstähle verüben (als) – er auf die schiefe Bahn geraten
3. er aus einem Gefängnis in New Mexiko ausbrechen (kaum dass) – er 1877 in Arizona seinen ersten Mord begehen
4. er sich der Strafe entziehen können – aber er in die blutigen Auseinandersetzungen zwischen zwei Rinderkönigen verwickelt werden (dann)
5. beide Seiten sich in einem monatelangen bürgerkriegsähnlichen Gemetzel bekämpfen – Billy the Kid berühmt-berüchtigt sein (seitdem / Adverb)
6. ein massiver Militäreinsatz diesen Privatkrieg beenden (nachdem) – die Revolverhelden ins Gefängnis kommen
7. Billy es im Gefängnis nicht länger aushalten (als) – er Reißaus nehmen, jedoch von dem legendären Sheriff Pat Garrett wieder festgesetzt werden
8. Billy hingerichtet werden (+ können) (bevor) – er sich der Todesstrafe durch einen Ausbruch aus dem Gefängnis entziehen
9. im Jahre 1881 Garrett ihn stellen – Billy den Tod finden (da)
10. Zeitungen, Zeitschriften und volkstümliche Unterhaltungsromane Billys Geschichte aufgreifen (nachdem) – der hitzige Revolvermann zur Legende werden

→ *Billy the Kid wurde im Jahre 1859 geboren; danach zog seine Mutter nach New Mexico. Als er ...*

Ü45   Ein Lebenslauf

Schreiben Sie nun Ihren eigenen oder einen fiktiven Lebenslauf.
Bilden Sie Temporalsätze mit Konjunktionen, Präpositionen und Adverbien.

→ *Als ich / er / sie vier Jahre alt war, ...*

...

Ü46 Jean-François Champollion – der Erforscher der Hieroglyphen (1790–1832)

Der folgende Text ist mit seinen vielen Präpositionalangaben stilistisch eintönig.
Gestalten Sie ihn sprachlich abwechslungsreicher, indem Sie die in Klammern
angegebenen Konjunktionen und Adverbien verwenden.

Vor (Bevor) der Geburt von Jean-François Champollion war seinen Eltern ein Wunderknabe
prophezeit worden. Seine Begabung zeigte sich schon *in* (als) seiner Kindheit (+ noch). Er
konnte einen Text *nach* (nachdem) nur einmaligem Hören wörtlich wiederholen. Und noch
vor (bevor) dem Schuleintritt fand er ganz allein die Bedeutung der Silben und Buchstaben
5   heraus. *Während* (Während) seiner Schulzeit in Grenoble interessierte er sich schon für
Hieroglyphen. Mit 16 Jahren wurde er Mitglied der Akademie in Grenoble. *Vor* (davor)
seiner Abreise zum Studium nach Paris hielt er in der Akademie eine Abschiedsrede mit
dem Titel „Ägypten unter den Pharaonen"*. *Während* (Als) seiner Lehrtätigkeit als Professor
in Grenoble schrieb er politische Lieder gegen die vom Königsthron vertriebenen Bourbonen*.
10   *Nach* (Nachdem) der Rückkehr der Bourbonen auf den Königsthron wurde er nach Italien
verbannt. Während seiner Verbannung konnte er sich mit dem Problem der Hieroglyphen
beschäftigen. *Nach* (danach) seiner Begnadigung im Jahre 1821 kehrte er nach Paris zurück.
Bis (Bis) zur Entzifferung der in Hieroglyphen überlieferten Namen Kleopatra, Ptolemäus und
Xerxes verging dann noch ein weiteres Jahr. *Nach* (Nachdem) der Entschlüsselung dieser
15   Namen veröffentlichte er zwei Jahre später sein Buch „Abriss des hieroglyphischen Systems".
Die Kenntnis der koptischen Sprache* war ihm *bei* (als) der Erforschung der Hieroglyphen von
Nutzen. *Während* (Während) seiner Beschäftigung mit der alten Hieroglyphen-Schrift gelang
es ihm auch, in ihre sprachliche Struktur vorzudringen. *Nach* (Nachdem) einem einjährigen
Aufenthalt in Ägypten wurde er in Paris Professor für Ägyptische Altertumsforschung.
20   *Bis* (Bis) zu seinem Tod verging nur noch ein Jahr. *Zeit* (Solange) seines Lebens
hat er sich mit dem ägyptischen Altertum beschäftigt.

* Worterklärungen:
Pharaonen: die Könige im alten Ägypten
Bourbonen: französisches Königsgeschlecht
Koptisch: im 3.Jh. entstandene Sprache der Kopten (= christliche Nachkommen der alten Ägypter)

→ *Bevor Jean-François Champollion geboren wurde, war seinen Eltern ein*
Wunderknabe prophezeit worden (wurde ... prophezeit). ...

IX   Gesamtübungen

Ü47   Zur Geschichte der Goethe-Institute

Lesen Sie den Text und setzen Sie dabei die passenden Konjunktionen ein.

Als das erste Goethe-Institut 1951 in Athen gegründet wurde, war noch nicht klar, ob diese Institution auch in anderen Ländern erfolgreich sein würde. Die Goethe-Institute ernteten, _____ (1) sie ab dem Jahre 1968 auch kulturelle Programme anboten, Kritik von konservativen deutschen Politikern, _____ (2) die sozialkritische Art der Kulturvermittlung entsprach nicht ihrem Selbstbild von Deutschland. Aber der Sozialdemokrat Willy Brandt* bezeichnete die Goethe-Institute als „dritte Säule der Außenpolitik", _____ (3) diese das Deutschlandbild in der Welt stark prägten. Zuerst gingen die Menschen nur in Goethe-Institute, _____ (4) die deutsche Sprache ____ (4) lernen. Später aber kamen sie auch, _____ (5) dort beispielsweise Filme ____ (5) sehen, Konzerte ____ (5) hören oder interessante Menschen ____ (5) treffen, und _____ (6) die Institute Orte der kulturellen Begegnung waren. Manche Menschen kamen sogar zuerst mit dem Kulturprogramm des Instituts in Kontakt und waren davon ____ (7) begeistert, _____ (7) sie dann auch die Sprache dieses Landes lernen wollten und deshalb Deutschkurse belegten. Die Gründung von Goethe-Instituten hatte im Laufe der Jahrzehnte in allen Ländern unterschiedliche Motive. In den 1950er-Jahren beispielsweise ließ der damalige Bundespräsident Theodor Heuss** an der New Yorker 5th Avenue eine Villa für den Sitz eines Goethe-Instituts kaufen, _____ (8) Westdeutschland sich nach dem Zweiten Weltkrieg in den USA wieder als eine Kulturnation präsentieren konnte. Und _____ (9) sich 1991 die Sowjetunion auflöste, verlagerte sich der Schwerpunkt der Arbeit bald in die neu entstehenden osteuropäischen Staaten. _____ (10) die Goethe-Institute bestehen, konnten schon viele interessante Projekte verwirklicht werden. Vor ein paar Jahren waren z. B. in China, wo es kein breites Netz von Goethe-Instituten gibt, die Menschen von einer kulturellen Wanderausstellung der Goethe-Institute stark angezogen, _____ (11) diese in den großen Städten Chinas gezeigt wurde.

Wie ist die Situation der Goethe-Institute heute? _____ (12) die Zahl der Deutschlerner weltweit zurückgeht, sind die Institute nicht beunruhigt, _____ (13) Deutschlernende mit hohem sprachlichem Niveau auch weiterhin Deutschkurse besuchen. Und auch finanziell ging es den Goethe-Instituten in den letzten Jahren recht gut, _____ (14) der Kulturausschuss des Deutschen Bundestags konnte bisher drohende Sparzwänge erfolgreich abwehren. Die Anforderungen an die Kulturarbeit sind natürlich in allen Ländern unterschiedlich. Jedoch versuchen die Goethe-Institute ihre Aktivitäten in den jeweiligen Ländern ____ (15) zu gestalten, _____ (15) keine Bevölkerungsgruppe ausgeschlossen wird. Natürlich hängt die kulturelle Arbeit der einzelnen Goethe-Institute immer stark von der jeweiligen Leitung ab: _____ (16) die Institutsleitung von Kunst und Literatur begeistert ist, steckt sie auch mehr Energie in diesen Tätigkeitsbereich. Andere Leiter verstehen sich mehr als Vermittler der deutschen Sprache, _____ (17) dann der Sprachvermittlung mehr Aufmerksamkeit geschenkt wird. Und das ist materiell gesehen nicht ganz unwichtig, _____ (18) schließlich finanzieren sich die Goethe-Institute zu 30 Prozent durch die Einnahmen der Sprachkurse.

* *Willy Brandt* (1913–1992): sozialdemokratischer Politiker, Vorsitzender der SPD von 1964 bis 1987, Bürgermeister von Berlin von 1957 bis 1966, Bundeskanzler der BRD von 1969 bis 1974, Friedensnobelpreis im Jahre 1971
** *Theodor Heuss* (1884–1963): Vorsitzender der 1948 gegründeten FDP, erster Bundespräsident der BRD von 1949 bis 1959

Ü48 Was sind Zeitpioniere?

 Stellen Sie mithilfe von Konjunktionen logische Verknüpfungen zwischen den Satzpaaren her. Meistens gibt es mehrere Möglichkeiten.

Zeitpionieren ist eine flexible und kürzere Arbeitszeit wichtig. Sie nehmen finanzielle Einbußen in Kauf.

Weil Zeitpionieren eine flexible und kürzere Arbeitszeit wichtig ist, nehmen sie finanzielle Einbußen in Kauf.

Zeitpionieren ist eine flexible und kürzere Arbeitszeit wichtig, sodass sie finanzielle Einbußen in Kauf nehmen.

1. Die sogenannten Zeitpioniere legen großen Wert auf Freizeit. Sie entscheiden sich für Teilzeitarbeit.
2. Sie verändern ihre Lebensweise. Sie wollen mehr Zeit für sich haben.
3. Sie waren unzufrieden und unausgeglichen. Sie konnten Berufs- und Privatleben nicht gut vereinbaren.
4. Sie verkürzen ihre Arbeitszeit. Ihnen bleibt genügend Zeit für Hobbys.
5. Der Druck am Arbeitsplatz hat sich gegenüber der Vollerwerbstätigkeit erhöht. Sie bereuen ihre Entscheidung für Teilzeitarbeit nicht.
6. Sie verkraften den größeren Stress am Arbeitsplatz besser als vorher. Sie haben mehr Distanz zum Arbeitsbereich.
7. Sie haben täglich länger gearbeitet. Sie waren nicht so konzentriert und produktiv wie heute.
8. Sie fühlen sich besser integriert. Sie weiten z. B. ihre sozialen Kontakte aus.
9. Zeitpioniere haben weniger Geld zur Verfügung. Sie raten auch Kollegen zur Teilzeitarbeit.
10. Immer mehr Arbeitnehmer entscheiden sich für Teilzeitarbeit. Das könnte Probleme am Arbeitsplatz geben.
11. Es wird noch einige Zeit vergehen. Es liegen mehr Untersuchungen über Zeitpioniere vor. (*in beiden Sätzen entfällt* es)

Ü49 Sonne vertreibt schlechte Stimmung

 Lesen Sie den Text und machen Sie sich Stichwörter im Nominalstil (mit Präpositionalangaben).

Wenn die Dunkelheit im Herbst zunimmt, neigen viele Menschen dazu, müde und depressiv zu sein. Das stimmungssenkende Hormon Melatonin wird nämlich freigesetzt, wenn Tageslicht fehlt. Melatonin wirkt im Körper, indem es den Schlafrhythmus beeinflusst. Wenn man sich in der Sonne bewegt, wird das „Glückshormon" Serotonin ausgeschüttet. Dieses Hormon hat
5 eine positive Wirkung auf die Stimmungslage, sodass Wachsamkeit und Fitness gesteigert werden. Die Sonnenstunden sollte man in Gesellschaft nutzen, weil soziale Kontakte den Allgemeinzustand spürbar verbessern. (*können entfällt*)

→ *Neigung vieler Menschen zu Müdigkeit und Depressivität bei zunehmender Dunkelheit im Herbst ...*

§ 14 Relativsätze

I   Die Relativpronomen *der, die, das*
II Das Relativpronomen *was* – die Relativadverbien *wo(r)* + Präposition
III Das Relativpronomen *wer* - das Demonstrativpronomen *der*
IV Die Relativadverbien *wo, wohin, woher, von wo aus*
V   Gesamtübungen

(1) Es gibt **Bücher, die** in viele Sprachen übersetzt werden.
    ← Es gibt Bücher. Sie werden in viele Sprachen übersetzt.

(2) Heute ist Weltliteratur gefragt, **wodurch** der Absatz steigt, **was** den Buchhandel freut.
    ← Heute ist Weltliteratur gefragt. Dadurch steigt der Absatz. Das freut den Buchhandel.

(3) **Wer** nicht liest, (**der**) hat sicher andere Hobbys.
    ← Jemand liest nicht. Er hat sicher andere Hobbys.

(4) In Deutschland, **wo** es jährlich zwei große Buchmessen gibt, ist der
    Buchhandel ein wichtiger Markt.
    ← In Deutschland gibt es jährlich zwei große Buchmessen. Der Buchhandel
      ist ein wichtiger Markt.

Relativsätze sind Nebensätze, die durch die Relativpronomen *der, die, das* (1), durch *was*
bzw. die Relativadverbien *wo(r)* + Präposition (z. B. *wodurch, worüber*) (2), durch *wer* (3)
oder durch *wo, wohin, woher, von wo aus* (4) eingeleitet werden.
Sie bestimmen ein Bezugswort im übergeordneten Satz näher und entstehen durch die
Verbindung von zwei Hauptsätzen.
Relativsätze stehen dicht hinter dem Bezugswort. Sie können nachgestellt (1) (2),
vorangestellt (3) oder in den übergeordneten Satz eingeschoben werden (4).

I Die Relativpronomen *der, die, das**

	Singular			Plural
	Mask.	**Fem.**	**Neutrum**	
Nom.	der	die	das	die
Akk.	den	die	das	die
Dat.	dem	der	dem	denen
Gen.	dessen	deren	dessen	deren

* *welcher, welche, welches* sollte eher vermieden werden, es gilt als stilistisch unschön.

(1) Ich lese einen Roman, **der** mir gut gefällt.

(2) Der Autor, **den** ich sehr schätze, schreibt spannende Romane.

(3) Er, **dem** man Bestsellerqualitäten zuspricht, wird viel gelesen.

(4) Jeder, **für den** Lesen wichtig ist, kennt seinen Namen.

(5) Ich liebe Romane, **deren** Handlung spannend ist.

(6) Diesen Romancier, **von dessen** poetischer Sprache ich begeistert bin, werde ich immer wieder lesen.

(7) Ich, **die ich** eine Leseratte bin, verschlinge ein Buch nach dem anderen.

Die Relativpronomen *der, die, das* haben als Bezugswort im übergeordneten Satz ein Nomen (1) (2) (5) (6), ein Personalpronomen (3) (7) oder ein auf Personen bezogenes Demonstrativ- oder Indefinitpronomen (z. B. *alle, derjenige, einer, einige, jeder, jemand, keiner, manche, niemand, viele*) (4).
Numerus und Genus des Relativpronomens richten sich nach dem Bezugswort (1)–(6).
Der Kasus des Relativpronomens richtet sich nach dem Verb des Relativsatzes (1)–(3).
Das Relativpronomen im Genitiv (*dessen/deren*) bezieht sich auf ein Genitivattribut (z. B. *die Sprache des Romanciers / die Handlung von Romanen*) oder auf einen Possessivartikel (z. B. *ihre Handlung / seine Sprache*).
Das Verb des Relativsatzes bestimmt den Kasus des zu *dessen/deren* gehörenden Nomens und eines dazugehörenden Adjektivs. Vor dem Nomen steht kein Artikel (5) (6).
Bei Verben mit Präposition hängt der Kasus des Relativpronomens von der Präposition ab, die vor dem Relativpronomen steht (4) (6).
Wenn das Bezugswort ein Personalpronomen in der 1. oder 3. Person ist (*ich, die ich … / wir, die wir … / er, der er … / sie, die sie …*) oder wenn es als Anredeform in der 2. Person (*du, die du … / ihr, die ihr …*) gebraucht wird, wird dieses im Relativsatz wiederholt (7).

Ü1 Bücher und ihre Autoren

Stellen Sie jemandem Fragen (Anrede: *Sie*), indem Sie Relativsätze mit den Pronomen *der, die, das* bilden. Verwenden Sie, wenn nicht anders angegeben, das Präsens.

a) Gibt es einen Schriftsteller, …?

(schon immer beeindruckend finden, *Prät.*)

… den Sie schon immer beeindruckend fanden?

1. (ablehnen)
2. (mehr Publikumsresonanz wünschen)
3. (allen anderen Schriftstellern vorziehen)
4. (schon mal persönlich begegnen, *Perf.*)

b) Gibt es eine Schriftstellerin, …?

(sich intensiv auseinandersetzen mit, *Perf.*)

… mit der Sie sich intensiv auseinandergesetzt haben?

5. (schon viel lesen von, *Perf.*)
6. (schwärmen für)
7. (schon sprechen mit, *Perf.*)
8. (sich schon oft ärgern über, *Perf.*)

c) Gibt es einen Journalisten, ...?

(sich auf seine Beiträge schon immer freuen)

... auf dessen Beiträge Sie sich immer schon freuen?

9. (über seinen letzten provozierenden Artikel gern mit ihm diskutieren, *Konjunktiv II der Ggw.*)

10. (sich seinem erfrischenden Humor nicht entziehen können)

11. (vor seinem gesellschaftlichen Engagement Respekt haben)

12. (sein großer Bekanntheitsgrad nicht überraschen)

d) Gibt es Bücher, ...?

(von ihren Ideen beeinflusst sein)

... von deren Ideen Sie beeinflusst sind?

13. (ihre Lektüre immer wieder begeistern)

14. (ihren kunstvollen Aufbau bewundern)

15. (von ihrer poetischen Sprache fasziniert sein)

16. (ihre Lektüre jedem empfehlen können)

Ü2   Kennen Sie diese Schriftsteller?

Bilden Sie Relativsätze mit den Pronomen *der, die, das.*

Kennen Sie Arthur Schnitzler? (Ihn faszinierte die Wiener Gesellschaft der Jahrhundertwende.)

Kennen Sie Arthur Schnitzler, den die Wiener Gesellschaft der Jahrhundertwende faszinierte?

1. Kennen Sie Johann Wolfgang von Goethe? (Von seinem Jugendroman „Die Leiden des jungen Werthers" war Napoleon begeistert.)

2. Kennen Sie Heinrich von Kleist? (Ihm war das Leben eine große Last.)

3. Kennen Sie Thomas Mann? (Sein Bruder Heinrich war ebenfalls ein großer Schriftsteller.)

4. Kennen Sie Gottfried Keller? (Ihn interessierte die soziale Wirklichkeit seiner Zeit.)

5. Kennen Sie Joseph von Eichendorff? (Seine bekanntesten Gedichte werden als Volkslieder gesungen.)

6. Kennen Sie Friedrich Schiller? (Aus seinen Dramen wird in Deutschland am häufigsten zitiert.)

7. Kennen Sie Bertolt Brecht? (Ihm gelangen im Exil die besten Dramen.)

8. Kennen Sie Günter Grass? (Seine Kindheitserlebnisse sind in seinem literarischen Werk wiederzufinden.)

Ü3   Weltliteratur

Fragen Sie nun selbst nach bekannten Schriftstellern der Weltliteratur, indem Sie Relativsätze mit den Pronomen *der, die, das* im Akkusativ, Dativ und Genitiv bilden.

→ *Kennen Sie Lew N. Tolstoj, dessen bekanntestes Werk der Roman „Krieg und Frieden" ist? ...*

II Das Relativpronomen *was* – die Relativadverbien *wo(r)* + Präposition

Nom.	Akk.	Dat.	Gen.
was	was	dem	dessen

Relativadverbien
z. B. *wobei, wodurch, woran, worauf, woraus*

(1) In dem Buch steht **etwas**, **was** mich überrascht hat.

(2) Das Buch enthält **vieles**, **dem** man widersprechen kann.

(3) Ein Bucherfolg ist **das Schönste**, **was** einem Autor passieren kann.

(4) Das Buch enthält **einiges**, **wovon / von dem** die Öffentlichkeit bisher nichts wusste.

(5) Literatur ist **etwas**, **ohne das** die Welt ärmer wäre.

(6) **Das, was / Etwas, was / Was** jeden Autor erfreut, ist Erfolg.

(7) Das Buch ist sehr begehrt, **was** der Verlag zufrieden feststellt.

(8) Das Buch wurde aber kein Bestseller, **womit** auch niemand gerechnet hatte.

Das Relativpronomen *was* bildet den Dativ und Genitiv mit dem Relativpronomen *das* (*dem* (2), *dessen*) und hat keine Pluralformen.
Bezugswörter im übergeordneten Satz können auf Sachen bezogene Demonstrativ- und Indefinitpronomen (z. B. *alles, das, dasselbe, einiges, etwas, manches, nichts, vieles*) (1) (2) (4) (5) und nominalisierte Adjektive im Neutrum, meist im Superlativ (3), sein.
Vor dem Relativpronomen *was* kann keine Präposition stehen (nicht: *von was*).
Mit den Präpositionen *an, auf, aus, bei, durch, für, gegen, in, mit, nach, über, um, unter, von, vor, zu* werden Relativadverbien (*wo(r)* + Präposition) gebildet (4) (*wovon*).
Alle anderen Präpositionen stehen vor dem Relativpronomen *das* (5).
Bei Präpositionen mit dem Dativ sind beide Formen möglich (4) (*wovon, von dem*).
In verallgemeinernden Aussagen kann das Bezugswort weggelassen werden (*das/alles, was → was*) (6), so auch häufig in Sprichwörtern: *Was Hänschen nicht lernt, lernt Hans nimmermehr.*
Das Relativpronomen *was* bzw. Relativadverbien werden auch dann verwendet, wenn sich der Relativsatz auf den ganzen übergeordneten Satz bezieht (7) (8).

Ü4 Meinungen über ein Sachbuch

Ergänzen Sie das Relativpronomen *was* (*dem, dessen*) bzw. Relativadverbien. Bei Präpositionen mit dem Dativ gibt es zwei Möglichkeiten.

In dem Sachbuch steht manches, *was* die Leser brennend interessiert.

1. _____ gründlich nachgedacht werden sollte.

2. _____ man zustimmen muss.

3. _____ die Politiker reagieren müssen.

4. _____ Logik man allerdings nicht in allen Punkten nachvollziehen kann.

5. _____ man nicht ohne Einschränkung Ja sagen kann.

6. _____ man energisch entgegentreten sollte.

7. _____ man bisher noch wenig erfahren hat.

Ü5   Superlative im Literaturbetrieb

Bilden Sie Relativsätze mit dem Relativpronomen *was* (*dem*, *dessen*) bzw. mit Relativadverbien. Bei Präpositionen mit dem Dativ gibt es zwei Möglichkeiten.

Schaffenskrisen sind das Schlimmste, *was Schriftstellern passieren kann.* (Schriftstellern kann es passieren.)

1. Aufgeschlossene Verleger, Kritiker und Leser sind das Wichtigste, ... (Autoren brauchen es.)
2. Erwartungen von Verlegern, Kritikern und Lesern sind nicht das Einzige, ... (Schriftsteller müssen sich ihm stellen.)
3. Einen Bestseller zu schreiben ist das Höchste, ... (Davon träumen Schriftsteller.)
4. Stilgefühl ist das Mindeste, ... (Man kann es von einem Autor verlangen.)
5. Ein Verkaufserfolg ist nicht das Einzige, ... (Man kann Schriftsteller dazu beglückwünschen.)
6. Ein Buch zu verreißen ist vielleicht das Schwierigste, ... (Ein Kritiker entschließt sich dazu.)

Ü6   Ein erfolgreiches Sachbuch

Verbinden Sie die Sätze durch das Relativpronomen *was* (*dem*, *dessen*) bzw. durch Relativadverbien.

Ein Kritiker hat ein gerade erschienenes Sachbuch sehr positiv besprochen. Darüber hat sich der Autor natürlich gefreut.

Ein Kritiker hat ein gerade erschienenes Sachbuch sehr positiv besprochen, worüber sich der Autor natürlich gefreut hat.

1. Auch in Fachkreisen wurde das Buch sehr gelobt. Damit hatte der Autor nicht unbedingt gerechnet.
2. Besonders hervorgehoben wurden die hervorragenden Analysen des Buches. Das ist berechtigt.
3. Der Autor hat lange an dem Sachbuch gearbeitet. Das wundert bei dem komplexen Thema niemanden.
4. Das Buch verkaufte sich sehr gut. Dadurch kam der Verlag aus den roten Zahlen.
5. Das Autorenhonorar fiel hoch aus. Dagegen hatte der Autor nichts einzuwenden.
6. Dem Autor wird eine glänzende Karriere vorhergesagt. Das könnte durchaus eintreffen.
7. Der Autor plant weitere Sachbücher. Dabei hat er die volle Unterstützung seines Verlages.

III Das Relativpronomen *wer* – das Demonstrativpronomen *der*

Nom.	Akk.	Dat.	Gen.
wer	wen	wem	wessen

(1) **Wer** ein Buch schreiben will, **(der)** braucht Zeit und Ausdauer.
  ← Jemand will ein Buch schreiben. Er braucht Zeit und Ausdauer.

(2) **Wer** keine Gedichte mag, **dem** gefallen vielleicht Romane.
  ← Jemand mag keine Gedichte. Ihm gefallen vielleicht Romane.

(3) **Wem** Lesen keinen Spaß macht, **der** sieht sich vielleicht lieber Spielfilme an.
  ← Jemandem macht Lesen keinen Spaß. Er sieht sich vielleicht lieber Spielfilme an.

(4) **Mit wem** man über Bücher reden kann, **mit dem** verbindet einen etwas.
  ← Man kann mit jemandem über Bücher reden. Mit ihm verbindet einen etwas.

Das Relativpronomen *wer* ist im Genus neutral und hat keine Pluralformen.
Relativsätze mit *wer* leiten sich von Relativsätzen her, die als Bezugswort ein auf
Personen bezogenes Demonstrativ- oder Indefinitpronomen haben (z. B. *derjenige/jeder/
jemand/einer, der ... → wer ...*) (1)–(4).
Der nachgestellte Hauptsatz wird durch das Demonstrativpronomen *der* eingeleitet (2) (3),
das entfallen kann, wenn Relativpronomen und Demonstrativpronomen im gleichen Kasus
stehen (1).
Vor dem Relativpronomen und dem Demonstrativpronomen, das in diesem Fall nicht
weggelassen werden kann, können Präpositionen stehen, allerdings nur im gleichen
Kasus, wobei die Präposition des Relativsatzes der Präposition des Hauptsatzes
entsprechen muss (4).
Das Relativpronomen *wer* hat verallgemeinernden Charakter und kommt daher oft in
Sprichwörtern vor: *Wer andern eine Grube gräbt, fällt selbst hinein.*

Ü7   Die Frankfurter Buchmesse
Bilden Sie Sätze mit dem Relativpronomen *wer* (*wen/wem*) und dem Demonstrativpronomen
der (*den/dem*).

Jemand fährt zur Frankfurter Buchmesse. Er muss sich für Bücher interessieren.
Wer zur Frankfurter Buchmesse fährt, (der) muss sich für Bücher interessieren.

1. Manchem passt der Termin der Frankfurter Buchmesse nicht. Er kann zur Leipziger
   Buchmesse fahren.
2. Jemand liest keine literarischen Texte. Ihn interessieren wahrscheinlich
   Sachbücher mehr.
3. Jemand hatte noch kein E-Book in der Hand. Ihm bietet sich hier die Möglichkeit dazu.
4. Man kommt ins Gespräch mit jemandem. Es gibt bestimmt eine anregende Diskussion
   mit ihm.

5. Die Leitung der Frankfurter Buchmesse wählt jemanden für den Friedenspreis des Deutschen Buchhandels aus. Er kann sich glücklich schätzen.

6. Jemand hat sich um den Frieden verdient gemacht. Er hat Chancen für diesen Preis.

7. Jemandem ist die Reise nach Frankfurt oder Leipzig zu weit. Für ihn bleiben als Ersatz die Informationen im Internet.

Ü8   Der strenge Literaturkritiker M.

Setzen Sie das Relativpronomen *wer* (*wen/wem*) und das Demonstrativpronomen *der* (*den/dem*) ein.

Wem der Literaturkritiker M. mangelndes Talent vorwirft, _der_ hat es als Schriftsteller schwer.

1. _____ er für schlecht hält, _____ entgeht seiner beißenden Kritik nicht.

2. _____ er kritisiert, _____ kann er großen Schaden zufügen.

3. _____ er den literarischen Rang aberkennen möchte, _____ bekämpft er in den Medien.

4. _____ er von einer Veröffentlichung abrät, _____ sollte seinem Rat folgen.

5. _____ dem Kritiker widerspricht, _____ entzieht er sein Wohlwollen.

6. Aber _____ er lobt, _____ darf auf Erfolg hoffen.

7. Für_____ sich der Kritiker interessiert, für_____ setzt er sich ein.

8. _____ die Kompetenz des Kritikers bezweifelt, _____ täuscht sich.

Ü9   Ansichten über das Bücherlesen

Äußern Sie sich zum Thema Bücher und Lesen, indem Sie Sätze mit dem Relativpronomen *wer* (*wen/wem*) und dem Demonstrativpronomen *der* (*den/dem*) bilden.

→ *Wer nicht gern Bücher liest, (der) mag vielleicht lieber Hörbücher.*

Sie können folgenden Wortschatz verwenden:

Nomen:

Bücherwurm   Literatur   Krimis   dicke Romane   Hörbücher   Sprecher   E-Books   Texte   Buchhandlung   ...

Verben:

lesen   verstehen   besitzen   sich interessieren für   sich freuen (auf / über)
sich erfreuen (an)   (zu)hören   diskutieren (über)   sprechen (über)
sich unterhalten (über)   kaufen   ...

IV Die Relativadverbien *wo, wohin, woher, von wo aus*

(1a) Siedlungen entstanden in Gegenden, **wo/in denen** Wasser verfügbar war.

(1b) **Dort, wo/Wo** Städte entstanden, gab es wichtige Verkehrswege.

(1c) In Europa, **wo** im Mittelalter die Städte wuchsen, entwickelte sich eine städtische Kultur.

(2) Im Mittelalter entstanden vermehrt Städte, **wohin/in die** immer mehr Menschen zogen.

(3) Im Umland, **woher/aus dem** die Menschen kamen, wurde Landwirtschaft betrieben.

(4) Auf den umliegenden Bergen, **von wo aus** die Umgebung kontrolliert werden konnte, wurden Burgen errichtet.

(5) Im späten Mittelalter, **wo/(als)** die Bevölkerung durch Seuchen zurückging, verödeten die Städte.

Relativsätze mit den Relativadverbien *wo, wohin, woher* (= *von wo*) und *von wo aus* haben im übergeordneten Satz ein Bezugswort mit lokaler Bedeutung (1)–(4).
wo wird bei Ortsangaben (Frage: *Wo?*) (1) gebraucht, *wohin* und *woher* bei Richtungsangaben (Frage: *Wohin?*) (2) bzw. (Frage: *Woher?*) (3).
von wo aus wird statt *woher* gebraucht, wenn der räumliche Ausgangspunkt und nicht die Richtung betont werden soll (Frage: *Von wo aus?*) (4).
Statt eines Relativadverbs kann das Relativpronomen *der* mit einer Präposition gebraucht werden (1a) (2) (3), allerdings nicht bei artikellosen geographischen Namen (1c) und nicht bei Lokaladverbien, bei denen das Bezugswort weggelassen werden kann (1b) (*dort*).
Das Relativadverb *wo* wird umgangssprachlich manchmal auch gebraucht, wenn das Bezugswort im Hauptsatz temporale Bedeutung hat (= *als/wenn*) (5).

Ü10 Eine romantische Stadt

 wo, wohin, woher, von wo aus und gegebenenfalls Präposition + *der*? Setzen Sie die passenden Relativadverbien ein.

Touristen aus aller Welt kommen nach Heidelberg, _wo_ es viele Sehenswürdigkeiten gibt. Der romantische Ruf Heidelbergs ist bis nach Ostasien gedrungen, _____ (1) sehr viele Touristen kommen. Die Stadt, _____ (2) es schon in den vorigen Jahrhunderten berühmte Schriftsteller, Philosophen und Wissenschaftler zog, ist von vielen Dichtern besungen worden. Überall dort, _____ (3) früher mal berühmte Leute wohnten, weisen Schilder auf die ehemaligen Bewohner hin. In der Fußgängerzone, _____ (4) auch die Bewohner der umliegenden Ortschaften zum Einkaufen kommen, können die Touristen schöne Häuserfassaden bewundern.

_____ (5) keine Autos mehr fahren dürfen, ist viel Platz für Fußgänger. Die Touristen zieht es besonders in die Altstadt, _____ (6) es viele gemütliche Lokale gibt. Auch der Marktplatz, _____ (7) zweimal in der Woche Obst, Gemüse und Blumen verkauft werden, ist ein zentraler Treffpunkt.

Er liegt gleich neben der Heilig-Geist-Kirche, _____ (8) es immer wieder gute Konzerte gibt. Im Umland, _____ (9) die Gärtner und Bauern mit ihren frischen Waren kommen, werden viel Obst und Gemüse angebaut. In Heidelberg, _____ (10) viele Ausländer zum Studieren kommen, gibt es eine über 600 Jahre alte Universität. Am Hang oberhalb der Altstadt liegt das berühmte Schloss, _____ (11) man einen schönen Blick auf die Stadt, den Neckar und in die Rheinebene hat. Im Schlosshof, _____ (12) man eine der schönsten deutschen Renaissancefassaden bewundern kann, finden im Sommer Schlossfestspiele statt. Am Neckar, _____ (13) eine Uferpromenade zum Spazieren-gehen einlädt, halten sich viele Einheimische in ihrer Freizeit auf. Die Neckarwiesen, _____ (14) das Schloss gut zu sehen ist, sind ein Treffpunkt für Jugendliche.

V Gesamtübungen

Ü11 Goethe (1749–1832) – Eine Kurzbiografie
Lesen Sie die Informationen über Goethe und setzen Sie dabei Relativpronomen, Relativadverbien und gegebenenfalls Demonstrativpronomen mit Varianten ein.

Johann Wolfgang von Goethe, _dessen_ Familie zur wohlhabenden bürgerlichen Schicht gehörte, wurde am 28. August 1749 in Frankfurt geboren. Sein Vater, _____ (1) er streng erzogen wurde, sorgte durch Hauslehrer für eine umfassende Ausbildung. Goethe, _____ (2) die Literatur schon früh interessierte, schrieb bereits als Kind Gedichte. Er ging 1765 nach Leipzig, _____ (3) er Rechtswissenschaften studieren sollte. Wegen einer schweren Krankheit kehrte er 1768 nach Frankfurt zurück, _____ (4) er zwei Jahre später nach Straßburg aufbrach, um sein Studium fortzusetzen. Dort, _____ (5) er u.a. den Schriftsteller Johann Gottfried Herder kennenlernte, _____ (6) ihn literarisch stark beeinflusste, faszinierte ihn auch das Straßburger Münster. _____ (7) diesen Bau sieht, _____ (8) ist beeindruckt. Sein Jurastudium war nicht sehr erfolgreich, _____ (9) ihn aber kaum kümmerte. Einige Zeit später schickte ihn sein Vater nach Wetzlar, _____ (10) er am Reichskammergericht tätig war. Hier lernte er Charlotte Buff kennen, _____ (11) er sich unglücklich verliebte. Sein erster Roman, „Die Leiden des jungen Werthers" (1774), _____ (12) er daraufhin schrieb und _____ (13) diese tragische Liebesgeschichte dargestellt ist, wurde ein großer Erfolg und machte ihn in halb Europa berühmt.
Dass Goethe 1775 vom jungen Herzog Karl August nach Weimar eingeladen wurde, war sicher das Beste, _____ (14) ihm in seiner damaligen Situation passieren konnte.

Er befreundete sich mit dem Herzog, _____ (15) Hof er in den darauffolgenden Jahren mit unterschiedlichen Verwaltungsaufgaben sehr beschäftigt war. An diesem Hof, _____ (16) er 1779 zum Geheimen Rat ernannt wurde, erhielt er 1782 sogar den Adelstitel, _____ (17) er bei seiner Ankunft sicher nicht gerechnet hatte. Die Aufgaben am Weimarer Hof und die unglückliche Liebesbeziehung zu der verheirateten Frau von Stein bedrückten ihn in den nächsten Jahren zunehmend, _____ (18) dazu führte, dass er 1786 heimlich nach Italien abreiste. Ende Oktober kam er in Rom an, _____ (19) er eine deutsche Künstlerkolonie vorfand. Hier „entdeckte" er die Antike, _____ (20) Kunstauffassung er sich in seinen späteren Werken (z. B. in seinem Drama „Iphigenie") auseinandersetzte.

Nach seiner Rückkehr aus Rom lernte er Christiane Vulpius (1762–1816) kennen, eine einfache Arbeiterin, _____ (21) er eine unkonventionelle Liebesbeziehung begann, _____ (22) in Weimar viel geredet wurde. Auch Schiller, _____ (23) dies nicht entging, missbilligte die Beziehung. Mit diesem, _____ (24) seit einiger Zeit in Weimar lebte, war Goethe seit 1794 befreundet. In den nächsten Jahren arbeiteten beide Dichter literarisch eng zusammen, _____ (25) sich die sogenannte Weimarer Klassik entwickelte.

Im Alter reiste Goethe aus gesundheitlichen Gründen mehrmals in böhmische Kurorte, _____ (26) er die 19-jährige Ulrike von Levetzow kennenlernte, _____ (27) er 1823 als 74-Jähriger warb. Seinen Heiratsantrag allerdings lehnte ihre Familie ab, _____ (28) Goethe untröstlich war, _____ (29) in seiner „Marienbader Elegie" nachzulesen ist. 1832 starb Goethe, _____ (30) man bald den deutschen „Dichterfürsten" nannte. Er hat ein großes Werk hinterlassen, _____ (31) bekannteste Dramen „Goetz von Berlichingen" sowie „Faust" auch heute noch auf deutschsprachigen Bühnen aufgeführt werden.

Ü12 Christoph Kolumbus (1451–1506)

Verbessern Sie die Informationen über Kolumbus stilistisch, indem Sie die Sätze durch Relativpronomen, Relativadverbien und, falls notwendig, durch Demonstrativpronomen verbinden.

Jemand denkt an Entdeckungsreisen. Ihm fällt sofort Christoph Kolumbus ein.
Wer an Entdeckungsreisen denkt, dem fällt sofort Christoph Kolumbus ein.

1. Christoph Kolumbus wurde 1451 geboren. Seine Familie stammte aus Genua.
2. Indien war damals für die Europäer wegen des Gewürzhandels interessant. Kolumbus wollte nach Indien fahren.
3. Er musste den Atlantik überqueren. Dafür fand er zunächst keine Geldgeber.
4. Kolumbus wandte sich an das spanische Königshaus. Er lebte zu dieser Zeit in Spanien.

5. Im Jahre 1492 unterzeichnete Kolumbus den Vertrag über die Expedition nach Asien. Er hatte die spanischen Könige zu dieser Expedition überredet.

6. Kolumbus hatte auch ein finanzielles Interesse an dem Gelingen der Expedition. Laut Vertrag sollte ihm ein Zehntel aller zu erwartenden Gewinne gehören.

7. Jedes zehnte Schiff erlitt damals Schiffbruch. Das machte die Schifffahrt gefährlich.

8. Auf seiner ersten Fahrt entdeckte er nicht Amerika, sondern die Inseln San Salvador, Kuba und Haiti. Auf den Inseln gründete er spanische Kolonien.

9. Kolumbus glaubte bis zu seinem Tod, Indien gefunden zu haben. Seine dritte Expedition führte ihn an die Küste Südamerikas.

10. Von seiner vierten Fahrt kehrte er krank nach Spanien zurück. Er starb vergessen in Spanien.

11. Er hat einen neuen Kontinent zwischen Europa und Asien entdeckt. Mit der Existenz dieses Kontinents hatte damals in Europa niemand gerechnet.

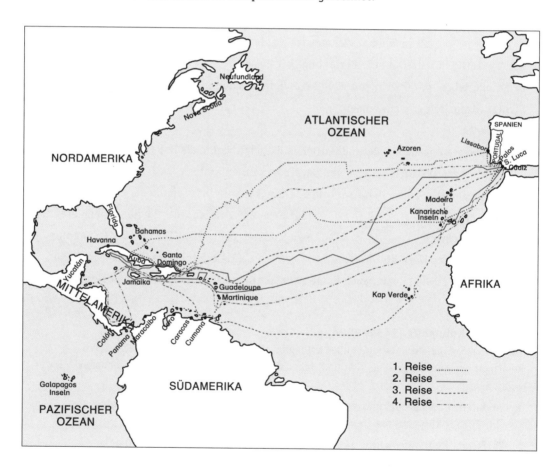

§ 15 Partizipialattribute

I Die Bedeutung von Partizipialattributen

(1) das inzwischen in jeder größeren Stadt **angebotene** Stadtmobil-Carsharing

(2) das **sich herausbildende** private Carsharing

(3) von mehreren Personen **genutzte** Fahrzeuge verschiedener Größe

Es gibt zwei Partizipien: Partizip Präsens (= Infinitiv + -d) (2) und Partizip Perfekt
(= meist Vorsilbe ge- + Verbstamm + -t bei schwachen und gemischten Verben (3) bzw. + -en bei
starken Verben (1)).

Partizipien können Attribute sein und wie Adjektive vor Nomen stehen, sie werden
dann wie Adjektive dekliniert (1)–(3).

Partizipialattribute können erweitert werden. Diese Erweiterungen stehen zwischen Artikel bzw.
Pronomen und Partizipialattribut (1) (2), manchmal allerdings fehlt der Artikel (3).

Zwischen dem Partizipialattribut und dem dazugehörigen Nomen können weitere Adjektive
stehen (2) (*private*). Nomen können auch noch durch Genitiv- und/oder Präpositionalattribute
näher bestimmt werden (3) (*verschiedener Größe*).

(Erweiterte) Partizipialattribute werden vor allem in der Schriftsprache gebraucht.

Ü1   Carsharing* (1)

a) Lesen Sie den Text und beachten Sie dabei die kursiv gedruckten Partizipien.

> Immer mehr junge Menschen verzichten auf den mit Staus, Umweltverschmutzung
> und schnellem Wertverlust *verbundenen* eigenen PKW, denn das die große Freiheit
> *versprechende* Auto ist zu einer Illusion geworden. Auch die von der Werbung
> *versprochene* Mobilität wird inzwischen sehr kritisch gesehen. Diese bei jungen
> 5   Menschen *beobachtete* Abwertung des Autos als Statussymbol lässt sich durch
> Studien belegen. Ein Ersatz dafür ist das inzwischen in jeder größeren Stadt
> *angebotene* Stadtmobil-Carsharing. Auch die Deutsche Bahn und einige der
> großen Automobilhersteller bieten inzwischen von mehreren Personen *genutzte*
> Fahrzeuge an. Die Nachfrage steigt und stimmt die Anbieter optimistisch. Für
> 10 Carsharing sprechen sicher auch die *steigenden* bzw. bereits *gestiegenen*

Benzinpreise, denn die Benzinkosten sind bereits im Mietpreis enthalten.
Und wie funktioniert Carsharing? Die Fahrzeuge verschiedener Größe und Typen
stehen auf *gekennzeichneten* Stellflächen. Die bei einem Anbieter *gemeldeten*
Kunden buchen das Auto ihrer Wahl für eine bestimmte Zeit über ihr Smartphone

15   oder online und öffnen es dann einfach mit ihrer Mitgliedskarte. Der nach Kilometern, Zeit und Fahrzeuggröße *berechnete* Preis für die Fahrten richtet sich
nach *festgelegten* Tarifen, dazu kommt ein monatlicher Grundbetrag.
Eine Alternative ist das sich *herausbildende* private Carsharing, bei dem sich
Privatleute ihr Auto teilen. Die Erfahrung zeigt bereits, dass Autofahrer, die

20   sich für Carsharing entschieden haben, deutlich weniger Auto fahren, dafür aber
häufiger aufs Fahrrad steigen oder laufen.

* *das Carsharing:* organisierte Nutzung eines Autos von mehreren Personen

b) Was bedeuten die erweiterten Partizipialattribute? Bilden Sie Sätze.

das die große Freiheit versprechende Auto
Das Auto verspricht die große Freiheit.

1. die von der Werbung versprochene Mobilität durch das Auto
2. die bei jungen Menschen beobachtete Abwertung des Autos als Statussymbol
3. die steigenden bzw. bereits gestiegenen Benzinpreise
4. gekennzeichnete Stellflächen

Ü2   Carsharing (2)

Tragen Sie jetzt aus dem Text *„Carsharing"* die Partizipien Präsens und Perfekt in die
Tabelle ein und machen Sie in der jeweils passenden Spalte ein Kreuz. Können Sie schon
erste Regeln für den Gebrauch von Partizip Präsens und Partizip Perfekt herausfinden?

Verb	transitiv	intransitiv	reflexiv	Partizip Präsens	Partizip Perfekt	aktivische Bedeutung	passivische Bedeutung
verbunden	X				X		X
versprechend							

Verb	transitiv	intransitiv	reflexiv	Partizip Präsens	Partizip Perfekt	aktivische Bedeutung	passivische Bedeutung

Ü3 Weltweit bedrohte Tier- und Pflanzenarten

Lesen Sie den Text und markieren Sie die zu den kursiv gedruckten Nomen gehörenden Partizipialattribute mit ihren Erweiterungen.

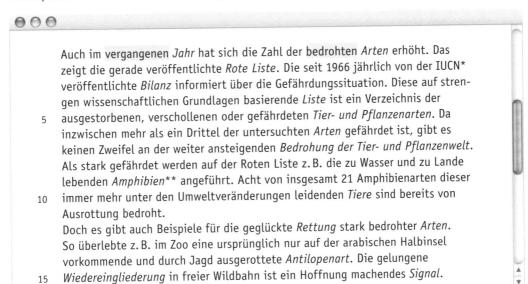

Auch im vergangenen *Jahr* hat sich die Zahl der bedrohten *Arten* erhöht. Das zeigt die gerade veröffentlichte *Rote Liste*. Die seit 1966 jährlich von der IUCN* veröffentlichte *Bilanz* informiert über die Gefährdungssituation. Diese auf strengen wissenschaftlichen Grundlagen basierende *Liste* ist ein Verzeichnis der
5 ausgestorbenen, verschollenen oder gefährdeten *Tier- und Pflanzenarten*. Da inzwischen mehr als ein Drittel der untersuchten *Arten* gefährdet ist, gibt es keinen Zweifel an der weiter ansteigenden *Bedrohung der Tier- und Pflanzenwelt*. Als stark gefährdet werden auf der Roten Liste z. B. die zu Wasser und zu Lande lebenden *Amphibien*** angeführt. Acht von insgesamt 21 Amphibienarten dieser
10 immer mehr unter den Umweltveränderungen leidenden *Tiere* sind bereits von Ausrottung bedroht.
Doch es gibt auch Beispiele für die geglückte *Rettung* stark bedrohter *Arten*. So überlebte z. B. im Zoo eine ursprünglich nur auf der arabischen Halbinsel vorkommende und durch Jagd ausgerottete *Antilopenart*. Die gelungene
15 *Wiedereingliederung* in freier Wildbahn ist ein Hoffnung machendes *Signal*.

*   *IUCN*: Weltnaturschutzunion
** *Amphibien*: Frösche, Kröten, Molche, Salamander, Unken

Ü4 Carsharing (3)

Lesen Sie jetzt den Text über das Carsharing noch einmal und kreisen Sie entsprechend dem Beispielsatz alle Nomen (ggf. mit Artikel, Adjektiv und/oder Attribut) ein, die durch Partizipialattribute näher bestimmt sind, und unterstreichen Sie diese Attribute mit ihren Erweiterungen.

→ Immer mehr junge Menschen verzichten auf (den) mit Staus, Umweltverschmutzung und schnellem Wertverlust verbundenen (eigenen PKW) denn ...

Ü5   Rund ums Auto

a) Entscheiden Sie: Partizip Präsens oder Partizip Perfekt? Ergänzen Sie die Artikel.

(ausbauen) Motor   →   *der ausgebaute Motor*
(singen) Autofahrer   →   *der singende Autofahrer*

1. (volltanken) Auto
2. (laufen) Motor
3. (einschalten) Nebellicht
4. (gut ausbauen) Straße
5. (sich überschlagen) Auto
6. (nicht einhalten) Geschwindigkeitsbegrenzung
7. (sich verfahren) Anfänger
8. (hupen) Autofahrer
9. (verändern) Straßenführung
10. (sich umschauen) Beifahrer

b) Erweitern Sie einige der in Aufgabe a) gebildeten Partizipialattribute und fügen Sie den Nomen auch Adjektiv-, Genitiv- und/oder Präpositionalattribute entsprechend dem Beispiel hinzu.

der ausgebaute Motor
→ der *gestern Vormittag* ausgebaute Motor
→ der *gestern Vormittag vom Meister* ausgebaute Motor
→ der *gestern Vormittag vom Meister in der Werkstatt* ausgebaute Motor
→ der *gestern Vormittag vom Meister in der Werkstatt* ausgebaute *alte* Motor
→ der *gestern Vormittag vom Meister in der Werkstatt* ausgebaute *alte* Motor
    des roten Porsche

der singende Autofahrer
→ der *laut* singende Autofahrer
    ...

Ü6   Elektronische Lexika

Bilden Sie erweiterte Partizipialattribute (Partizip Präsens und Partizip Perfekt) nach den folgenden Beispielen:

→ *das 2001 gegründete elektronische Lexikon mit Namen Wikipedia*
→ *ein für Wikipedia schreibender Mitarbeiter einer medizinischen Zeitschrift ...*

Sie können dabei folgenden Wortschatz benützen:

Nomen:	Verben:
die Benutzer elektronischer Lexika die Leser Studierende das Wissen die Information der (Lexikon-)Artikel	surfen recherchieren suchen finden (zur Verfügung) stehen sammeln nutzen verwenden schreiben überarbeiten korrigieren arbeiten

Ü7   In einer Autowerkstatt

Ordnen Sie die Verben als Partizip Präsens bzw. Partizip Perfekt dem jeweils richtigen Nomen zu und ergänzen Sie die Artikel.

(schweißen) Lehrling / Autoteile
der schweißende Lehrling / die geschweißten Autoteile

1. (lernen) Lehrlinge / Handgriffe
2. (ablenken) Geräusche / Lehrling
3. (gut beraten) Verkäufer / Kunde
4. (scharf kalkulieren) Preise / Chef
5. (bar bezahlen) Rechnung / Kunde
6. (tanken) Benzin / Autofahrer
7. (gut arbeiten) Lehrling / Reparatur

II   Die Auflösung von Partizipialattributen in Relativsätze

(1) Das den Verkehr **blockierende** Flugzeug zieht (zog) viele Schaulustige an.
   = Das Flugzeug, das den Verkehr blockiert (blockierte), zieht (zog) viele Schaulustige an.

(2) Der nur zäh **fließende** und immer wieder **stockende** Verkehr kommt (kam) ganz zum Erliegen.
   = Der Verkehr, der nur zäh fließt (floss) und immer wieder stockt (stockte), kommt (kam) ganz zum Erliegen.

(3) Die **sich** um das Flugzeug **versammelnde** Menge der Schaulustigen wächst (wuchs) von Minute zu Minute.
   = Die Menge der Schaulustigen, die sich um das Flugzeug versammelt (versammelte), wächst (wuchs) von Minute zu Minute.

(4) Der Pilot freut (freute) sich über die glücklich **beendete** Notlandung.
   = Der Pilot freut (freute) sich über die Notlandung, die glücklich beendet worden ist / beendet ist (beendet worden war / beendet war).

(5) Die bereits **eingetroffene** Polizei sichert (sicherte) die Spuren.
   = Die Polizei, die bereits eingetroffen ist (eingetroffen war), sichert (sicherte) die Spuren.

(6a) Der auf Krankentransporte **spezialisierte** Pilot ist (war) ein begeisterter Flieger.
   = Der Pilot, der auf Krankentransporte spezialisiert ist (war), fliegt mit Begeisterung.
     (← Er hat/hatte sich spezialisiert.)

(6b) Die **empörten** Autofahrer beschimpfen (beschimpften) den Piloten.
   = Die Autofahrer, die empört sind (waren), beschimpfen (beschimpften) den Piloten.
     (← Sie empören (empörten) sich gerade.)

		Partizip Präsens		Partizip Perfekt
Transitive Verben	(1)	andauernd aktivisch gleichzeitig*	(4)	abgeschlossen passivisch vorzeitig* (Vorgangspassiv) bzw. gleichzeitig* (Zustandspassiv)
Intransitive Verben mit *sein* **im Perfekt**	(2)	andauernd aktivisch gleichzeitig*	(5)	abgeschlossen aktivisch vorzeitig*
Reflexive Verben	(3)	mit Reflexivpronomen	(6)	ohne Reflexivpronomen
		andauernd aktivisch gleichzeitig*	(6a)	Zustandsreflexiv: abgeschlossen vorzeitig*
			(6b)	reflexive Zustandsform: andauernd gleichzeitig*

* Die Angaben zu Gleichzeitigkeit und Vorzeitigkeit beziehen sich auf die finite Verbform des Satzes.

Welche Partizipien intransitiver und reflexiver Verben können nicht attributiv oder nur eingeschränkt gebraucht werden?

Intransitive Verben mit *sein* im Perfekt:
Das Partizip Perfekt kann nur von solchen Verben attributiv gebraucht werden, die Anfang und Ende eines Vorgangs angeben (*die eingetroffene Polizei*; mit Zielangabe: *die zum Unfallort gefahrene Polizei*; nicht: *die gefahrene Polizei*).

Intransitive Verben mit *haben* im Perfekt:
Das Partizip Perfekt kann nicht attributiv gebraucht werden (nicht: *der zugenommene Flugverkehr*).

Reflexive Verben:
Das Partizip Perfekt kann – ohne Reflexivpronomen – nur von solchen Verben attributiv gebraucht werden, die ein Zustandsreflexiv (*der ... spezialisierte Pilot*) bzw. eine reflexive Zustandsform (*die empörten Autofahrer*) bilden können.
(Zustandsreflexiv und reflexive Zustandsform vgl. §4 S. 74 f.; Anhang S. 352 ff.)

Tempus-Besonderheiten bei transitiven und intransitiven Verben

(1a) Viele **früher** nur mit großer Angst **fliegende** Passagiere besteigen Flugzeuge heute unbeschwert.

= Viele Passagiere, die früher nur mit großer Angst **geflogen sind, besteigen** Flugzeuge heute unbeschwert.

(1b) Der die Atmosphäre stark **belastende** Flugverkehr hat um 1920 eingesetzt.

= Der Flugverkehr, der die Atmosphäre stark **belastet, hat** um 1920 **eingesetzt**.

(2a) Die schon in den 1970er-Jahren (immer wieder) **geäußerte** Kritik am Flugverkehr wurde damals nicht ernst genommen.

= Die Kritik am Flugverkehr, die schon in den 1970er-Jahren (immer wieder) **geäußert wurde, wurde** damals nicht ernst **genommen**.

(2b) Diese seit Langem von Umweltschützern **vorgebrachten** Bedenken sind bisher nicht auf die gewünschte Resonanz gestoßen.

= Diese Bedenken, die seit Langem von Umweltschützern **vorgebracht werden, sind** bisher nicht auf die gewünschte Resonanz **gestoßen**.

Das Partizip Präsens kann in Verbindung mit einer Temporalangabe auch vorzeitig sein (1a) und bei nicht abgeschlossenen, sich oft/immer wiederholenden Vorgängen, die bis in die Gegenwart reichen, auch nachzeitig sein (1b).

Das Partizip Perfekt kann bei nicht abgeschlossenen, sich oft/immer wiederholenden Vorgängen auch gleichzeitig sein (2a) und bei Vorgängen, die bis in die Gegenwart reichen, auch nachzeitig sein (2b).

Ü8 In der Berufsschule

Wo ist – mit veränderter Bedeutung – auch das Partizip Perfekt möglich?

die zum Unterricht erscheinenden Azubis*

die zum Unterricht erschienenen Azubis

1. der gern lachende Lieblingslehrer
2. die sich überarbeitende Lehrerin
3. eine aus dem Schuldienst ausscheidende Kollegin
4. die mit Mofa oder Fahrrad fahrenden Azubis
5. die sich nach den Ferien sehnenden Azubis
6. ein im Unterricht schlafender Azubi
7. ein nicht rechtzeitig aus den Ferien zurückkehrender Azubi

* *Azubi* = Auszubildende/r

Adjektivische Partizipien

Es gibt besonders **beliebte** Flugrouten.

= Es gibt Flugrouten, die besonders **beliebt** sind.

Es gibt Partizipien, die ihren Verbcharakter verloren haben und zu Adjektiven geworden sind, von einigen gibt es das zugrunde liegende bedeutungsgleiche Verb gar nicht mehr (z. B. *bekannt, beliebt, berühmt, dringend, entlegen, spannend, willkommen*).

Ihren Adjektivcharakter erkennt man daran, dass sie durch Adverbien ergänzt (z. B. *ganz entlegen, sehr bekannt*) und gesteigert werden können (*dringend / dringender / am dringendsten*). Diese sogenannten adjektivischen Partizipien werden nicht verbal, sondern wie Adjektive mit *sein* aufgelöst.

Ü9   Rund ums Buch

Beschreiben Sie die Bücher mithilfe von Relativsätzen.

Immer wieder gern gelesene Bücher sind Bücher, *die immer wieder gern gelesen werden.*
Die Phantasie anregende Bücher sind Bücher, *die die Phantasie anregen.*

1. Illustrierte Bücher sind Bücher, ...
2. Wenig verkaufte Bücher sind Bücher, ...
3. In den letzten Jahren bereits mehrfach aufgelegte Bücher sind Bücher, ...
4. Schon in mehreren Auflagen erschienene Bestseller sind Bestseller, ...
5. Zum Verschenken besonders geeignete Bücher sind Bücher, ...
6. Oft zitierte Bücher sind Bücher, ...
7. Spannend geschriebene Bücher sind Bücher, ...
8. Verloren gegangene Bücher sind Bücher, ...
9. Kontrovers diskutierte Bücher sind Bücher, ...

Ü10   Eine Notlandung

Bilden Sie aus den erweiterten Partizipialattributen Relativsätze.

Der in eine schwierige Situation geratene Pilot sah sich zu einer Notlandung gezwungen.
Der Pilot, der in eine schwierige Situation geraten war, sah sich zu einer Notlandung gezwungen.

1. Er landete auf einer zu diesem Zeitpunkt stark befahrenen Autobahn.
2. Der einen Stau verursachende Pilot konnte mit seiner Maschine nirgendwo anders landen.
3. Die sehr schnell für den Verkehr gesperrte Autobahn konnte erst Stunden später wieder freigegeben werden.
4. Das auf dem Seitenstreifen der Autobahn zum Stehen gekommene Flugzeug zog viele Schaulustige an.
5. Dem seit acht Jahren fliegenden Piloten ist noch nie etwas Ähnliches passiert.
6. Der den Vorfall protokollierende Polizist stellte dem Piloten viele Fragen.
7. Der sich zum Hergang der Notlandung äußernde Pilot stand noch unter Schock.
8. Der von der Polizei verhörte Pilot war bisher unfallfrei geflogen.
9. Der einer Anzeige ruhig entgegensehende Pilot war froh über den guten Ausgang der Notlandung.
10. Das erst nach Stunden abtransportierte Flugzeug war eine Attraktion für die Bewohner eines nahe gelegenen Dorfes.
11. Der bei der Notlandung unverletzt gebliebene Pilot beantwortete geduldig die Fragen der eilig herbeigelaufenen Dorfbewohner.

Ü11 In einer Bibliothek

 Bilden Sie aus den Partizipialattributen Relativsätze. Entscheiden Sie: Vorgangs- oder Zustandspassiv?

Der ständig auf den aktuellen Stand gebrachte Bücherbestand des Lesesaals der Bibliothek kommt allen Benutzern zugute.

Der Bücherbestand des Lesesaals der Bibliothek, der ständig auf den aktuellen Stand gebracht wird, kommt allen Benutzern zugute.

1. Die dafür ausgegebenen Geldmittel gehen in die Millionen.
2. Die in den letzten Jahren mit Hilfe von Sponsoren nach und nach angeschafften Bücher und Zeitschriften haben den Bestand sinnvoll ergänzt.
3. Besonders viel benutzte Bücher sind im Lesesaal in mehreren Exemplaren vorhanden.
4. Die von allen Benutzern bevorzugten Plätze des Lesesaals sind die Fensterplätze.
5. Die finanziell nicht besonders gut ausgestattete Bibliothek will mit einer Ausstellung auf sich aufmerksam machen.
6. Zu der auch an den Wochenenden geöffneten Ausstellung reisen Besucher von weit her an.
7. Der zur Vergrößerung der Bibliothek entschlossene Direktor wirbt um Sponsoren.
8. Seine für diese Stellung sehr geeignete Stellvertreterin wird von allen Mitarbeitern geschätzt.
9. Die an Überstunden gewöhnten Mitarbeiter arbeiten oft auch noch an den Wochenenden.

Zusammengesetzte Partizipien

Ein **abendfüllendes** Programm ist ein Programm, das den **Abend** füllt.

Ein **computergesteuertes** Verkehrssystem ist ein Verkehrssystem, das von **Computern** / durch **Computer** gesteuert wird.

Eine **hochgestellte** Persönlichkeit ist eine Persönlichkeit mit einer hohen **Stellung**.

Bei zusammengesetzten Partizipien steckt die Erweiterung des Partizips im Bestimmungswort.

Ü12 Wie man es auch sagen kann

Bilden Sie aus den Partizipialattributen Relativsätze.

Ein umweltschonendes Verhalten ist ein Verhalten, *das die Umwelt schont.*

1. Ein handgeknüpfter Teppich ist ein Teppich, ...
2. Ein leistungsorientiertes Verhalten ist ein Verhalten, ...
3. Ein herzerfrischendes Lachen ist ein Lachen, ...
4. Ein nervenberuhigendes Medikament ist ein Medikament, ...
5. Irreführende Informationen sind Informationen, ...
6. Ein freudestrahlender Gewinner ist ein Gewinner, ...
7. Schlafstörender Lärm ist Lärm, ...

Das Gerundiv

(1) Das ist eine **zu lösende** Aufgabe.

    = Das ist eine Aufgabe, die zu lösen ist / gelöst werden muss/soll/kann.

(2) Die Lerner schreiben an der spätestens am Kursende **abzugebenden** Hausarbeit.

    = Die Lerner schreiben an der Hausarbeit, die spätestens am Kursende abzugeben ist / abgegeben werden muss.

(3) Die Prüfung enthält einfach **zu lösende** Aufgaben.

    = Die Prüfung enthält Aufgaben, die einfach zu lösen sind / die einfach gelöst werden können / lösbar sind / die sich einfach lösen lassen.

(4) Die Prüfungsordnung führt die nicht **zu benutzenden** Hilfsmittel auf.

    = Die Prüfungsordnung führt die Hilfsmittel auf, die nicht zu benutzen sind / die nicht benutzt werden dürfen.

Das Gerundiv wird mit dem Partizip Präsens passivfähiger transitiver Verben und *zu* gebildet. Es entspricht der Passivumschreibung *sein* + Infinitiv mit *zu* bzw. einer passivischen Verbform mit Modalverb.

Das Gerundiv drückt einen Sachverhalt aus, der verwirklicht werden muss (Notwendigkeit) (2), soll (Forderung) bzw. sollte (Empfehlung), kann (Möglichkeit) (3) oder nicht verwirklicht werden darf (Verbot) (4). Welche modale Bedeutung das Gerundiv hat, muss aus dem Kontext erschlossen werden, ist aber nicht immer eindeutig (1).

(*sein* + Infinitiv mit *zu* vgl. §5 S. 83 f.; § 9 S. 152 ff. und S. 156 f.)

(aktivische Entsprechung *haben* + Infinitiv mit *zu* vgl. §9 S. 152 ff. und S. 156 f.)

Ü13 In einer Sprachschule

Bilden Sie Relativsätze mit *sein* + Infinitiv mit *zu* bzw. mit Modalverb.

ein einfach zu bearbeitendes Thema

ein Thema, das einfach zu bearbeiten ist

ein Thema, das einfach bearbeitet werden kann

1. der nachzuholende Stoff
2. möglichst zu vermeidende Fehler
3. der nicht zu versäumende Unterricht
4. von den Kursteilnehmern leicht zu bewältigende Aufgaben
5. der bis zur Prüfung zu lernende Stoff
6. der leicht zu verstehende Vortrag
7. das während der Prüfung nicht zu benutzende Wörterbuch

Ü14 Aufgaben im Studium

Bilden Sie nach dem folgenden Beispiel Sätze mit dem Gerundiv und lösen Sie diese in Relativsätze mit Passiv und Modalverb auf.

Die *für die Klausur zu lesenden* Bücher und Aufsätze befinden sich in der Bibliothek.

Die Bücher und Aufsätze, *die für die Klausur gelesen werden müssen*, befinden sich in der Bibliothek. ...

Wortschatz zur Wahl:

Nomen:	Verben:
Prüfungsstoff Aufgaben Klausur Lexikon Hausarbeit Bücher Aufsätze Bibliothek wissenschaftliche Hilfsmittel Referat Wörterbuch Information	zusammenfassen lesen nachschlagen lösen schreiben lernen überarbeiten besprechen heranziehen benutzen abgeben

III Die Bildung von Partizipialattributen

(1) Nomaden sind Völker, **die** in Savannen, Steppen oder Wüsten **umherziehen**.
 → Nomaden sind in Savannen, Steppen oder Wüsten **umherziehende** Völker.

(2) Nomaden sind Völker, **die** von sesshaften Völkern meist **gemieden werden**.
 → Nomaden sind von sesshaften Völkern meist **gemiedene** Völker.

(3) Die Nomaden leben in Stammesverbänden. Sie **sind** bei sesshaften Völkern nicht **beliebt**.
 → Die bei sesshaften Völkern nicht **beliebten** Nomaden leben in Stammesverbänden.

(4) Die Inuit zählen zu den Nomadenvölkern. Sie **leben** in den arktischen Regionen.
 → Die in den arktischen Regionen **lebenden** Inuit zählen zu den Nomadenvölkern.

In vielen Textsorten, z. B. in wissenschaftlichen Texten, werden häufig Partizipialattribute verwendet, weil sie einen Sachverhalt knapper wiedergeben als eine Verbindung von Haupt- und Relativsatz (1) (2) bzw. von zwei Hauptsätzen (3) (4).
Bei der Umwandlung eines Relativsatzes (= Rechtsattribut) in ein (erweitertes) Partizipialattribut (= Linksattribut) entfällt das Relativpronomen (1) (2).
Das finite Verb des Relativsatzes (1) (2) bzw. des zweiten Hauptsatzes (4) wird zum Partizip Präsens bzw. Partizip Perfekt und tritt als Partizipialattribut vor das Nomen, das es näher bestimmen soll (1) (2) (4).
sein als Vollverb entfällt (3).

Ü15 Nomaden

Sagen Sie es kürzer!

a) Formen Sie die Relativsätze in Partizipialattribute um.

Nomaden sind Hirten, die sich auf steter Wanderschaft befinden.
Nomaden sind sich auf steter Wanderschaft befindende Hirten.

1. Sie sind Menschen, die in großer Genügsamkeit leben.
2. Die Nomadenstämme, die ihren Standort periodisch wechseln, können keinem Land zugeordnet werden.
3. Die Nomaden, die bei sesshaften Völkern auf wenig Verständnis stoßen, haben ihre eigenen Gesetze.
4. Nomadismus ist eine Lebensform, die durch staatliche Kontrolle immer stärker eingeschränkt wird.

b) Formen Sie den jeweils zweiten Satz in ein Partizipialattribut um und integrieren
   Sie es in den ersten Satz.

Bei vielen Nomadenstämmen treten heute Probleme auf. Sie sind durch den Einfluss der
westlichen Zivilisation bedingt.

Bei vielen Nomadenstämmen treten heute durch den Einfluss der westlichen
Zivilisation bedingte Probleme auf.

5. Die Nomaden verlieren allmählich ihre kulturelle Identität. Sie werden von anderen
   Kulturen bedrängt.
6. Die Inuit z.B. haben inzwischen ihre Lebensweise aufgegeben. Diese war einst voll
   an die arktischen Polargebiete angepasst.
7. Auch die Tuareg sind ein Nomadenstamm. Sie ziehen in der Sahara und in der
   Sahelzone umher.
8. Viele Tuareg leben in Städten. Sie sind inzwischen sesshaft geworden.

Relativpronomen im Akkusativ

Der Umstieg auf ein Elektro-Fahrzeug, **den** viele Autofahrer für möglich halten,
scheitert noch an den hohen Preisen.

→ **Der Umstieg** auf ein Elektro-Fahrzeug, **der** von vielen Autofahrern für möglich
   gehalten wird, scheitert noch an den hohen Preisen.

→ **Der** (von vielen Autofahrern) für möglich gehaltene **Umstieg** auf ein Elektro-Fahrzeug
   scheitert noch an den hohen Preisen.

Ein Relativsatz mit Relativpronomen im Akkusativ kann erst nach einer Transformation
ins Passiv zum Attribut eines Bezugswortes werden.
Ein auf diese Weise gebildetes Attribut ist immer ein Partizip Perfekt.
Das Subjekt des Relativsatzes kann mit *von* bzw. *durch* angeschlossen werden.

Ü16   Haben Elektro-Autos eine Zukunft?

Formen Sie die Relativsätze in Partizipialattribute um. Geben Sie jeweils das Agens bzw.
den Urheber an.

Der Motorwagen, den Carl Benz 1886 entworfen hat, gilt als erstes Automobil der Welt.

Der 1886 von Carl Benz entworfene Motorwagen gilt als erstes Automobil der Welt.

1. Das traditionelle Auto, das nicht nur die Deutschen lieben, ist schon lange in die
   Kritik geraten.
2. Ein Thema, das besonders Autofahrer mit Interesse verfolgen, ist die Entwicklung
   von Elektro-Autos (E-Autos).
3. Im Jahre 2012 lagen die Preise der meisten elektrisch betriebenen Kleinwagen weit
   über der finanziellen Grenze, die die Interessenten für einen Autokauf angeben.
4. Zu diesem Zeitpunkt wurde nur eine geringe Zahl der Autos, die die städtischen
   Behörden zugelassen hatten, rein elektrisch betrieben.
5. Zur Steigerung des Absatzes von E-Autos, den sich die Automobilindustrie wünscht,
   müsste es für den Kauf von E-Autos staatliche Subventionen geben.

6. Voraussetzung für eine breite Markteinführung der E-Autos ist die Verbesserung der Batterietechnik, die die Bundesregierung fördert.

7. Die Entwicklung der E-Autos ist ein wichtiger Teil der Energiewende, die Umweltdenker herbeiwünschen.

IV Gesamtübungen

Ü17   Stellenausschreibung

Bilden Sie aus den eingeklammerten Sätzen Partizipialattribute und ordnen Sie diese den entsprechenden Nomen zu.

Die Stelle verspricht eine vielseitige und abwechslungsreiche Tätigkeit.
(Wir haben eine Stelle ausgeschrieben.)
Die von uns ausgeschriebene Stelle verspricht eine vielseitige und abwechslungsreiche Tätigkeit.

1. Wir bieten einer Fachkraft einen Wirkungsbereich mit gutem Einkommen.
   (Eine Fachkraft ist an übersichtliche Organisation gewöhnt und arbeitet selbstständig.)
   (Der Wirkungsbereich befriedigt auch hohe Ansprüche.)

2. Die Leistung verdient eine angemessene Bezahlung.
   (Die Leistung muss erbracht werden.)

3. Unter unseren Angestellten herrscht Vertrauen.
   (Ein Vertrauen basiert auf langjähriger guter Zusammenarbeit.)

4. Die Firmenleitung möchte das gute Betriebsklima erhalten.
   (Das gute Betriebsklima darf nicht unterschätzt werden.)

5. Ein Abteilungsleiter wird Ihnen zur Seite stehen.
   (Ein Abteilungsleiter ist seinen Aufgaben gewachsen.)

6. Wir wollen den Erfolg unserer Firma kontinuierlich steigern.
   (Der Erfolg unserer Firma ist in der engagierten Mitarbeit unserer Angestellten begründet.)

7. An diesem Ziel werden wir auch in Zukunft festhalten.
   (Dieses Ziel haben wir bisher verfolgt und müssen wir weiter verfolgen.)

8. Wir werden die Aufgaben und die Veränderungen mit Umsicht und Tatkraft angehen.
   (Die Aufgaben stehen in unserer Branche an.)
   (Die Veränderungen müssen in den nächsten Jahren vorgenommen werden.)

9. Marktverschiebungen werden an unsere Flexibilität hohe Ansprüche stellen.
   (Marktverschiebungen stehen bevor.)

10. Wenn Sie meinen, diesen Anforderungen gewachsen zu sein, reichen Sie bitte Ihre Bewerbungsunterlagen in unserem Personalbüro ein.
    (Diese Anforderungen haben wir in der Stellenausschreibung gestellt.)

Ü18   Die Marquise von O…

Lockern Sie den Text syntaktisch auf, indem Sie aus den kursiv gesetzten Partizipialattributen mit ihren Erweiterungen Relativsätze bilden.

In Kleists* bekannter, 1808 erstmals *erschienener* Novelle „Die Marquise von O…" wird eine im Sinne der goetheschen Novellendefinition „*unerhörte* Begebenheit" geschildert: Die ohne ihr Wissen schwanger *gewordene* Marquise von O… sucht über eine Heiratsannonce in der Zeitung den Vater ihres Kindes, um eine die Ehre ihrer Familie *wiederherzustellende*
5   Ehe mit ihm einzugehen. Die seit einigen Jahren *verwitwete* Marquise lebt seit dem Tod ihres Mannes mit ihren Kindern wieder bei ihren Eltern, als sie die von ihr nicht *zu erklärende* und sie fast um den Verstand *bringende* Schwangerschaft bemerkt. Wie sich später herausstellt, war die während kriegerischer Auseinandersetzungen von aggressiven Soldaten heftig *bedrängte* Marquise von einem russischen Offizier an einen „sicheren" Ort
10 gebracht worden, an dem er die in Ohnmacht gefallene Frau vergewaltigte, sodass die auf diese Weise *missbrauchte* Marquise von ihrer Schwangerschaft nichts wissen konnte. Der *sich* auf die Anzeige hin *meldende* und *sich* als Vater des werdenden Kindes *bekennende* russische Offizier bittet um die Hand der *sich* jetzt überraschenderweise einer Heirat *verweigernden* Marquise. Ihre Familie dagegen könnte den aus guter adliger Familie
15 *stammenden* Offizier als zukünftigen Ehemann durchaus akzeptieren. Das von ihr in der Annonce *angekündigte* Eheversprechen hält sie dann doch ein und gibt dem Offizier in der Kirche das Jawort, lehnt aber jeden weiteren Kontakt zu ihm ab. Ihr durch die Vergewaltigung nachhaltig *verletztes* Ehrgefühl ist nämlich noch nicht wiederhergestellt. Erst einige Zeit nach der Geburt des Kindes ist sie zu einem Zusammenleben mit ihrem
20 Ehemann bereit und findet dann doch das kaum noch *erwartete* Familienglück. In Kleists Novelle geht es nicht nur um die Problematik einer unwissentlich *vergewaltigten* Frau. Der Text thematisiert auch die von Kleist in seinen Werken immer wieder *gestellte* Frage nach der Identität des Menschen: In der Person des Offiziers zeigt Kleist einerseits einen Heldentaten *vollbringenden*, andererseits aber einen seine Triebe nicht *kontrollierenden*
25 und eine wehrlose Frau *missbrauchenden* Menschen. Und in der Marquise stellt er eine an den Rand der Verzweiflung *getriebene*, aber ihrem Aggressor später dann doch *verzeihende* und diesen sogar *liebende* Person dar. Die bei ihrer Erscheinung wegen der Thematik stark *kritisierte* Novelle traf auf eine auf Anstand und Sitte *bedachte* und dieses Werk deshalb *ablehnende* bürgerliche Leserschaft.
30 Inzwischen aber ist die Novelle ein in deutschen Schulen häufig *gelesener* und bereits auch *verfilmter* Klassiker der deutschen Literatur.

* *Heinrich von Kleist* (1777–1811), deutscher Schriftsteller, spektakulärer Selbstmord in der Nähe Berlins im November 1811
bekannte Dramen: „Amphitryon", „Der zerbrochne Krug"
bekannte Novellen: „Michael Kohlhaas", „Das Erdbeben in Chili"

→ *In Kleists bekannter Novelle „Die Marquise von O…", die 1808 erstmals erschien / erschienen ist, wird eine Begebenheit geschildert, die im Sinne der goetheschen Novellendefinition „unerhört" ist: …*

§ 16 Partizipialsätze

Ü1 **Joseph von Eichendorff* – „Das Marmorbild" (1817)**

Lesen Sie den Text und sagen Sie, was Ihnen an der Form der kursiv gesetzten Satzteile auffällt. Versuchen Sie, aus diesen Satzteilen Sätze zu formulieren.

Es war ein schöner Sommerabend, als Florio, ein junger Edelmann, langsam auf die Tore von Lucca zuritt, *sich erfreuend an dem feinen Dufte,* der über
5 der wunderschönen Landschaft und den Türmen und Dächern der Stadt vor ihm zitterte, sowie an den bunten Zügen zierlicher Damen und Herren, welche sich zu beiden Seiten der
10 Straße unter den hohen Kastanienalleen *fröhlich schwärmend* ergingen. Da gesellte sich, *auf zierlichem Zelter desselben Weges ziehend,* ein anderer Reiter in bunter Tracht, *eine goldene*
15 *Kette um den Hals und ein samtnes Barett mit Federn über den dunkelbraunen Locken, freundlich grüßend* zu ihm. Beide hatten, *so nebeneinander in den dunkelnden Abend hineinrei-*
20 *tend,* gar bald ein Gespräch angeknüpft, und dem jungen Florio dünkte die schlanke Gestalt des Fremden, sein frisches, keckes Wesen, ja selbst seine fröhliche Stimme so überaus an-
25 mutig, daß** er gar nicht von demselben wegsehen konnte.

* *Joseph von Eichendorff (1788–1857)*
** hier nach alter Rechtschreibung

Worterklärungen:
schwärmen = ausschwärmen, hier: spazieren gehen
der Zelter = (veraltet:) das Pferd
das Barett = flache Kopfbedeckung ohne Schirm (hier: Kopfbedeckung der Renaissance)
dünken (veraltet/poetisch; unpersönlich gebraucht) = scheinen

(1) Alexander von Humboldt, im Schloss Tegel (Berlin) **geboren und erzogen,** wuchs in wohlhabenden adligen Verhältnissen auf.
  = Alexander von Humboldt, **der** im Schloss Tegel (Berlin) **geboren und erzogen wurde,** wuchs in wohlhabenden adligen Verhältnissen auf.

(2) Er hielt seine Vorlesungen, vom Berliner Publikum stark **frequentiert,** in einer auch für Laien verständlichen Sprache.
  = Er hielt seine Vorlesungen, **die** vom Berliner Publikum stark **frequentiert wurden,** in einer auch für Laien verständlichen Sprache.

(3) Er ging auf Forschungsreisen, durch den Tod der Mutter mit einem großen
    Erbe **ausgestattet**.
    = Er ging auf Forschungsreisen, **nachdem/als/weil** er durch den Tod der
      Mutter mit einem großen Erbe **ausgestattet war**.

(4) **Obwohl** auf seinen Exkursionen großen Strapazen **ausgesetzt**, widerstand
    Humboldts früher eher schwächliche Gesundheit allen tropischen Krankheiten.
    = **Obwohl** Humboldt auf seinen Exkursionen großen Strapazen **ausgesetzt war**,
      widerstand seine früher eher schwächliche Gesundheit allen tropischen
      Krankheiten.

(5) Die Besteigung des Berges Chimborazo (ca. 6 300 Meter)(,) mit unpassender
    Kleidung und ohne entsprechende Ausrüstung (unternommen)(,) war ein
    mutiges Abenteuer.
    = Die Besteigung des Berges Chimborazo (ca. 6 300 Meter), **die** mit unpassender
      Kleidung und ohne entsprechende Ausrüstung **unternommen wurde**, war ein
      mutiges Abenteuer.
    = Die Besteigung des Berges Chimborazo (ca. 6 300 Meter) war, **weil** sie mit
      unpassender Kleidung und ohne entsprechende Ausrüstung **unternommen
      wurde**, ein mutiges Abenteuer.

(6) **Korrespondierend** mit Forschern vieler anderer Länder(,) stellte er ein internationales
    Wissenschaftsnetzwerk her.
    = **Dadurch, dass / Indem** er mit Forschern vieler anderer Länder **korrespondierte**,
      stellte er ein internationales Wissenschaftsnetzwerk her.

(7) **Kurz gesagt** war Humboldt sein ganzes Leben lang wissenschaftlich tätig.

Partizipialsätze sind verkürzte Relativ- bzw. Adverbialsätze ohne eigenes Subjekt.
Das gedachte Subjekt entspricht dem Subjekt (1) bzw. einer Kasusergänzung (2) des
übergeordneten Satzes.
Das endungslose Partizip steht am Anfang (6) oder am Ende des Partizipialsatzes (1) (2).
Bedeutungsschwache oder leicht erschließbare Partizipien entfallen (*habend, seiend, geworden*)
bzw. können entfallen (z. B. *haltend, tragend, unternommen*) (5).
Partizipialsätze können in Relativsätze (1) (2) (5) oder in Adverbialsätze mit kausaler (3) (5),
modaler (6), temporaler (3), konzessiver (4) oder konditionaler (7) Bedeutung aufgelöst werden.
Manchmal sind verschiedene Auflösungen möglich (3) (5).
Bei Partizipialsätzen mit konzessiver Bedeutung bleibt die Konjunktion erhalten (4).
Partizipialsätze können dem übergeordneten Satz vorangestellt (4) (6) (7) oder nachgestellt (3)
werden, sie können auch eingeschoben werden (1) (2) (5).
Eingeschobene (1) (2) (5), nachgestellte (3) oder durch eine konzessive Konjunktion
eingeleitete Partizipialsätze (4) werden durch ein (paariges) Komma getrennt. Ein Komma
kann gesetzt werden, um die Gliederung des Satzes deutlich zu machen (5) (6). Bei festen
Wendungen wird das Komma meistens weglassen (7). (In den folgenden Übungen ist dieses
fakultative Komma gesetzt.)

Partizipialsätze werden vorwiegend in der schriftlichen Fachsprache verwendet.
(Partizip Präsens und Partizip Perfekt vgl. §15 S. 243 und S. 253)

Feste Wendungen:

Viele Partizipialsätze mit konditionaler Bedeutung sind feste Wendungen, deren gedachtes
Subjekt *man* ist. Sie werden vor allem mit Verben des Sagens und Denkens gebildet, z. B. *anders/
genau/kurz/offen gesagt (7); anders formuliert; milde ausgedrückt; bildlich gesprochen;
bei Licht / genauer / oberflächlich betrachtet; langfristig/so gesehen; genau / streng /
im Grunde genommen; richtig verstanden; verglichen mit; grob geschätzt; abgesehen von;
angenommen(, dass); vorausgesetzt(, dass); zugegeben(, dass); zugegebenermaßen.*

Ü2 **Alexander von Humboldt (1769–1859)**

Lösen Sie die Partizipialsätze in Relativsätze bzw. Adverbialsätze auf. Manchmal gibt es
mehrere Möglichkeiten.

Alexander von Humboldt stellt, vielseitig forschend und interessiert (*Prät.*),
den Typus des Universalgelehrten dar.

*Alexander von Humboldt, der vielseitig forschte und interessiert war,
stellt den Typus des Universalgelehrten dar.*

*Alexander von Humboldt stellt, weil er vielseitig forschte und interessiert war,
den Typus des Universalgelehrten dar.*

1. Seine Forschungen auch im Selbstversuch testend (*Prät.*), stellte Humboldt
   einen ganz neuen Typus des Wissenschaftlers dar.
2. Kosmopolitisch ausgerichtet, forschte er auf vielen Gebieten (Geographie,
   Geologie, Physik, Chemie, Mineralogie, Vulkanologie, Zoologie, Botanik,
   Geschichtswissenschaften).
3. Wichtige Messinstrumente sammelnd und Reiseberichte sowie neueste Forschungsergebnisse über Geographie, Zoologie und Botanik studierend, bereitete er sich
   intensiv auf seine Forschungsreise nach Südamerika vor.
4. Obwohl von großer Hitze und Ungeziefer geplagt, legten Humboldt und sein
   Reisegefährte auf ihrer Südamerika-Expedition zwischen 1799 und 1804 eine
   Strecke von insgesamt über 2 700 Kilometern zurück.
5. Monatelang in Wäldern schlafend, von Krokodilen, Jaguaren sowie anderen
   Tieren umgeben und das Wasser der Flüsse trinkend, waren sie unermüdlich mit
   geographischen und botanischen Untersuchungen beschäftigt.
6. Auch die Expedition in die Anden, auf Maultieren unternommen, war für
   die Teilnehmer sehr beschwerlich.
7. Nach seiner Rückkehr setzte Humboldt, zum Mitglied der Akademie der
   Wissenschaften ernannt und mit einer großzügigen Pension versehen, seine
   wissenschaftliche Arbeit fort.
8. 1829 machte Humboldt, vom russischen Finanzminister dazu angeregt, noch eine
   Forschungsreise zum Ural und Altai-Gebirge und weiter bis zur chinesischen Grenze.
9. In seinen letzten Lebensjahren in Berlin wurde er, seine Berühmtheit und seine
   internationalen Beziehungen nutzend, zum Förderer junger Wissenschaftler.

Ü3   Bekannte Persönlichkeiten

Schreiben Sie nun über der hier abgebildeten Persönlichkeiten und/oder über eine (bekannte) Persönlichkeit Ihrer Wahl (Politiker, Wissenschaftler, Künstler, Schauspieler, Sportler, …) einen Fachtext. Bilden Sie dabei Partizipialsätze.

Josef Beuys   Marilyn Monroe   Konrad Adenauer   Lady Diana

Charly Chaplin   Amy Winehouse   Albert Einstein   Salvador Dali

→ *Anfang des 20. Jahrhunderts eroberte Charlie Chaplin, in Stummfilmen spielend, die Leinwand.*

…

Ü4   Lebenslügen

Formen Sie die Partizipialsätze in Relativ- und/oder Adverbialsätze um. Manchmal gibt es mehrere Möglichkeiten.

Viele Menschen flüchten sich, bittere Wahrheiten einfach nicht zur Kenntnis nehmend, in eine „Lebenslüge".

Viele Menschen flüchten sich, weil / indem / wobei sie bittere Wahrheiten einfach nicht zur Kenntnis nehmen, in eine „Lebenslüge".

1. Ihre Probleme verharmlosend(,) schützen sie sich vor möglicherweise deprimierenden Entdeckungen über ihre persönliche Situation.
2. Unangenehme Wahrheiten, „unter den Teppich gekehrt", können das positive Selbstbild nicht gefährden.

3. Theaterstücke wie Ibsens „Wildente" oder A. Millers „Tod eines Handlungsreisenden" sind, solche Lebenslügen aufzeigend, weltberühmt geworden.

4. Die Augen vor der Realität verschließend(,) leben die in diesen Theaterstücken dargestellten Personen angenehmer und unbeschwerter.

5. Sie vermeiden, obwohl von unbequemen Erinnerungen bedrängt, die Auseinandersetzung mit der eigenen Vergangenheit.

6. Viele unangenehme Gedanken dringen, im richtigen Augenblick blockiert, erst gar nicht ins Bewusstsein.

7. Unangenehme Gedanken, permanent verdrängt, können aber nach Freuds Theorie der „Wiederkehr des Verdrängten" zu psychischen Störungen führen.

Ü5 **Ist die deutsche Sprache wirklich eine schwere Sprache?**

Feste Wendungen (häufig mit konditionaler Bedeutung) sind kürzer als Nebensätze und in der deutschen Sprache sehr gebräuchlich. Formen Sie daher die folgenden Konditionalsätze in Partizipialsätze (= feste Wendungen) um.

Wenn man bildlich spricht, irrt der Anfänger beim Deutschlernen in einem Labyrinth umher.

Bildlich gesprochen irrt der Anfänger beim Deutschlernen in einem Labyrinth umher.

1. Denn wenn man es milde ausdrückt, ist die deutsche Grammatik für den Anfänger nicht ganz einfach.

2. Wenn man es genau nimmt, ist keine Sprache leicht zu lernen.

3. Wenn man grob schätzt, gibt es in der deutschen Grammatik 180 starke Verben.

4. Wenn man es richtig versteht, folgen diese Verben einem bestimmten Schema.

5. Wenn man es so sieht, sind auch die Partizipialsätze nicht so schwer zu verstehen.

6. Die deutsche Adjektiv-Deklination ist, wenn man sie mit der russischen vergleicht, einfach.

7. Denn nur wenn man es oberflächlich betrachtet, erscheint sie kompliziert.

8. Wenn man annimmt, dass sich jemand um die Regeln bemüht, so reduzieren sich die Schwierigkeiten auf wenige Fälle.

9. Wenn man von einigen Ausnahmen und idiomatischen Wendungen absieht, hält sich die deutsche Sprache genau an die Regeln.

10. Wenn man voraussetzt, dass der Anfänger zum Erlernen der deutschen Sprache motiviert ist, wird er bald in gutem Deutsch über die Schwierigkeiten dieser Sprache klagen können.

11. Wenn man es bei Licht betrachtet, kann Sprachenlernen bei guter Lernmotivation ein Vergnügen sein.

Ü6 **Feste Wendungen**

Beschreiben Sie nun Ihre Muttersprache oder eine Sprache Ihrer Wahl, indem Sie feste Wendungen gebrauchen. Sehen Sie sich dazu nochmals die Aufzählung der festen Wendungen auf S. 259 an.

→ *Verglichen mit anderen Fremdsprachen ist Englisch für Deutsche leicht zu lernen. Bei Lichte betrachtet ist Englisch wegen seiner vielen Idioms / idiomatischen Wendungen aber doch gar nicht so leicht.*

...

Ü7   Drei Gedichte von Bertolt Brecht (1898–1956)

Lösen Sie die kursiv gesetzten Partizipialsätze in Relativsätze und/oder Adverbialsätze auf.

Tagesanbruch

Nicht umsonst
Wird der Anbruch jeden neuen Tages
Eingeleitet durch das Krähen des Hahns
5   *Anzeigend seit alters*
Einen Verrat.

..., das seit alters einen Verrat anzeigt.

Die Maske des Bösen

An meiner Wand hängt ein japanisches Holzwerk
Maske eines bösen Dämons, *bemalt mit Goldlack.*
Mitfühlend sehe ich
5   die geschwollenen Stirnadern, *andeutend*
Wie anstrengend es ist, böse zu sein.

Nachdenkend über die Hölle

Nachdenkend, wie ich höre, *über die Hölle*
Fand mein Bruder Shelley*, sie sei ein Ort
Gleichend ungefähr der Stadt London. Ich
5   Der ich nicht in London lebe, sondern in Los Angeles
finde, *nachdenkend über die Hölle*, sie muss
Noch mehr Los Angeles gleichen.

Auch in der Hölle
Gibt es, ich zweifle nicht, diese üppigen Gärten
10   Mit den Blumen, so groß wie Bäume, *freilich verwelkend*
Ohne Aufschub, wenn nicht gewässert mit sehr teurem Wasser.
Und Obstmärkte
Mit ganzen Haufen von Früchten, die allerdings
Weder riechen noch schmecken. Und endlose Züge von Autos
15   Leichter als ihr eigener Schatten, schneller als
Törichte Gedanken, schimmernde Fahrzeuge, in denen
Rosige Leute, *von nirgendher kommend*, nirgendhin fahren.
Und Häuser, *für Glückliche gebaut, daher leerstehend***
Auch wenn bewohnt.

20   Auch die Häuser in der Hölle sind nicht alle häßlich**.
Aber die Sorge, auf die Straße geworfen zu werden
Verzehrt die Bewohner der Villen nicht weniger als
Die Bewohner der Baracken.

*   *Shelley* (1792–1822), englischer Dichter
** hier nach alter Rechtschreibung

Ü8 Das Heulen der Wölfe

 Formen Sie die Partizipialsätze in Relativsätze und/oder Adverbialsätze um. Manchmal gibt es mehrere Möglichkeiten.

Wölfe heulen, den Kopf gehoben und die Ohren zurückgelegt, um über weite Entfernungen zu Wölfen des eigenen Rudels oder fremder Rudel Kontakt aufzunehmen bzw. zu halten.

Wölfe heulen, wobei/indem sie den Kopf heben und die Ohren zurücklegen, um über weite Entfernungen zu Wölfen ... Kontakt aufzunehmen bzw. zu halten.

1. Eine besondere Heulzeremonie, von Erik Zimen beschrieben und als „Chorheulen" bezeichnet, läuft immer auf die gleiche Weise ab:
2. Nach einer langen Ruhepause am Nachmittag steht ein Wolf langsam auf und verschwindet, auf dem Boden herumschnüffelnd, im Gebüsch.
3. Die meisten Wölfe, im Umkreis von etwa fünfzig Metern liegend, schlafen noch.
4. Plötzlich fängt der im Gebüsch verschwundene Wolf, unterhalb des Rudels auf einem Stein stehend, zu heulen an.
5. Immer lauter werdend weckt das Heulen die anderen Wölfe aus ihrem Schlaf.
6. Sie erheben sich, strecken sich und rennen mit den Schwänzen wedelnd aufeinander zu.
7. Nun zu einem engen Haufen zusammengekommen hat jeder mit jedem direkten körperlichen Kontakt.
8. Dann fängt ein zweiter Wolf, den Kopf hebend, zu heulen an.
9. Bald heulen die Wölfe, nacheinander in das Geheul einfallend, im Chor.
10. Diese Heulzeremonie hat, auf das engste Rudel beschränkt, eine integrierende Funktion.
11. Dem Zusammenhalt der Gruppe dienend, ist sie die beste Voraussetzung für gemeinsame Aktivitäten.

(nach: *Erik Zimen:* Der Wolf. Verhalten, Ökologie und Mythos)

§ 17 Satzverbindungen und Satzgefüge

I   Satzverbindungen
II Satzgefüge: Verbindung von Hauptsatz und Nebensatz/Nebensätzen

I Satzverbindungen

Nebenordnende Konjunktionen: Verbindung von gleichen Satzarten

(1) Schon mit 16 Jahren beherrschte Zamenhof* acht Sprachen(,) **und** später
     kamen noch weitere hinzu.

(2) Der junge Zamenhof wuchs dreisprachig auf,
     aber er beließ es nicht dabei.
     aber dabei beließ er es nicht.
     er beließ es **aber** nicht dabei.
     dabei **aber** beließ er es nicht.
     dabei beließ er es **aber** nicht.

(3) Es ist bekannt, dass Zamenhof der Erfinder der Kunstsprache Esperanto ist
     und (dass) diese Sprache über 120 Jahre alt ist.

(4) Esperanto beruht auf 16 Grundregeln **und** kennt keine Ausnahmen.

(5a) Man weiß, dass Sprachenlernen ihm **keine** Mühe, **sondern** Spaß machte.

(5b) Der Erfinder des Esperanto war allerdings **nicht** Sprachwissenschaftler,
     sondern Augenarzt.

(5c) Er lernte **nicht nur** Hebräisch und Aramäisch, **sondern auch** Latein, Griechisch,
     Französisch, Englisch und Deutsch.

(6) In seinem polnischen Geburtsort Bialystok sprach die Bevölkerung Polnisch,
     in den umliegenden Dörfern wurde Litauisch gesprochen, (und) die von Moskau
     eingesetzte Verwaltung bestand auf der russischen Sprache.

* *Ludwig Lazarus Zamenhof* (1859–1912), geboren in der ethnisch gemischten polnischen Stadt Białystok,
  veröffentlichte 1887 die Grundlagen der von ihm entwickelten Kunstsprache Esperanto unter dem
  Pseudonym „Doktoro Esperanto" (wörtlich: *Doktor Hoffender*).

Texte bestehen im Allgemeinen aus einzelnen Sätzen, die als kleinste Texteinheiten
beispielsweise durch nebenordnende und unterordnende Konjunktionen miteinander verbunden
werden können. Auf diese Weise wird ein inhaltlich logischer Zusammenhang (Textkohäsion)
geschaffen, wodurch die Sätze vom Leser erst als Text wahrgenommen werden.
Nebenordnende Konjunktionen verbinden gleiche Satzarten, also Hauptsätze (1) (2) bzw.
Nebensätze gleichen Grades (3) und haben keinen Einfluss auf die Wortstellung. Solche
Verbindungen nennt man Satzverbindungen.

Der inhaltlichen Verbindung nach unterscheidet man folgende nebenordnende Konjunktionen:

additiv	*und, (so)wie, sowohl ... als auch*
alternativ	*oder, entweder ... oder*
adversativ	*aber, doch, jedoch, allein* (lit. = *aber*)
korrigierend	*nur, sondern, nicht nur ... sondern auch*
kausal	*denn*
erläuternd	*das heißt (d. h.)*

Die Konjunktionen *und, oder, denn, allein, sondern* und *das heißt* stehen in Satzverbindungen immer, auch in den mehrgliedrigen Konjunktionen, in der Position 0 (1) (3).
Die Konjunktionen *aber, doch, jedoch* und *entweder* sind in ihrer Stellung freier und können vor oder nach dem finiten Verb stehen (2).
nicht nur steht immer nach dem finiten Verb (5c).
Die Konjunktion *sondern* steht nur nach negierten Aussagen (5a) (5b) und wird oft zu *nicht nur ... sondern auch* erweitert (5c).
Vor additiven (1) (3) (4) und alternativen Konjunktionen kann ein Komma gesetzt werden, wenn man dadurch die Gliederung verdeutlichen und Missverständnisse vermeiden will.
Wenn Sätze einer Satzverbindung ein oder mehrere identische Satzglieder haben, werden diese nicht wiederholt (4) (*Esperanto beruht auf 16 Grundregeln und (es) kennt keine Ausnahmen.* → identisch: Subjekt); (5a) (*Sprachenlernen machte ihm keine Mühe, sondern (Sprachenlernen machte ihm) Spaß.* → identisch: Subjekt, Prädikat, Dativergänzung).
Solche verkürzten Satzverbindungen nennt man zusammengezogene Sätze (4) (5).
Sätze können auch unverbunden, d. h. ohne Konjunktionen nebeneinander stehen (6).

Ü1 Esperanto (1)
Verbinden Sie die Hauptsätze durch nebenordnende Konjunktionen und variieren Sie, soweit möglich, die Wortstellung.

Esperanto ist eine systematische Sprache. Sie ist folgerichtig aufgebaut.
Esperanto ist eine systematische Sprache, denn / d. h. sie ist folgerichtig aufgebaut.

1. Diese Kunstsprache sollte als Universalsprache der weltweiten Verständigung dienen. Sie sollte auch die einzelnen Nationalsprachen ergänzen.
2. Der Wortschatz dieser Sprache stammt vorwiegend aus dem Englischen und Französischen. Die Schreibung ist phonetisch.
3. Die Idee einer Kunstsprache fasziniert Sprachwissenschaftler. Auch Philosophen haben sich immer wieder mit dieser Idee beschäftigt.
4. Ludwig Lazarus Zamenhof, der Erfinder des Esperanto, machte schon als Kind Erfahrungen mit vielen Sprachen. Er wuchs in einem Sprachengewirr auf.
5. Er hat darunter gelitten, dass sich in seiner Heimat viele Menschen nicht miteinander verständigen konnten. Es kam deshalb auf die Idee einer Universalsprache.

Ü2   Esperanto (2)

Schreiben Sie einen zusammenhängenden Text ohne Nummerierung und verbessern Sie ihn stilistisch, indem Sie ihn kürzen.

Mehrsprachigkeit und Sprachenlernen waren in der Familie Zamenhof ganz selbstverständlich.

1. So brachte Vater Zamenhof seinem Sohn Französisch bei und er brachte ihm Deutsch bei.
2. Aber der Sohn eignete sich Fremdsprachen nicht nur bei seinem Vater an, sondern er eignete sich Fremdsprachen auch in der Schule an.
3. Im Gymnasium lernte er vier Sprachen und später lernte er noch weitere europäische Sprachen, vor allem Spanisch und Italienisch.
4. Es ist nicht bekannt, ob er sich lieber von seinem Vater unterrichten ließ oder ob er sich lieber von fremden Lehrern unterrichten ließ.
5. Tatsache aber ist, dass der Vater von der Beschäftigung seines Sohnes mit der Kunstsprache Esperanto nicht viel hielt und dass er ihn zum Medizinstudium überredete.
6. Berühmt wurde der Sohn dann aber nicht als Augenarzt, sondern berühmt wurde er als Erfinder der Kunstsprache Esperanto.

→ *Mehrsprachigkeit und Sprachenlernen waren in der Familie Zamenhof ganz selbstverständlich. So brachte Vater Zamenhof seinem Sohn Französisch und Deutsch bei. Aber der Sohn ...*

Konjunktionaladverbien: Verbindung von Hauptsätzen

(1a) Der Grundwortschatz von Esperanto umfasst nur etwa 1 000 Wörter,
      ... **trotzdem** kann man sich in dieser Sprache verständigen.
(1b) ... und **trotzdem / aber trotzdem** kann man sich in dieser Sprache verständigen.
(1c) ... man kann sich **trotzdem / aber trotzdem** in dieser Sprache verständigen.
(2)   **Zwar** wünschen sich Esperantisten Esperanto als Weltsprache,
      Esperantisten wünschen sich **zwar** Esperanto als Weltsprache,
      Esperantisten wünschen sich Esperanto **zwar** als Weltsprache,
      ... **aber** die Nationalsprachen sollen (trotzdem) weiter gesprochen werden.
      ... die Nationalsprachen sollen **aber** (trotzdem) weiter gesprochen werden.

Konjunktionaladverbien verbinden nur Hauptsätze. Sie sind selbstständige Satzglieder und damit Teil des Satzes. Sie stehen unmittelbar vor dem finiten Verb in der Position 1 (1a) (1b) oder nach dem finiten Verb (1c). Auch solche Verbindungen nennt man Satzverbindungen.
Am Satzanfang können in der Position 1 vor einem Konjunktionaladverb nebenordnende Konjunktionen wie *und, oder, aber, denn, doch* stehen, z. B. *und daher, oder dann, und/aber trotzdem* (1b) (1c), *denn sonst, doch dabei.*

Der inhaltlichen Verbindung nach unterscheidet man folgende Konjunktionaladverbien:

additiv	*auch, außerdem, daneben, darüber hinaus, desgleichen* (geschr.) *ebenfalls, ebenso, ferner* (geschr.), *gleichfalls, sogar, überdies* (geschr.), *übrigens, zudem* (geschr.)
mehrgliedrig	*weder ... noch, bald ... bald, einerseits ... andererseits, zum einen ... zum anderen, erstens ... zweitens ... drittens, teils ... teils*
adversativ	*dagegen, hingegen, indessen* (geschr.), *vielmehr*
adverbial	(Grund, Folge, Art und Weise usw.) z. B. *deshalb, dafür, trotzdem* (1), *zwar ... aber* (2), *infolgedessen, sonst, dadurch, dabei, stattdessen, danach, inzwischen, seitdem, dort* (vgl. §13)
erläuternd	*und zwar, sozusagen, bzw.* (= *beziehungsweise*), *z. B.* (= *zum Beispiel*)

Ü3 Esperanto (3)

Bilden Sie Sätze mit den in Klammern angegebenen Konjunktionaladverbien und variieren Sie, soweit möglich, die Wortstellung.

Zamenhof träumte von einer einzigen Sprache. Er dachte an eine leicht erlernbare, neutrale Sprache für die internationale Verständigung. (und zwar)
Zamenhof träumte von einer einzigen Sprache, und zwar dachte er an eine leicht erlernbare, neutrale Sprache für die internationale Verständigung.

1. Und tatsächlich ist Esperanto leicht erlernbar. Es ist folgerichtig aufgebaut. Es basiert auf 16 Grundregeln. Es kennt keine Ausnahmen. (denn erstens – zweitens – und drittens)
2. Der Grundwortschatz umfasst nur etwa 1 000 Wörter. Man kann sich mit dieser Sprache verständigen. (und trotzdem)
3. Zusätzlich zum Grundwortschatz gibt es etwa 40 Silben mit fester Bedeutung. Man kann den Wortschatz beliebig erweitern. „buso" heißt *Bus*. „busisto" heißt *Busfahrer* („isto" = Nachsilbe für Berufsbezeichnungen). (deshalb – z. B. – infolgedessen)
4. Neben Esperanto gibt es noch weitere Kunstsprachen. Es seien nur Ido, Occidental und Uropi genannt. (z. B.)
5. Esperanto ist mit Esperanto-Sprechern auf allen Kontinenten die am weitesten verbreitete Kunstsprache. Der Esperanto-Weltbund hat nur ca. 5 000 Mitglieder. (zwar ... aber)
6. Kenner dieser Sprache können seit den 1920er-Jahren regelmäßig Radiosendungen auf Esperanto hören. Heute werden Internetforen und Chaträume auf Esperanto angeboten. (zum einen – zum anderen)

II Satzgefüge: Verbindung von Hauptsatz und Nebensatz/Nebensätzen

Unterordnende Konjunktionen

(1) Es ist eine Tatsache, **dass** Kinder von der Konsumwelt überfordert sind.

(2) Es stellt sich daher die Frage, **ob** das große Spielzeugangebot für Kinder pädagogisch sinnvoll ist.

(3) Jeder kann sich selbst erklären, **warum** sich die Konsumwelt für Kinder so stark verändert hat.

(4a) Kinder sollten, **weil** sie sonst überfordert sind, nicht zu viele Spielsachen haben.

(4b) **Weil** Kinder sonst überfordert sind, sollten sie nicht zu viele Spielsachen haben.

(5) Spielzeug, **das** nicht zur Kreativität anregt, langweilt Kinder schnell.

(6) Kinder sollten kindgerecht erzogen werden, **worüber** in Fachkreisen kein Zweifel besteht.

(7) Für ihre Entwicklung ist es wichtig, Kindern viel **vorzulesen**.

(8) Ältere Kinder denken häufig, sie **müssten** alle auf dem Markt angebotenen Spielsachen besitzen.

(9) **Bekommen** Kinder aber zu viele und zu perfekte Spielsachen vorgesetzt, schränkt das ihre Fantasie ein.

(10a) Ihre Umwelt selbst **erkundend**, können Kinder wichtige Erfahrungen machen.
   = Indem sie ihre Umwelt selbst erkunden, können Kinder wichtige Erfahrungen machen.

(10b) Alltagsgegenstände, von Kindern **entdeckt**, sind oft die interessantesten Spielsachen.
   = Alltagsgegenstände, die von Kindern entdeckt werden, sind oft die interessantesten Spielsachen.

Die Verbindung von Hauptsatz und einem oder mehreren Nebensätzen nennt man Satzgefüge.
Nebensätze können nachgestellt (1)–(3) (6), in den Hauptsatz eingeschoben (4a) (5) oder vorangestellt (4b) werden.
Nebensätze werden vom Hauptsatz durch Kommas getrennt.

Besonderheiten:
Infinitivsätze, die abhängig sind von einem Korrelat (7) (*es*) oder von einem Verweiswort (*Mit Lego zu spielen, **das** lieben kleine Kinder.*), grenzt man mit einem Komma ab.
In allen anderen Fällen kann ein Komma gesetzt werden, um die Gliederung deutlich zu machen (vgl. §12 S. 174).
Partizipialsätze (= verkürzte Relativ- bzw. Adverbialsätze ohne eigenes Subjekt) (10) werden durch ein (paariges) Komma getrennt (vgl. §16 S. 258). In allen anderen Fällen ist das Komma fakultativ.

Nebensätze können eingeleitet werden durch:	
unterordnende Konjunktionen	*dass* (1), *ob* (2) adverbial (Grund, Folge, Art und Weise usw.) z. B. *weil* (4), *damit, um ... zu, obwohl,* *sodass, als dass, wenn, indem, ohne dass,* *ohne ... zu, als ob, je/umso ... desto,* *nachdem, bis, bevor*
Fragewörter	z. B. *wann, warum* (3), *was, wer, wie, wo,* *woher, wohin*
Relativpronomen	*der, die, das* (5); (*welcher, welche, welches**); *wer, was*
Relativadverbien	*womit, worüber* (6) (= *wo(r)* + Präposition); *wo, wohin, woher, von wo aus*

* gilt als stilistisch unschön (vgl. §14)

Eingeleitete Nebensätze / Beispielsätze (1)–(6)

Dem Einleitungswort entsprechend können Nebensätze eingeteilt werden in:	
Indirekte Fragesätze **Subjektsätze** **Objektsätze** **Attributsätze** (mit den Konjunktionen *dass* und *ob* und mit Fragewörtern) (vgl. §12)	(2) (3) (1) (3) (2)
Adverbialsätze (mit adverbialen Konjunktionen) (vgl. § 13)	(4)
Relativsätze (mit Relativpronomen und Relativadverbien) (vgl. §14)	(5) (6)

In eingeleiteten Nebensätzen steht das finite Verb am Satzende.

Eingeleitete Nebensätze können aber auch danach eingeteilt werden, für welches Satzglied sie stehen:	
Subjektsatz	(1)
Objektsatz	(3)
Attributsatz	(2)
Adverbialsatz	(4)
Relativsatz	(5) (6)

Uneingeleitete Nebensätze / Beispielsätze (7)–(10)

Infinitivsätze als uneingeleitete Subjekt-, Objekt- und Attributsätze	(statt *dass*-Sätzen) (vgl. §12)	(7)
uneingeleitete Objektsätze	(Infinitivsätze statt *dass*-Sätzen) (vgl. S. 176) nach Verben des Hoffens und Wollens (z. B. *beabsichtigen, sich bemühen, beschließen, sich entschließen zu, erwarten, hoffen, planen, vorhaben, wagen, wünschen*) nach Verben des Veranlassens und Aufforderns (z. B. *auffordern, bitten, raten, verlangen*) und nach Verben wie z. B. *ablehnen, anfangen, aufhören, beginnen, gelingen, probieren, verbieten, vergessen, vermeiden, versuchen, verzichten auf, sich weigern*	(8)
uneingeleitete Konzessiv- und Konditionalsätze	(statt *wenn*-Sätzen) (vgl. §13 S 192 ff., S. 198 ff.; §6 S. 101 ff.)	(9)
Partizipialsätze als uneingeleitete Adverbialsätze oder uneingeleitete Relativsätze	(vgl. §16)	(10a) (10b)

In nachgestellten uneingeleiteten Sätzen steht das Verb an zweiter Stelle (8), in vorangestellten an erster Stelle (9).

Satzgefüge mit mehreren Nebensätzen

(1a)

Er vertrieb sich die Zeit,	bis die Frau kam,	indem er Münzen in den Automaten warf und andere Leute für sich drücken ließ.
Hauptsatz	Nebensatz	Nebensatz gleichen Grades (= zusammengezogener Nebensatz)

(1b)

Als Bloch aufschaute,	sah er,	dass die Sonne unterging.
Nebensatz	Hauptsatz	Nebensatz gleichen Grades

(2)

Bloch bildete sich ein,	Geräusche zu hören,	mit denen die Bierflaschen aufs Spielfeld fielen.
Hauptsatz	Nebensatz ersten Grades	Nebensatz zweiten Grades

(3)

Eine Zeitlang hörte er dem Gespräch zu,	das er,	weil er früher einige Male mit seiner Mannschaft zu einem Turnier in New York gewesen war,	leidlich verstehen konnte.
Hauptsatz	Nebensatz ersten Grades	Nebensatz zweiten Grades	Nebensatz ersten Grades (Fortsetzung)

(4)

Bloch hatte die Ausweise,	statt sie den beiden zurückzugeben,	nur vor sich hin auf den Tisch gelegt,	als sei er gar nicht berechtigt gewesen,	sie anzuschauen.
Hauptsatz	Nebensatz	Hauptsatz (Fortsetzung)	Nebensatz ersten Grades	Nebensatz zweiten Grades

(5)

Zu der Frau,	die ihm schon im Bus,	indem sie die Handtasche aufmachte und darin mit verschiedenen Gegenständen spielte,	angedeutet hatte,	dass sie unwohl sei,	sagte er: ...
Hauptsatz	Nebensatz ersten Grades	Nebensatz zweiten Grades (zusammengezogen)	Nebensatz ersten Grades (Fortsetzung)	Nebensatz zweiten Grades	Hauptsatz (Fortsetzung)

(*Peter Handke* (geb. 1942): Die Angst des Tormanns beim Elfmeter)

Bei Satzgefügen mit mehreren Nebensätzen muss man zwischen Nebensätzen gleichen Grades und Nebensätzen verschiedenen Grades unterscheiden:
• Nebensätze gleichen Grades hängen von demselben Hauptsatz ab (1).
• Bei Nebensätzen verschiedenen Grades, also ersten, zweiten, dritten Grades usw., hängt der Nebensatz ersten Grades vom Hauptsatz ab, während der Nebensatz zweiten Grades vom Nebensatz ersten Grades abhängt usw. (2) (4).
Untergeordnete Nebensätze können hintereinander stehen (2), ein untergeordneter Nebensatz kann aber auch in den übergeordneten Nebensatz eingeschoben werden (3).
Ebenso kann ein Nebensatz in den übergeordneten Hauptsatz eingeschoben werden (4).
Man kann das Einschieben von Nebensätzen in Nebensätze (3) und von Nebensätzen in Hauptsätze (4) miteinander verbinden (5).
Nebensätze gleichen Grades können voneinander getrennt werden (1b), Nebensätze verschiedenen Grades aber nicht (2) (3) (4).

Satzperioden

Er hatte beabsichtigt, das Werk, für welches er lebte, bis zu einem gewissen Punkte
zu fördern, bevor er aufs Land übersiedelte, und der Gedanke einer Weltbummelei,
die ihn auf Monate seiner Arbeit entführen würde, schien allzu locker und planwidrig,
er durfte nicht ernstlich in Frage kommen.

(*Thomas Mann* (1875–1955): Tod in Venedig)

Satzperioden bestehen aus mehreren Satzgefügen und Satzverbindungen. Solche mehrfach
zusammengesetzten Sätze spielen in der modernen Alltagssprache keine Rolle, sondern
sind ein Stilmittel literarischer und wissenschaftlicher Texte.

Ü4 Nach einer mutmaßlichen Entlassung

Untersuchen Sie die Satzgefüge und stellen Sie die Abhängigkeiten der Haupt- und
Nebensätze entsprechend dem unten gegebenen Beispiel dar.

1. Dem Monteur Bloch, der früher ein bekannter Tormann gewesen war, wurde,
   als er sich am Vormittag zur Arbeit meldete, mitgeteilt, dass er entlassen sei.
2. Jedenfalls legte Bloch die Tatsache, dass bei seinem Erscheinen in der Tür der
   Bauhütte, wo sich die Arbeiter gerade aufhielten, nur der Polier von der Jause
   aufschaute, als eine solche Mitteilung aus und verließ das Baugelände.
3. Bloch fuhr wieder mit dem Bus zu seinem Zimmer und nahm in einer Reisetasche
   zwei Pokale, die freilich nur Nachfertigungen von Pokalen waren, die seine
   Mannschaft einmal in einem Turnier, einmal im Cup gewonnen hatte, und ein
   Anhängsel, zwei vergoldete Fußballschuhe, mit.
4. Er setzte sich zurück auf die letzte Sitzbank, wo er, wenn nötig, bequem nach
   hinten hinausschauen konnte.
5. Als er sich setzte, sah er, obwohl das nichts zu bedeuten hatte, in die Augen
   des Fahrers im Rückspiegel.
6. Der Briefträger hatte Bloch, noch während dieser sprach, den Rücken zugekehrt
   und unterhielt sich leise mit der Postbeamtin in einem Gemurmel, das Bloch
   hörte wie jene Stellen in ausländischen Filmen, die man nicht übersetzte,
   weil sie ohnedies unverständlich bleiben sollten.

(*Peter Handke* (geb. 1942): Die Angst des Tormanns beim Elfmeter)

→ 1.

Hauptsatz	Nebensatz 1. Grades	Hauptsatz (Fortsetzung)	Nebensatz 1. Grades	Hauptsatz (Fortsetzung)	Nebensatz 1. Grades

...

Ü5 Felix Krull

Schaffen Sie durch Kommasetzung Klarheit.

Wenn aber so träumerische Experimente und Spekulationen geeignet waren mich von meinen Alters- und Schulgenossen im Städtchen die sich
5 auf herkömmliche Weise beschäftigten innerlich abzusondern so kam hinzu dass diese Burschen Weingutsbesitzers- und Beamtensöhne vonseiten ihrer Eltern wie ich bald gewahr
10 werden musste vor mir gewarnt und von mir ferngehalten wurden ja einer von ihnen den ich versuchsweise einlud sagte mir mit kahlen Worten ins Gesicht dass man ihm den Verkehr mit
15 mir und den Besuch unseres Hauses verboten habe weil es nicht ehrbar bei uns zugehe. Das schmerzte mich und ließ mir einen Umgang begehrenswert erscheinen an dem mir sonst nichts
20 gelegen wäre. Allein nicht zu leugnen war dass es mit der Meinung des Städtchens über unser Hauswesen gewissermaßen seine Richtigkeit hatte. Ich ließ schon weiter oben eine An-
25 spielung einfließen auf Störungen welche durch die Anwesenheit des Fräuleins aus Vevey in unser Familienleben getragen wurden. In der Tat stellte mein armer Vater diesem Mäd-
30 chen in verliebtem Sinne nach und gelangte auch wohl zu dem gesteckten Ziel worüber sich Meinungsverschiedenheiten zwischen ihm und meiner Mutter entspannen die weiter
35 dahin führten dass mein Vater sich auf mehrere Wochen nach Mainz begab um dort wie er es manches Mal zu seiner Erfrischung tat das Leben eines Junggesellen zu führen.

(*Thomas Mann* (1875–1955): Bekenntnisse des Hochstaplers Felix Krull)

→ *Wenn aber so träumerische Experimente und Spekulationen geeignet waren, mich von meinen Alters- und Schulgenossen im Städtchen, die …*

An welcher Stelle können Haupt- oder Nebensätze durch untergeordnete Nebensätze unterbrochen werden?

(1a) Kinder können sich nicht so gut entwickeln, **wenn** sie nicht gefördert werden.

(1b) Kinder können **sich, wenn** sie nicht gefördert werden, nicht so gut entwickeln.

(2a) Es ist normal, **dass** Kinder nervös und ängstlich werden, **wenn** sie Filme anschauen, **die** sie nicht verstehen.

(2b) Es ist normal, **dass** Kinder, **wenn** sie Filme, **die** sie nicht verstehen, anschauen, nervös und ängstlich werden.

(3a) Es ist klar, **dass sich** psychische Störungen einstellen können, **wenn** Kinder zu viel fernsehen.

(3b) Es ist klar, **dass sich, wenn** Kinder zu viel fernsehen, psychische Störungen einstellen können.

(3c) Es ist klar, **dass** Kinder, **die** zu viel fernsehen, **sich** nicht so gut selbst beschäftigen können.

Haupt- bzw. Nebensätze werden an der Stelle eingeschoben, auf die sie sich inhaltlich beziehen.

Für den Fall, dass Nebensätze in Hauptsätze (1b) oder untergeordnete Nebensätze in übergeordnete Nebensätze (2b) (3b) (3c) eingeschoben werden, gelten feste Regeln:

Im Hauptsatz müssen vor dem Einschub des Nebensatzes das erste Satzglied, das Prädikat und – soweit vorhanden – ein Reflexivpronomen stehen (1b).

Im Nebensatz steht vor dem Einschub eines untergeordneten Nebensatzes gleich nach der Konjunktion das erste Satzglied (2b) (3c) oder ein Reflexivpronomen (3b) (*dass sich*) (nicht: *..., dass Kinder sich, die ...*).

Manchmal – z. B. in Relativsätzen – kann das Reflexivpronomen aber auch in der Fortsetzung des unterbrochenen übergeordneten Satzes stehen (3c).

Konstruktionen, in denen zwei Konjunktionen aufeinanderfolgen, sollten vermieden werden (nicht: *Es ist klar, dass, wenn Kinder häufig allein sind, man sich Sorgen um ihre Entwicklung machen muss.*).

Ü6   Die Welt der Kinder

Manchmal sind, wie Sie schon an den literarischen Texten bemerken konnten, Sätze kunstvoller, wenn untergeordnete in übergeordnete Sätze eingeschoben sind. Fügen Sie jetzt die Nebensätze in die Hauptsätze bzw. die untergeordneten in die übergeordneten Nebensätze ein. Geben Sie auch mögliche Varianten an.

Man weiß, dass sich die schulischen Leistungen erhöhen, wenn Kinder viel lesen.

Man weiß, dass sich, wenn Kinder viel lesen, die schulischen Leistungen erhöhen.

Man weiß, dass sich die schulischen Leistungen, wenn Kinder viel lesen, erhöhen.

1. Kinder können sich nicht zu selbstständigen Menschen entwickeln, wenn sie immer nur unter der Aufsicht von Erwachsenen spielen.

2. Untersuchungen haben ergeben, dass Kinder sich die Welt besser aneignen, wenn man ihnen viel vorliest.

3. Experten sagen, dass Kinder Empathiefähigkeit und Fantasie entwickeln, wenn sie Geschichten hören.

4. Auch Statistiken zeigen, dass Kinder in ihren schulischen Leistungen nachlassen, je mehr sie fernsehen oder mit Computerspielen beschäftigt sind.

5. Untersuchungen zum Fernsehverhalten von Kindern belegen klar, dass sich Kinder täglich eine Stunde länger vor den Fernseher setzen, wenn sie ein eigenes Gerät in ihrem Zimmer haben.

6. Eltern berichten häufig, dass sie sich schuldig fühlen, wenn sie berufstätig sind und und nicht genügend Zeit für ihre Kinder haben.

Ü7   **Verstehen Sie diesen Text?**

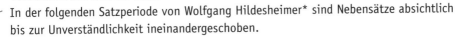

In der folgenden Satzperiode von Wolfgang Hildesheimer* sind Nebensätze absichtlich bis zur Unverständlichkeit ineinandergeschoben.

a) Machen Sie einen verständlichen Text mit Haupt- und Nebensätzen daraus.

b) Und wem das zu leicht ist oder nicht reicht, der kann versuchen, ein stilistisch korrektes Satzgefüge zu konstruieren.

Wieder ist, wie Du, lieber Max, wahrscheinlich bereits festgestellt hast, ein Jahr vergangen, und ich weiß nicht, ob es Dir so geht wie mir: allmählich wird mir dieser ewigwährende Zyklus ein wenig leid, wozu verschiedene Faktoren, deren Urheber ich in diesem Zusammenhang, um mich keinen Unannehmlichkeiten, deren Folgen, die in Kauf zu nehmen ich, der ich gern Frieden halte, gezwungen wäre, nicht absehbar wären, auszusetzen, nicht nennen möchte, beitragen.

* (*Wolfgang Hildesheimer* (1916–1991): Mitteilungen an Max über den Stand der Dinge und anderes)

Satzgefüge, die man vermeiden sollte

Der Satz von Wolfgang Hildesheimer aus Übung 7 zeigt, dass man Konstruktionen vermeiden sollte, in denen

• ein einzelnes Satzglied im hinteren Teil alleine steht,

• sich der zweite Teil zu weit vom ersten entfernt,

• sich am Ende des Satzgefüges die Verben bzw. Prädikatsteile häufen.

§ 18 Satzglieder und ihre Stellung

I   Satzglieder
II Die Stellung der Satzglieder im Satzfeld

I Satzglieder

Satz	Das	Fernsehen	übertrug	im	Juli	1969	die	Mondlandung	von	Neil Armstrong.
Wortarten	Art.	Nomen	Verb	Präp.	Nomen	Zahlwort	Art.	Nomen		Präp.	Nomen
Satzglieder	Subjekt		Prädikat	Angabe			Akkusativergänzung + Attribut			

Wörter sind die kleinste Einheit eines Satzes.
Die nächstgrößere Einheit nach den Wörtern sind die Satzglieder. Sie bestehen aus einem
Wort oder aus Wortgruppen und können durch verschiedene Wortarten vertreten werden.
Satzglieder können innerhalb eines Satzes nur geschlossen umgestellt werden.
Dabei bewegen sie sich im Hauptsatz um das finite Verb herum, das immer die zweite
Position besetzt hält.
Mit einer Umstellprobe lässt sich feststellen, welche Wörter zu einem Satzglied gehören:
Im Juli 1969 übertrug das Fernsehen die Mondlandung von Neil Armstrong.
(nicht: *Im Juli 1969 übertrug das Fernsehen von Neil Armstrong die Mondlandung.*)

Das Prädikat und seine Ergänzungen (vom Verb geforderte Satzglieder)

Das Subjekt

1965 unternahm **ein russischer Kosmonaut** den ersten „Weltraumspaziergang".

Das Subjekt ist eine Ergänzung im Nominativ. Sätze ohne Subjekt sind selten:
Jetzt wird trainiert. Streng dich an! Ist dir nicht wohl?

Akkusativ-, Dativ-, Genitiv-, Präpositionalergänzungen (auch Objekte genannt)

(1) Neil Armstrong betrat als erster Mensch **den Mond.**
(2) **Dem medienscheuen Armstrong / Ihm** gefiel das große Interesse an seiner Person nicht.
(3) Bei Armstrongs Tod im Jahre 2012 gedachte die Welt wieder **der ersten Mondlandung.**
(4) Armstrong hat sich schon als Kind **für Astronauten / für sie / für Flugzeuge / dafür**
    interessiert.
(5) Die Mondlandung verschaffte **den USA einen Vorsprung in der Weltraumforschung.**
(6) Sie motivierte **die USA zu weiteren Mondexpeditionen.**

Akkusativergänzung	(1)
Dativergänzung	(2)
Genitivergänzung	(3)
Präpositionalergänzung	(4)
Dativ- + Akkusativergänzung	(5)
Akkusativ- + Präpositionalergänzung	(6)

Diese Ergänzungen hängen von bestimmten Verben ab und sind – je nach Verb –
obligatorisch (*Neil Armstrong betrat den Mond.* nicht: *Neil Armstrong betrat.*) oder
fakultativ (*Er erinnert sich gern an die Landung. Er erinnert sich gern.*).

Auf Personen bezogene nominale Ergänzungen können durch Pronomen ersetzt werden (2)
(*ihm*) (4) (*für sie*), auf Sachen bezogene nominale Ergänzungen können durch
Pronominaladverbien *(da(r)* + Präposition) ersetzt werden (4) (*dafür*).

Subjekte sowie Akkusativ- und Präpositionalergänzungen können zu Subjekt- und
Objektsätzen verbalisiert werden (vgl. §12).
Adverbialer Akkusativ und adverbialer Genitiv sind keine Ergänzungen, sondern
Adverbialangaben (vgl. §1 S. 12; §18 S. 280).

Prädikativ- und Adverbialergänzungen (vom Verb geforderte Satzglieder)

(1) Die erste Mondlandung im Juli 1969 war **eine Sensation.**
(2) Viele nennen den ersten Mann auf dem Mond **einen Helden.**
(3) Weltweit saßen viele hundert Millionen Menschen **vor dem Fernseher.**
(4) Die Übertragung dauerte **mehrere Stunden.**
(5) Die Zuschauer fanden die Fernsehübertragung dieser Mondlandung
sehr spannend.
(6) Die forcierte amerikanische Mondexpedition entstand **aus Konkurrenz
zur damaligen Sowjetunion.**

Prädikativergänzung	(1) (2)
Lokalergänzung	(3)
Temporalergänzung (= adverbialer Akkusativ)	(4)
Modalergänzung	(5)
Kausalergänzung	(6)

Diese Ergänzungen hängen von bestimmten Verben ab und bilden den nicht-finiten und nicht-verbalen Teil des Prädikats.

Sie sind obligatorisch (*Das ist spannend.* nicht: *Das ist. / Die Übertragung dauerte mehrere Stunden.* nicht: *Die Übertragung dauerte.*).

Prädikativergänzungen kommen sehr oft mit den Verben *sein, werden, bleiben, nennen* vor (1) (2). Ist die Prädikativergänzung ein Nomen, steht es im gleichen Kasus wie das Subjekt (Gleichsetzungsnominativ) (1) oder im Akkusativ (Gleichsetzungsakkusativ) (2). Adverbialergänzungen geben Ort (3), Zeit (4), Art und Weise (5) oder den Grund (6) an.

Adverbialergänzungen werden z. B. mit Verben wie *entstehen, geschehen, sich ereignen, geraten, sich hinziehen, wirken, sich befinden, dauern, leben, wohnen, gehen, sitzen, liegen, stehen, fahren* gebildet.

Zu den Kausalergänzungen im weiteren Sinne gehören auch Final-, Konzessiv-, Konsekutiv- und Konditionalergänzungen.

Funktionsverbgefüge

(1) Die USA **stellten** der Weltraumforschung die notwendigen Geldmittel **zur Verfügung**.

(2) Bei den Raumfahrtprojekten **spielte** die Konkurrenz zwischen den Großmächten **eine wichtige Rolle**.

Funktionsverbgefüge sind feste Verbindungen zwischen einem Funktionsverb und einem Nomen mit (1) bzw. ohne Präposition (2) und mit (2) bzw. ohne Artikel. (vgl. §5 S. 89 f.; Anhang S. 349 ff.)

Ü1   Im Assessment-Center (1) – Präsentation

Lesen Sie den Text und vervollständigen Sie die Tabelle, indem Sie den angegebenen Verben ihre Ergänzung zuordnen.

Einen Vortrag zu halten ist in vielen Berufen üblich – mit diesem Baustein müssen Bewerber deshalb bei 92 Prozent der Assessment-Center* rechnen. Als Grundlage dienen 5 oft Zeitungsartikel oder Geschäftsberichte, die man dann vor anderen Teilnehmern des Assessment-Centers oder Mitarbeitern des Unternehmens zusammenfassen muss. Dabei ist der äußere Eindruck mindestens 10 genauso wichtig wie der Inhalt der Präsentation. Man sollte deshalb darauf achten, gerade zu stehen, Blickkontakt zu halten und deutlich zu sprechen. Und: Mut zur Lücke! Bewusst nur auf die wichtigsten 15 Aspekte eingehen und so zeigen, dass man Prioritäten setzen kann.

(in: DIE ZEIT vom 6.12.2012: *Die 6-Elemente-Bewerbung,* zusammengestellt von KATHRIN FROMM)

* *Assessment-Center*: Beratungsfirmen oder Abteilungen in Unternehmen, die Fähigkeiten und Eignung von Stellenbewerbern auf unterschiedliche Weise testen

Verb	Dativ-ergänzung	Akkusativ-ergänzung	Präpositional-ergänzung	Adverbial-ergänzung	Prädikativ-ergänzung
halten		einen Vortrag			
sein					
rechnen					
zusammen-fassen					
sein					
achten					
halten					
eingehen					
setzen					

Adverbialangaben (freie Satzglieder)

(1) Es gab **(im Vorfeld der Mondlandung) (in den USA) (bereits)** erste Planungen für einen bemannten Flug zum Mars.

(2) Neil Armstrong betrat den Mond **am frühen Morgen des 21. Juli 1969.**

(3) **Von hier aus** erblickte er die dünne Staubschicht des Mondes.

(4) Die USA gewannen den Wettlauf zum Mond **aufgrund forcierter Anstrengungen.**

(5) Armstrong war schon als 16-Jähriger **leidenschaftlich gern** geflogen.

Temporalangabe	(2)
Lokalangabe	(3)
Kausalangabe	(4)
Modalangabe	(5)

Adverbiale Angaben sind freie Satzglieder und nicht an bestimmte Verben gebunden.

Sie sind nicht obligatorisch und können jedem beliebigen Verb zugeordnet werden (1).

Sie bezeichnen die näheren Umstände eines Geschehens.

Man unterscheidet Temporal- (2), Lokal- (3), Modal- (5) und Kausalangaben (4).

Zu den Kausalangaben im engeren Sinne gehören auch Final-, Konzessiv-, Konsekutiv- und Konditionalangaben.

Adverbialangaben mit Präposition werden auch Präpositionalangaben genannt (1) (z. B. *in den USA*).

Adverbialangaben können zu Adverbialsätzen verbalisiert werden (vgl. §13).

Adverbialer Akkusativ und adverbialer Genitiv

Adverbialer Akkusativ und adverbialer Genitiv sind keine Ergänzungen, sondern Adverbialangaben (vgl. §1 S. 12; §18 S. 277).

Sie geben eine zeitliche (*jeden Tag, eines Tages*) oder räumliche Ausdehnung (*den Berg hinabsteigen, des Weges kommen*), das Mittel (*Auto fahren*) oder eine persönliche Meinung (*meines Erachtens*) an.

Sie können durch (Pronominal-)Adverbien ersetzt werden (*jeden Tag: täglich/heute; Auto fahren: damit fahren*).

Ü2   Im Assessment-Center (2) – Interview

Lesen Sie den Text und unterstreichen Sie die Angaben.

In 77 Prozent der Assessment-Center findet auch ein klassisches Vorstellungsgespräch statt. Was im Lebenslauf in Stichworten steht, darf jetzt mit Leben gefüllt werden.
5 Schon vorher sollte man sich überlegen, welche Punkte man gern ansprechen möchte [...]. Man sollte sich [...] auch mit Situatio-nen auseinandergesetzt haben, bei denen man an seine Grenzen gestoßen ist oder
10 Misserfolge hatte, denn danach wird häufig gefragt. Am besten ist es, man steht offen dazu und schildert, wie man sich anschlie-ßend wieder motiviert hat.

(in: DIE ZEIT vom 6.12.12: *Die 6-Elemente-Bewerbung*, Zusammengestellt von KATHRIN FROMM)

Das Attribut als Teil eines Satzglieds

Vorangestellte Attribute	
Pronomen / unbestimmtes Zahlwort	In unserem Haushalt gibt es gleich **mehrere** Computer.
(erweiterte) Adjektive	ein **kleiner** Computer; ein **wegen seiner handlichen Form auch auf Reisen verwendbares** Tablet
(erweiterte) Partizipien	ein **viel benutzter** Computer; ein **fast schon wieder veralteter** Computer
Adverbien	**nur** Fachleute; ein **unglaublich** hoher Preis; **sehr** leistungsfähig
Genitive	**Japans** Computerindustrie; **Peters / Herrn Müllers** Laptop
Ausdrücke mit Präpositionen	die **an der Umfrage** Beteiligten
Bestimmungswörter in Wortzusammensetzungen	**reparatur**anfällig (= anfällig für Reparaturen); **Geschäfts**aufgabe (die Aufgabe des Geschäfts)

Nachgestellte Attribute	
Genitive	die Leistung **moderner Computer**; einer **der Experten**
Ausdrücke mit Präpositionen	der Bedarf **an Computern**; zufrieden **mit euch**
die Präposition *von* als Genitiversatz bei Nomen ohne Artikel	die Leistung **von Computern**; der Computer **von Peter / von Herrn Müller**
Adverbien	der Computer **dort**; leistungsfähig **genug**
Vergleiche mit *wie* und *als*	Geräte **wie Computer**; ein Computer **wie dieser hier**; leistungsfähiger **als gedacht**
Infinitive	die Möglichkeit **zu surfen**
Nomen im gleichen Kasus (Apposition)	Steve Jobs, **der Gründer von Apple**, war eine der bekanntesten Persönlichkeiten der Computerbranche.
	Viele Geschäftsleute besitzen ein Tablet, **einen handlichen Computer**.

Attribute beziehen sich auf ein Wort innerhalb eines Satzglieds und bestimmen dieses Bezugswort, meist ein Nomen, genauer.
Attribute zu Nomen werden mit der Frage *Was für ein(e) ...?* erfragt.
Bei Umstellungen im Satz werden Attribute zusammen mit ihrem Bezugswort verschoben.

Attribut oder Lokalangabe?

(1) Oft lässt die Beratung der Kunden **in Fachgeschäften** zu wünschen übrig.
Die Beratung der Kunden **in Fachgeschäften** lässt oft zu wünschen übrig.
(2) Die Beratung der Kunden lässt **in Fachgeschäften** oft zu wünschen übrig.
In Fachgeschäften lässt die Beratung der Kunden oft zu wünschen übrig.

Nomen mit Präposition lassen sich manchmal als Attribut (*Was für eine Beratung lässt zu wünschen übrig?* = Attribut) (1) und als selbstständiges Satzglied interpretieren, vor allem als Lokalangabe (*Wo lässt die Beratung zu wünschen übrig?* = Lokalangabe) (2). Eine Umstellprobe verschafft Klarheit.
Viele Attribute können zu Attributsätzen verbalisiert werden (Attributsätze vgl. §12 S. 174 und S. 177; Partizipialattribute vgl. §15 S. 247 ff.).

Ü3   Erfindungen

Unterstreichen Sie die Genitiv- und Präpositionalattribute.

Die Geschichte der menschlichen Zivilisation ist eine Geschichte menschlichen Erfindungsgeistes von den ersten primitiven Geräten der Altsteinzeit bis zu den kompliziertesten technischen Apparaturen unserer Tage. Erfindungen und Entdeckungen [...] gehen dabei zeitweilig ineinander über. Die Entdeckung einer Gesetzmäßigkeit in der Natur kann zu einer Erfindung führen, aber auch umgekehrt kann eine Erfindung helfen, den Gesetzen der Natur auf die Spur zu kommen. [...] Die Entdeckung der elektrischen Natur des Blitzes machte die Erfindung des Blitzableiters möglich, und die Erfindung des Fernrohrs [...] erlaubte Galilei neue Entdeckungen im Weltall. [...] Manche Erfindungen sind das Ergebnis langjährigen Nachdenkens und vielleicht auch Experimentierens, andere die Frucht eines genialen Augenblicks oder einfach nur des Zufalls. Aus kleinen Erfindungen können große hervorgehen; große Forschungsprojekte können, wie heute etwa die zahlreichen Nebenprodukte der Weltraumforschung beweisen, kleinere Erfindungen nach sich ziehen. Viele, ja wohl die meisten Erfinder standen und stehen auch heute noch auf den Schultern ihrer Vorgänger, bauen auf schon bekannten Erfindungen auf.

(*Erfindungsberichte*. Arbeitstexte für den Unterricht. Hrsg. von Heinrich Pleticha)

Die Verbindung von Genitiv- und Präpositionalattributen

Gleichgeordnete Attribute

(1) Beginn der Raketentechnik im 20. Jahrhundert

(2) Entsendung von Raumsonden zu fernen Himmelskörpern

Wenn sich mehrere Genitiv- und/oder Präpositionalattribute auf dasselbe Bezugswort beziehen, spricht man von gleichgeordneten Attributen.

Bei mehreren gleichgeordneten Attributen steht das Genitivattribut immer vor dem Präpositionalattribut (1).

Als Genitiv gilt auch der Genitiversatz mit *von* bei artikellosen Nomen (2).

Untergeordnete Attribute

(3) Experimente an Bord der Raumstationen

(4) Bewegung der Raumfahrer außerhalb des Magnetfelds der Erde

(5) Probleme der Weltraumflüge hinsichtlich der Ausstattung der Besatzung mit Geräten und Nahrung

Genitiv- und Präpositionalattribute können wiederum durch Attribute genauer bestimmt werden.
Diese Attribute, die ein Genitiv- oder Präpositionalattribut als Bezugswort haben, nennt man untergeordnete Attribute (3) (*der Raumstationen*).
Auch untergeordnete Attribute können wiederum durch Attribute näher bestimmt werden (4) (*der Erde*).
Und wiederum gilt: Genitivattribut (5) *(der Besatzung)* vor Präpositionalattribut (5) (*mit Geräten und Nahrung*).
Bei mehreren neben- und untergeordneten Attributen steht immer das nebengeordnete Attribut vor dem untergeordneten Attribut (3)–(5).

Ü4 Industrialisierung
Ordnen Sie die Attribute.

die Folgen (für das Normen- und Wertesystem / der Industrialisierung / der Gesellschaft)
die Folgen der Industrialisierung für das Normen- und Wertesystem der Gesellschaft

1. die Veränderung (des 18. Jahrhunderts / durch die Industrialisierung / der Arbeits- und Lebensbedingungen / seit der zweiten Hälfte)
2. der Beginn (mit der Einführung / der Industrialisierung / in der Textilindustrie / der Maschinen)
3. die Revolutionierung (der Eisenbahn und des Dampfschiffes / des Verkehrswesens / durch die Entwicklung / des 19. Jahrhunderts / seit der Mitte)
4. die grundlegende Veränderung (der europäischen Länder / der sozialen Struktur)
5. die starke Konzentration (von Arbeitsplatz und Wohnung / in Ballungsgebieten / der arbeitenden Menschen / bei räumlicher Trennung)
6. die industrielle Revolution (der Weltgeschichte / als das vermutlich wichtigste Ereignis / der Landwirtschaft und der Städte / seit der Entwicklung)

Ü5   Heiratsannoncen

Formulieren Sie aus dem gegebenen oder aus eigenem Wortmaterial Heiratsannoncen, in denen Suchende sich und die Gesuchte/den Gesuchten mit vorangestellten und nachgestellten Attributen beschreiben.

Beispiel:

> Ein schon seit vier Jahren verwitweter, vom langen Alleinsein frustrierter, beruflich erfolgreicher, gutaussehender, sehr dynamischer und sportlicher Manager ohne Anhang in leitender Position mit überdurchschnittlich hohem Einkommen und im Besitz einer Villa am Starnberger See sucht eine attraktive, gewandte, für vielseitige Freizeitinteressen aufgeschlossene, nicht ortsgebundene Partnerin zwischen 35 und 45 Jahren mit weiblicher Ausstrahlung und dem Wunsch nach einem sorglosen, glücklichen Leben in einer festen Beziehung.

Wortmaterial:

Suchende(r) / Gesuchte(r):

Witwe(r)   Angestellte(r)   Junggeselle   Handwerker   Arzthelfer(in)   Geschäftsmann   Lehrer(in)   Akademiker(in)   Architekt(in)   Franzose   Französin   Single   Kaufmann   Sekretärin   Unternehmer(in)   Rentner(in)   Pensionär(in)   Arzt   Ärztin   Hausfrau ...

Angebotenes bzw. Gesuchtes:

einsam   gefühlsbetont   ledig   außergewöhnlich   sympathisch   liebesbedürftig   naturliebend   bildhübsch   solide   anpassungsfähig   unternehmungslustig   schlank   jung   kinderlieb   elegant   gebildet   ausgeglichen   modisch   temperamentvoll   positiv denkend   gepflegt   gesellig   liebevoll   lebensbejahend   treu   alleinstehend   sparsam   umgänglich   verständnisvoll   häuslich   offen   wohlhabend   reiselustig   tolerant   belesen   fröhlich   fleißig   ehrgeizig   etwas schüchtern   zuverlässig   unkonventionell   humorvoll

mit vielseitigen Interessen   mit Sportwagen   voll Begeisterung für alles Schöne zum Liebhaben   mit guter Figur   mit einem Herz aus Gold   mit langen, blonden Haaren   voller Sehnsucht nach Liebe, Zärtlichkeit und Vertrauen   mit Herz und Hirn mit Niveau   voll Unternehmungsgeist   mit 10-jährigem Kind   mit dem Wunsch nach einer glücklichen Partnerschaft   mit Kochkenntnissen und langjähriger Übung mit Liebe zu Kunst, Theater, Kino und klassischer Musik   mit Vorliebe für Geselligkeit und Gespräche über Gott und die Welt   mit dem Herzen auf dem rechten Fleck mit unwiderstehlichem Charme   mit viel Herzenswärme   mit vielen Hobbys mit Traumfigur   ohne Schulden   mit blauen Augen   mit Freude an Natur und Kultur

Ü6 Dabeisein ist alles: Jubiläums-Krimi am Südpol

Lesen Sie den Text und entscheiden Sie: Genitiv- bzw. Präpositionalattribut (*Gen.attr.* bzw. *Präp.attr.*), Präpositionalergänzung (*Präp.erg.*) oder Adverbialangabe (hier immer mit Präposition = Präpositionalangabe) (*Adv.ang.*)? Bestimmen Sie die kursiv gesetzten Satzglieder bzw. Satzgliedteile.

Kopenhagen/Oslo. Es geht nicht mehr *um Leben oder Tod*, auch nicht mehr *um Weltruhm* (1), sondern ums Dabeisein bei der TV-Liveübertragung: 100 Jahre nach der Ankunft *von Roald Amundsen* (2) als erstem Menschen am Südpol kämpfen zwei norwegische Landsleute *auf antarktischem Schnee und* Eis (3) *mit letzter Kraft* (4), dass auch sie es zur Jubiläumsfeier *am heutigen 14. Dezember* (5) zum Pol schaffen.

80 Kilometer *in eineinhalb Tagen* (6) auf Skiern *bei 25 Grad minus* (7) lagen gestern noch vor Langlauf-Olympiasieger Vegard Ulvang und dem Polarforscher Harald Jolle. „Wir sind total gespannt, ob sie das packen. Eigentlich ist es unmöglich", meinte Stein Tronstad *vom Polarinstitut* (8) in Tromsø, das die ursprünglich vierköpfige Expedition *im November* (9) auf die „originale" Amundsen Tour über 2500 km geschickt hatte. *Tronstads* (10) Institutschef Jan Gunnar Winther und der „Abenteurer" Stein P. Aasheim warfen *kurz vor dem Ziel* (11) das Handtuch und ließen sich *in einem kleinen Flugzeug* (12) transportieren. „Wir sind *am Ende* (13) Tag und Nacht gelaufen, damit wir's schaffen. Aber wir beide sind total platt, es ging nicht mehr", sagte er dem heimischen Sender TV2.

Von Beginn an (14) hatte die Vierergruppe hinter den Etappen *der Amundsen-Gruppe* (15) gelegen. Trotz modernster Ausrüstung und Navigation *per GPS* (16). Auch 100 Jahre *nach der ersten menschlichen „Eroberung"* (17) gibt das extreme Wetter *in der Antarktis* (18) das Marschtempo vor. Im Gegensatz zum berühmten Vorbild muss die Truppe ihre Schlitten *mit der Ausrüstung* (19) selbst ziehen. Schlittenhunde, die von *Amundsens* (20) Gruppe auch als Proviant genutzt wurden, sind heute *bei Polarexpeditionen* (21) verboten.

Norwegens Regierungschef Jens Stoltenberg hat *für das Jubiläum* (22) auch persönlich den Südpol anvisiert: Er will dort die Jubiläumsexpedition treffen und die letzten 20 Kilometer *auf Skiern* (23) mitlaufen.

Auch Landsleute *von Scott* (24), der fünf Wochen *nach Amundsen* (25) zum Pol kam, sind zum 100. Jahrestag im Anmarsch.

→ *(1) um Leben oder Tod (Präp.erg.)* ...

Auf Amundsens Spuren
Im Jahr 2011 war es 100 Jahre her, dass der norwegische Polarforscher Roald Amundsen (Foto: Statue in Ny Alesund Svalbard, Spitzbergen) als erster Mensch den Südpol erreichte. Zum Jubiläum haben sich in diesem Jahr mehrere Expeditionen auf den Weg zum südlichsten Punkt der Erde gemacht. In Norwegen wird Amundsen noch heute als Held gefeiert – dabei wollte er eigentlich zum Nordpol.

Ü7   Die Großen der Antike

Setzen Sie die in Klammern stehende Apposition im richtigen Kasus ein.

Pythagoras wurde auf Samos, ..., geboren. (eine griechische Insel vor der Küste Kleinasiens)

Pythagoras wurde auf Samos, einer griechischen Insel vor der Küste Kleinasiens, geboren.

1. Pythagoras musste im Alter von 35 Jahren vor Polykrates, ..., von der Insel fliehen.
   (der tyrannische Herrscher von Samos)
2. Pythagoras ist bis heute für seine mathematische Formel, ..., bekannt.
   (der Lehrsatz $a^2 + b^2 = c^2$)
3. Das Werk des Griechen Herodot, ..., ist das erste Zeugnis abendländischer
   Geschichtsschreibung. (der „Vater" der Historiker)
4. Für Platon, ..., war der Tod von Sokrates, ..., ein tiefer Schock und eine Wende in
   seinem Leben. (ein junger Grieche aus wohlhabender Familie / sein Freund und Lehrer)
5. Platon gründete in Athen, ..., eine Akademie. (seine Geburtsstadt)
6. Mit dem griechischen Philosophen Aristoteles, ..., begann eine neue Ära der
   Philosophie. (ein Schüler Platons)
7. Im Gegensatz zur platonischen Ideenlehre, ..., geht die aristotelische Philosophie
   von der Welt des Alltags aus. (eine auf das Schöne und Ideale gerichtete Philosophie)

II Die Stellung der Satzglieder im Satzfeld

	Position 0	Vorfeld Position 1	Linke Satz-klammer Position 2	Mittelfeld Satzmitte	Rechte Satzklammer Satzende	Nachfeld
(1)		Der Referent, ein Biologe,	begann	erst	zu sprechen,	als alle saßen.
(2)	Doch	noch nie	hatte	er so spannend	referiert.	
(3)	Und	solange referiert wurde,	war	es im Saal	mucks-mäuschen-still.	
(4)		In seinem Vortrag	brachte	er bahn-brechende Forschungs-ergebnisse	zur Sprache.	

	Position 0	Vorfeld Position 1	Linke Satz-klammer Position 2	Mittelfeld Satzmitte	Rechte Satzklammer Satzende	Nachfeld
(5)		Deshalb	ist	er auch schon öfter mit Preisen	ausgezeich-net worden.	
(6)		Warum	reisten	denn einige Wissen-schaftler vorzeitig	ab?	
(7)			Könnten	Sie bitte etwas lauter	sprechen?	
(8)			Fangen	Sie doch mit der Diskussion	an,	bitte!
(9)			Hätte	ich mir den Vortrag doch bloß	angehört!	

Typisch für den deutschen Satz ist die sogenannte Satzklammer, die von den getrennten Teilen des Verbs (1) (2) (5)–(9) bzw. vom finiten Verb und der zu ihm gehörenden Ergänzung (3) (4) gebildet wird.
Die Satzklammer umschließt das Mittelfeld und grenzt dieses zugleich gegen Vorfeld und Nachfeld ab.
Diese feste Stellung des Verbs bestimmt die Struktur des Satzes.
Das Vorfeld ist nur in Aussagesätzen (1)–(5) und Ergänzungsfragen (W-Fragen) (6) besetzt, nicht aber in Entscheidungsfragen (Ja/Nein-Fragen) (7), Aufforderungssätzen (Bitte, Aufforderung, Befehl) (8) sowie Wunsch- und Bedingungssätzen ohne einleitende Konjunktion (9).
Das Nachfeld kann in allen Satztypen besetzt werden, was aber grammatisch nicht notwendig ist.
In der Position 0 können Konjunktionen stehen (z. B. *aber, denn, doch, oder, und, sondern*) (2) (3).

Das Vorfeld

(1) **Am 8. Mai 1886** hat der Erfinder von Coca-Cola, der US-Amerikaner John S. Pemberton, erstmals sein Produkt verkauft.

(2a) **Es** ist also inzwischen schon über 125 Jahre alt.

(2b) **Also** ist es inzwischen schon über 125 Jahre alt.

(3) **(Doch) in den USA** war dieses Getränk zunächst kein Erfolg.

(4) **Wie man weiß,** kochte Pemberton seinen Sirup anfangs aus Kokablättern und Kolanüssen.

(5) **Ein Erfrischungsgetränk herzustellen** war ursprünglich gar nicht seine Absicht.

(6) **(Aber) dennoch** begann damit die Erfolgsgeschichte des weltweit bekanntesten Getränks.

Das Vorfeld ist die erste Position im Satz.

Es nimmt nur ein Satzglied auf:

häufig das Subjekt (2a), eine Temporalangabe (1), eine Lokalangabe auf die Frage *Wo?* (3), einen Nebensatz (4) oder einen (erweiterten) Infinitiv (5), Pronomen oder Adverbien, die an schon Bekanntes anschließen (2a) (*es* ← sein Produkt) oder logisch an den vorhergehenden Kontext anknüpfen (2b) (*also*) (6) (*dennoch*).

Diese Satzglieder sind unbetont, nicht hervorgehoben.

Vor dem Vorfeld kann in der Position 0 noch eine Konjunktion stehen, z. B. *und*, *aber* (6), *oder*, *denn*, *doch* (3), *sondern*.

Im Vorfeld können nicht stehen:

• das Pronomen *es* im Akkusativ

• Reflexivpronomen

• Partikeln

• die Modalwörter *nämlich* und *wirklich*.

Ü8 **Die Erfolgsgeschichte von Coca-Cola**
Tauschen Sie die Subjekte im Vorfeld gegen andere Satzglieder aus.

Coca-Cola gehört seit Langem zu den weltweit beliebtesten Erfrischungsgetränken.

Seit Langem gehört Coca-Cola zu den weltweit beliebtesten Erfrischungsgetränken.

1. Coca-Cola kann heute als der bekannteste Markenname der Welt bezeichnet werden.

2. Pemberton hat das Getränk zunächst als eine Art Medikament gegen Müdigkeit, Lustlosigkeit und Kopfschmerzen entwickelt und verkauft.

3. Knapp 10 Millionen Liter Coca-Cola werden täglich in Deutschland getrunken.

4. Ernährungswissenschaftler warnen seit Langem vor den gesundheitsschädigenden Folgen des stark zuckerhaltigen Getränks.

5. Coca-Cola wird deshalb auch mit Süßstoff hergestellt und als Cola light verkauft.

Die Hervorhebung von Satzgliedern

(1) Seit wann wird denn Coca-Cola in Deutschland vertrieben?
    Nach Deutschland kam Coca-Cola Anfang des 20. Jahrhunderts.

(2) Wofür gab die Cola-Company anfangs das meiste Geld aus: für das Management, für Werbestrategien oder für die Weiterentwicklung des Getränks?
    Für Werbestrategien wurde anfangs das meiste Geld ausgegeben.

(3) Welche Faktoren haben schließlich dazu geführt, dass Coca-Cola in der ganzen Welt Verbreitung fand?
Genau kann man das nicht sagen. Cola wurde ja zunächst in Fässchen abgefüllt und erst später in Flaschen verkauft.
Durch die Flaschenabfüllung wurde der weltweite Verkauf von Coca-Cola weiter vorangetrieben.

(4) In wie vielen Ländern wird Cola denn heute produziert und verkauft?
Ich kann Ihnen im Moment nicht sagen, in wie vielen Ländern Cola verkauft wird.
Produziert wird es jedenfalls in über 200 Ländern.

Satzglieder, die aus dem hinteren Mittelfeld, wo neue Informationen stehen, ins Vorfeld geholt werden, z. B. um an den vorhergehenden Kontext anzuschließen, wirken hervorgehoben. Das gilt besonders für:

- Ergänzungen (1), (nicht hervorgehoben: *Coca-Cola kam Anfang des 20. Jahrhunderts nach Deutschland.*) (2), (nicht hervorgehoben: *Anfangs wurde das meiste Geld für Werbestrategien ausgegeben.*)
- das Prädikat (Passiv, infinite Verbformen) (4), (nicht hervorgehoben: *Es wird jedenfalls in über 200 Ländern produziert.*)
- Angaben, besonders Modalangaben (3), (nicht hervorgehoben: *Der weltweite Verkauf von Coca-Cola wurde durch die Flaschenabfüllung weiter vorangetrieben.*), abgeschwächt Kausalangaben.
- Temporalangaben und Lokalangaben auf die Frage *Wo?* wirken im Vorfeld nicht hervorgehoben.

Ü9 **Interview zur Erfolgsgeschichte von Coca-Cola**
Rücken Sie die Satzglieder, die Sie in Ihrer Antwort hervorheben wollen, ins Vorfeld.

A: Stimmt es, dass der Erfinder von Coca-Cola, John S. Pimberton, gar nicht den großen finanziellen Erfolg seiner Erfindung genießen konnte, weil er die Rechte bald an Asa G. Candler verkauft hat?
B: Ja, ein anderer hat vom finanziellen Erfolg profitiert.
Ja, vom finanziellen Erfolg hat ein anderer profitiert.
Ja, profitiert hat ein anderer vom finanziellen Erfolg.

1. A: Gibt es eigentlich geschmackliche Unterschiede zwischen Coca-Cola und Cola light?
B: Ja, der Geschmack von Coca-Cola wird durch den Süßstoff verändert.

2. A: Warum warnen denn Ernährungswissenschaftler vor Coca-Cola?
B: Sie haben wegen des krank machenden hohen Zuckergehalts Bedenken.

3. A: Wie kann man die weltweite Verbreitung von Coca-Cola erklären?
B: (Dafür gibt es viele Gründe, ein wichtiger Grund ist sicher:) Das Gehirn reagiert auf Zucker mit Suchtverhalten.

4. A: Welche Personengruppen spricht Coca-Cola am stärksten an?
B: Kinder und Jugendliche fühlen sich am stärksten angesprochen.

Das Nachfeld

(1)　Heutzutage ist Coca-Cola weltweit so beliebt **wie in den USA**.

(2)　Coca-Cola war ursprünglich nicht als Erfrischungsgetränk gedacht,
　　　sondern als Medizin.

(3)　Die Coca-Cola-Company produziert neben Coca-Cola rund 500 verschiedene
　　　Limonadengetränke, **in Deutschland vor allem Fanta und Sprite**.

(4)　Der Name Coca-Cola ist abgeleitet **von den Zutaten Kokablatt und Kolanuss**.

(5)　Ab den 1930er-Jahren fing Pepsi-Cola als größter Konkurrent an,
　　　Werbung zu machen.

(6)　Beim Verzehr von Coca-Cola sollte man bedenken, **dass eine Literflasche
　　　36 Stück Würfelzucker enthält**.

Die Nachstellung eines Satzglieds dient meist dazu, einen Satz durch Ausklammerung
übersichtlicher zu machen oder – besonders in der mündlichen Rede – etwas Vergessenes
nachzutragen.
Nachstellung bewirkt selten eine Hervorhebung.
Im Nachfeld können stehen:
Vergleiche mit *wie* und *als* (1), Berichtigungen (2), Nachträge, längere Aufzählungen (3),
Präpositionalergänzungen (4), (erweiterte) Infinitive mit *zu* (5), Nebensätze (6).

(Stellung der Satzglieder im Nebensatz (mit einer Übung) vgl. § 18 S. 301 f.)

Das Mittelfeld

Im Mittelfeld, das die meisten Satzglieder aufnimmt, können alle Satzglieder stehen.
Zwischen der finiten Verbform am Anfang und der infiniten am Ende des Mittelfelds gibt
es freie Positionen für weitere Satzglieder.
Für die Stellung der Satzglieder im Mittelfeld gilt allgemein:
Je höher der Informationswert eines Satzgliedes ist, desto weiter hinten steht dieses Satzglied,
wobei der Informationswert an der Art der Satzglieder zu erkennen ist.
Es ergibt sich folgendes Schema:

vorne	Mitte	hinten
pronominale Satzglieder mit geringem Mitteilungswert	definite Satzglieder mit mittlerem Informationswert	indefinite Satzglieder mit höchstem Mitteilungswert
(Bekanntes)	(Bestimmtes, Bekanntes: Nomen mit bestimmtem Artikel oder Demonstrativ- bzw. Possessivpronomen)	(Unbekanntes, Neues: Nomen mit unbestimmtem oder Nullartikel sowie Indefinitpronomen)

Abweichungen von dieser Reihenfolge werden als Hervorhebung verstanden.
Weiter gilt grundsätzlich: Je enger ein Satzglied zum Verb gehört, desto weiter
hinten steht es im Satz.

Subjekte

(1) **Die industrielle Revolution / Sie** veränderte die Dörfer und Städte.

(2) Ohne Zweifel veränderte **die industrielle Revolution / sie** die Dörfer und Städte.

(3) Zu diesen Fragen haben sich natürlich auch immer wieder **die Volkskundler** geäußert.

(4) Natürlich haben **Wissenschaftler** das genau untersucht.

(5) In ganzen Landstrichen verwandelten sich seit der Industrialisierung nicht nur in Deutschland **alte Dörfer** in Arbeitersiedlungen.

(6) Diese Entwicklung konnte am Anfang des vorigen Jahrhunderts natürlich **niemand** voraussehen.

(7) **Ganze Landstriche** veränderten sich durch die Industrialisierung.

(8) Bekanntlich entstanden infolge der industriellen Revolution nicht nur in Deutschland **die schwersten sozialen Probleme**.

(9a) **Es** entstanden schwere soziale Probleme.

(9b) **Es** wurden Veränderungen beobachtet.

Das Subjekt hat keine feste Position im Satz.
Subjekte in Form von definiten Nomen stehen oft, Subjekte in Form von Personalpronomen oder Indefinitpronomen immer unmittelbar vor (1) oder nach (2) dem finiten Verb.
Im hinteren Teil des Satzes stehende definite Subjekte wirken hervorgehoben (3).
Indefinite Subjekte stehen selten vor dem finiten Verb, sondern danach (4) oder im hinteren Teil des Satzes (5).
Subjekte in Form von Indefinitpronomen (z. B. *andere, einige, jemand, niemand, alles, etwas, nichts*) stehen im mittleren oder hinteren Teil des Satzes (6).
Ins Vorfeld gestellte indefinite nominale Subjekte wirken oft hervorgehoben (7).
Subjekte in Verbindung mit Ereignisverben (vgl. §1 S. 18 ff.) oder ähnlichen Verben stehen meist im hinteren Teil des Satzes (z. B. mit den Verben *erfolgen, geschehen, passieren,* aber auch mit Verben wie *auftreten, bestehen, entstehen, fehlen, gelingen, herrschen, sich vollziehen*) (8).
Das Pronomen *es* kann, wenn es in Aktivsätzen (9a) oder in Passivsätzen (9b) stellvertretendes Subjekt ist, nur am Satzanfang vor dem finiten Verb stehen (*es* in Passivsätzen vgl. §4 S. 62 f.).

Ü10 Die Entwicklung von Dörfern und Städten

Fügen Sie die Subjekte an der richtigen Stelle (ohne Hervorhebung) ein.

Aus der Ansammlung einzelner Bauernhöfe sind ... im Laufe der Zeit *Dorfgemeinschaften* entstanden.
(Dorfgemeinschaften)

1. Auf den Märkten wurden ... an bestimmten Tagen ... ausgetauscht.
   (Rohstoffe und fertige Produkte)

2. In der Nähe dieser Handelsplätze siedelten sich ... mit der Zeit ... an.
   (immer mehr Menschen)

3. Allmählich entwickelten sich ... aus den Siedlungen ...
   (Städte)

4. An verkehrsgünstigen Plätzen entstanden ... mit der Industrialisierung ...
   (große Fabriken und Arbeitersiedlungen)
5. Natürlich veränderte sich ... durch die Entstehung von Industrie- und Arbeiterdörfern ...
   (die soziale Struktur)
6. Im Laufe der Zeit wurde ... durch die Verstädterung ... zurückgedrängt oder ganz
   aufgegeben.
   (das dörfliche Brauchtum)
7. Hinsichtlich seiner Struktur weist ... eine reiche Differenzierung ... auf.
   (das heutige Dorf)
8. In den Industriestaaten ist ... im Laufe der Entwicklung ... eingetreten.
   (eine Trennung von Wohn- und Arbeitsstätte)

Ergänzungen

	Subjekt	Prädi-kat 1	Dativ-ergänzung	Akkusativ-ergänzung	Dativ-ergänzung	Präpositional-ergänzung Genitiv-ergänzung	Prädikativ-ergänzung Adverbial-ergänzung	Prädikat 2
(1)	Der Referent	hat	einem Mitarbeiter	sein neuestes Projekt				vorge-stellt.
(2)	Er	will		sein Projekt	(auch) einer Kollegin			erklären.
(3)	Er	hat	den Kollegen	seine Hypo-thesen		an Beispielen		erläutert.
(4)	Er	möchte		sich		mit Kollegen über seine Forschung		unter-halten.
(5)	Einige Kollegen	geden-ken				eines kürzlich verstorbenen Kollegen.		
(6)	Der Kongress	war					sehr interes-sant / ein Erfolg.	
(7)	Die Kollegen	nennen	den Referenten				einen tollen Wissen-schaftler.	

	Subjekt	Prädikat 1	Dativ-ergänzung	Akkusativ-ergänzung	Dativ-ergänzung	Präpositional-ergänzung Genitiv-ergänzung	Prädikativ-ergänzung Adverbial-ergänzung	Prädikat 2
(8)	Der Kongress	dauerte					mehrere Tage.	
(9)	Die Teil-nehmer	haben					im selben Hotel	gewohnt.
(10)	Die Stadt	hat	den Kongress-teilnehmern	Tagungs-räume			zur Verfügung	gestellt.

Dativergänzungen (meist Personen) stehen vor Akkusativergänzungen (meist Sachen) (1).
Dativergänzungen können nach Akkusativergänzungen stehen, wenn sie betont werden
sollen (2).
Präpositionalergänzungen (3) (4) und Genitivergänzungen (5) stehen weiter hinten
im Mittelfeld.
Bei Verben mit zwei Präpositionalergänzungen steht das persönliche Objekt vor dem
Sachobjekt (4).
Prädikativergänzungen (6) (7), Adverbialergänzungen (8) (9) und der nominale
Teil der Funktionsverbgefüge (10) gehören eng zum Verb, deshalb haben sie ihren
festen Platz am Satzende vor dem infiniten Verbteil.

Ü11 Der Referent

Ordnen Sie die Satzglieder und vervollständigen Sie die begonnenen Sätze.

Seit Kurzem …
(den Kongressteilnehmern / bietet / moderne Vortrags- und Seminarräume /
das renovierte Kongresszentrum)
Seit Kurzem bietet das renovierte Kongresszentrum den Kongressteilnehmern
moderne Vortrags- und Seminarräume.

1. Bis vor Kurzem …
   (stellen / den Teilnehmern / zur Verfügung / die Stadt / keine großzügigen Räume / konnte)
2. In den Vortragsräumen …
   (außergewöhnlich gut / seit dem Umbau / ist / die Akustik)
3. Nach dem Vortrag …
   (einige Kollegen / rieten / zur Veröffentlichung des Vortrags / dem Referenten)
4. Danach …
   (zur Diskussion / standen / die Forschungsergebnisse des Referenten / eine Stunde lang)
5. In der Diskussion zeigte sich, dass …
   (noch einer genaueren Erläuterung / offensichtlich / einige Forschungsergebnisse /
   bedurften)
6. Nach der Diskussion …
   (für die rege Beteiligung / sich / bei den Zuhörern / bedankte / der Referent)

7. Zu Recht ...
   (als Experte / der Referent / gilt / in Fachkreisen)
8. Schon seit Längerem ...
   (Beachtung / auch im Ausland / findet / seine Arbeit)
9. Wegen seiner wissenschaftlichen Methodik ...
   (sehr überzeugend / auch ausländische Wissenschaftler / finden / seine Forschungen)
10. In der Fachwelt ...
    (bekannt / weit über seinen Wirkungsbereich hinaus / er / aufgrund seiner Veröffentlichungen / ist)

Nominale und pronominale Satzglieder

		Vorfeld	Prädikat 1	Akkusativergänzung	Dativergänzung	Subjekt	Dativ ergänzung	Akkusativergänzung	Dativergänzung	Präpositionalergänzung	Prädikat 2
√	(1)	Gestern	hat			der Referent	den Kollegen	sein Institut			gezeigt.
√	(2)	Gestern	zeigte			er		es	ihnen.		
√	(3)	Gestern	zeigte			er	ihnen	sein Institut.			
	(4)	Gestern	zeigte		ihnen	der Referent		sein Institut.			
	(5)	Gestern	zeigte	es		der Referent	ihnen.				
✗	(6)	Gestern	zeigte	es	ihnen	der Referent.					
	(7)	Gestern	sahen		sich	die Kollegen		sein Institut			an.
	(8)	Gestern	sahen			sie	sich	sein Institut			an.
✗	(9)	Gestern	sahen	es		die Kollegen	sich				an.
✗	(10)	Gestern	sahen	es	sich	die Kollegen					an.
√	(11)	Gestern	sahen			die Kollegen		es	sich		an.
	(12)	Gestern	hat			er		sie		um Unterstützung	gebeten.
	(13)	Gestern	sprach			der Referent				mit ihnen darüber.	

Für die Reihenfolge der nominalen und pronominalen Satzglieder gilt:

• Als Nomen stehen Subjekte, Dativ- und Akkusativergänzungen in der genannten Reihenfolge (1).

• Als Pronomen stehen sie in der Reihenfolge Subjekt, Akkusativergänzung, Dativergänzung (2).

• Pronominale Ergänzungen stehen nie vor einem pronominalen Subjekt (falsch: *Gestern zeigte es ihnen er.*), sie können aber vor einem nominalen Subjekt stehen (4)–(7) (9) (10).

• Pronominale Dativ- oder Akkusativergänzungen stehen vor nominalen Ergänzungen (3) (8).

• Ein nominales Subjekt kann vor (11), zwischen (5) (9) oder nach (4) (6) (7) (10) pronominalen Ergänzungen stehen.

• Reflexivpronomen stehen im Dativ, wenn ein reflexiv gebrauchtes Verb noch eine Akkusativergänzung bei sich hat: *sich* (D) *etw.* (A) *ansehen* (7)–(11).

• Präpositionalergänzungen stehen als Präposition + Nomen (12) sowie als Präposition + Pronomen (bei Personen: *mit ihnen*) bzw. als Pronominaladverb (*da(r)* + Präposition bei Sachen: *darüber*) (13) nach dem Subjekt und den Kasusergänzungen.

• Bei Verben mit zwei Präpositionalergänzungen steht die persönliche Ergänzung vor der Sachergänzung (13).

Ü12 In einem Institut

Beantworten Sie die Fragen, indem Sie die kursiv gesetzten Satzglieder durch Pronomen bzw. Pronominaladverbien ersetzen. Manchmal gibt es mehrere Möglichkeiten.

Hat sich *die Institutsleiterin bei den Mitarbeitern für die gute Zusammenarbeit* bedankt? – Ja, am Jahresende ...

Ja, am Jahresende hat sie sich bei ihnen dafür bedankt.

1. Hat *die Institutsleiterin ihren Assistenten mit der Beaufsichtigung der Klausur* beauftragt? – Ja, aus Zeitgründen ...

2. Beschweren sich die Assistenten *über das viele Korrigieren?* – Aber natürlich ...

3. Hat sich die Chefin *das viele Kaffeetrinken* immer noch nicht abgewöhnt? – Soviel ich weiß, ...

4. Hat *die Institutsleiterin dem Dozenten ein Forschungssemester* bewilligt? – Ich glaube, dass ...

5. Legt *der Assistent seiner Chefin seine Veröffentlichungen* vor? – Ja, bestimmt ...

6. Hat der Student *dem Assistenten die geliehenen Bücher* zurückgegeben? – Wahrscheinlich ...

7. Haben sich manche Studierenden *das Studium* leichter vorgestellt? – Es ist wohl richtig, dass ...

8. Kann sich der Assistent *die Namen der Studierenden* merken? – Ja, erstaunlicherweise ...

9. Kann sich *der Assistent teure Fachbücher* kaufen? – Ich glaube schon, dass ...

10. Konnte *der Assistent* den Studierenden *das schwierige Problem* erklären? – Ja, natürlich ...

11. Kann sich die Institutsleiterin *auf ihre Assistenten* verlassen? – Ja, ich bin ziemlich sicher, dass ...

12. Kümmert sich *die Institutsleiterin um die Verwaltung des Instituts?* – Na ja, ... könnte ... ein bisschen mehr ...

Adverbialangaben

	Vorfeld	Prädikat 1	Subjekt	Adverbialangabe	Adverbial-ergänzung Prädikativ-ergänzung	Prädikat 2
(1a)	Viele Bundesbürger	sitzen		**täglich aus Gewohnheit passiv in bequemen Sesseln**	vor dem Fernseher.	
(1b)	Viele Bundesbürger	sitzen		**aus Gewohnheit täglich passiv in bequemen Sesseln**	vor dem Fernseher.	
(1c)	Völlig passiv	sitzen	viele Bundesbürger	**täglich**	vor dem Fernseher.	
(1d)	Aus Langeweile	sitzen	viele Bundesbürger	**stundenlang**	vor dem Fernseher.	
(2a)	In den letzten Jahrzehnten	ist	die Zahl der Sender	in Deutschland **stark**		angestiegen.
(2b)	In Deutschland	ist	die Zahl der Sender	in den letzten Jahrzehnten **stark**		angestiegen.
(3)	Der Junge	ist		**zum Leidwesen seiner Eltern**	fernsehsüchtig.	

	Vorfeld	Prädikat 1	Subjekt	Dativ-ergän-zung	Akkusa-tivergän-zung	Adverbial-angabe	Präpositional-ergänzung Genitiv-ergänzung Akkusativ-ergänzung	Adverbial-angabe	Prädikat 2
(4a)	Er	hat		sich	den Krimi	**trotz des elterlichen Verbots**			angesehen.
(4b)	Gestern	hat	er	sich		**trotz des elterlichen Verbots**	einen Krimi		angesehen.
(5a)	Die Eltern	haben		ihrem Sohn		**erst gestern wieder**	das Anschauen von Krimis		verboten.
(5b)	Die Eltern	haben		ihrem Sohn			das Anschauen von Krimis	**erst gestern wieder**	verboten.
(6)	Päda-gogen	weisen			Eltern	**immer wieder eindringlich**	auf die Gefahren des Fernsehens		hin.

	Vorfeld	Prädikat 1	Sub-jekt	Dativ-ergän-zung	Akkusa-tivergän-zung	Adverbial-angabe	Präpositional-ergänzung Genitiv-ergänzung Akkusativ-ergänzung	Adverbial-angabe	Prädikat 2
(7)	Der Junge	hat		sich		heute schon wieder	einen Krimi	im Nacht-programm	angesehen.
(8)	Der Vater	hatte		seinem Sohn			mit der Kürzung des Taschen-geldes	schon letzte Woche	gedroht.

Für die Reihenfolge und Stellung der Adverbialangaben gibt es keine festen Regeln, aber meist stehen sie im mittleren Mittelfeld:
- Angaben stehen meist in der Reihenfolge Temporal- (Te), Kausal- (Ka), Modal- (Mo), Lokalangabe (Lo) (Te Ka Mo Lo) (1a) oder in der Reihenfolge Ka Te Mo Lo (1b). Sätze mit vier Angaben sind selten, normalerweise beschränkt man sich auf eine oder zwei.
- Modalangaben stehen oft im hinteren Teil des Satzes dicht vor dem infiniten Verb, sogar nach Lokalangaben (2).
- Angaben stehen immer nach Personal- und Reflexivpronomen (4) und nach dem Pronomen *man*.
- Angaben stehen immer vor Adverbialergänzungen (1), Prädikativergänzungen (3) und Präpositionalergänzungen (6).
- Angaben stehen meist nach definiten (4a) (5b) und vor indefiniten Dativ- oder Akkusativergänzungen (4b), auch zwischen ihnen (5a).

Die Stellung der Angaben kann sich mit der Sprecherintention ändern:
- Angaben, die hervorgehoben werden sollen, werden in den hinteren Teil des Satzes gestellt (5b) (7) (8). Die hervorhebende Wirkung durch Nachstellung von Angaben ist bei längeren Sätzen (7) stärker als bei kürzeren (5b).
- Im Vorfeld stehen häufig Temporalangaben (2a) (4b) und Lokalangaben auf die Frage *Wo?* (2b). Diese Satzstellung wirkt neutral. Vorangestellte Modalangaben wirken stark (1c), Kausalangaben weniger stark hervorgehoben (1d).

Ü13 Das Fernsehzeitalter

Bilden Sie Sätze in neutraler Aussage. Überlegen Sie Alternativen, auch für das Vorfeld.

serienmäßig / im Jahre 1934 / in Deutschland / die ersten Fernsehgeräte / wurden … hergestellt
In Deutschland wurden die ersten Fernsehgeräte im Jahre 1934 serienmäßig hergestellt.
In Deutschland wurden im Jahre 1934 die ersten Fernsehgeräte serienmäßig hergestellt.
Im Jahre 1934 wurden in Deutschland die ersten Fernsehgeräte serienmäßig hergestellt.

1. sich / man / mit der Entwicklung des Farbfernsehens / beschäftigte / intensiv / in Europa / von 1956 an

2. ausgestrahlt / nur von öffentlichen Anstalten / wurden / zunächst / in Deutschland / Fernsehsendungen

3. im Wesentlichen / finanzieren / durch Werbeeinnahmen / ihre Programme / die privaten Programmanbieter

4. ist / durch seine Wirkungsmöglichkeiten / in vieler Hinsicht / überlegen / den anderen Medien / das Fernsehen

5. nicht mehr / vorstellen / ohne Massenmedien / Politik / sich / kann / heute / man

6. einen Ehrenplatz im Wohnzimmer / wie selbstverständlich / gestehen … zu / viele / längst / dem Fernseher

7. erschienen / auf dem Buchmarkt / sind / viele medienkritische Bücher / in den letzten Jahrzehnten

8. eindringlich / Fernsehkritiker / vor den realitätsverzerrenden Darstellungen des Fernsehens / warnen / schon seit Langem

Ü14 Immanuel Kant (1724–1804)

Schreiben Sie einen zusammenhängenden Text, indem Sie die Satzglieder ordnen und die kursiv gesetzten Satzglieder an den Satzanfang stellen.

1. ein Pedant / *der Philosoph Immanuel Kant* / zeit seines Lebens / war

2. genau / hatte / *so* / seinen Tagesablauf / festgelegt / er

3. stand … auf / *jeden Morgen* / er / um 5 Uhr

4. Vorlesungen / in geregeltem Ablauf / dann / *der Arbeit am Schreibpult* / folgten

5. nahm … ein / er / im Kreise von Freunden / *mittags* / ein längeres Essen

6. besuchte / zur selben Zeit / seinen Freund Green / *jeden Nachmittag* / er

7. auf genau 22 Uhr / festgesetzt / *und das Schlafengehen* / er / hatte

8. aufs Genaueste / er / *auch seine Umgebung* / ordnete

9. geraten / beim Anblick eines verschobenen Stuhls / er / zum Beispiel / konnte / *so* / in Verzweiflung

10. verließ / nicht ein einziges Mal / er / seine Heimatstadt Königsberg / *während seines 80-jährigen Lebens*

11. wurde / an der Universität Königsberg / er / *neun Jahre nach Beendigung seines Studiums* / Privatdozent // und / dort / eine Professur / mit 46 Jahren / bekam / endlich

12. eine der größten Leistungen auf dem Gebiet der Philosophie / Kant / *in diesem äußerlich so unscheinbaren Rahmen* / vollbrachte

13. einen Wendepunkt / in der Geschichte des philosophischen Geistes / *sein Denken* / stellt … dar

14. fragt / *seine Philosophie* / nach den Grenzen der menschlichen Vernunft

15. *er* / beschrieben / als Erster / die Unmöglichkeit objektiver Erkenntnis / hat / nämlich

→ *Der Philosoph Immanuel Kant war zeit seines Lebens ein Pedant. …*

Modalwörter

(1) Wissenschaftler weisen **bekanntlich** auf die Suchtgefahr von Computerspielen hin.

(2) Diese Warnungen sind **grundsätzlich** ernst zu nehmen.

(3) Wie alle Süchtigen sind Computersüchtige **bestimmt** nur schwer von ihren Zwangshandlungen abzubringen.

(4) Der Umgang mit Computern ist heute für Jugendliche **natürlich** eine Selbstverständlichkeit.

(5) **Leider** bergen inzwischen alle digitalen Medien eine Suchtgefahr.

(6) Nach Ansicht von Medienberatern haben heute **wirklich** schon viele Jugendliche ein Suchtproblem.

Mit Modalwörtern gibt der Sprecher zu erkennen, wie er einen Sachverhalt subjektiv einschätzt:

hinsichtlich seiner Wahrscheinlichkeit: z. B. *vielleicht, möglicherweise, womöglich, wohl, vermutlich, (höchst)wahrscheinlich, bestimmt, selbstverständlich, gewiss, durchaus, sicher(lich), natürlich* (3) (4)
hinsichtlich seiner Glaubwürdigkeit: z. B. *angeblich, anscheinend, offensichtlich, bekanntlich, wirklich, zweifellos, zweifelsohne* (1) (6)
hinsichtlich seiner (emotionalen) Beurteilung: z. B. *bedauerlicherweise, leider, (un)glücklicherweise, dummerweise, hoffentlich, eigentlich* (5)
hinsichtlich des Geltungsanspruchs: z. B. *absolut, an sich, grundsätzlich, jedenfalls, überhaupt* (2).

Modalwörter beziehen sich auf den ganzen Satz.
Modalwörter stehen vor Modalangaben (3), vor Genitiv- und Präpositionalergänzungen (1) sowie vor Prädikativergänzungen (4), Adverbialergänzungen und Funktionsverbgefügen.
Modalwörter stehen häufig im Vorfeld (5) (Ausnahmen: *nämlich, wirklich*) (6).
(Negation von Modalwörtern vgl. §19 S. 308)

Ü15 Kinder und Computer

Verleihen Sie den folgenden Aussagen den Charakter einer subjektiven Einschätzung, indem Sie die in Klammern stehenden Modalwörter im Satzinneren einsetzen. (Am Satzanfang können sie ja – mit Ausnahme von *nämlich* und *wirklich* – immer stehen.)

Kinder und Jugendliche verbringen viel Zeit vor dem Computer. (bekanntlich)
Kinder und Jugendliche verbringen bekanntlich viel Zeit vor dem Computer.

1. Computerspiele verändern das Weltbild von Jugendlichen in erheblichem Maß. (vermutlich)
2. Computerspiele haben Einfluss auf die Entwicklung von Kindern und Jugendlichen. (selbstverständlich)
3. Besonders die sogenannten Ballerspiele können Jugendliche süchtig machen. (wirklich)

4. Schüler, die viel Zeit am Computer verbringen, zeigen nach wissenschaftlichen Untersuchungen schlechtere Leistungen im Lesen und Schreiben als die Vergleichsgruppe. (ganz offensichtlich)

5. Nach Meinung anderer Wissenschaftler haben Computer ein hohes Lernpotenzial. (durchaus)

6. Mit guten Lernprogrammen können Schüler ihre schulischen Leistungen verbessern. (zweifellos)

7. Gute Computerspiele beeinflussen Reaktionsvermögen und räumliches Denken positiv. (bestimmt)

8. Ein abschließendes Urteil über Schaden und Nutzen von Computerspielen kann heute noch nicht abgegeben werden. (natürlich)

Ü16   Max Planck (1858–1947)

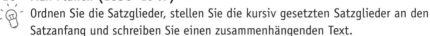 Ordnen Sie die Satzglieder, stellen Sie die kursiv gesetzten Satzglieder an den Satzanfang und schreiben Sie einen zusammenhängenden Text.

1. Max Planck / gezählt / zu den bedeutendsten Physikern des 19. und 20. Jahrhunderts / heute / *zu Recht* / wird

2. natürlich / jeder / an den Erfinder der Quantentheorie / denkt / sofort / *wenn der Name Max Planck fällt*

3. nicht so schnell / er / geraten / sicher / wird / in Vergessenheit / *als Begründer der Quantentheorie*

4. bewusst / die Fachwelt / sich / *längst* / ist / der Bedeutung dieses Wissenschaftlers

5. zum Abschluss / *erstaunlicherweise* / er / gebracht / schon mit 21 Jahren / hat / seine Doktorarbeit

6. die Fachwelt / in Erstaunen / hat / mit seinen Thesen / er / versetzt / *immer wieder*

7. schnell / *in Deutschland* / die einsteinsche Relativitätstheorie / gefunden / nicht zuletzt dank seiner Unterstützung / hat / Anerkennung

8. *Max Planck* / bekanntlich / jahrzehntelang / in Berlin / gelebt / als Professor der Physik / hat

9. sich / bei Kollegen und Studenten / *wie man weiß* / erfreute / als Professor / er / großer Beliebtheit

10. ihn / *seine Zeitgenossen* / als Mensch und Wissenschaftler / fanden / imponierend / wirklich

11. anderen gegenüber / *zeit seines Lebens* / er / hat / menschlich / verhalten / sich

12. seine Leistungen / gefunden / durch die Verleihung des Nobelpreises / haben / Anerkennung / *erfreulicherweise*

13. Nobelpreisträger / einige seiner Schüler / *wie er* / sind / wegen aufsehenerregender Entdeckungen / geworden

→ *Zu Recht wird Max Planck heute zu den bedeutendsten Physikern des 19. und 20. Jahrhunderts gezählt. ...*

Die Stellung der Satzglieder im Nebensatz

(1a) Es steht fest, dass **er** ein Lokal **aufsucht.**

(1b) Es steht fest, dass **er** ein Lokal **aufgesucht hat.**

(1c) Es steht fest, dass **er** ein Lokal **aufsuchen wollte.**

(1d) Man hört, dass **er** ein Lokal **aufgesucht haben soll.**

(1e) Er hat ein Lokal aufgesucht, um etwas **zu trinken.**

(1f) Er hatte vor, heute Abend **essen zu gehen.**

(2a) Er sagt, dass **er** etwas **hat/wird trinken müssen.**

(2b) Es stimmt, dass **er** nichts **hätte trinken sollen.**

(3) Er sagte, **er wolle** nicht viel **trinken.**

(4a) Nachdem sie ein Glas Bier getrunken hatten, **bestellten sie** ein zweites.

(4b) **Geht er** in die Kneipe, **trifft er** meist Freunde.

(4c) Ist er auch noch so müde, **geht er** abends (trotzdem) in die Kneipe.

(4d) Ist er auch noch so müde, **geht** er abends / abends **geht** er / er **geht** abends in die Kneipe.

(5) Es stimmt, dass die Kellnerin dem Gast das Getränk an seinen Tisch brachte.

(6) Es stimmt, dass sie es ihm vorhin an seinen Tisch brachte.

(7) Jeder weiß, dass er abends immer mit Freunden für ein paar Stunden in die Kneipe geht.

In eingeleiteten Nebensätzen steht das Subjekt unmittelbar nach der einleitenden Konjunktion (1a)–(1d) (2).

Das finite Verb steht am Satzende (1a)–(1d).

Bei zusammengesetzten Verbformen gilt die Reihenfolge Partizip Perfekt, finites Verb (1b) bzw. Partizip Perfekt, Infinitiv, finites Verb (1d).

In eingeleiteten und uneingeleiteten Infinitivsätzen steht der Infinitiv mit *zu* am Satzende (1e) (1f). Enthält eine zusammengesetzte Verbform mehrere Infinitive, dann steht das finite Verb vor den beiden Infinitiven (2).

In nachgestellten uneingeleiteten Aussagesätzen steht das Subjekt am Anfang, das finite Verb in zweiter Position (3).

Nebensätze können in der Position 1 vor Hauptsätzen stehen (4).

Vorangestellt werden vor allem eingeleitete Kausalsätze mit der Konjunktion *da*, Konditional- und Temporalsätze (4a).

Uneingeleitete Konditionalsätze (4b) und Konzessivsätze (4c) (4d) stehen immer vor Hauptsätzen.

Wenn Nebensätze in der Position 1 stehen, beginnen die Hauptsätze mit dem finiten Verb, es folgt das Subjekt (4a) (4b) (4c).

Ausnahme: Nach uneingeleiteten Konzessivsätzen kann das finite Verb im Hauptsatz an erster oder zweiter Stelle stehen (4d).

Für die Stellung der übrigen Satzglieder im Nebensatz gelten die gleichen Regeln wie für den Hauptsatz (5)–(7).

Ü17   Männerrituale

Schreiben Sie einen zusammenhängenden Text, indem Sie aus den Satzgliedern Haupt- und Nebensätze bilden.

1. Wer, aufsucht, ein Lokal / in dem, verkehren, hauptsächlich Männer / eine Welt, betritt / in der, herrschen, eigene Regeln

2. an eine Bar, ein Mann, tritt / an der, stehen, drei Männer / und, ein Glas, bestellt / das, halb austrinkt, er

3. nachdem, bei dem Barkeeper, er / der, steht, hinter der Theke / bestellt, vier Glas Alkohol, hat / eine Unterhaltung, beginnt

4. gibt, nach und nach, jeder der Männer / von denen, ist, arbeitslos, einer / aus, eine Runde / bis, sind, die Runden, beendet

5. nachdem, sind, die Gläser, hingestellt / das Lokal, der Arbeitslose, verlässt / wobei, zum Zeichen dafür, er / dass, zurückkehren, er, wird / hinterlässt, sein halb volles Glas

6. nachdem, fünf Minuten später, ist, er, zurückgekommen / sein Glas, er, leert / dann, vier weitere Gläser, bestellt, er

7. später, er, erzählt / dass, konnte, nicht, er, mithalten / weil, nicht genügend Geld, hatte, er, bei sich // und / gehen, nach Hause, musste / um, welches, holen, sich, zu / weil, nicht, durfte, sich, von der Runde, er, ausschließen

8. kennt, diese Verpflichtung, jeder / teilzunehmen, an einer Trinkrunde / auch wenn, es, eigentlich, nicht, kann, man, sich, leisten / weil, glaubt, man / dass, würde, sein Gesicht, man, verlieren / wenn, nicht, man, mitmachte

9. wenn, begonnen, die Runden, haben / die ursprüngliche Gruppe, zusammen … bleibt, gewöhnlich / bis, hat, jeder, geleistet, seine Runde

10. das gemeinschaftliche Trinken / das, stiftet, eine brüderliche Verbundenheit, zwar / das, zugleich, bestimmt, von Verpflichtung und Wettkampf, ist, aber / gekennzeichnet, durch eine merkwürdige Ambivalenz, ist / was, lässt, gar nicht so freundschaftlich, es, erscheinen / wie, zeigt, sich, hier

(nach: *Wolfgang Schivelbusch*: Das Paradies, der Geschmack und die Vernunft. Eine Geschichte der Genussmittel)

→ *Wer ein Lokal aufsucht, in dem hauptsächlich Männer verkehren, betritt eine Welt, in der eigene Regeln herrschen. …*

§ 19 Negation

I Übersicht

(1) Für die Reisegruppe war die lange Fahrt **kein** Problem. **Niemand** beklagte sich.
    Es gab **weder** Staus **noch** Pannen.

(2) Alle Befürchtungen waren **un**begründet. Die Fahrt verlief reibungs**los**.

(3) Die Reisenden **unterließen** es, im Bus zu rauchen.
    = Sie rauchten **nicht**.

(4) Die Fahrt war **zu** interessant, **als dass** sich jemand gelangweilt hätte.
    = **Niemand** langweilte sich.

(5) Die Fahrt verlief **ohne** Probleme.
    = Es gab **keine** Probleme.

(6) **Wenn** das Hotel doch zentraler **gelegen hätte**!
    = Das Hotel lag leider **nicht** zentral.

(7) Was haben die Touristen **nicht** alles gesehen!
    = Die Touristen haben wirklich viel gesehen.

(8) Waren Sie **nicht** auf dem Eiffelturm?
    = Sie waren doch sicher auf dem Eiffelturm!

(9) Die Reise war **nicht un**interessant.
    = Die Reise war ziemlich interessant.

(10) Er will Paris **nicht** verlassen, bevor er **(nicht)** auf dem Eiffelturm gewesen ist.
    = Er will vor der Abreise auf den Eiffelturm.

Aussagen können auf verschiedene Weise negiert werden:
- durch Negationswörter (1)
- durch Präfixe und Suffixe (2)
- durch Verben mit negierender Bedeutung (3) (vgl. § 19 S. 315)
- durch die Konjunktionen *ohne dass* und *(an)statt dass*; *zu ... als dass* (meist mit dem Konjunktiv II) (4) (vgl. §6 S. 107 ff.; §13 S. 206 ff.)
- durch die Präpositionen *ohne* und *(an)statt* mit negierender Bedeutung (5) (vgl. §13 S. 198 f. und S. 206 ff.) und
- durch den Konjunktiv II in Wunsch- und Bedingungssätzen (6) (vgl. §6 S. 99 f. und S. 101 ff.).

Die Negationswörter *nicht* und *kein* können auch bejahende Bedeutung haben:
• in negierten Ausrufesätzen (7)
• in negierten Fragesätzen mit erwarteter positiver Antwort (8) und
• in Sätzen mit doppelter Verneinung (9).
Die Negation in nachgestellten Nebensätzen mit *bis, bevor* sowie mit *ehe* (geschr.) ist in
Verbindung mit einem negierten Hauptsatz fakultativ und ohne Einfluss auf die Aussage (10)
(vgl. §13 S. 225 ff.).

II Satznegation

Das Negationswort *nicht*

(1) Heute klappt die Organisation **nicht**.
(2) Man hat den Touristen die Anstrengungen der Reise **gar nicht** /
    überhaupt nicht angesehen.
(3) Trotz des Regens fiel der Spaziergang durch den Schlosspark **nicht** aus.
(4) Die Besichtigung des Schlosses bedurfte **nicht** der Zustimmung des Besitzers.
(5) Einige Reiseteilnehmer interessierten sich **nicht** für das Schloss / **nicht** für eine
    Schlossbesichtigung / **nicht** für Schlösser / **nicht** dafür.
(6) Unser Reiseleiter, der **nicht** der beliebteste Reiseleiter ist, gilt **nicht** als Feinschmecker.
    Er ist **nicht** geschwätzig. Er wohnt **nicht** hier.
(7) Der Reiseleiter besitzt leider **nicht** die Fähigkeit, anschaulich zu erzählen.

Man unterscheidet zwischen Satz- und Teilnegation:
Bei der Satznegation wird das Prädikat negiert und damit zugleich der ganze Satz,
bei der Teilnegation wird nur ein Satzglied oder Satzgliedteil negiert.

Bei der Satznegation tendiert das Negationswort *nicht* zum Satzende und steht
• bei einteiligem Prädikat nach Subjekten, Dativ- und Akkusativergänzungen am Satzende (1)
• bei mehrteiligem Prädikat vor der infiniten Verbform (2) (Part. Perf.) (3) (Präfix eines
  trennbaren Verbs) und vor einem Infinitiv mit *zu* (*Die Reiseteilnehmer beabsichtigten
  nicht abzureisen.*)
• meist vor Genitivergänzungen (4)
• meist vor Präpositionalergänzungen (5)
• vor Prädikativergänzungen (Adjektiv/Nomen + *sein, werden, bleiben, nennen, heißen*)
• vor Adverbialergänzungen (6) und
• vor dem Nomen bzw. Artikel + Nomen bei Funktionsverbgefügen (7).
Das Negationswort *nicht* kann durch Voranstellung von *gar, überhaupt* oder *bestimmt,
durchaus, ganz und gar, sicher(lich), absolut* (ugs.) verstärkt (2) bzw. durch *fast*
abgeschwächt werden (*Wir hätten es fast nicht geschafft.* = Wir haben es gerade
noch geschafft.).

Ü1 Eine Reisegruppe (1)

In dieser Reisegruppe gibt es viele unterschiedliche Menschen. Beschreiben Sie diese
in negierten Sätzen mit *nicht*.

Den einen begeistert die Landschaft.
Den anderen begeistert die Landschaft nicht.

1. Der eine begeistert sich für Kunst und Kultur.
2. Die Erwartungen des einen sind in Erfüllung gegangen.
3. Der eine hat sich der besten Gesundheit erfreut.
4. Der eine gilt bei den Touristen als idealer Reiseleiter.
5. Der eine Reiseleiter ist der geborene Organisator.
6. Der eine Reiseleiter hat den Touristen die Regierungsgebäude gezeigt.
7. Der eine hört seinem Reiseleiter zu.
8. Dem einen hat das Essen geschmeckt.
9. Der eine bringt den Reiseleiter zur Verzweiflung.
10. Die eine Information ist von Interesse.
11. Der eine versucht die Reisegruppe zu provozieren.

Das Negationswort *kein*

(1) Im ersten Hotel gibt es eine Überraschung, im zweiten Hotel gibt es **keine** Überraschung.
(2) Der eine Reiseleiter gibt sich Mühe, der andere Reiseleiter gibt sich **keine** Mühe.
(3) Der eine Reiseleiter macht Witze, der andere Reiseleiter macht **keine** Witze.
(4) Der eine Mitreisende kennt andere Länder, der andere kennt **keine** anderen Länder.
(5) Der eine mag solche Reisegruppen, der andere mag **keine** solchen Reisegruppen / mag
     solche Reisegruppen **nicht**.
(6) Er möchte **keinen** Sport / **nicht** Sport treiben.
(7) Man glaubt **einem** Lügner **nicht**. Man glaubt **keinem** Lügner.
(8) Die Reisegruppe ist **nicht** in Gefahr / ist in **keiner** Gefahr.
(9) Das Reiseunternehmen hat **bestimmt keine** / **überhaupt keine** / **keinerlei** Probleme.
(10) Auf die Reise war **kein einziger** Teilnehmer / **fast keiner** der Teilnehmer gut vorbereitet.
(11) Das Reiseunternehmen hat **nicht einen** / **nicht einen einzigen** ernsthaften Konkurrenten.

Das Negationswort *kein* (+ Endung) negiert
• Nomen mit unbestimmtem Artikel (1)
• Nomen ohne Artikel im Singular (2) und Plural (3)
• artikellose Nomen mit dem Pronomen *andere* (4).
Artikellose Nomen mit dem Pronomen *solche* können fakultativ mit *kein* und *nicht*
negiert werden (5).
In einigen Fällen werden *nicht* und *kein* alternativ gebraucht, z. B. (5) (6) (7) (8).
Das Negationswort *kein* kann durch Voranstellung von *gar*, *ganz und gar*, *bestimmt*, *überhaupt*,
durchaus, *sicher(lich)*, *absolut* (ugs.) oder durch Nachstellung von *einziger* verstärkt bzw. durch
fast abgeschwächt werden (9) (10) .
Das Zahlwort *ein* wird mit *nicht* negiert und kann durch *einzig* verstärkt werden (11).

Ü2 Fragen an einen Skilehrer

Entscheiden Sie: *nicht* und/oder *kein*? Manchmal gibt es zwei Möglichkeiten der Negation und/oder Möglichkeiten der Verstärkung oder Abschwächung.

Hat es in dieser Saison unter Ihren Kursteilnehmern einen schweren Sturz gegeben?

Nein, es hat in dieser Saison unter meinen Kursteilnehmern keinen / nicht einen / keinen einzigen schweren Sturz gegeben.

1. Rechnen Sie mit einem festen Arbeitsvertrag?
2. Ist das für Sie von großer Bedeutung?
3. Ziehen Sie einen Berufswechsel in Betracht?
4. Möchten Sie an einem Sportinstitut arbeiten?
5. Haben Sie im Augenblick andere berufliche Perspektiven?
6. Denken Sie an eine Umschulung?

nicht statt *kein*

(1) Der Reiseleiter mag Peter / Herrn Müller / London **nicht**.
(2) Der Reiseleiter heißt **nicht** Jacques, oder doch?
(3) Es wird noch lange **nicht** Herbst.
(4) Die Touristen mussten vor dem Museum **nicht** Schlange stehen.
(5) Er ist **nicht/kein** Arzt/Angestellter/Professor/Buddhist/Franzose.

nicht steht anstelle von *kein*

• nach Subjekten und Kasusergänzungen in Form von artikellosen Eigennamen (1)
• vor artikellosen Prädikativergänzungen nach den Verben *sein, werden, bleiben, heißen, nennen* in Form von Eigennamen (2)
• vor Bezeichnungen für Tages- und Jahreszeiten (3) und
• vor artikellosen Nomen in festen Verb-Nomen-Verbindungen,
  z. B. *Auto/Boot/Bus/Karussell/Kolonne/Lift/Rad/Rollschuhe/Schlitten/Schlittschuhe/Schritt/ Seilbahn/Ski/Taxi fahren;*
  Wort halten; Radio hören; Amok/Gefahr/Ski/Spießruten/Sturm laufen;
  Bankrott/Feierabend/Schluss machen; Pfeife rauchen; Bescheid sagen; Maschine schreiben;
  Flöte/Fußball/Karten/Klavier/Schach/Skat/Tennis spielen; Schlange stehen (4).
Bei Berufen, Nationalitäten und Religionszugehörigkeiten werden *nicht* und *kein* alternativ gebraucht (5).

Ü3 Eine Reisegruppe (2)

Entscheiden Sie: *nicht* oder *kein,* oder passt auch mal beides?

Der eine spielt Skat.

Der andere spielt nicht Skat.

1. Der eine Reiseleiter heißt Meier.
2. Der eine fährt Taxi.
3. Der eine Reiseleiter ist Dolmetscher gewesen.
4. Der eine hat Wort gehalten.
5. Das eine Reiseunternehmen hat Bankrott gemacht.

III Teilnegation

(1) Der Hotelier gab gestern Herrn Meier **nicht die Zimmerrechnung**(, sondern die Getränkerechnung).
(2) Der Hotelier gab gestern **nicht Herrn Meier**(, sondern Herrn Huber) die Zimmerrechnung.
(3) Der Hotelier gab **nicht gestern**(, sondern heute früh) Herrn Meier die Zimmerrechnung.
(4) **Nicht der Hotelier**(, sondern der Portier) gab gestern Herrn Meier die Zimmerrechnung.
(5) Herr Meier reiste gestern **nicht an**, sondern ab.
(6) **Nicht alle Gäste** sind in der letzten Woche übereilt abgereist.
(7) **Die Zimmerrechnung** hat der Hotelier Herrn Meier gestern **nicht** gegeben.
(8a) Der Tourist war **lange nicht** in Paris.
(8b) Der Tourist war **nicht lange** in Paris.
(9a) Der Reiseleiter holte die Touristen **nicht am Flughafen** ab.
(9b) Er holte die Touristen **nicht am Flughafen**(, **sondern** am Bahnhof) ab.

Bei der Teilnegation wird nicht der ganze Satz, sondern nur ein Satzglied (1)–(4) (6) oder ein Satzgliedteil (5) negiert. Das Negationswort *nicht* wird diesem unmittelbar vorangestellt. Die Aussage bleibt – im Gegensatz zur Satznegation – insgesamt positiv (1) (*Der Hotelier gab gestern Herrn Meier etwas, aber nicht die Zimmerrechnung.*) (2) (*Der Hotelier gab gestern jemandem die Zimmerrechnung, aber nicht Herrn Meier.*).

Das negierte Satzglied wird betont, meist folgt eine Richtigstellung mit *sondern*, die ebenfalls betont wird, aber nicht obligatorisch ist (1)–(4).
Negation eines Satzglieds ist aber auch durch starke Betonung – besonders eines an den Satzanfang gestellten Satzglieds – in Verbindung mit dem nachgestellten Negationswort *nicht* möglich, allerdings ohne Richtigstellung durch *sondern* (7).
Satznegation (8a) und Teilnegation (8b) können sich in der Bedeutung erheblich unterscheiden.
Wenn das Negationswort *nicht* bei der Satznegation vor einem Satzglied steht, fallen Satz- und Teilnegation zusammen. Bei normaler Betonung liegt Satznegation vor (9a). Bei Betonung des negierten Satzglieds sowie gegebenenfalls bei der Richtigstellung mit *sondern* liegt Teilnegation vor (9b).

Ü4 Paris
Negieren Sie den ganzen Satz (= Satznegation) und außerdem ein oder mehrere Satzglieder (= Teilnegation).

Der berühmte Flohmarkt interessiert ihn.
Der berühmte Flohmarkt interessiert ihn nicht. (Satznegation)
Der Flohmarkt interessiert nicht ihn, sondern seine Reisebegleiterin. (Teilnegation)
Nicht der Flohmarkt, sondern der Eiffelturm interessiert ihn. (Teilnegation)

1. Er besichtigt den Eiffelturm.
2. Er schreibt den Arbeitskollegen eine Ansichtskarte.
3. Er fragt den Portier nach einem Souvenirladen.
4. Ihm imponieren die großen Geschäfte.

IV Negation von Adverbialangaben

Satznegation und/oder Teilnegation

(1a) Die Bootsfahrt auf der Seine fand wegen des Regens **nicht** statt.

(1b) Es regnete. Die Bootsfahrt fand deswegen **nicht** statt.

(2a) Einige Touristen schliefen in der Nacht **nicht**/den Tag über **nicht**/gestern **nicht**.

(2b) Andere schliefen **nicht** sofort ein.

(3a) Der Reiseleiter wartete **nicht** am Flughafen.

(3b) Er wartete **nicht** dort/dort **nicht**.

(4a) Die Touristen verabschieden sich von Paris **nicht** ohne Bedauern/**nicht** gern.

(4b) Eine Verlängerung der Reise klappte leider **nicht**.

Das Negationswort *nicht* steht vor bzw. nach Adverbialangaben:

nicht steht

- meist nach Kausalangaben (auch: Final-, Konzessiv-, Konsekutiv- und Konditionalangaben) mit Präposition (1a), immer nach Adverbien (1b) (beides Satznegation)
- meist nach Temporalangaben mit Präposition (2a) (*in der Nacht nicht*), immer nach Angaben im Akkusativ (2a) (*den Tag über nicht*) und nach bestimmten Temporaladverbien (z. B. *bisher, damals, demnächst, gestern, häufig, heute, jetzt, manchmal, meistens, mittags, montags, seither, vorher, zunächst*) (2a) (*gestern nicht*) (immer Satznegation)
- vor folgenden Temporaladverbien: *bald, beizeiten, eher, früh, gleich, immer, jährlich, monatlich, nochmals, pünktlich, rechtzeitig, selten,* (2b) *sofort, sogleich, spät, ständig, täglich, wöchentlich, zeitig, zugleich*, alle anderen Temporaladverbien wie (2a)
- meist vor Lokalangaben mit Präposition (3a), vor oder nach Lokaladverbien (3b)
- vor Modalangaben mit Präposition (4a) (*nicht ohne Bedauern*) bzw. als Adverb (4a) (*nicht gern*)
- nach Modalwörtern (z. B. *angeblich, anscheinend, bekanntlich, bestimmt, eigentlich, hoffentlich, leider, möglicherweise, natürlich, sicher(lich), vermutlich, vielleicht, wahrscheinlich, zweifellos* (4b). Modalwörter geben die subjektive Haltung eines Sprechers wieder (vgl. § 18 S. 299 f.).

Wenn das Negationswort *nicht* vor einer Adverbialangabe steht, fallen Satz- und Teilnegation zusammen (3a) (3b); steht es vor Temporaladverbien (2b) (*nicht sofort*) oder Modalangaben (4a) (*nicht gern*), liegt immer Teilnegation vor.

Ü5 Der Reiseleiter

Fügen Sie die eingeklammerten Temporaladverbien in die Sätze ein.

Der Reiseleiter trinkt seinen Kaffee nicht im Hotelzimmer. (morgens, immer)
Der Reiseleiter trinkt seinen Kaffee morgens nicht im Hotelzimmer.
Der Reiseleiter trinkt seinen Kaffee nicht immer im Hotelzimmer.

1. Der Reiseleiter spricht nicht mit dem Busfahrer. (heute, nochmals)
2. Er erkundigte sich nicht nach dem Befinden der erkrankten Touristin. (täglich, gestern)
3. Er langweilte die Gruppe nicht mit seinen Erklärungen. (meistens, bisher)
4. Die Reisegruppe interessiert sich nicht für seine Erklärungen. (manchmal, jetzt)
6. Der Reiseleiter führt die Touristen nicht durch das Museum. (nachmittags, gleich)

Ü6 Ein Theaterabend

Beschreiben Sie den Theaterabend, indem Sie *nicht* an der richtigen Stelle einsetzen.

Das neue Theaterstück wird *nicht* täglich _____ gegeben.

1. Aufführungen gibt es _____ montags _____.
2. Der Theaterraum ist dem Publikum _____ tagsüber _____ zugänglich.
3. Der Erfolg eines Stückes ist _____ häufig _____ vorauszusagen.
4. Dem Publikum gefallen moderne Stücke _____ manchmal _____.
5. Generalproben klappen _____ meistens _____.
6. Schauspieler wechseln _____ jährlich _____ zu anderen Bühnen.
7. Die gestrige Aufführung fing _____ pünktlich _____ an.
8. Zwei Schauspieler waren _____ rechtzeitig _____ eingetroffen.
9. So etwas hat es _____ bisher _____ gegeben.
10. Der eigentliche Star dieser Aufführung hat wegen einer Grippe _____ mehrmals _____ mitgespielt.
11. Manche Theaterbesucher hatten das Programm _____ vorher _____ gelesen.
12. Der Bühnenvorhang ging _____ eher _____ auf, bis alle Zuschauer auf ihren Plätzen saßen.
13. Stimmung kam _____ anfangs _____ auf.
14. Gelacht wurde _____ zunächst _____.
15. Geklatscht wurde aber _____ selten _____.
16. Pannen gab es _____ gestern _____.
17. Nach dem Ende der Vorstellung stand das Publikum _____ sofort _____ auf.
18. Die Schauspieler traten vor den Vorhang und verbeugten sich, sie zeigten sich dann _____ nochmals _____.
19. Die meisten Zuschauer gingen nach der Aufführung _____ gleich _____ nach Hause.

Ü7   Urlaubstypen (1)

Sagen Sie mit *nicht* oder *kein*, was die verschiedenen Urlaubstypen nicht wollen und ergänzen Sie eigene Ideen.

a) Pauschalurlauber

Pauschalurlauber wollen entspannt in der Sonne liegen, sie wollen im Pool schwimmen, aber sie wollen *nicht / kein* ...

..., aber sie wollen nicht ständig große Anstrengungen unternehmen.

1. sich viel bewegen
2. fremde Länder erkunden
3. Abenteuer erleben
4. Sport treiben
5. ...

b) Gipfelstürmer

„Gipfelstürmer" wollen die Welt sehen, sie wollen ihre Grenzen kennenlernen, aber sie wollen *nicht / kein* ...

1. lange rasten
2. Urlaub am See machen
3. immer nur im Swimmingpool schwimmen
4. ...

c) Heimatverbundene

Heimatverbundene wollen im Urlaub in der Nähe ihres Wohnortes Urlaub machen, sich mit anderen in ihrer Muttersprache unterhalten, aber sie wollen *nicht / kein* ...

1. in fremden Weltregionen unterwegs sein
2. auf die heimische Küche verzichten
3. sich auf neue Situationen einstellen müssen
4. ...

d) Abenteurer

„Abenteurer" wollen im Urlaub improvisieren, sie wollen aufregende Dinge erleben, aber sie wollen *nicht / kein* ...

1. ihren Urlaub genau planen
2. Pauschalurlaub machen
3. vermutlich im Hotel wohnen
4. ...

Ü8   Urlaubstypen (2)

Und welcher Urlaubstyp sind Sie? Schreiben Sie, was Sie im Urlaub nicht machen wollen.

→ *Ich will im Urlaub nicht auf irgendwelchen Bergen herumklettern.*
   Ich will nicht / kein ...

V Weitere Negationswörter

Die Negationswörter *nie, niemals, nichts* und Kombinationen mit *kein*

(1) Ich werde meine Heimatstadt nicht verlassen.

    → Ich werde meine Heimatstadt **nie / niemals / nie und nimmer** verlassen.

(2) Meine Heimatstadt ist keine besonders schöne Stadt.

    → Meine Heimatstadt ist **keineswegs / keinesfalls** eine besonders schöne Stadt.

(3) Aber ich werde nicht wegziehen.

    → Aber ich werde **auf keinen Fall / unter (gar) keinen Umständen** wegziehen.

(4) Es gibt nicht irgendetwas*, was mich von hier weglocken könnte.

    → Es gibt **nichts**, was mich von hier weglocken könnte.

    (**nicht irgendetwas* ist nicht sehr gebräuchlich.)

Die fett gedruckten Negationswörter können *nicht* bzw. *kein* ersetzen und haben verstärkende Bedeutung.

Ü9 **Nur keine Veränderung!**
Drücken Sie die Empfindungen deutlicher aus, indem Sie *nicht* bzw. *kein* entsprechend den Beispielsätzen durch verstärkende Negationswörter ersetzen.

Ich könnte mich in einer anderen Stadt nicht wohlfühlen.
Ich könnte mich nie in einer anderen Stadt wohlfühlen.
Ich könnte mich auf keinen Fall in einer anderen Stadt wohlfühlen.

1. Ich möchte nicht auf dem Land leben.
2. Ich möchte nicht getrennt von meinen Freunden leben.
3. Ich werde meine Jugendliebe nicht vergessen.
4. Ich werde meine alten Eltern nicht allein lassen.
5. Ich möchte meinen Arbeitsplatz nicht aufgeben.
6. Alles, was mir hier wichtig ist, möchte ich nicht aufgeben.

Die Negationswörter *noch nicht / noch kein / noch niemand / noch nichts / noch nie*

(1) Er hat seine Koffer **schon** gepackt. Sie hat ihre Koffer **noch nicht** gepackt.
(2) Er hat **schon** Reisefieber. Sie hat **noch kein** Reisefieber.
(3) Ihn hat **schon jemand** für 40 gehalten. Sie hat **noch niemand** für 40 gehalten.
(4) Er hat sich **schon etwas** überlegt. Sie hat sich **noch nichts** überlegt.
(5) Er ist **schon oft / schon einmal** geflogen. Sie ist **noch nie / noch kein (einziges) Mal** geflogen.

Die Partikeln *schon* und *noch* modifizieren ein Geschehen zeitlich:
• *schon* bezeichnet ein Geschehen, das bereits eingetreten oder abgeschlossen ist.
• Das negierte *noch* bezeichnet ein Geschehen, das bisher nicht eingetreten ist, aber mit Sicherheit eintreten wird.
   Die Partikel *noch* kann mit den Negationswörtern *nicht, kein, niemand, nichts* und *nie* verbunden werden.

Ü10 Reisevorbereitungen (1)

Stellen Sie dar, worin sich dieses Paar unterscheidet, indem Sie die Sätze negieren.

Er hat schon Urlaub, aber sie *hat noch keinen Urlaub*.

1. Ihm hat schon jemand Tipps gegeben, aber ihr ...
2. Er hat schon etwas über das Reiseland gelesen, aber sie ...
3. Er hat seine Sprachkenntnisse schon aufgefrischt, aber sie ...
4. Er hat schon oft große Reisen gemacht, aber sie ...
5. Er war schon einmal in diesem Land, aber sie ...

Die Negationswörter *nicht mehr / kein ... mehr / niemand mehr / nichts mehr*

(1a) Sie packt **noch**. Er packt **nicht mehr**.
(1b) Sie muss **noch mehrmals / noch einmal** zum Zahnarzt gehen. Er muss **nicht mehr** zum Zahnarzt gehen.
(2) Sie nimmt **noch** einen Rucksack mit. Er nimmt **keinen** Rucksack **mehr** mit.
(3) Sie bittet **noch jemanden** um Karten. Er bittet **niemanden mehr** um Karten.
(4) Sie muss **noch etwas** einkaufen. Er braucht **nichts mehr** einzukaufen.

Die Partikel *noch* und *mehr* modifizieren ein Geschehen zeitlich:
• *noch* bezeichnet ein Geschehen, das in der Gegenwart anhält.
• Das negierte *mehr* bezeichnet ein Geschehen, das in der Vergangenheit stattfand, aber in der Gegenwart nicht fortbesteht.
   Die Partikel *mehr* kann mit den Negationswörtern *nicht, kein ..., niemand* und *nichts* verbunden werden.

Ü11 Reisevorbereitungen (2)

Stellen Sie die Unterschiede zwischen den Partnern durch Negation dar.

Sie arbeitet noch, aber er *arbeitet nicht mehr.*

1. Sie muss noch jemanden anrufen, aber er ...
2. Sie hat noch Resturlaub, aber er ...
3. Sie muss noch Reisevorbereitungen treffen, aber er ...
4. Sie muss noch etwas Wichtiges erledigen, aber er ...
5. Sie benutzt ihren alten Rucksack noch, aber er ...
6. Sie will in diesem Jahr noch einmal verreisen, aber er ...
7. Sie hat noch einen Fensterplatz bekommen, aber er ...

Das Negationswort *nicht einmal*

Sie waren in diesem Jahr **sogar** drei Wochen unterwegs.
Sie waren in diesem Jahr **nicht einmal** drei Wochen unterwegs.
Die verstärkende Partikel *sogar* wird durch das abschwächende Negationswort
nicht einmal negiert.

Ü12 Unterwegs

Entscheiden Sie: *sogar* oder *nicht einmal*?

Das Flugzeug ist mit Verspätung gestartet. Es ist _sogar_ noch pünktlich angekommen.

1. Obwohl sie oft baden wollten, haben sie _____ Badehandtücher eingepackt.
2. Sie haben in großer Eile gepackt. Erstaunlich, dass sie _____ an den Reisewecker gedacht haben.
3. Es war ein heißer Tag. Warum haben sie _____ etwas zu trinken mitgenommen?
4. Sie waren keine erfahrenen Bergsteiger, haben aber _____ an Regenkleidung gedacht.
5. Der Aufstieg war anstrengend. Erstaunlicherweise haben sie _____ eine Pause gemacht.
6. Weil sie immer unterwegs waren, hatten sie _____ Zeit für ein Mittagsschläfchen.
7. Die Landessprache gefiel ihnen so gut, dass sie _____ einen Sprachkurs belegt haben.
8. Sie haben sich wenig Zeit für Shopping genommen, haben aber _____ sehr schöne Souvenirs gefunden.

VI Weitere Negationsmöglichkeiten

Negation durch Präfixe und Suffixe

Negationspräfixe	
nicht-	*nichtöffentlich, Nichtraucher*
un-	*unsicher, Unglück*
a- / an-	*Anomalie, anorganisch, Analphabet*
non-	*nonverbal, Nonkonformismus*

Negationssuffixe	
-frei	*bleifrei, rostfrei, keimfrei*
-leer	*luftleer, menschenleer*
-los	*bargeldlos, obdachlos, Arbeitslosigkeit, Hilflosigkeit*

Präfixe, die hier, aber nicht immer negierende Bedeutung haben	
miss-	*misstrauisch, misslingen, Misserfolg*
ab-	*abnorm, Abstinenz*
de- / des-	*destruktiv, Dezentralisierung; desorientiert, Desinteresse*
dis-	*disproportioniert, Disharmonie*
in- / il- / im- / ir-	*inhuman, Inkompetenz; illegitim, Illegalität; immateriell, Immobilien; irreparabel, Irrealität*

Ü13   Fragen zu einem Land

Beantworten Sie die Fragen entsprechend dem Beispiel.

Sind die Menschen in diesem Land freundlich?

Von der (angeblichen) Unfreundlichkeit der Menschen in diesem Land habe ich nichts bemerkt.

1. Sind die Straßen sicher?
2. Sind die Menschen politisch interessiert?
3. Sind die Minister kompetent?
4. Ist die Regierung erfolgreich?
5. Ist das Regime menschlich?
6. Sind die politischen Verhältnisse stabil?
7. Sind die öffentlichen Verkehrsmittel zuverlässig?

Verben mit negierender Bedeutung

(1) Der Passagier sagt: „Ich führe **keine** Waren mit."
   → Der Passagier **bestreitet**, Waren mitzuführen.

(2) Er will mit den Zollbeamten **nicht** weiter diskutieren.
   → Er **lehnt** es **ab**, mit den Zollbeamten weiter zu diskutieren.

Verben mit negierender Bedeutung		
jdn. abhalten von	jdn. hindern an	verneinen
ablehnen	sich hüten vor	versäumen
jdm. abraten von	leugnen	verweigern
absehen von	negieren	verzichten auf
abstreiten	sich sparen	jdn. warnen vor
ausbleiben	unterlassen	sich weigern
bestreiten	untersagen	jdn. zurückhalten von
bewahren	verbieten	zurückweisen
bezweifeln	verhindern	zweifeln an
entkräften	vermeiden	…

Ü14 Beim Zoll

Formen Sie die Sätze mit Hilfe der eingeklammerten Verben, wenn nicht anders angegeben, in Infinitivsätze um.

Der Zollbeamte sagt zu dem Passagier: „Verlassen Sie das Flughafengelände nicht." (untersagen)
Der Zollbeamte untersagt dem Passagier, das Flughafengelände zu verlassen.

1. Der Passagier sagt: „Ich habe keine zollpflichtigen Waren bei mir." (leugnen)
2. Die Zollbeamten sagen: „Sie sind nicht ehrlich." (bezweifeln / dass-*Satz*)
3. Der Passagier sagt: „Ich öffne meinen Koffer nicht." (sich weigern)
4. Der Passagier sagt zu den Zollbeamten: „Fassen Sie mein Gepäck nicht an." (hindern an)
5. Der Passagier gesteht: „Ich habe drei Stangen Zigaretten nicht deklariert." (versäumen)
6. Die Zollbeamten sagen: „Wir nehmen keine Leibesvisitation vor." (absehen von)
7. Die Zollbeamten sagen: „Wir zeigen Sie nicht an." (verzichten auf)
8. Die Zollbeamten sagen: „Verschweigen Sie in Zukunft zollpflichtige Waren nicht." (warnen vor)
9. Der Passagier sagt: „Ich nehme zukünftig keine zu verzollenden Waren aus dem Urlaub mit." (sich hüten vor)

VII　Die doppelte Negation als vorsichtige Bejahung

(1) Die Ausstellung ist **nicht un**interessant.

　= Die Ausstellung ist ganz/recht/ziemlich interessant.

(2) Die Besucher hatten die Ausstellung **nicht ohne** Spannung erwartet.

　= Die Besucher hatten die Ausstellung mit ziemlicher Spannung erwartet.

(3) Es gab **keine Miss**verständnisse zwischen dem Künstler und dem Veranstalter.

　= Der Künstler und der Veranstalter verstanden sich gut.

(4) Die Ausstellung zeigt **kein** Bild, das **nicht** von hohem künstlerischem Wert wäre.

　= Alle Bilder der Ausstellung sind von hohem künstlerischem Wert.

Die doppelte Verneinung durch eine Verbindung von *nicht/kein* mit *un-* (1), *ohne* (2) oder *miss-* (3) bzw. von *nicht* mit *kein* (4) ist ein Stilmittel der vorsichtigen Bejahung.

Ü15　Eine Ausstellung

Üben Sie sich im Understatement, indem Sie die kursiv gesetzten Satzglieder durch doppelte Verneinung hervorheben.

Die Begrüßungsrede des Veranstalters wurde mit Beifall aufgenommen.

Die Begrüßungsrede des Veranstalters wurde nicht ohne Beifall aufgenommen.

1. Kunstinteressierte hatten die Ausstellung *erwartet*. (→ Für Kunstinteressierte kam ...)
2. Der Künstler ist *recht erfolgreich*.
3. Die Aufregung des Künstlers vor der Ausstellung war *verständlich*.
4. Der Künstler war *dankbar* für das Verständnis des Publikums.
5. Die Ausstellungsräume waren *recht attraktiv*.
6. Die Presse verfolgt die künstlerische Entwicklung des Malers *mit Interesse*.
7. Die Bilder des Malers sind *wirklich reizvoll*. (→ Reiz)
8. Diese Ausstellung war für das Bekanntwerden des Künstlers *ziemlich wichtig*.
9. Solche Ausstellungen sind nur *mit erheblichem finanziellem Aufwand* möglich.
   (nur *entfällt*)

§ 20 Zeitstufen – Tempora (Zeitformen)

I   Übersicht
II   Der Gebrauch der Tempora
III Die Zeitenfolge

I Übersicht

Ü1   **Vulkanausbruch in Japan**
Lesen Sie den Zeitungstext und ordnen Sie die einzelnen Ereignisse der
chronologischen Reihenfolge nach.

Im Südwesten Japans ist wieder ein Vulkan ausgebrochen. Er spie in den letzten Tagen hunderte Meter hohe Wolken aus Rauch und Asche in den Himmel. Experten warn-
5 ten vor dem Ausstoß von großen Gesteinsbrocken. Die Behörden entschlossen sich deshalb zur Evakuierung des gefährdeten Gebiets und brachten die Bewohner in Sicherheit. Der am vergangenen Montag
10 zum ersten Mal beobachtete Ausbruch kam nicht unerwartet. Bereits einige Tage vorher waren Bewegungen in dem Vulkan registriert worden. Verletzte wurden bisher nicht gemeldet. Der Vulkan gehört zu einer
15 Bergkette, auf der 20 Vulkane liegen.
   Schon vor einigen Jahren war vor einer japanischen Insel ein Vulkan unter Wasser ausgebrochen, und man hatte von der Meeresoberfläche Dampf aufsteigen sehen.
20 Die damals befürchteten heftigen Explosionen waren aber ausgeblieben.

→ *vor einigen Jahren: Vor einer japanischen Insel war ein Vulkan unter Wasser ausgebrochen ...*

Zeitstufen und Tempora

Zeitstufen	Tempora				
Zukunft				Futur I sie wird lachen	Futur II sie wird gelacht haben
Gegenwart				Präsens sie lacht	
Vergangenheit	Plusquamperfekt sie hatte gelacht	Perfekt sie hat gelacht	Präteritum sie lachte		

317

Dieses Grundschema lässt sich weiter differenzieren:

Tempora	Zeitstufen	Beispiele
Präsens	Gegenwart	Da **kommt** Frau Müller.
	Vergangenheit	(Frau Müller war gestern mit dem Auto unterwegs.) Plötzlich **passiert** vor ihr ein Unfall.
	Zukunft	Der Krankenwagen **kommt** in wenigen Minuten.
Präteritum	Vergangenheit	Der verunglückte Fahrer **erlitt** einen Schock.
Perfekt	Vergangenheit	Er **hat** sich bei dem Unfall leicht **verletzt**.
	Zukunft	Er arbeitet erst wieder, wenn er die Folgen des Unfalls **überstanden hat**.
Plusquamperfekt	Vergangenheit	Der Fahrer **war** vor Übermüdung am Steuer **eingeschlafen**.
Futur I	Zukunft	Am Montag **wird** er das Krankenhaus **verlassen**.
	Zukunft (= Vermutung)	Er **wird** bald wieder **arbeiten können**.
	Gegenwart (= Vermutung)	Er **wird** jetzt noch Schmerzen **haben**.
Futur II	Zukunft	Nach Aussage des Arztes **wird** er die Folgen des Unfalls bald **überstanden haben**.
	Zukunft (= Vermutung)	Er **wird** den Schock sicher bald **überwunden haben**.
	Vergangenheit (= Vermutung)	Er **wird** seine Versicherung schon **benachrichtigt haben**.

Man unterscheidet drei Zeitstufen (Gegenwart, Vergangenheit und Zukunft), denen
sechs Tempora entsprechen (Präsens, Präteritum, Perfekt, Plusquamperfekt,
Futur I und Futur II).
Präsens und Perfekt sowie Futur I und II können sich auf mehr als eine Zeitstufe beziehen,
also kann auch jede Zeitstufe durch mehrere Tempora wiedergegeben werden.

II Der Gebrauch der Tempora

Das Präsens

(1) Erdbeben: „In Van **reißt** die Serie von Erdstößen nicht **ab**. Die Suche nach Toten und Vermissten des bislang schwersten Erdbebens in der Türkei **wird fortgesetzt**. Die Erschütterungen **dauern** schon seit Tagen **an**."

(2) „Wie wir soeben **erfahren**, wurden bei dem Erdbeben in der Türkei weitere Nachbeben registriert."

(3) „Das türkische Staatsoberhaupt **reist** heute Abend ins Erdbebengebiet." (**wird … reisen**)

(4) Ein Urlauber berichtet: „Als sich das Erdbeben ereignete, saßen wir gerade in einem Straßencafe. Da **wackelt** plötzlich der Boden unter unseren Füßen, Fensterscheiben **klirren** und Häuserwände **stürzen ein**. Wie durch ein Wunder ist uns nichts passiert."

(5a) „Jedes Jahr **erschüttern** über 100 000 Erdbeben unseren Planeten."

(5b) „Erdbeben **sind** natürliche Erschütterungen, ausgelöst durch Verschiebungen in der Erdkruste."

Das Präsens wird gebraucht:
- für die Gegenwart, die zum Sprechzeitpunkt (Gegenwart) noch andauert. Anfang und Ende des Geschehens können zeitlich unbestimmt sein (1)
- für die ganz nahe Vergangenheit (2)
- für die Zukunft (anstatt Futur I). Der Zukunftsbezug muss durch Kontext bzw. Temporalangaben (3) (*heute Abend*) verdeutlicht werden.

Das Präsens wird auch gebraucht
- für die Vergangenheit: zur Vergegenwärtigung eines vergangenen Geschehens (= historisches Präsens) (4), z. B. auch in Schlagzeilen: *Erdbeben erschüttert Türkei*
- für Zeitlosigkeit: bei sich immer wiederholenden Vorgängen (5a) und Sachverhalten von zeitloser Dauer und allgemeiner Gültigkeit (5b).

Ü2 Erdbeben in der Türkei

Erklären Sie, welche Bedeutung das Präsens in den folgenden Sätzen hat.

Erdbeben gibt es auch in den kommenden Jahrhunderten.
Futur I

1. Zu den schlimmsten Naturkatastrophen zählen Erdbeben, Wirbelstürme, Sturmfluten, Dürrekatastrophen und Vulkanausbrüche.
2. Menschen auf der ganzen Welt verfolgen die aktuellen Ereignisse in der Türkei am Bildschirm.
3. Als ich aus dem Flugzeug steige, umringen mich Journalisten.
4. Ich fahre nächstes Jahr wieder in die Türkei.
5. Eben höre ich, dass viele Straßen nicht befahrbar sind.

Präteritum, Perfekt und Plusquamperfekt

(1) Ein 35-jähriger Vater aus Gelsenkirchen **hat** die Freundin seiner kleinen Tochter übel **beschimpft**, weil sie seine Tochter **beleidigt hatte**.

(2) Er **erschien** in dem Moment auf dem Spielplatz, als die Freundin seiner Tochter bei einem Streit die Puppe **wegnahm**.

(3) Bevor er auf dem Spielplatz **erschien**, **waren** die Mädchen wegen ihrer Puppen in einen heftigen Streit **geraten**.

(4) Die Eltern des Mädchens, das sofort nach Hause **lief** und seinen Eltern alles ganz genau **erzählte**, **gingen** sofort zur Polizei und **erstatteten** wegen Beleidigung ihrer Tochter Anzeige gegen den Vater.

(5) Wie die Polizei **mitteilt**,

(6) **waren** die Eltern der Meinung, dass ihre Tochter durch die Beleidigungen ein Trauma **davongetragen hat**.

(7) Allerdings **hat** das Mädchen den Vorfall bald wieder **vergessen**.

(8) Die Staatsanwaltschaft **hat** den Fall wegen Geringfügigkeit **eingestellt**.

(9) „In der Zeitung **steht**, dass ein Mann **angezeigt wurde**,

(10) weil er die Freundin seiner Tochter **beleidigt hat**.

(11) Die Zeitungsnotiz **war** nur kurz. Ich **konnte** fast nicht glauben, dass man wegen eines solchen Vorfalls zur Polizei **geht**.

(12) Wenn sich die Eltern wieder **beruhigt haben**, **werden** sie **einsehen**,

(13) dass sie vorschnell und unüberlegt **reagiert haben**."

Das Präteritum wird gebraucht
- bei Vorgängen, die zum Sprechzeitpunkt (Gegenwart) vergangen und abgeschlossen sind (2) (4)
- statt des Perfekts bei den Verben *haben, sein* (11), bei *werden* und den Modalverben (11), häufig auch in Passivsätzen (9)
- als Tempus der Nachzeitigkeit zum Plusquamperfekt (3) und
- als Erzähltempus der geschriebenen Sprache (Erzählungen, Berichte, geschichtliche Darstellungen, Meldungen in Presse, Rundfunk und Fernsehen) (2) (4).

Das Perfekt wird gebraucht
- bei Vorgängen, die zum Sprechzeitpunkt (Gegenwart) vergangen und abgeschlossen sind, aber – im Unterschied zum Präteritum – einen Bezug zur Gegenwart haben und mit ihren Ergebnissen und Folgen in die Gegenwart hineinwirken (6) (10)
- als Erzähltempus der gesprochenen Sprache, vor allem im südlichen deutschen Sprachraum (10) (13)
- als Tempus der Zusammenfassung am Anfang (1) und/oder Ende eines zusammenhängenden Textes im Präteritum (7) (8)
- als Tempus der Vorzeitigkeit gegenüber dem Präsens (5) (6) und gegenüber Futur I (12) (13) (*werden … einsehen*) und
- für Zukünftiges statt Futur II. Der Zukunftsbezug muss durch Kontext bzw. Temporalangabe deutlich werden (12) (*beruhigt haben* statt *beruhigt haben werden*).

Präteritum und Perfekt sind zeitgleich und oft austauschbar (z. B. *erschien / ist erschienen*) (2).

Das Perfekt kann aber nicht durch das Präteritum ersetzt werden, wenn die Folgen eines vergangenen Geschehens bis in die Gegenwart hineinwirken (1) (6) (7) (8) (10) und wenn ein Geschehen Zukunftsbezug hat (12).

Das Plusquamperfekt wird nicht als selbstständige Zeitform gebraucht, sondern nur, um Vorzeitigkeit gegenüber dem Präteritum/Perfekt auszudrücken (1) (3).

Ü3 Rentnerin fängt Taschendieb

Setzen Sie die in Klammern stehenden Verben in der richtigen Zeit ein.

> Eine 70-jährige Dame aus Berlin (nachlaufen) gestern Nachmittag einem jugendlichen Dieb und (abnehmen) (1) ihm die entwendete Tasche ihrer Freundin wieder. Die beiden Damen (sitzen) (2) auf einer Parkbank, als sich ein Dieb die Tasche der Freundin (schnappen) (3) und (davonlaufen) (4).
> 5 Die 70-Jährige (gewinnen) (5) als Sprinterin in ihrer Jugendzeit mehrere Medaillen. Heute (verfügen) (6) sie immer noch über eine sehr gute Kondition. Als sie den Dieb nach nur 150 Metern (fassen) (7), (sein) (8) der so erstaunt, dass er die Tasche sofort (fallen lassen) (9), was ihm aber nichts (helfen) (10), weil ihn herbeigeeilte Passanten (festhalten) (11) und die
> 10 Polizei (rufen) (12). Wie ein Polizist (erklären) (13), (rechnen) (14) der Dieb nicht damit, dass Frauen in diesem Alter noch so sportlich (sein können) (15). Jetzt (sich verantworten müssen) (16) der jugendliche Dieb vor Gericht. Die beiden Damen (kommentieren) (17) jedenfalls das Ereignis anschließend auf der Parkbank noch ausführlich.

→ *Eine 70-jährige Dame aus Berlin ist gestern Nachmittag einem jugendlichen Dieb nachgelaufen und ...*

Ü4   Eine Zeitungsnachricht schreiben

> **Einbruch mit Beinbruch**
>
> Ein 33 Jahre alter Einbrecher hat sich bei einem Diebeszug in Sigmaringen ein Bein gebrochen – und konnte problemlos von der Polizei eingesammelt werden. Wie die Er-
> 5 mittler am Montag mitteilten, war er am Sonntag mithilfe einer Baustellen-Absperrung auf den Balkon einer Arztpraxis geklettert und in die Räume im ersten Stock ein-
> gebrochen. Nachdem er seinem Komplizen
> 10 zwei Tüten mit Betäubungsmitteln hinabgeworfen hatte, wollte er flüchten. Beim Abstieg brach er sich das Sprunggelenk. Er wurde festgenommen und ins Krankenhaus gebracht. Die Polizei hat Ermittlungen zum
> 15 zweiten Täter aufgenommen.
> RNZ 27.11.2012

Zeitungsnachrichten

Wie Sie an dem Text sehen können, sind Zeitungsnachrichten kurz, sachlich und informationsbetont. Die Nachricht steht schon in der Überschrift („Schlagzeile") und wird meist im einleitenden Satz im Perfekt anhand von *W*-Fragen (*Wer* hat *wann, was, wo, wie* und *warum* getan?) berichtet. Der weitere Text gibt Zusatzinformationen über das Geschehen im Präteritum. Die mögliche Vorgeschichte wird im Plusquamperfekt berichtet. Manchmal steht am Ende des Textes noch ein Schlusssatz im Perfekt.

Schreiben Sie eine Zeitungsnachricht nach dem Muster „Einbruch mit Beinbruch".
Verwenden Sie dabei die Zeiten der Vergangenheit (auch das Plusquamperfekt).
Falls Sie keine Idee haben, worüber Sie schreiben könnten, finden Sie hier
Schlagzeilen als Schreibanlass:

Auto im Wohnzimmer „gelandet"

Rentnerpaar erhält größten Lottogewinn aller Zeiten

Krokodil in Baggersee gesichtet

Verkehrsunfall durch Kuh auf Autobahn

Paparazzi verfolgen Filmstar

Futur I und II

Das Futur als Tempus des Zukünftigen mit Zukunftsgewissheit

(1) Morgen **werde** ich eine neue Stelle **antreten** (trete ... an).
(2) Ich **werde versuchen**, mich auf die neuen Arbeitsbedingungen einzustellen.
(Ich versuche, ...)
(3) Am Ende der Woche **wird sich herausgestellt haben** (hat sich herausgestellt),
ob meine Entscheidung richtig war.
(4) Meine Freunde sagen zu mir: Du **wirst** dich **umstellen müssen**! (musst ... dich umstellen)

Futur I und Futur II sind Bezeichnungen für Zukünftiges, das zum Sprechzeitpunkt (Gegenwart) noch nicht begonnen hat (Futur I) (1) (2) bzw. das man sich zu einem bestimmten Zeitpunkt in der Zukunft als abgeschlossen vorstellt (Futur II) (3).

Futur I und II werden gebraucht

• bei festen Absichten und Entschlüssen (1) (2), bei Ankündigungen, Versprechen und Voraussagen von 100%iger Gewissheit (3) und

• bei energischen Aufforderungen und leichten Drohungen in der 2. Person Singular und Plural (4).

Futur I wird in diesen Fällen oft durch das Präsens (1) (2), Futur II durch das Perfekt (3) ersetzt. Allerdings muss der Zukunftsbezug dann durch eine Temporalangabe (1) (3) oder den Kontext (2) (4) verdeutlicht werden.

Das Futur als Ausdruck der Vermutung

(5) Viele Arbeitnehmer **werden** sich *(gewiss)* schon jetzt Sorgen um Veränderungen an ihrem Arbeitsplatz **machen.** (machen sich ...*gewiss* schon jetzt)

(6) Deshalb **werden** manche *vielleicht* in Zukunft vorzeitig aus dem Berufsleben **ausscheiden wollen.** (wollen ... *vielleicht* in Zukunft ... ausscheiden)

(7) Spätestens die übernächste Generation **wird** sich *(bestimmt)* an die veränderten Arbeitsbedingungen **gewöhnt haben.** (hat sich *bestimmt* ... gewöhnt)

(8) Die meisten **werden** *wohl* schon mal etwas von Tele-Arbeitsplätzen **gehört haben.** (haben *wohl* schon mal ... gehört)

Futur I steht für Vermutungen über gegenwärtige Vorgänge (5) und über zukünftige Vorgänge (Voraussagen, Erwartungen) (6),
Futur II steht für Vermutungen über Vorgänge, die in der Zukunft vollendet sein werden (Voraussagen, Erwartungen) (7), und über vergangene Vorgänge (8).

Vermutungen haben einen unterschiedlichen Sicherheitsgrad:

• Bei Vermutungen mit ziemlicher Zukunftsgewissheit ist die modale Komponente „Gewissheit" *(bestimmt, gewiss, sicher, mit Sicherheit, zweifellos, ohne Zweifel)* fakultativ (5) (7), bei unbestimmteren Vermutungen ist die modale Komponente „Unsicherheit" *(vermutlich, vielleicht, wahrscheinlich, wohl)* obligatorisch (6) (8).

• Wenn Futur I durch Präsens und Futur II durch Perfekt ersetzt werden, sind die Modalangaben obligatorisch (5)–(8), auch muss der Zeitbezug (Gegenwart, Zukunft bzw. Vergangenheit) durch Temporalangaben (5) (6) (8) oder den Kontext (7) deutlich werden.

Ü5 Trends in der Arbeitswelt

Was bedeutet das Futur?

Die traditionellen Strukturen der Arbeitswelt werden sich weiter verändern.
Vermutung für die Zukunft mit der Komponente „Sicherheit"

1. Spätestens die übernächste Generation wird sich mit Sicherheit an die veränderten Arbeitsbedingungen gewöhnt haben.

2. Das Arbeitsleben wird bestimmt immer mehr Flexibilität und Mobilität erfordern.

3. Im Zeitalter der ständigen Erreichbarkeit werden sich wohl Freizeit und Arbeit immer weniger abgrenzen lassen.

4. So wird mich mein Chef z. B. heute Abend wegen einer Terminabsprache anrufen.

5. Der Stress wird zunehmen, wenn der Feierabend zu kurz ist.

6. Mein Chef wird jetzt erst mal für drei Wochen in Urlaub gehen.
7. Bei der Verabschiedung sagt er: „Liebe Kolleginnen und Kollegen, Sie werden Ihre Aufgaben während meiner Abwesenheit so gut wie immer erledigen!
8. Die Betriebsleitung wird Sie während meiner Abwesenheit unterstützen."
9. Manche Menschen werden das Ausmaß der Veränderungen vielleicht noch gar nicht begriffen haben.

Ü6   Was wird die Menschheit in 100 Jahren erreicht haben?
Bilden Sie Sätze im Futur II.

die Medizin / die meisten Krankheiten besiegen
Die Medizin wird die meisten Krankheiten besiegt haben.

1. die Menschen / viele Urwaldgebiete wieder aufforsten
2. die Menschen / weitere Galaxien erforschen
3. die Grenzen zwischen den meisten Staaten / verschwinden
4. viele Völker / Frieden miteinander schließen
5. aber / man / den Traum vom Paradies auf Erden / noch nicht verwirklichen

Ü7   Mein Leben / Die Welt in 20 Jahren
Und nun berichten Sie in Sätzen mit Futur II, wie Sie sich Ihre Zukunft oder die Welt in 20 Jahren vorstellen: Was werden Sie bis dahin erreicht haben? Was wird bis dahin in der Welt passiert sein?

→ *Mein Land wird sich verändert haben.* ...

Ü8   Die zufriedene Kollegin
Ihre Kollegin sieht zufrieden aus und strahlt über das ganze Gesicht. Äußern Sie Vermutungen über die Ursachen. Verwenden Sie Futur I bzw. Futur II.

Für ihre gute Stimmung gibt es bestimmt Gründe.
Für ihre gute Stimmung wird es (bestimmt) Gründe geben.

1. Sie freut sich vermutlich schon auf ihren Urlaub in der nächsten Woche.
2. Sie hat ihr heutiges Arbeitspensum sicher schon geschafft.
3. Sie hat bestimmt gerade ein schwieriges Projekt abgeschlossen.
4. Sie hatte wohl mal wieder eine gute Idee.
5. Der Chef hat sie gewiss deswegen gelobt.
6. Sie macht ihre Arbeit wahrscheinlich gern.
7. Sie hat heute Abend vielleicht ein Rendezvous.

III Die Zeitenfolge

Aussagen in Haupt- und Nebensatz stehen in einem zeitlichen Abhängigkeitsverhältnis.
Je nachdem, ob das Geschehen des Nebensatzes mit dem Geschehen des Hauptsatzes
gleichzeitig ist oder vor bzw. nach diesem abläuft, spricht man von Gleichzeitigkeit,
Vorzeitigkeit oder Nachzeitigkeit. (vgl. Temporalsätze §13 S. 216 ff.)

Gleichzeitigkeit

(1) Während er **lernt, lässt** er sich nicht ablenken.

(2) Als er seine Lehre **machte, hat** er auch die Berufsschule **besucht (besuchte)**.

(3) Als er seine Meisterprüfung **gemacht hat, besuchte** er auch die Berufsschule
(**hat ... besucht***)*.

(4) Falls er die Meisterprüfung **bestehen wird, arbeitet** er in einer Werkstatt
(**wird ... arbeiten**).

Gleichzeitigkeit wird durch die gleiche Zeit in Haupt- und Nebensatz ausgedrückt (1).
Präteritum und Perfekt (2) (3) sowie Futur I und Präsens (4) sind austauschbar,
deshalb kann das in Klammern stehende Präteritum durch das Perfekt ersetzt werden (2),
das in Klammern stehende Perfekt durch das Präteritum (3) und das in Klammern
stehende Futur I durch das Präsens (4).
In Sätzen mit Perfekt (3) und Futur I (4) werden die Ersatzformen gern benutzt,
um Verb-Doppelungen zu vermeiden (3) (*gemacht hat, hat ... besucht*) (4) (*bestehen
wird, wird... arbeiten*).

Vorzeitigkeit

(1) Ich **weiß** nicht, wie lange er eine Lehrstelle **gesucht hat (suchte)**.

(2) Nachdem er die Lehre **abgeschlossen hatte, suchte** er einen Arbeitsplatz
(**hat ... gesucht**).

(3) Wenn er genügend Berufserfahrungen **gesammelt hat, wird** er sich
bestimmt selbstständig **machen (macht)**.

Vorzeitigkeit wird durch verschiedene Zeitformen in Haupt- und Nebensatz ausgedrückt:
Vorzeitig zum Präsens ist das Perfekt (1), zum Präteritum das Plusquamperfekt (2),
zum Futur I das Perfekt (statt Futur II: *gesammelt haben wird*) (3).
Erweitert werden auch hier die Möglichkeiten durch die in Klammern angegebene
Austauschbarkeit von Perfekt und Präteritum (1) (2) sowie von Futur I und Präsens (3).

Nachzeitigkeit

(1) Bevor er zur Arbeit **geht**, **hat** er ausgiebig **gefrühstückt** (frühstückt).

(2) Bevor er seine Lehre **begann**, **hatte** er schon in einem anderen Beruf **gearbeitet** (arbeitete).

(3) Bis er sich selbstständig **machen wird** (macht), **hat** er genügend Geld **zurückgelegt**.

Nachzeitigkeit (= umgekehrte Vorzeitigkeit) wird durch verschiedene Zeitformen in Haupt- und Nebensatz ausgedrückt:

• nachzeitig zum Perfekt ist das Präsens (1)

• zum Plusquamperfekt das Präteritum (2)

• zum Perfekt (statt Futur II: *wird ... zurückgelegt haben*) das Futur I bzw. das Präsens (3).
  Sehr häufig wird aber – besonders bei den Präpositionen *bevor* und *bis* – statt Nachzeitigkeit Gleichzeitigkeit gebraucht (1) (2).
  Futur I kann durch das Präsens ausgetauscht werden (3).

Ü9 Erdgeschichte und Klima

Setzen Sie die Verben in der passenden Zeit ein.

Nachdem es vor 450 Mio. Jahren schon eine Eiszeit auf der südlichen Halbkugel der Erde (geben), (beginnen) (1) vor 2,5 Mio. Jahren auf der nördlichen Halbkugel fünf Eiszeiten. Während sich auf der Nordhälfte der Erde eine dicke Eisschicht (bilden) (2), (entstehen) (3) auf der Südhälfte die heutige Tier- und Pflanzenwelt und der Mensch (treten) (4) in Erscheinung. Während der Meeresspiegel in den vier Haupteiszeiten weltweit um 100 bis 200 Meter (fallen) (5), (sein) (6) viele Wüsten und Trockengebiete der Erde feucht und grün. Bevor sich das Eis auf der nördlichen Halbkugel der Erde langsam bis nach Grönland (zurückziehen) (7), (ruhen) (8) der nördliche Erdteil unter einer teilweise weit über 1 000 Meter dicken Eisschicht. Als es 65 Mio. Jahre vor unserer Zeitrechnung weltweit allmählich wärmer (werden) (9), (sich entwickeln) (10) Säugetiere und Vögel. Bevor es wieder kühler (werden) (11), (geben) (12) es weltweit Palmen. Als es vor 1 000 000 Jahren auf der Erde wieder einmal sehr warm (sein) (13), (leben) (14) nördlich der Alpen, wie heutige Knochenfunde (belegen) (15), Löwen und Elefanten. Nachdem die letzte Eiszeit vor 10 000 Jahren (enden) (16), (sich erwärmen) (17) die Erde um einige Grad Celsius. Dabei (ansteigen) (18) der Meeresspiegel allmählich um über 100 Meter. Erst nachdem das Eis auf den heutigen Stand (schmelzen) (19), (erhalten) (20) die Küsten der Erde ihre heutige Form.
Danach (geben) (21) es sehr lange nur relativ kleine Klimaschwankungen. Erst als die Industrialisierung (zunehmen) (22), (sich erwärmen) (23) die Erde wieder. Diese Klimaerwärmung ist auf die vom Menschen verursachten Gase wie Kohlendioxid und Methan zurückzuführen. Wenn die nächsten 100 Jahre (vergehen) (24), (sein) (25) es nach Schätzungen von Experten auf der Erde noch wärmer. Wenn also, wie Wissenschaftler heute (befürchten) (26), die Kohlendioxid-Emissionen in den nächsten Jahren noch weiter (zunehmen) (27), (kommen) (28) es zu einer Klimakatastrophe mit dramatischen Folgen für das Ökosystem unserer Erde.

→ *Nachdem es vor 450 Mio. Jahren schon eine Eiszeit auf der südlichen Halbkugel der Erde gegeben hatte, ...*

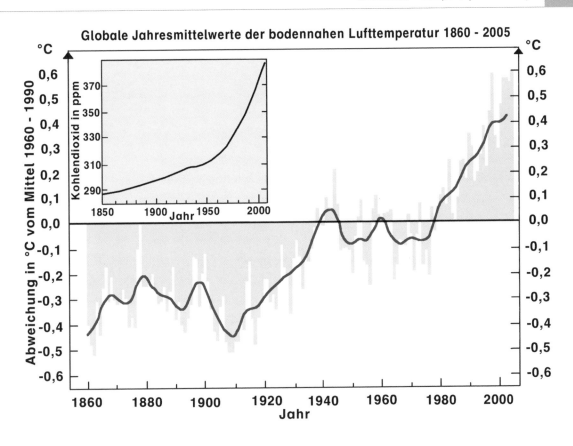

Globale Jahresmittelwerte der bodennahen Lufttemperatur 1860 - 2005

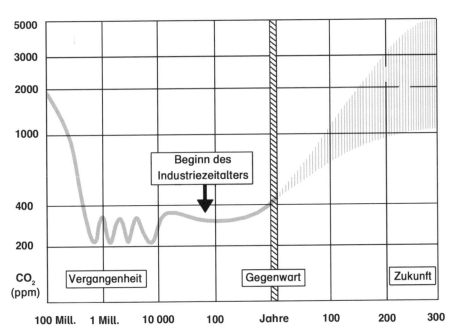

Anhang

I Die Deklination der Adjektive

Schwache Deklination

Singular												
N	der	klug	-e	Mann	die	klug	-e	Frau	das	klug	-e	Kind
A	den		-en	Mann	die		-e	Frau	das		-e	Kind
D	dem		-en	Mann(e)	der		-en	Frau	dem		-en	Kind(e)
G	des		-en	Mannes	der		-en	Frau	des		-en	Kindes

Plural			
N	die	klug	-en	Männer, Frauen, Kinder
A	die		-en	Männer, Frauen, Kinder
D	den		-en	Männern, Frauen, Kindern
G	der		-en	Männer, Frauen, Kinder

- nach dem bestimmten Artikel
- nach den Pronomen *derjenige, derselbe, dieser, jeder, jeglicher, jener, mancher, solcher, welcher; alle, beide, irgendwelche, sämtliche*
- nach Pronomen im Singular: *all-, einig-, irgendwelch-, sämtlich-* (aller mögliche Unsinn, alles Gute, mit einigem guten Willen, ohne irgendwelche erhöhte Gefahr, sämtliches bewegliche Eigentum)
- nach den (deklinierten) Personalpronomen *wir, ihr* (wir eifrigen Deutschlerner, euch beneidenswerten Muttersprachlern).

Gemischte Deklination

Singular												
N	kein	klug	-er	Mann	keine	klug	-e	Frau	kein	klug	-es	Kind
A	keinen		-en	Mann	keine		-e	Frau	kein		-es	Kind
D	keinem		-en	Mann(e)	keiner		-en	Frau	keinem		-en	Kind(e)
G	keines		-en	Mannes	keiner		-en	Frau	keines		-en	Kindes

Plural				
N	keine	klug	-en	Männer, Frauen, Kinder
A	keine		-en	Männer, Frauen, Kinder
D	keinen		-en	Männern, Frauen, Kindern
G	keiner		-en	Männer, Frauen, Kinder

- nach dem unbestimmten Artikel
- nach *kein, irgendein, manch ein, solch ein, welch ein, ein solcher*
- nach Possessivpronomen.

Starke Deklination

Singular										
N	(etwas) kalt	-er	Saft	kalt	-e	Milch	kalt	-es	Wasser
A	(etwas) kalt	-en	Saft		-e	Milch		-es	Wasser
D	(etwas) kalt	-em	Saft		-er	Milch		-em	Wasser
G	(etwas) kalt	-en	Saftes		-er	Milch		-en	Wassers

Plural			
N	(einige)	klug	-e	Männer, Frauen, Kinder
A	(einige)		-e	Männer, Frauen, Kinder
D	(einigen)		-en	Männern, Frauen, Kindern
G	(einiger)		-er	Männer, Frauen, Kinder

- ohne Artikel
- nach Pronomen ohne Endung: *allerlei, etwas, genug, mancherlei, mehr, nichts, viel, wenig; manch, welch, solch und nach den Pronomen andere, derartige, einige, einzelne, etliche, folgende, gewisse, lauter, mehrere, ein paar, verschiedene, viele, wenige*
- nach den (deklinierten) Personalpronomen *ich*, *du* (ich glücklicher Gewinner, dir armem Verlierer) nach den Kardinalzahlen ab 2
- nach einem Genitiv, nach dem Fragepronomen *wessen* und den Relativpronomen *dessen, deren* (*Peters/wessen/dessen bestes Gedicht; nach Mutters/wessen/deren gutem Rat*).

Einige allgemeine Bemerkungen

Pronomen haben, soweit sie nicht endungslos sind (z. B. *etwas*) oder endungslos gebraucht werden (z. B. *manch*), die Endungen des bestimmten Artikels: *der/jeder/ aller notwendige Respekt; des/dieses/jedes/irgendeines jungen Menschen; den/ manchen/gewissen/einigen umstrittenen Persönlichkeiten.*
Adjektive, die stark dekliniert werden, haben die Endungen des bestimmten Artikels (Ausnahme: im Genitiv Singular Maskulinum und Neutrum *-en* statt *-es*), sodass im Plural gegebenenfalls die Pronomen- und Adjektivendungen identisch sind: *der/ kalter Saft; die Ratschläge der/(einiger) kluger Frauen.*

Beim attributiven Gebrauch einiger Adjektive sind Besonderheiten zu beachten:
Adjektive auf *-el*: *dunkel → ein dunkler Raum*
(so z. B. auch *edel, eitel, heikel, komfortabel, nobel*)
Adjektive auf *-er* nach Diphtong und Fremdadjektive: *sauer → ein saurer Apfel*
(so z. B. auch *teuer, integer*)
aber: *bitter, finster → ein bitterer Geschmack, finstere Gedanken*
hoch → ein hoher Berg
Adjektive auf *-a* werden nicht dekliniert: *ein lila Tuch, prima Ideen*
Von geografischen Namen abgeleitete Wörter auf *-er* werden großgeschrieben und nicht dekliniert: *im Heidelberger Zoo, die Schweizer Uhrenindustrie.*

II Unregelmäßige Verben

* Diese Verben haben auch eine schwache Form (vgl. §2).
  Einige Verben können transitiv und intransitiv gebraucht werden, sie bilden das Perfekt entsprechend mit *haben* oder *sein* (z. B. *hat/ist* gefahren) (vgl. §1).

Infinitiv	3. Ps. Sg. Präsens	3. Ps. Sg. Präteritum	3. Ps. Sg. Perfekt
backen	backt/bäckt	backte/buk	hat gebacken
befehlen	befiehlt	befahl	hat befohlen
beginnen	beginnt	begann	hat begonnen
beißen	beißt	biss	hat gebissen
bergen	birgt	barg	hat geborgen
bersten	birst	barst	ist geborsten
betrügen	betrügt	betrog	hat betrogen
bewegen*	bewegt	bewog	hat bewogen
biegen	biegt	bog	hat/ist gebogen
bieten	bietet	bot	hat geboten
binden	bindet	band	hat gebunden
bitten	bittet	bat	hat gebeten
blasen	bläst	blies	hat geblasen
bleiben	bleibt	blieb	ist geblieben
braten	brät	briet	hat gebraten
brechen	bricht	brach	hat/ist gebrochen
brennen	brennt	brannte	hat gebrannt
bringen	bringt	brachte	hat gebracht
denken	denkt	dachte	hat gedacht
dreschen	drischt	drosch	hat gedroschen
dringen	dringt	drang	ist gedrungen
dürfen	darf	durfte	hat gedurft
empfangen	empfängt	empfing	hat empfangen
empfehlen	empfiehlt	empfahl	hat empfohlen
empfinden	empfindet	empfand	hat empfunden
erklimmen	erklimmt	erklomm	hat erklommen
erschallen	erschallt	erscholl	ist erschollen
erlöschen	erlischt	erlosch	ist erloschen

Infinitiv	3. Ps. Sg. Präsens	3. Ps. Sg. Präteritum	3. Ps. Sg. Perfekt
erschrecken*	erschrickt	erschrak	ist erschrocken
erwägen	erwägt	erwog	hat erwogen
essen	isst	aß	hat gegessen
fahren	fährt	fuhr	hat/ist gefahren
fallen	fällt	fiel	ist gefallen
fangen	fängt	fing	hat gefangen
fechten	ficht	focht	hat gefochten
finden	findet	fand	hat gefunden
flechten	flicht	flocht	hat geflochten
fliegen	fliegt	flog	hat/ist geflogen
fliehen	flieht	floh	ist geflohen
fließen	fließt	floss	ist geflossen
fressen	frisst	fraß	hat gefressen
frieren	friert	fror	hat gefroren
gären*	gärt	gor	hat/ist gegoren
gebären	gebärt/gebiert	gebar	hat geboren
geben	gibt	gab	hat gegeben
gedeihen	gedeiht	gedieh	ist gediehen
gehen	geht	ging	ist gegangen
gelingen	gelingt	gelang	ist gelungen
gelten	gilt	galt	hat gegolten
genesen	genest	genas	ist genesen
genießen	genießt	genoss	hat genossen
geraten	gerät	geriet	ist geraten
geschehen	geschieht	geschah	ist geschehen
gewinnen	gewinnt	gewann	hat gewonnen
gießen	gießt	goss	hat gegossen
gleichen	gleicht	glich	hat geglichen
gleiten	gleitet	glitt	ist geglitten
glimmen*	glimmt	glomm	hat geglommen
graben	gräbt	grub	hat gegraben
greifen	greift	griff	hat gegriffen

Infinitiv	3. Ps. Sg. Präsens	3. Ps. Sg. Präteritum	3. Ps. Sg. Perfekt
haben	hat	hatte	hat gehabt
halten	hält	hielt	hat gehalten
hängen*	hängt	hing	hat gehangen
hauen	haut	haute/hieb	hat gehauen
heißen	heißt	hieß	hat geheißen
helfen	hilft	half	hat geholfen
kennen	kennt	kannte	hat gekannt
klingen	klingt	klang	hat geklungen
kneifen	kneift	kniff	hat gekniffen
kommen	kommt	kam	ist gekommen
können	kann	konnte	hat gekonnt
kriechen	kriecht	kroch	ist gekrochen
laden	lädt	lud	hat geladen
lassen	lässt	ließ	hat gelassen
laufen	läuft	lief	ist gelaufen
leiden	leidet	litt	hat gelitten
leihen	leiht	lieh	hat geliehen
lesen	liest	las	hat gelesen
liegen	liegt	lag	hat gelegen
lügen	lügt	log	hat gelogen
mahlen	mahlt	mahlte	hat gemahlen
meiden	meidet	mied	hat gemieden
melken	melkt/milkt	melkte/molk	hat gemolken
messen	misst	maß	hat gemessen
mögen	mag	mochte	hat gemocht
müssen	muss	musste	hat gemusst
nehmen	nimmt	nahm	hat genommen
nennen	nennt	nannte	hat genannt
pfeifen	pfeift	pfiff	hat gepfiffen
reiben	reibt	rieb	hat gerieben
reißen	reißt	riss	hat/ist gerissen
reiten	reitet	ritt	hat/ist geritten

Infinitiv	3. Ps. Sg. Präsens	3. Ps. Sg. Präteritum	3. Ps. Sg. Perfekt
rennen	rennt	rannte	ist gerannt
riechen	riecht	roch	hat gerochen
ringen	ringt	rang	hat gerungen
rinnen	rinnt	rann	ist geronnen
rufen	ruft	rief	hat gerufen
salzen	salzt	salzte	hat gesalzen
saufen	säuft	soff	hat gesoffen
saugen*	saugt	sog	hat gesogen
schaffen*	schafft	schuf	hat geschaffen
scheiden	scheidet	schied	hat/ist geschieden
scheinen	scheint	schien	hat geschienen
schelten	schilt	schalt	hat gescholten
scheren*	schert	schor	hat geschoren
schieben	schiebt	schob	hat geschoben
schießen	schießt	schoss	hat/ist geschossen
schinden	schindet	schindete	hat geschunden
schlafen	schläft	schlief	hat geschlafen
schlagen	schlägt	schlug	hat geschlagen
schleichen	schleicht	schlich	ist geschlichen
schleifen*	schleift	schliff	hat geschliffen
schließen	schließt	schloss	hat geschlossen
schlingen	schlingt	schlang	hat geschlungen
schmeißen	schmeißt	schmiss	hat geschmissen
schmelzen	schmilzt	schmolz	hat/ist geschmolzen
schneiden	schneidet	schnitt	hat geschnitten
schreiben	schreibt	schrieb	hat geschrieben
schreien	schreit	schrie	hat geschrien
schreiten	schreitet	schritt	ist geschritten
schweigen	schweigt	schwieg	hat geschwiegen
schwellen*	schwillt	schwoll	ist geschwollen
schwimmen	schwimmt	schwamm	hat/ist geschwommen
schwinden	schwindet	schwand	ist geschwunden

Infinitiv	3. Ps. Sg. Präsens	3. Ps. Sg. Präteritum	3. Ps. Sg. Perfekt
schwingen	schwingt	schwang	hat geschwungen
schwören	schwört	schwor	hat geschworen
sehen	sieht	sah	hat gesehen
sein	ist	war	ist gewesen
senden*	sendet	sandte	hat gesandt
singen	singt	sang	hat gesungen
sinken	sinkt	sank	ist gesunken
sinnen	sinnt	sann	hat gesonnen
sitzen	sitzt	saß	hat gesessen
sollen	soll	sollte	hat gesollt
spalten	spaltet	spaltete	hat gespalten
sprechen	spricht	sprach	hat gesprochen
sprießen	sprießt	spross	ist gesprossen
springen	springt	sprang	ist gesprungen
stechen	sticht	stach	hat gestochen
stecken	steckt	steckte/stak	hat gesteckt
stehen	steht	stand	hat gestanden
stehlen	stiehlt	stahl	hat gestohlen
steigen	steigt	stieg	ist gestiegen
sterben	stirbt	starb	ist gestorben
stinken	stinkt	stank	hat gestunken
stoßen	stößt	stieß	hat/ist gestoßen
streichen	streicht	strich	hat gestrichen
streiten	streitet	stritt	hat gestritten
tragen	trägt	trug	hat getragen
treffen	trifft	traf	hat getroffen
treiben	treibt	trieb	hat/ist getrieben
treten	tritt	trat	hat/ist getreten
trinken	trinkt	trank	hat getrunken
trügen	trügt	trog	hat getrogen
tun	tut	tat	hat getan
verbleichen	verbleicht	verblich	ist verblichen

Infinitiv	3. Ps. Sg. Präsens	3. Ps. Sg. Präteritum	3. Ps. Sg. Perfekt
verderben	verdirbt	verdarb	hat/ist verdorben
verdrießen	verdrießt	verdross	hat verdrossen
vergessen	vergisst	vergaß	hat vergessen
verlieren	verliert	verlor	hat verloren
verschleißen	verschleißt	verschliss	hat verschlissen
verschwinden	verschwindet	verschwand	ist verschwunden
verzeihen	verzeiht	verzieh	hat verziehen
wachsen*	wächst	wuchs	ist gewachsen
waschen	wäscht	wusch	hat gewaschen
weben*	webt	wob	hat gewoben
weichen	weicht	wich	ist gewichen
weisen	weist	wies	hat gewiesen
wenden*	wendet	wandte	hat gewandt
werben	wirbt	warb	hat geworben
werden	wird	wurde	ist geworden
werfen	wirft	warf	hat geworfen
wiegen*	wiegt	wog	hat gewogen
winden	windet	wand	hat gewunden
wissen	weiß	wusste	hat gewusst
wollen	will	wollte	hat gewollt
wringen	wringt	wrang	hat gewrungen
ziehen	zieht	zog	hat/ist gezogen
zwingen	zwingt	zwang	hat gezwungen

III Verben, nach denen Infinitivsätze stehen können – mit obligatorischem oder fakultativem Korrelat bzw. ohne Korrelat

* = eine Akkusativergänzung ist hier nie ein Nomen, sondern z. B.: *alles, einiges, etwas, nichts, (nicht) viel, (nur) wenig* u. a.

( ) = fakultativ

jdn. abbringen davon	jdn. anklagen
sich abfinden damit	es (jdm.) darauf ankommen
sich abgeben damit	es ankommen lassen darauf
(es) sich/jdm. abgewöhnen	(es) jdm. anlasten
jdn. abhalten davon	es anlegen darauf
abkommen davon	jdn. anleiten (dazu)
ablassen (davon)	(es) sich anmaßen
es ablehnen	anordnen
sich abmühen (damit)	es jdm. hoch anrechnen
sich abplagen damit	(jdn.) anregen (dazu)
(jdm.) abraten (davon)	jdn. anspornen dazu
absehen davon	jdn. anstiften (dazu)
abzielen darauf	sich anstrengen
achten darauf	jdn. antreiben (dazu)
achtgeben darauf	jdn. anweisen
es akzeptieren	appellieren an jdn.
(jdm.) anbieten	arbeiten daran
es sich anbieten	sich ärgern (darüber)
jdm. androhen	(es) jdn. ärgern
anfangen	(jdn.) auffordern (dazu)
jdn. anfeuern (dazu)	es aufgeben (= verzichten)
jdn. anflehen	sich/jdn. aufhalten damit
angeben (= nennen)	jdn. aufhetzen (dazu)
angeben damit	aufhören (damit)
(es) sich/jdm. ab-/angewöhnen	sich auflehnen dagegen
jdn. anhalten dazu	sich aufraffen (dazu)
(es) jdm. anheimstellen	(jdn.) aufrufen dazu

sich aufschwingen (dazu)	begehren
jdn. aufstacheln (dazu)	beginnen
jdm. auftragen	etw. beginnen damit
etw. aufwenden (dafür)	jdn. beglückwünschen (dazu)
jdn. ausersehen (dazu)	sich begnügen damit
jdn. auserwählen dazu	es begrüßen
etw. ausgeben (dafür)	beharren darauf
es nicht (lange/länger) aushalten	behaupten
ausholen dazu	jdn. behüten davor
ausmachen (mit jdm.) (= (sich) verabreden (mit jdm.))	(etw./nichts u. a.*) beitragen dazu
es jdm. etwas/nichts u. a.* ausmachen	bekennen
es ausnutzen	sich bekennen dazu
aussein darauf	sich beklagen darüber
sich aussprechen dafür/dagegen	(es) beklagen
jdn. auswählen dafür	etw. bekommen dafür
sich positiv/vorteilhaft u. a. auswirken	es jdm. (nicht) bekommen
sich auszeichnen durch	es jdn. belasten
jdn. autorisieren (dazu)	sich bemühen (darum)
bangen (darum)	jdn./etw. benutzen (dazu)
beabsichtigen	(jdn.) berechtigen (dazu)
beanspruchen	(es) bereuen
beantragen	sich berufen darauf
jdn. beauftragen (damit)	(es) jdn. beruhigen
(es) bedauern	sich/jdn. beschäftigen damit
es jdm. etwas/nichts u. a.* bedeuten	jdn. beschirmen davor
jdn. bedrängen	beschließen
jdn. bedrohen damit	sich beschränken darauf
sich beeilen (damit)	jdn. beschuldigen
sich befassen damit	jdn. beschützen davor
(jdm.) befehlen	sich beschweren (darüber)
(es) befürchten	jdn. beschwören
befürworten	jdn. bestärken darin

bestehen darauf	(jdm.) drohen damit
bestehen darin	sich drücken davor
jdn. bestrafen dafür	sich durchringen dazu
bestreiten	dürsten (danach)
beteuern	sich eignen dafür/dazu
jdn. betrauen damit	sich einbilden
(es) jdn. beunruhigen	sich etwas/nichts * einbilden darauf
jdn. bevollmächtigen (dazu)	jdm. einfallen
es bevorzugen	(sich/jdm.) eingestehen
jdn./etw. bewahren davor	sich einigen (darauf/darüber)
jdn. bewegen dazu	(jdn.) einladen (dazu)
sich bewerben darum	sich einlassen darauf
bezweifeln	einräumen
(jdn.) bitten (darum)	sich/jdm. einreden
jdm. nichts anderes übrig bleiben(,) als	jdm. einschärfen
(es) jdm. (nicht) erspart bleiben	(es) einsehen
brennen darauf	sich einsetzen dafür
jdn. bringen darauf (= hinweisen)	sich einstellen darauf
jdn. bringen dazu (= veranlassen)	eintreten dafür
es nicht über sich bringen	einwilligen
sich brüsten damit	sich ekeln davor
darangehen	es jdm./jdn. ekeln davor
alles daransetzen	(jdm.) empfehlen
dasein dafür/dazu	es sich empfehlen
(es) (etw./nichts u. a.*) dazugehören	jdn. entbinden davon
jdn. degradieren dazu	entscheiden
denken daran (= die Absicht haben)	sich entscheiden (dafür)
(jdm.) dienen dazu	sich entschließen (dazu)
drängen darauf	sich entschuldigen (dafür)/damit
sich drängen danach	sich entsinnen
jdn. drängen (dazu)	sich erinnern (daran)
es jdn. drängen (dazu)	(jdn.) erinnern daran
dringen darauf	erklären

sich bereit erklären	es jdn. freuen
es jdm. erlassen	sich außerstande/genötigt/ verpflichtet u. a. fühlen (dazu)
(jdm.) erlauben	fürchten
sich erlauben	sich fürchten (davor)
es sich +D (nicht) erlauben können	etwas/nichts u. a.* geben darauf
es jdm. erleichtern	gedenken (= beabsichtigen)
jdn. ermächtigen (dazu)	es sich (nicht) gefallen lassen
jdn. ermahnen (dazu)	es jdm. gefallen
(es) jdm. ermöglichen	es (jdm.) gehen darum
jdn. ermuntern (dazu)	es sich (nicht) gehören
jdn. ermutigen (dazu)	es jdm. gelingen
es jdm. erschweren	geloben
es sich/jdm. ersparen (können)	es jdm./jdn. gelüsten danach
jdn. ersuchen (darum)	sich genieren
es nicht ertragen können	es genießen
erwägen	es (jdm.) genügen
erwarten	(jdm.) gestatten
es nicht erwarten können	gestehen
jdn. erziehen dazu	sich getrauen
feilschen darum	jdn. gewinnen dafür
es (nicht) fertigbringen	sich/jdn. gewöhnen daran
festhalten daran	glauben
fiebern danach	es jdm. gönnen
sich bereit finden	es abgesehen haben darauf
es gut/falsch u. a. finden	es eilig/gern u. a. haben
fordern	etwas/nichts u. a.* halten davon
fortfahren (damit)	es sich handeln darum
es jdm. freistehen	es hassen
(es) jdm. freistellen	(jdm.) helfen (dabei)
sich freuen (daran) *(Dauer)*	jdn. herausfordern dazu
sich freuen (darauf) *(Zukunft)*	nicht herumkommen darum
sich freuen (darüber) *(Ggw./Vgh.)*	jdn. hindern (daran)

es nicht hinnehmen können	es naheliegen
(jdn.) hinweisen darauf	es auf sich nehmen
hoffen	es sich nicht nehmen lassen
hungern danach	neigen dazu
sich hüten (davor)	jdn. nötigen (dazu)
jammern darüber	etw. nutzen/nützen dazu
jubeln darüber	es (jdm.) (etwas/nichts u. a.*) nutzen/nützen
kämpfen dafür/darum/dagegen	plädieren dafür/dagegen
klagen (darüber)	sich/jdn. plagen damit
kommen darauf	planen
sich konzentrieren darauf	pochen darauf
es jdn. langweilen	prahlen damit
leben dafür	probieren
leben davon	protestieren dagegen
es jdm. leichtfallen	sich rächen dafür
leiden daran/darunter	(jdm.) raten (dazu)
es sich nicht leisten können	rechnen damit
leugnen	es jdn. reizen
es (nicht) lieben	ringen darum
(es) jdm. (etwas/nichts u. a.*) liegen daran	(es) riskieren
es lohnt sich	sich rühmen
es jdm. leicht/möglich u. a. machen	es schaffen
sich etwas/nichts u. a.* machen daraus	sich schämen
(es) sich bezahlt machen	es schätzen
meinen	sich scheuen (davor)
es jdm. missfallen	schwärmen davon
es jdm. misslingen	es jdm. schwerfallen
mitwirken daran/dabei	schwören
es mögen	sich außerstande/gezwungen/nicht imstande/veranlasst u. a. sehen (dazu)
jdn. motivieren dazu	sich sehnen danach
jdm. nachweisen	(gerade) dabei sein
jdm. nahelegen	dafür/dagegen sein

341

jdm. sein danach	es unterlassen
drauf und dran sein *(ugs.)*	es unternehmen
nahe daran sein *(ugs.)*	(es) (jdm.) untersagen
sinnen darauf	sich unterstehen
spekulieren darauf	sich mit jdm. verabreden
sich sperren dagegen	es verabscheuen
sich spezialisieren darauf	es verachten
alles/nichts u. a.* spricht dafür/dagegen	(jdn.) veranlassen (dazu)
staunen (darüber)	es nicht verantworten können
stehen dazu	(es) (jdm.) verbieten
stimmen dafür/dagegen	sich verbürgen dafür
stöhnen darüber	jdn. verdächtigen
sich stoßen daran	es verdienen
sich sträuben (dagegen)	es verdient haben
streben danach	mit jdm. vereinbaren
sich stürzen darauf	jdn. verführen (dazu)
taugen dazu	vergessen
trachten danach	verharren dabei
sich trauen	jdm. verhelfen dazu
trauern darum	(von jdm.) verlangen
träumen (davon)	es jdn. verlangen danach
jdn. treiben dazu	sich verlassen (können) darauf
trinken darauf	sich verlegen darauf
sich üben darin	jdn. verleiten (dazu)
übereinstimmen darin	es vermeiden
übergehen dazu	sich/jdn. verpflichten dazu
es jdm. überlassen	(es) versäumen
es übernehmen	es verschmähen
es jdn. überraschen	(jdm.) versichern
jdn. überreden (dazu)	sich etwas/nichts u. a.* versprechen davon
sich überwinden dazu	(jdm.) versprechen
sich/jdn. überzeugen (davon)	sich verständigen darüber
es umgehen	sich verstehen darauf

(es) verstehen	sich weigern
versuchen	es (jdm.) weiterhelfen
es nicht vertragen (können)	sich wenden dagegen
vertrauen darauf	werben dafür/darum
jdn. verurteilen (dazu)	nicht müde werden
(es) jdm. verwehren	es jdm. widerstreben
(es) jdm. verzeihen	es jdn. wundern
verzichten darauf	jdm. wünschen
sich/jdn. vorbereiten darauf	zählen darauf
vorgeben	(ab)zielen darauf
vorhaben	zittern davor
jdm. vorhalten	zögern
sich vornehmen	sich zufriedengeben damit
(jdm.) vorschlagen	zugeben
(jdm.) vorschreiben	jdm. zugestehen
jdm. etw. vorschweben	(es) sich/jdm. zumuten
vorsehen	jdm. zureden
(jdm.) vortäuschen	zurückschrecken (davor)
jdm. vorwerfen	(jdm.) zusagen
(es) vorziehen	jdm. zusichern
(es) wagen	jdm. zutrauen
(jdn.) warnen (davor)	zweifeln daran
warten darauf	sich/jdn. zwingen (dazu)
sich wehren dagegen	

IV Adjektive und Partizipien, nach denen Infinitivsätze stehen können – mit obligatorischem oder fakultativem Korrelat bzw. ohne Korrelat

Die mit ° gekennzeichneten Adjektive und Partizipien haben als Subjekt *es*
(*Es ist abstoßend,* + Infinitiv mit *zu*). Die übrigen Adjektive und Partizipien
haben ein persönliches Subjekt (*Er ist nicht abgeneigt* + Infinitiv mit *zu*).
Beispiele für den Gebrauch von *es*:
Es ist abstoßend, ...
Abstoßend ist (es,) ...
Natürlich ist es abstoßend, ...

(nicht) abgeneigt	begierig (darauf/danach)
abstoßend °	beglückt (darüber)
(un)angebracht °	behilflich (dabei)
(un)angemessen °	bekannt dafür
(un)angenehm °	bekümmert (darüber)
angewiesen darauf	bemüht (darum)
jdm. angst (und bange) davor	(un)bequem °
anmaßend °	berechtigt (dazu)
aufgelegt dazu	berechtigt °
aufregend °	bereit (dazu)
ausersehen (dazu)	beruhigend °
auserwählt dazu	beschäftigt damit
ausgeschlossen °	beschämend °
außerstande	beschämt (darüber)
aussichtslos °	beschwerlich °
beabsichtigt °	besessen davon
beauftragt (damit)	bestrebt
bedacht darauf	bevollmächtigt
(un)bedenklich °	dumm °
befähigt (dazu)	einfach °
(un)befriedigend °	eingebildet darauf
befugt (dazu)	eingeschworen darauf
begeistert (davon)	eingestellt darauf

empfehlenswert °	geübt darin
weit entfernt davon	gewillt
entrüstet (darüber)	gewohnt °
entschlossen (dazu)	gewöhnt daran
entsetzt darüber	gezwungen (dazu)
entzückt (darüber/davon)	gierig (darauf/danach)
erbittert darüber	(un)glücklich (darüber)
erbost darüber	(un)günstig °
(un)erfahren darin	(un)gut °
erfolgversprechend °	heilsam °
erforderlich °	(un)höflich °
(un)erfreulich °	imstande (dazu)
erfreut (darüber)	(un)interessant °
erlaubt °	interessiert daran
erpicht darauf	(un)klug °
erstaunt (darüber)	klug genug (dazu)
erstrebenswert °	korrekt °
(un)fähig (dazu)	krankhaft °
falsch °	lästig °
(jdm.) freigestellt °	lehrreich °
froh (darüber)	leicht °
gedacht daran °	leid °
(un)geeignet (dafür/dazu)	(un)möglich
(un)gefährlich °	motiviert (dazu)
gefasst darauf	nachteilig °
jdm. gelegen daran	(un)natürlich °
geneigt (dazu)	neugierig (darauf)
genötigt (dazu)	(un)nötig °
geplant °	notwendig °
(un)gerecht °	nützlich °
gerechtfertigt °	peinlich °
gespannt (darauf) gestattet °	(un)praktisch °
(un)gesund °	(un)problematisch °

ratsam °	ungehalten darüber
recht und billig ° (= gerecht)	unnütz °
richtig °	unpassend °
riskant °	unsinnig °
rücksichtslos °	(jdm.) untersagt °
rücksichtsvoll °	unumgänglich °
(un)schädlich °	unverantwortlich °
scharf darauf *(ugs.)*	verabredet °
schlecht °	verantwortlich dafür
schmerzlich °	verboten °
(un)schön °	verderblich °
schwer/schwierig °	verpflichtet (dazu)
selbstverständlich °	verrückt °
sinnlos °	verrückt danach *(ugs.)*
sinnvoll °	versessen darauf
spannend °	versucht
spezialisiert darauf	verurteilt dazu
stolz (darauf)	vorbereitet darauf
süchtig danach	vorgeschrieben °
teuer °	vorgesehen °
traurig (darüber)	(un)vorteilhaft °
überrascht (darüber)	(un)wichtig °
überzeugt (davon)	(un)zulässig °
(un)üblich °	(un)zumutbar °
umsonst °	(un)zureichend °
unerlässlich °	zuständig dafür
unerträglich °	zwingend °

V Nomen, nach denen Infinitivsätze stehen können – mit fakultativem Korrelat bzw. ohne Korrelat

die Absicht	die Bestrebung
das Angebot	das Bewusstsein
die Angst (davor)	die Bitte
das Anliegen	die Chance
die Anmaßung	der Drang (danach)
das Anrecht (darauf)	die Drohung
die Anregung	die Einladung
der Anspruch (darauf)	die Einsicht
der Antrag	die Einstellung
der Appell	die Empfehlung
die Art	die Entscheidung
die Aufforderung	der Entschluss
die Aufgabe	die Enttäuschung (darüber)
der Aufruf	die Erkenntnis
der Auftrag	die Erklärung
die Aussicht (darauf)	die Erlaubnis (dafür/dazu)
das Bedauern	die Ermächtigung
die Bedenken (Pl.)	die Ermahnung
das Bedürfnis (danach)	die Erwartung
der Befehl	die (Un)Fähigkeit
die Befürchtung	die Forderung
die Behauptung	die Freiheit
das Bekenntnis	die Freude (daran)
das Bemühen	die Furcht (davor)
die Bemühung	die Garantie (dafür)
die Berechtigung (dazu)	die Gefahr
die Bereitschaft (dazu)	das Gefühl
der Beschluss	die Gelegenheit (dazu)
die Besorgnis	die Genehmigung
das Bestreben	das Geständnis

die Gewissheit (darüber)		die Sorge
die Gewohnheit		die Tendenz
der Glaube		die Überzeugung
das Glück		die Unsicherheit (darüber)
die Hoffnung		die Verantwortung (dafür)
die Idee		das Verbot
die Illusion		das Verdienst
das Interesse (daran)		das Vergnügen
die Klage (darüber)		das Verlangen (danach)
die Kunst		das Vermögen (= die Fähigkeit)
die Lust		die Vermutung
die Mahnung		die Verpflichtung
die Methode		das Versäumnis
die Möglichkeit (dazu)		das Versprechen
die Motivation (dazu)		der Versuch
der Mut (dazu)		die Versuchung
der Nachteil		die Voraussetzung (dafür)
die Neigung (dazu)		der Vorschlag
die Notwendigkeit		die Vorstellung
das Pech		der Vorteil
die Pflicht		der Vorwand
der Plan		der Vorwurf
das Prinzip		das Wagnis
das Privileg		die Wahrscheinlichkeit
das Problem		die Warnung
der Rat(schlag)		die Weigerung
das Recht (darauf)		der Wille
das Risiko		der Wunsch
die Scheu (davor)		die Zeit (dazu)
das Schicksal		das Ziel
die Schwierigkeit (damit)		die Zumutung
die Sehnsucht (danach)		die Zusicherung
die Sicherheit		der Zwang

VI Feste Verb-Nomen-Verbindungen / Funktions-verbgefüge, nach denen Infinitivsätze stehen können – mit obligatorischem oder fakultativem Korrelat bzw. ohne Korrelat

Verben	Nomen
sich anfreunden (können)	sich mit dem Gedanken / mit der Idee / mit dem Vorschlag / mit der Vorstellung u. a. anfreunden (können)
ansehen	es als seine Aufgabe / als seine Pflicht u. a. ansehen
auffassen	es als Beleidigung / als Schwäche / als Vorwurf u. a. auffassen
äußern	die Bitte / den Wunsch u. a. äußern
bekommen	die Anregung / den Auftrag / den Befehl / die Erlaubnis / den Rat u. a. bekommen
besitzen	die Fähigkeit / die Frechheit / den Mut u. a. besitzen
bestehen	(es) besteht (kein) Anlass / die Chance / (die) Gelegenheit / die Möglichkeit / Unsicherheit darüber u. a.
betrachten	es als seine Aufgabe / seine Pflicht / sein Recht u. a. betrachten
bezeichnen	es als Fehler / als Schwäche / als Versäumnis u. a. bezeichnen
bieten	jdm. die Gelegenheit / die Chance / die Möglichkeit u. a. bieten
sich bieten	(es) bietet sich (jdm.) die Chance / die Gelegenheit / die Möglichkeit u. a.
dazugehören	(es) gehört Energie / Mut / Frechheit u. a. dazu
eingehen	das Risiko / die Verpflichtung u. a. eingehen
einlegen	Einspruch / Beschwerde u. a. einlegen dagegen
empfinden	es als Ungerechtigkeit / als Widerspruch u. a. empfinden
erfordern	es erfordert Geduld / Geld / Mut / Zeit u. a.
erhalten	den Auftrag / den Befehl / den Rat u. a. erhalten
erheben	Anklage dagegen / Anspruch darauf / den Einwand / Klage / den Vorwurf u. a. erheben
erklären	seine Bereitschaft / sein Einverständnis erklären
erteilen	(jdm.) den Auftrag / den Befehl / die Erlaubnis / den Rat u. a. erteilen
fassen	den Beschluss / den Entschluss fassen / Mut fassen

finden	Gefallen / Geschmack / Spaß finden daran
führen	Beschwerde darüber / den Beweis (dafür) u. a. führen
geben	(jdm.) die Anregung / den Befehl / die Erlaubnis / die Garantie (dafür) / den Rat / den Tipp / das Versprechen u. a. geben
sich geben	sich Mühe geben
gelten	(es) gilt als Fortschritt / als Versäumnis u. a.
haben	Angst (davor) / (keinen) Anlass (dazu) / ein Anrecht darauf / die Chance / die Erlaubnis / Freude daran / Gefallen daran / das Gefühl / (die) Gelegenheit / Interesse daran / das Recht / ein Recht darauf / den Willen u. a. haben es hat keinen Zweck / keinen Sinn
halten	es für sein Recht / seine Pflicht u. a. halten
kommen	auf den Gedanken / auf die Idee / zu der Erkenntnis u. a. kommen
kosten	es kostet Geld / Kraft / Mühe / Überwindung u. a.
legen	Wert legen darauf (es) jdm. zur Last legen
machen	jdm. Hoffnung / Mut / den Vorwurf u. a. machen (jdm.) das Angebot / den Vorschlag u. a. machen es macht Sinn es macht Arbeit / Ärger / Freude / Kummer / Mühe / Mut / Sorgen / Spaß u. a.
sich machen	sich Hoffnung(en) machen (darauf) sich die Mühe / den Vorwurf machen es sich zur Aufgabe / zur Pflicht u. a. machen
nehmen	Abstand nehmen davon (für sich) in Anspruch nehmen es in Kauf nehmen
sich nehmen	sich das Recht / die Freiheit u. a. nehmen
sehen	seine Aufgabe / seine Pflicht u. a. sehen darin
sein	im Begriff / in der Lage sein es ist jdm. ein Bedürfnis / eine Freude / ein Vergnügen / ein Albtraum u. a.
stellen	den Antrag / die Aufgabe / die Forderung u. a. stellen (jdm.) in Aussicht stellen jdn. vor die Entscheidung stellen

sich stellen	sich zur Verfügung stellen
suchen	eine Gelegenheit suchen (dafür)
tragen	es mit Fassung / mit Geduld / mit Humor u. a. tragen
sich tragen	sich mit der Absicht / mit dem Gedanken / mit der Hoffnung / mit der Idee / mit dem Plan tragen
treffen	die Entscheidung / die Verabredung u. a. treffen jdn. die/keine Schuld (daran) treffen
übertragen	jdm. die Aufgabe übertragen
unternehmen	den Versuch unternehmen
versetzen	jdn. in die Lage versetzen
zugestehen	jdm. (etw. / das Recht) zugestehen
zustehen	jdm. etw. zustehen

VII Reflexivverben, die ein Zustandsreflexiv (vorzeitig) bzw. eine reflexive Zustandsform (gleichzeitig) bilden können

VZ = Vorzeitigkeit, GZ = Gleichzeitigkeit

sich abarbeiten	VZ	abgearbeitet sein
sich abhärten gegen +A	VZ	abgehärtet sein gegen +A
sich abmelden	VZ	abgemeldet sein
sich absichern gegen +A	VZ	abgesichert sein gegen +A
sich abtrocknen	VZ	abgetrocknet sein
sich anmelden bei +D für +A	VZ	angemeldet sein bei +D für +A
sich anpassen	GZ	angepasst sein
sich anstrengen	GZ	angestrengt sein
sich anziehen	VZ	angezogen sein
sich (gut u. a.) anziehen	GZ	(gut u. a.) angezogen sein
sich aufregen	GZ	aufgeregt sein
sich ausruhen	VZ	ausgeruht sein
sich aussöhnen mit +D	VZ	ausgesöhnt sein mit +D
sich ausziehen	VZ	ausgezogen sein
sich befreien von +D	VZ	befreit sein von +D
sich befreunden mit +D	VZ	befreundet sein mit +D
sich begeistern für +A	GZ	begeistert sein von +D
sich beherrschen	GZ	beherrscht sein
sich bemühen um +A	GZ	bemüht sein um +A
sich beruhigen	VZ	beruhigt sein
sich beschäftigen mit +D	GZ	beschäftigt sein mit +D
sich besinnen	GZ	besonnen sein
sich beteiligen an +D	GZ	beteiligt sein an +D
sich betrinken	VZ	betrunken sein
sich bilden (= sich Bildung aneignen)	VZ	gebildet sein
sich blamieren	VZ	blamiert sein

sich distanzieren von +D	*GZ*	distanziert sein (gegenüber +D)
sich duschen	*VZ*	geduscht sein
sich eignen für +A / zu +D	*GZ*	geeignet sein für +A / zu +D
sich +D etw. einbilden auf +A	*GZ*	eingebildet sein auf +A
sich (gut) einspielen aufeinander	*VZ*	(gut) eingespielt sein aufeinander
sich einstellen auf +A	*VZ*	eingestellt sein auf +A
sich empören über +A	*GZ*	empört sein über +A
sich engagieren	*GZ*	engagiert sein
sich entrüsten über +A	*GZ*	entrüstet sein über
sich entschließen zu +D	*VZ*	entschlossen sein zu +D
sich entschuldigen	*GZ*	entsetzt sein über +A
sich entsetzen über +A	*VZ*	entschuldigt sein
sich entspannen	*VZ*	entspannt sein
sich entwickeln	*VZ*	entwickelt sein
sich entzweien mit +D	*VZ*	entzweit sein
sich erholen	*VZ*	erholt sein
sich erkälten	*VZ*	erkältet sein
sich erleichtern	*VZ*	erleichtert sein
sich erregen	*GZ*	erregt sein
sich fassen	*VZ*	gefasst sein
sich gewöhnen an +A	*VZ*	gewöhnt sein an +A etw. gewohnt sein
sich gliedern in +A	*GZ*	gegliedert sein in +A
sich gründen auf +A	*GZ*	gegründet sein auf +A
sich informieren über +A	*VZ*	informiert sein über +A
sich interessieren für +A	*GZ*	interessiert sein an +A
sich kämmen	*VZ*	gekämmt sein
sich konzentrieren auf +A	*GZ*	konzentriert sein auf +A
sich melden bei +D	*VZ*	gemeldet sein bei +D
sich orientieren an +D	*GZ*	orientiert sein an +D

sich orientieren über +A	VZ	orientiert sein über +A
sich pflegen	GZ	gepflegt sein
sich plagen mit +D	GZ	geplagt sein mit +D
sich qualifizieren für +A	VZ	qualifiziert sein für +A
sich rasieren	VZ	rasiert sein
sich richten an +A / auf +A / gegen +A	GZ	gerichtet sein an +A / gegen +A
sich scheiden lassen	VZ	geschieden sein
sich schminken	VZ	geschminkt sein
sich sichern gegen	VZ	gesichert sein gegen +A
sich sorgen um +A	GZ	besorgt sein um +A
sich spezialisieren auf +A	VZ	spezialisiert sein auf +A
sich trennen von +D	VZ	getrennt sein von +D
sich üben in +D	VZ	geübt sein in +D
sich überanstrengen	VZ	überanstrengt sein
sich überarbeiten	VZ	überarbeitet sein
sich überfordern	GZ	überfordert sein
sich überzeugen von +D	VZ	überzeugt sein von +D
sich umziehen	VZ	umgezogen sein
sich unterrichten über +A	VZ	unterrichtet sein über +A
sich verabreden mit +D zu +D	VZ	verabredet sein mit +D zu +D
sich verändern	VZ	verändert sein
sich verbünden mit +D	VZ	verbündet sein mit +D
sich verfeinden mit +D	VZ	verfeindet sein mit +D
sich verheiraten mit +D	VZ	verheiratet sein mit +D
sich verkleiden	VZ	verkleidet sein
sich verkrachen mit +D (ugs.)	VZ	verkracht sein mit +D (ugs.)
sich verletzen	VZ	verletzt sein
sich verlieben in +A	VZ	verliebt sein in +A
sich verloben mit +D	VZ	verlobt sein mit +D
sich verpflichten zu +D	VZ	verpflichtet sein zu +D

sich versammeln	VZ	versammelt sein
sich jdm./etw. verschließen	GZ	verschlossen sein
sich versehen mit +D	VZ	versehen sein mit +D
sich versichern bei +D gegen +A	VZ	versichert sein bei +D gegen +A
sich versöhnen mit +D	VZ	versöhnt sein mit +D
sich verteilen	GZ	verteilt sein
sich vertiefen in +A	GZ	vertieft sein in +A
sich verwandeln	VZ	verwandelt sein
sich vorbereiten auf +A	VZ	vorbereitet sein auf +A
sich waschen	VZ	gewaschen sein
sich zusammensetzen aus +D	GZ	zusammengesetzt sein aus +D

Verzeichnis der verwendeten Abkürzungen

A	Akkusativ	Konj.	Konjunktiv
A	Österreich (Austria)	lit.	literarischer Sprachgebrauch
Adj.	Adjektiv	Mio./Mill.	Million
Art.	Artikel	N	Nominativ
bzw.	beziehungsweise	n. Chr.	nach Christus
ca.	circa	NS	Nebensatz
CH	die Schweiz	NZ	Nachzeitigkeit
CO_2	Kohlendioxid	Part.	Partizip
D	Dativ	Pass.	Passiv
d. h.	das heißt	Perf.	Perfekt
etc.	et cetera (= und so weiter)	Pl.	Plural
etw.	etwas	Plusq.	Plusquamperfekt
Fut.	Futur	Pos.	Positiv
G	Genitiv	Präp.	Präposition
Ggw.	Gegenwart	Präs.	Präsens
geh.	gehobener Sprachgebrauch	Prät.	Präteritum
geschr.	geschriebene Sprache	Sg.	Singular
geschr./admin.	geschriebene Sprache in Verwaltung, Bürokratie	sog.	sogenannt
		süddt.	süddeutsch
GZ	Gleichzeitigkeit	tr.	transitiv
HS	Hauptsatz	u. a.	und andere
Ind.	Indikativ	ugs.	umgangssprachlich
Inf.	Infinitiv	usw.	und so weiter
itr.	intransitiv	v. Chr.	vor Christus
Jh.	Jahrhundert	Vgh.	Vergangenheit
jd.	jemand	vgl. S.	vergleiche Seite
jdm.	jemandem	VZ	Vorzeitigkeit
jdn.	jemanden	z. B.	zum Beispiel
jds.	jemandes		
Komp.	Komparativ		schwierigere Übung

Index

Quellenverzeichnis

Seite 20:   Selten dumm aufgetankt © dpa
Seite 79:   © dpa Picture-Alliance/Globus Infografik
Seite 92:   Christine Nöstlinger: Armer Kurt
Seite 100:   Brüder Grimm: Der süße Brei, in: Kinder- und Hausmärchen
Seite 102:   Klempner: Komischer Volkskalender, 1848, Hamburg
Seite 106:   Edvard Munch: Der Schrei © Glow Images/Fine Art Images
Seite 112:   Konrad Lorenz: So kam der Mensch auf den Hund © 1983, Deutscher Taschenbuch Verlag, München
Seite 118:   Abiturient geht mit Kuh auf viermonatige Wanderschaft – „Das Nette ist: Wir sind zu zweit"
               © AFP, 30.07.2008
Seite 119:   „Jurassic Park" der Riesensaurier - Größte Dino-Spuren der Welt im französischen Jura entdeckt
               © AFP, 7.10.2009
               Ulrich Greiner: If I had a hammer, in: DIE ZEIT, 11.09.1987
Seite 120:   Christa Reinig: Fische © Paula Schilke, München
Seite 120 f.: Textauszug aus: Manfred Kyber: Gesammelte Tiergeschichten, 1926
Seite 122:   Paul Watzlawick: Anleitung zum Unglücklichsein © 1983, Piper Verlag GmbH, München
Seite 143:   © Thinkstock/iStockphoto
Seite 144:   1, 2, 3, 6 © Thinkstock/iStockphoto; 5 © Thinkstock/Zoonar
Seite 145:   © iStockphoto/JurgaR
Seite 146:   1, 2 © Thinkstock/iStockphoto
Seite 160:   © Thinkstock/iStockphoto
Seite 178:   Johann Wolfgang von Goethe: Die Leiden des junge Werthers © H.-P. Haack
Seite 188:   Studie: Wunsch nach Freiheit blockiert Kinderwunsch © dpa
Seite 191:   „Der Zweckdiener", aus: Bertolt Brecht, Werke. Große kommentierte Berliner und Frankfurter Ausgabe,
               Band 18: Prosa 3. Bertolt-Brecht-Erben/Suhrkamp Verlag 1995
Seite 199:   Irenäus Eibl-Eibesfeldt: Der vorprogrammierte Mensch. München 1982 © Irenäus Eibl-Eibesfeldt
Seite 218:   Mozart © Thinkstock/iStockphoto
Seite 228:   Billy the Kid © Glow Images/The Print Collector
Seite 229:   Logo © Goethe-Institut
Seite 257:   Joseph von Eichendorff: „Das Marmorbild" (1817)
Seite 262:   „Tagesanbruch", „Die Maske des Bösen", „Nachdenkend über die Hölle", aus:
               Bertolt Brecht: Die Gedichte in einem Band. © Bertolt-Brecht-Erben/Suhrkamp Verlag 2007
Seite 263:   Mit freundlicher Genehmigung des Kosmos Verlags, entnommen aus: Erik Zimen: Der Wolf
               © 2003 Franckh-Kosmos Verlags-GmbH & Co. KG, Stuttgart
Seite 270 f.: Textauszug aus: Peter Handke: Die Angst des Tormanns beim Elfmeter. Erzählung. © Suhrkamp Verlag
               Frankfurt am Main 1970. Alle Rechte bei und vorbehalten durch Suhrkamp Verlag Berlin
Seite 272:   Thomas Mann: Der Tod in Venedig. In: ders., Gesammelte Werke in dreizehn Bänden. Band VIII,
               Erzählungen. © S. Fischer Verlag GmbH, Frankfurt am Main, 1960, 1974
               Textauszug aus: Peter Handke: Die Angst des Tormanns beim Elfmeter. Erzählung. © Suhrkamp Verlag
               Frankfurt am Main 1970. Alle Rechte bei und vorbehalten durch Suhrkamp Verlag Berlin
Seite 273:   Thomas Mann: Bekenntnisse des Hochstaplers Felix Krull. In: ders., Gesammelte Werke in dreizehn
               Bänden. Band VII. © S.Fischer Verlag GmbH, Frankfurt am Main 1960, 1974
Seite 275:   Textauszug aus: Wolfgang Hildesheimer: Mitteilungen an Max über den Stand der Dinge und anderes.
               © Suhrkamp Verlag Frankfurt am Main 1983. Alle Rechte bei und vorbehalten durch Suhrkamp Verlag
               Berlin
Seite 278:   Kathrin Fromm: Die 6-Elemente-Bewerbung, in: DIE ZEIT, 6.12.2012
Seite 280:   Kathrin Fromm: Die 6-Elemente-Bewerbung, in: DIE ZEIT, 6.12.2012
Seite 282:   Erfindungsberichte. Arbeitstexte für den Unterricht. Hrsg. von Heinrich Pleticha
Seite 285:   Dabeisein ist alles © dpa; Roald Amundsen © fotolia/Andrea Izzotti
Seite 302:   Wolfgang Schivelbusch: Das Paradies, der Geschmack und die Vernunft. Eine Geschichte der
               Genussmittel. © 1980, Carl Hanser Verlag München
Seite 327:   Skulptur © PantherMedia/Fabrizio Troiani; Frau © Thinkstock/iStockphoto

Großes Übungsbuch Deutsch
Grammatik
296 Seiten
ISBN 978–3–19–101721–7

Das optimale Grammatikübungsbuch!

Das *Große Übungsbuch Deutsch – Grammatik* bietet Ihnen rund 500 abwechslungsreiche Übungen zu allen wichtigen Grammatikthemen, bringt mehr Sicherheit beim Sprechen und Schreiben und hilft, typische Fehler zu vermeiden. Erläuternde Hinweise zu den Übungen in der Randspalte begleiten Sie in Ihrem Lernprozess.

► Übungen zu Grammatik, Idiomatik, korrektem Wortgebrauch und typischen Fehlern

► Alltägliche Themen aus allen Lebensbereichen

► Gliederung nach grammatischen Gesichtspunkten für schnelle Übungsauswahl

► Zweifarbig mit unterhaltsamen Illustrationen und Fotos zur Unterstützung der Aufgabenstellung

► Aufgaben im authentischen Anwendungs- und Handlungskontext für nachhaltigen Lernerfolg

► Ideal zur Prüfungsvorbereitung auf das *Zertifikat Deutsch* und alle A2-, B1-und B2-Prüfungen nach dem *Gemeinsamen Europäischen Referenzrahmen*

► Als Ergänzung zu allen Lerngrammatiken zum Wiederholen und Üben

Hueber Freude an Sprachen

Foto: © Thinkstock/iStockphoto

Großes Übungsbuch Deutsch
Wortschatz
400 Seiten
ISBN 978–3–19–201721–6

Übung macht den Meister!

Das *Große Übungsbuch Deutsch - Wortschatz* bietet eine breite Auswahl an abwechslungsreichen Wortschatz-übungen zu allen wichtigen Themen der Niveaustufen A2 bis C1. Der Titel ermöglicht das Einüben, Wiederholen, Festigen und Erweitern des Wortschatzes und verhilft Ihnen somit zu mehr Sicherheit beim Sprechen und Schreiben.

► Übungen zum Wortschatz, zur Wortbildung und zur Idiomatik

► Abwechslungsreiche Übungsformen mit anwendungs- und handlungsorientierten Aufgaben

► Authentische Textsorten aus dem Alltags- und Arbeitsleben

► Zweifarbig mit unterhaltsamen Illustrationen und Fotos zur Unterstützung der Aufgabenstellung

► Übersichtlicher und ausführlicher Lösungsschlüssel zur Selbstevaluation

► Ideal zur Prüfungsvorbereitung auf das *Zertifikat Deutsch* und alle A2-, B1-und B2-Prüfungen nach dem *Gemeinsamen Europäischen Referenzrahmen*